北京古籍叢書

[清]孫承澤 著 王劍英 點校

春明夢餘録

中册

春明夢餘録卷之三十三

詹事府

詹事府，在皇城東玉河岸上。初設東宫官屬，有同知詹事院事、副詹事、左右詹事、詹事丞、左右率府使、副使、同知左右率府事、諭德、贊善、文學、中舍、正字、侍正、洗馬、庶子等官，皆以勳舊大臣兼之，不别設。已又改贊善爲贊善大夫，設贊讀。洪武十年，置通事司，設司令、司丞，尋革。十四年，設左右司直郎。十五年，置左、右春坊，設大學士；又置司經局，設洗馬、校書、正字。二十二年，以各衙門無所統屬，始置詹事院。二十三年，設校書。二十五年，改院爲府，左、右春坊、司經局皆列署府中。府設詹事一員，少詹事二員，府丞一員，主簿一員，録事二員。左、右春坊設大學士各一員，左、右庶子各一員，左、右諭德各一員，左、右中允各二員，左、右贊善各二員，左、右司直郎各二員。司經局設洗馬二員，校書二員，正字二員。二十九年，添設春坊左、右清紀郎各一員，左、右司諫各一員，通事舍人二員，皆以侍從輔導東宮爲職。左、右春坊則專典東宮上奏請、下啓箋、講讀之事；司直郎掌彈劾糾舉，清紀郎佐之；司諫掌箴誨鑒戒之事，以拾遺補過；洗馬掌收貯經史子集，刊輯圖書，立正本、副本、貯本以備進鑒；校書、正字掌繕寫裝潢，並詮其訛謬，調其音切，以助洗馬；主簿管勾會文移，檢稽脱失，録事佐之；通事舍人典東宮朝參謁辭見之禮，與承令勞問之事，而皆統之於本府。

洪武初，建大本堂，取古今圖籍充其中，召四方名儒教皇太子、諸王。皇太子居文華堂，諸儒專經面授，分番進直，迭班侍從。上時時賜宴賦詩，商畧古今，紬繹文學。其時東宮官皆勳舊大臣兼領，不別置。後始設詹事院，已更名府。設左右春坊、司經局，皆別署，而詹事府總焉。已令春坊、翰林院日二人進講尚書、春秋、資治通鑑、大學衍義、貞觀政要諸書，纂述終始大義爲講章，呈上覽。已，赴文華殿爲皇太子陳説。太子三師、三少、詹事府、鴻臚寺官各一人侍，召則同入。有留身獨進者，給事中、司直、清紀郎劾。而上日所處分府部軍國諸大務，及撫諭四夷恩禮，坊局官日陳説於東宮。已又選秀才張宗濬等隨官僚分直文華殿，侍讀畢，進説民間利害，田里稼穡，古今孝弟忠信、文學材賢諸故事。尋命廷臣舉孝義篤行之士充東宮官。

東宮官如庶子而上，初制大臣兼領。脩撰黎淳等九年考滿，值英宗實録進呈，以纂脩俱陞庶子、諭德等官。淳上言：舊制無專領者，乞以大臣兼之，臣等仍翰林之職。不許。

明初因元人之制，自太師至賓客，皆無所關掌；而詹事以下，至於坊局，始實爲宫臣。然洪武元年，丞相善長、達，平章遇春帶少師、少傅、少保，右都督馮勝帶詹事，平章廖永忠、趙鏞帶副詹事，都督康茂才等帶左、右率府使，副御史大夫湯和、鄧愈帶左、右諭德，中丞劉基、章溢帶贊善大夫。善長、基、溢理省臺，幾事煩，日不暇給，而達、遇春等諸大將帥征討之不遑，然則以虚名被之而已。所日授經者，宋濂輩耳。洪武二十二年，公馮勝、傅友德領太師，藍玉、李景隆領太傅，常昇、侯孫恪領太保，而尚書詹徽兼少保，尚書楊靖領賓客，亦不聞有關掌。永樂初，以公李景隆、邱福領太師，朱能領太傅，尚書蹇義、金忠，侍郎墨麟領少詹事，而學士解縉等七人皆兼坊學士、庶子、諭德、中允等官，顧獨僧姚廣孝專爲太子少師。會上狩北京，廣孝與義、忠、麟留輔太子，學士楊士奇亦以諭德輟閣務，輔太子。而自是以後，三師至賓客，乃爲虚銜。

按：宫僚自昔甚重，唐馬周以位高，恨不能爲司議郎。至後則太輕，故元稹曰：師資保傅之官，非疾廢眊聵不任事者爲之，即休戎罷帥不知書者處之，至於左、諭、贊、議之徒，疎冗散賤之甚者，縉紳恥之。近制宫寮之外，往往以沈滯僻老之儒，充直講侍讀之選，可見其輕矣。至宋時，凡初改官者，即得太子中允，則其輕可見。明制，一作宫寮，便比清卿，其榮極矣。夫此何官，可以不尊崇，此亦今勝於古也。然明初必博選於諸寮，而自穆宗以來，祗爲翰林循級之資，則名雖重而實輕矣。至於師傅之官，古人所重，故有寧加太尉，而不加太傅者。後則總戎緹帥皆得爲之，雖無與於職業，而使天子儲君人得而師保之，亦一大辱也。

王鏊儲教論：昔者成王幼，在襁褓，召公爲太保，周公爲太傅，太公爲太師，所以保其身體，傅其德義，道之教訓，此三公之職也。又置三少，曰少保，曰少傅，曰少師，與太子宴遊者也。又選天下端正、孝悌、博聞、有道術者以翼衛之，所以與居處出入者也。逐去邪人，不得見惡行，故太子生見正事，聞正言，行正道，前後左右皆正人也。其身有不正者乎？古之教太子者，其制如此。今國家之東宫官以序進，未必皆天下之選。學之日，晨而授書，授畢而退；日中進講，講畢而退。況祁寒暑雨，學皆間歇。間歇之日，所與宴遊者誰歟？所與居處出入者誰歟？不可得而知也。又近世之弊，患在上下不交。然爲太子，亦且未同於君，今也則已儼然端默，有言且不敢進，又況爲君之日乎？求上下交而德業成，胡可得也？昔者三王之教世子，必齒於學。國人觀之曰：將君我而與我齒讓，何也？曰：有父在，則禮然。然而衆知父子之道矣。其二曰：將君我而與我齒讓，何也？曰：有君在，則禮然。然而衆知君臣之義矣。其三曰：將君我而與我齒讓，何也？曰：長長也。然而衆知長幼之節矣。此所以學爲父子、君臣、長幼之道，而與人同如此。下至漢、唐，此意泯矣。然明帝受尚書於桓榮，及爲天子，執醬而饋，執爵而酳。唐劉洎、岑文本、馬周遞日往東宫談論治道，李泌與肅宗爲布衣交，出則聯轡，寢則對榻。國朝洪武初，建大本堂，取古今圖書充其中，延四方名儒教太子、親王，分番夜直。才俊之士充伴讀，時時賜宴賦詩，商確古今，詳論文學，無虚日。仁宗於潛邸，臣嘗伏覩其教令，長至宴勞東宫之臣如家人父子，有從學詩學表，至有以暗逐明之喻。則本朝之初，亦嘗如古制也。英宗幼冲，當時大臣無深識遠慮，阿時所好，名爲尊君卑臣，非祖宗之法本然。今雖未能如古之制，亦宜稍畧君臣之儀，敦師友之分，使宫僚日侍左右，從容誦讀。講讀之暇，宴飲、出入、起居，皆得周旋其間，至暮乃退。或有剪桐之戲，隨事諫止。宫僚有失，從三師糾正之；甚者斥逐。邪人不使得預其間。如此所謂一人元良，萬邦以貞，三代所以長久者，用此道也。

霍韜東宫聖學疏：臣等伏蒙聖恩，擢補東宫官僚，恩命下臨，無任感激。古人蒙一飯之惠，猶思報効，聖上獨擢臣等，隆以清秩，委以重任，豈直一飯之德比也。臣等所由萬倍感激，圖報無涯也。仰惟皇太子今未出閣，臣僚未得供職，未得陳説文辭，圖以涵養睿資，預備聖功之基，惟曰聞正言，見正事，習正道，久而默化，習與成性而已矣。臣等又聞古昔聖學，圖、史、箴、誡，日陳於前，於以維持身心，無不備具。進善之旌，誹謗之木，朝夕飫聞。善言日進則德日崇，謗言日聞則過日寡，帝王樂求謗言、善言，圖以優進聖域也。臣等切取古意，繪爲聖功圖一十三幅，裝爲一册，獻上東宫殿下。其一，曰文王世子問安；次，曰文王世子視膳，願皇太子大孝，師文王也。次三，曰文王世子齒讓，願皇太子默契古聖王謙德也。次四，曰漢儒桓榮授經，見東漢存古風，去隆代未遠也。次五，曰神堯茅茨土階，願皇太子知我祖宗皇帝聖德，上符神堯。次六，曰大禹菲飲食，惡衣服，願皇太子敦倫重儉也。次七，曰大禹卑宫室，力溝洫，願皇太子知聖主嗇身勤民也。次八，曰周王稼穡艱難，乃知小民之依，不恣逸欲，所以祈天永命也。次九，曰周室后妃蠶織，願皇太子知帝王家法也。后妃知蠶織之勤，乃知綺繡難得，不敢侈也。次十，曰宫中隙地種蔬，願皇太子知我聖祖盛德，同符堯禹，乃萬世太平之丕基也。十一，曰西苑耕稼，願皇太子知我聖上恤民稼穡艱難，同符成周，上契虞舜也。十二，曰西苑蠶桑，願皇太子知我聖上家法即成周家法，關雎、麟趾之風也。十三，曰商家高宗訪道，願皇太子知聖王務學勤誠，賢臣語學諄切，莫盛於高宗、傅説，萬世準極也。是圖次先後微意也。伏願皇上少垂聖覽。如謂臣等所繪圖册或有少裨東宫作聖之資，勅下内侍謹愿人員，將臣等所繪圖册時進皇太子觀玩，未用講解文義，且觀圖象，得意悟契自深，愈於講説之煩也。臣等據事直辭，無所忌諱，雖未及古人拾遺補過之盛節，亦庶幾言無僞飾，欲皇太子預養納言之量，無俾古人樹誹謗木者專美於前也。又圖象惟繪大意，於古人之服器制度，俱未精考，神堯、大禹、文王傳説，及漢明帝、桓榮，或冕裳，或便服，惟據聖賢圖象，繪寫大略，未敢謂肖真也。至於字畫，惟儒士勞良相、陳鈿按舊册謄，雖有差訛，不敢洗補。臣等演説誤謬，亦由學識膚淺所致。臣等謹陳罪狀，伏乞聖明，察臣等感激圖報之愚，亮臣等獻芹之悃，恕臣等謬誤之故，宥臣等不識忌諱之戮，特賜内侍人員時進東宫睿覽。

楊廷麟薦代東宫講讀疏：臣蒙恩旨，以充東宫講讀官。臣惟青宫妙選，儒者至榮。臣得與供事，竭此愚誠，實出萬幸。既退而思之，皇上聰明天授，慎擇端良，其爲慮深且遠，庶幾必得清剛讜直、博學多聞之士，以充斯選。而臣碌碌，材質疎淺，捫躬自慙。且以臣所知，伏見司經局掌局事左春坊右諭德兼翰林院侍讀臣黄道周學術貞醇，品行端潔，在皇上已鑒其清望，即賢者久敬爲人宗，愛國之忠，出於誠懇。自其始仕，迨今十有六年，守身樂貧，書史之外，室無長物。又博覽羣書，究心經務，古今諸大典故靡不推研體察，洞貫本末。方之古人，真德秀、胡安國之儔也。使得與講讀之列，必有正言正事之效。以臣方之，萬不逮一。臣不揣冒陳，乞皇上察臣至愚，准臣辭免。願以臣所任別簡道周，必能進仁義，陳堯舜，以無負皇上慎選至意。即道周受之，天下以爲不媿。臣思審力推能，人臣之義，僞讓市名，臣必不敢。深念元良天下根本，而正人世所難得。如臣下劣，濫與清班，徒使大儒未獲實用。名實之際，臣實媿心。儻蒙恩聽臣所請，宮寀得賢良之效，微臣免匱望之譏，實臣大願。臣質辭讓能，義在爲國，非爲道周也。臣又考祖宗朝有洗馬、司直、司諫、清紀等官，所以隆副貳之儀，廣正直之助也。皇太子端位震宮，歷有歲年，謂宜禮取備員，以敬曠典，義資箴誦，功裨高深，四方聞之，後世法之，率祖敬德，於古有光。伏乞聖明留察，勑部臣酌議，別選充員，萬年有道之長，爲益不小。臣凡有勞勩，義不卹私，自審材分，宜讓名賢。區區之愚，仰冀聖明省擇。

崇禎丁丑秋，皇太子出閣講讀，預題侍班四人：禮書姜逢元、詹事姚明恭、少詹王鐸、屈可伸；講讀六人：禮侍方逢年、宮諭項煜、脩撰劉理順、編脩吴偉業、楊廷麟、林增志；校書二人：編脩胡守恒、楊士聰。越數日，項煜、楊廷麟各上疏讓黄道周。奉旨：實圖供職，不得矯讓。於是閣臣張至發上揭極言之。畧云：公議推舉，時於至聖先師之前齋心對越，每人各出一名，單擇其公同商確者入告。彼時亦曾言及道周清品，但意見不無少偏。如近日三罪、四恥、七不如疏中有不如鄭鄤等。夫蔑倫杖母，明旨煌煌，鄤何如人，而自謂不如，是可爲元良輔道乎？文皇帝特簡王讓侍皇太子讀書，謂侍臣曰：孝者，百行之原。朕聞讓孝於親，故擢用之。今煜等謂：賢如道周，猶然格外，煜有何德，堪在選中。是博讓賢之名，而使臣等冒蔽賢之愆，臣等所不任受也。於是刑科給事中馮元飈出疏駁之，曰：臣聞聖王之世，公卿能讓，其下皆讓，是以風俗醇美，寇攘不作，四夷賓服，神聽和平。傳曰：讓者，德之本。孟子曰：無辭讓之心，非人也。斯道不明，至於邇日，大臣以訟受服，小人則而傚之，奮臂相先，不奪不止。雖仗聖明，屢申獎抑。辭榮崇讓，人情所難。日者皇上敦重元良，盛典肇舉，而東宫講讀官楊廷麟等疏請推良自代，及於坊臣黄道周。夫道周者，嫉惡已甚，至清無徒。環召以來，閉户却掃，一時之人，非不重之敬之。特以道周數忤執政，引嫌裹足，罕至其門。二臣獨篤信舉知，退然自下，卽使其言不必用，自足砥礪末俗，增輝盛典。爲皇上股肱輔弼之臣者，謂宜深相嘉嘆，風勸百僚。而伏讀閣臣張至發等慎選心矢至公一疏，若大不快於言者，而併遷怒於道周，則何也？道周之賢，閣臣固已言之矣。事親至孝，天下所知。直諒多聞，身無遺行。所不足者，惟以賦性高介，不能隨時俛仰，得當事大臣歡心耳。閣臣何心執之如讐一至於此。若以其言之爲罪，則皇上業已起田間，還其清秩，數四囬奏，皆荷優容。天下萬世方頌爲主聖臣直，一大盛事。而閣臣乃反借此以怒道周。嗟乎！道周忠足以動聖主之鑒，而不能得執政之心。臣恐天下萬世有以議閣臣之得失也。夫官僚濟濟，豈盡講讀？道周卽不與選，而閣臣所選者亦既有項煜、楊廷麟其人在。二臣爲閣臣所選，而能以讓賢自異，不肯苟悦於閣臣。自臣而觀，選者亦可以無愧。臣所惜者，皇上方欲懲貪，而有一清者，大臣又指以爲偏；皇上方欲抑競，而有一讓者，大臣又指以爲矯。以人事君之效將安望乎？臣素恥雷同，復羞搏擊。但以公道所在，自比他山。伏望皇上特勅閣臣，滌慮蠲私，一更往轍，以清讓爲必可法，以偏矯爲必可取，師濟之隆，猶可立追也。疏上，不報。元飈求去，上留之。

附記

黄少詹道周召對紀：崇禎戊寅五月，詹事府少詹事黄道周具二疏。其一疏言方一藻撫賞事與俺答不同，其一疏言不必起復陳新甲爲宣大總督，如無人肯任，己願爲之。二疏繕録既成，使班役赴會極門投進。班役以黄方在枚卜，不欲其上疏，乃駕言會極門内監需索銀八兩以窘之。黄不能應。未幾，楊嗣昌入閣，黄復具一疏，言楊嗣昌不當奪情入閣。繕完，又付班役。班役見枚卜之事已畢，遂將三疏並投之。至七月初五日，上召閣臣來平臺，又召五府、六部、協理都通、大錦衣衛堂上官、吏科等科、河南道等道掌印官、協理、詹事府少詹事黄道周來平臺召對。閣臣楊嗣昌以人言未至。中使遞趣，始到。日午，宣入。上常服坐門内。輔臣薛國觀、劉宇亮、傅冠及新輔臣楊嗣昌、程國祥、方逢年、蔡國用、范復粹各次第面恩訖。黄道周奏：臣署部事右侍郎許世藎、兵部輔臣楊嗣昌、刑部尚書劉之鳳、侍郎王命璿等，各以該部職掌，再註籍未見朝，蒙宣召，不敢不進。上曰：知道了。上召吏部尚書商周祚、侍郎董羽宸、及户部四申飭訖。上召黄道周。道周跪。上曰：朕幼而失學，長而無聞，時從經筵啟沃中畧知一二。凡聖賢千言萬語，不過天理、人欲兩端耳。無所爲而爲之謂之天理，有所爲而爲之謂之人欲。多一分人欲，便損一分天理。天理、人欲，不容並立。你三疏不先不後，却在不點用之時，可謂無所爲乎。道周奏曰：聖學淵微，非臣所及，若論天人，只是義利分别。爲利者，以功名爵禄私之於己，事事專爲己之私，此是人欲；爲義者，以天下國家爲心，事事在天下國家上做，便是天理。臣三疏，皆是爲天下國家綱常名教，不曾爲一己之功名爵禄。所以自信其初無所爲。上曰：前月二十八日准陳新甲，何能當日成疏。道周奏曰：先時要推，不拘守制者，已知是新甲，又嗣昌先薦他，所以當日草疏要上，至未時已晚，所以不上。上曰：三疏皆後時始上，何爲扼於時。道周曰：初欲上疏，時因同鄉御史林蘭友、科臣何楷有疏，恐涉嫌疑。上曰：如今就没嫌疑麼？道周曰：臣所奏關天下綱常，邊方大計。如今不言，若後時言之，又怕無及，所以不得不上。前日言路若有言者，則臣可以不言，臣之有言，臣不得已也。上曰：近來言路大開，不拘何人，言的當，都是聽的，原無避諱，何爲先時不言，至簡用之後方言。道周曰：先時既不可言，至簡用後不得不言，今日不言，再無言之日。且如高官厚禄，誰則不樂，臣緘默數時，亦可叨冒升斗，爲先人誥命，後人恩廕，臣何苦捨自己之功名，爲他人之話柄。臣所惜者，千古之綱常名教，臣何私之有涉。上曰：清原是美德，但不可揚詡。我太祖祖訓曰：俗儒是古非今，奸吏舞文弄法，是此等人。又曰：且就清字言，如伯夷，是聖人之清。若小廉曲謹，不受餽遺，止叫做廉，不叫清。道周奏陳：文子大節不可觀，夫子説他清；夷齊大節可觀，夫子所以説他是任。上曰：你説多有牽扯，如前云子思子一生以誠明爲本，此句是了。又云誠出於清，仁出於誠，不又隔了一層。道周曰：人有欲，則不誠。此誠字都從清來，不清安得誠。有子説孝弟也者，其爲仁之本。此卽誠生仁之説。凡孝弟最篤實，所以爲仁之本。有孝弟之人，纔能經理天下，發生萬物。如不孝不弟的人，無有根本，如何生得枝葉。故説至誠能經綸天下之大經，立天下之大本，如無根本，那有枝葉。又奏云：譬如綱常名教，禮義廉恥，皆是根本上事。若無此根本，豈做得事業也。奏未畢，楊嗣昌跪奏：綱常二字，不敢不剖明，君爲臣綱，父爲子綱，君臣述在父子之首。古之君臣，是列國之君臣，去此適彼，故有辟色辟言之義。今之君臣，乃一統之君臣，爲臣子者無所逃於天地之間，即臣父母皆受君恩而無所逃，臣又逃於何所。先朝楊榮、蹇義侍祖宗三四十年，無一日敢離左右，故有奪情之舉，天下咸亮之。後來臣屢進屢退，無待上三四十年之事，所以人不能亮。且如成祖奪楊榮、蹇義之情，而竄給事中丁鉉；世宗奪楊溥之情，而罷廖昌。臣入京，聞黄道周品行學術，爲人所宗，意其必有持正之言，可以使臣終制而去。不謂其疏上自謂不如鄭鄤，臣始嘆息絶望。上曰：朕正要問他此事。嗣昌奏：人言禽獸知母而不知父，今鄭鄤杖母，禽獸不如，道周又不如彼，還講甚麽綱常。道周奏：大臣聞言，應當退避，使人得畢其言。漢、唐以來故事，諫官論執政者，出聽。諫官對仗讀彈。文臣雖非言官，未有大臣跪在上前争辯，不容臣盡言者。上曰：你説了多時候，輔臣纔奏。嗣昌奏：臣爲綱常名教，不容不剖陳。上曰：卿才猷敏練，原爲時事多艱，屢旨敦趣，誠非得已，道疏也不爲奪情。古時人情多無所爲，近日人情各有所爲。孟子欲正人心，息邪説。古人邪説，别是一般，今人邪説，直附於聖經賢傳之中，關係世道人心更大。道周奏：臣生平恥言人過，聞人之過，如聞父母之名。今日在上前與嗣昌角口，亦非體。臣知爲天下後世留此綱常名教、天理人心而已。上曰：對君有體，這本前邊引綱常，後邊全是肆口潑駡。道周曰：何敢潑駡。魏徵云：臣願爲良臣，毋爲忠臣。疏中只有兩句，説公子開方，不省其親，管仲比之猳狗；李定不持繼母服，宋時比之人梟。此兩句是臣過激，幸遇明主，纔敢直言。上曰：直言豈是潑駡。道周曰：人臣進言甚難。管子云：禮、義、廉、恥，國之四維。所言綱常名教者，朝廷之綱常名教；禮、義、廉、恥者，朝廷之禮、義、廉、恥。假如臣爲一己之私，只用緘默，自取富貴，何苦與他争辯。上曰：你無端汚詆大臣，又以大題目來説，他不得不辯，總是别有所爲。道周曰：宋臣司馬光有言，臣若有專司，則有所不言，如爲論思，則無不可言者。臣爲侍從論思之臣，與嗣昌比肩事主，比不得詆毁大臣。臣自少讀書，於今五十年，無一言一事不可對於君親，告於妻子。臣二十年躬耕，手足胼胝，四十喪親，負土成墳，誠不忍見有奪情之事。上曰：既如此，説又不如鄭鄤，是怎麽説。道周曰：匡章棄於通國，孟子不失禮貌；孔子自云辭命，吾不如宰予。臣謂文章不如鄭鄤。上曰：章子是不得于父，豈鄭鄤杖母之比。你説不如鄭鄤，是朋比。道周曰：衆惡必察，未可因一人之言使主上不知是非之實。上曰：陳新甲先作兵道，諳練軍情，用之巡撫，不幸有人倫之變，不得不遣歸。今日内外交訌，不得不用他。你説他走邪徑，難道楊嗣昌一薦就是邪徑。道周曰：臣不識陳新甲。但人心正，則行皆正；心邪，則行皆邪。且奪情一事，在司馬堂猶可，在内閣則不可。使嗣昌一人爲之猶可，又呼羣引類，使成奪情世界則不可，臣不得不言。臣今日不言，使後有言者，亦是臣今日之恥。上曰：如今的人有所爲，就在綱常名教？道周曰：自是！陛下之綱常名教，豈臣一人之私。上曰：朕正要再問你，鄭鄤五倫盡絶，昨日許曦等説他罪狀甚明，不如雜職，到有公論。大小臣工到無公論，這也可恥。道周曰：人若爲功名富貴，只當説鄭鄤不孝、不弟，依附權臣，豈不立致通顯。反説不如鄭鄤，正是臣無所爲。宋人惡李元不丁母憂，於孝子徐積賜粟帛以風之。臣如要救鄭鄤，則參楊嗣昌非所以救鄭鄤也。上默然。道周曰：方今獨立敢言之人少，讒諂面諛之人多，臣不得不言。上曰：我先師孔子攝行相事，誅少正卯。正卯當時亦稱聞人，五罪有一不免。孔子之誅，今人多類於此。道周曰：少正卯欺世盜名，心術不正，所以夫子誅之。臣平生孝友，居心不敢不正，毫不敢有私。讀夫子書，惟求不得罪於夫子。上曰：前以爾偏執，稍示裁抑；後聞操守，隨復賜環。卽前日那樣暑天勞頓之餘，仍成一篇文字，雖不切題，才亦可用，還要用你。不圖這樣偏矯恣肆，本當拿問，念係講官，姑着起去候旨。道周曰：臣今日不盡言，則臣負陛下；陛下今日殺臣，則陛下負臣。上曰：你都是虛話，一生學問，止學得這佞口。道周曰：臣還將忠佞二字奏明。夫人臣在君父之前獨立敢言的爲佞，豈讒諂面諛的爲忠乎？夫敢爭是非、辯邪正者爲佞，豈不敢爭是非，辯邪正，一味容悅者爲忠乎？忠、佞不分，則邪、正亦不明。此從古爲政之大戒，望皇上體察。上曰：起來。楊嗣昌曰：皇上所諭，誠是誅意之法。道周亦冒盛名，望求優容。上曰：這便是優容了。上賜瓜、果、點心。各官謝出。復召回聽諭。曰：今內外交訌，天災、地震，皆朕不才，不能感發諸臣公忠爲國之心。不智，不能辨是非邪正及不能宣布德化；不武，未能削平禍亂。凡此，皆朕之寡昧，卽朕之愆尤。人心關係國運世道，一等機械存心的專於黨同伐異，假公濟私。朝廷纔簡用一大臣，百般詆毀，若論祖宗之法，當如何處？看來這賊寇却是易治，衣冠之盜甚是難除。以後再有這等的，立置重典。諸臣各宜洗滌肺腸，消除意見，共修職掌，共享太平之福。諸臣承旨起時，詞臣趙士春、劉同升亦上奪情疏。下部議，覆降三級，照舊。御札諭閣：

道周輕處，趙、劉重處。蓋以趙、劉二臣上疏在既有諭旨之後，故欲重處耳。楊嗣昌懼道周復用，急募人上疏參之。職方司郎中王陛新擢太僕寺少卿示其意於鄉試所售士刑部主事張若麒，遂上擁戴不效怨望紛然一疏。云：頃者皇上憂軫時艱，不憚煩勞，召對之後，大布王言，諄諄然以正人心、息邪説爲治天下之大本，原舉黨同伐異之隱情，招權納賄之狡術，無不見其肺肝，直爲道破。而闢邪一義，尤爲千古之聖帝名賢所未嘗發，一時之端人正士所不能言，直如日月當天，妖狐莫遁，消沮閉藏之態固已堪嘆堪憐，謂大家洗心以副明旨。何意諸臣恃衆藐旨，造揑姦言，歸過君上，而無天、無地、無父、無君一至此極也。以臣所聞，數日以來，天諭既頒，羣黨籍籍，或擲抄傳之邸報而怒視，或引不倫之遠事而詆議，通宵聚衆，信口譏排未已也。至有謂召對之日，黄道周犯顔批鱗，古今未有，而皇上爲之理屈者；至有謂堅求一死，而皇上左顧言他，始終無如。道周何者，要使古今未有之好話，盡出自道周之口，而凡可以歸過君父者，無所不至。蓋倡之者，飾六藝以文姦言，務在假託道理，以把持朝廷，而顯行其呼朋引類之計。一聞皇上下頂門之針，遂大家喊叫，謂老魔之赤幟既拔，山魈之穢態難藏，嚇騙不靈，谿壑無幸，遂至潑口横加，毫無顧忌。夫病之久者，不加瞑眩不能立愈；迷之甚者，不牽猛索不知回頭。伏乞皇上始終爲世道人心計，自今舉國如狂，莫之敢指，臣何敢畏其兇鋒，雷同不言，以負清明。疏上，黄降六級，調外。楊嗣昌以知兵調張若麒爲職方。

少詹黄道周赦罪記：詹事府少詹事黄石齋道周，於崇禎庚午，以編修上疏救錢華亭龍錫，鐫級。再上疏言事，斥爲民。乙亥，以薦起宫允。丙子，陪推内閣。丁丑六月，陞春坊諭德。以救鄭鄤，爲温體仁所糾。十二月，陞少詹事，辭，不允。戊寅，陪推内閣。八月，糾楊嗣昌、陳新甲奪情，降六級，調外，補江西斷事。庚辰四月，江西巡撫解學龍入爲少司馬，例有薦疏，列道周名。上以其黨，並逮問。至京，二人並拜杖闕前。户部主事葉廷秀疏救，廷杖。十二月，監生涂仲吉疏救，廷杖。並道周下詔獄。刑部主事吴文幟以問遲，杖六十。辛巳五月，出詔獄，俱遣戍。道周更永戍。至崇禎十五年壬午八月二十四日，上御文華後殿，日講畢，召閣臣周延儒等入後殿，上手一本，問張溥、張采何如人。延儒對：讀書的好秀才。上曰：張溥已死，張采小官，科道官如何尚説他好。延儒對：他頗有胸中書，亦會做文章，科道官做秀才時，見其文章，又以其用未竟，惜之。不然，張溥已死，説他亦無用。上曰：亦不免偏。延儒對：卽黄道周，皆有些偏。只是會讀書，所以人人惜他。上默然。德璟言：前黄道周蒙皇上放他生還，他極感聖恩。只是永遠充軍，家貧子幼，還望皇上天恩赦回，或量改附近也好。上微笑。景昉言永遠充軍，子孫要世世承當也，極可憐。延儒言：道周在獄中，尚寫許多書，卽向前章奏，皆係親手寫的。德璟言：道周寫有孝經一百本，每本有一篇，文字各一樣，共一百樣，多是感頌聖德。景昉言：皇上表章孝經，所以道周寫有一百本。德璟言：頃皇上問知樂之人，卽道周便知樂。甡言：道周無不博通，不止知樂，且其清苦，極不可及。德璟言：臣與道周同年，他登第後，多徒步往來，至今尚未有住屋，最是清苦。且子方十歲，但得免其永戍便好。延儒言：道周也，不在永戍不永戍就是讀書，亦還用得。上不答，微笑而已。翼日，手敕云：昨先生每面奏永戍黄道周清操博學，見今戍遠子幼，朕心不覺憐憫。彼雖偏迂，經此一番懲創，想亦改悔。人才當惜，宜作何釋罪酌用，先生每密議來奏。閣臣延儒等奏：黄道周爲人勵行力學，是其所長；偏執迂疎，是其所短；然而本心，則願爲君子素矢忠孝者，至於博通典籍，貫串古今，刻苦廉隅，摛詞吐藻，實有一種人不能及足以感動人心之處，是以譽望蔚然。但向來未經追琢，每有任性率意之咎。自蒙恩譴，裁抑陶鎔，聞已甚悔前非，每日在獄手書孝經，極其感佩天恩，頌揚聖德。此臣等皆得於目擊者。近日恭覩皇上勤學好問，稽古考文，臣等自慚固陋，未能仰承萬一。因思及道周之博雅，庶不愧詞臣職掌，遂率陳奏，伏蒙皇上憐其貧苦，鑒其改悔，而軫及於人才當惜，赦罪酌用，斯真造化生成之恩，天地覆載之量，播之海内，傳之奕世，有不懽呼讚嘆我大聖人之舉動超出尋常萬萬者乎。照得道周原職係詹事府少詹事，今既蒙恩赦用，當還其故秩，以備史局編摩，更足資其一得，此則又非從道周起見也。二十六日，上諭吏、兵二部：永戍黄道周罪本應得，念其清操力學，尚堪策勵，已經一番懲創，想知悔改自新，特准赦罪復職，以昭朕奬廉、尚學、宥過、惜才之至意。諭下，中外加額，以爲聖朝善政。

少詹黄道周天恩至重疏：臣自去歲臘月解網重生，暨於今春束装就伍，仰戴日星，俯循道路，凡有血氣，俱感皇仁。自揣殘年無可報主，但得子孫永世荷干戈、禦魑魅足矣。蹢躅載途，阻風澤畔，六閲月始抵九江，遠望辰陽尚三千里。痧瘧間發，就醫蕭寺，沈綿六十日。摧頹老病之身，誤服截瘧止痢之藥，遂成委頓，兩膝俱枯。每念聖恩，中宵揮涕，謂臣廬墓十餘載，乃不死於北司，而死於江楚，命也。不圖十月朔日，人從留都來，傳邸報，稱八月二十五日吏、兵二部接出聖諭：永戍黄道周罪所應得，但其清操力學，尚堪策勵，已經懲創，自當改過自新，特准赦罪復職，以昭朕獎廉、尚學、宥過、惜才之至意，特諭。臣驚遽墜床。起，借香案，匍匐叩頭，隕越久之，念自古人臣，或以文才前席，或以直戇召還，未有迂愚狂瞽如臣，得起於戍籍，申以華獎者也。臣少孤貧，長而傭書，不知清操力學爲何事，但爲人臣子，宜硜硜如此耳。幸當風動之時，得更嚚頑之習，雖損脰裂體，不足爲報。然臣廢憊極矣。當數年前筋力差健，誠不自忖，欲奮横草之勞，塞素餐之報。今年垂望六，體經九折，百病交侵，一絲未絶，而欲盡蓋前愆，别圖後效，徒足以招訾議、增悲涕而已。臣憶漢臣馬援病卧土窟中，聞鼓角聲，曳踵延頸，見者哀之。宋臣范鎮、劉安世在屬纊，囈語猶以天下爲念。今臣未即死，而委頓若此，卽欲匍匐以親鵷行，扶攜而售馬骨，颺聖主之風尚，贊海嶽之涓埃，何可得乎？臣智不如葵，忠不如曝，徒逢仁閔，得遂首邱，偷陰擊壤，能復幾時，度無可報陛下者，惟願陛下歛福錫極，在宥羣生，力行仁義之方，徐收忠信之效，擇廉幹以辨封疆，重守令以靖寇攘，使塵氛蚤清，蒼赤永賴，臣雖晨夕溘就草露，與九原父母共啣結無窮。臣下體已廢，兩臂空存，感戴高深，萬逾罔極，乞容臣骸骨歸附邱隴，爲此力疾哀懇辭謝，不勝戰栗。

春明夢餘録卷之三十四

吏部

吏部，在皇城之東，宗人府下，西向。設尚書，主天下官吏選授勳封、考課之政令。侍郎爲之貳。其屬初有子部，曰總部，曰司封，曰司勳，曰考功。後改總部爲選部，又改選部爲文選司，司封爲驗封，司勳爲稽勳，考功仍舊，俱稱清吏司。四司奉其職，贊尚書之政令。而部尚書首六卿，擬古之天官冢宰。

文選掌天下文吏銓選、注缺、改調、保舉、推陞之事。以署職、試職、實授奠年資，以裁革、併省、兼攝、添設、註選量繁簡，以薦舉、起廢、徵召達賢雋，以帶俸、添註寄恩冗，以降調、除名馭罪過，以官程課吏治，以寧假悉人情。凡入選，釐流品，平注擢，毋得相先後。凡陞必考滿，不待滿考（考滿），曰推陞。類推上一人取旨，單推上二人，三品以上九卿及僉都御史祭酒廷推上二人或三人。内閣、吏部尚書，勅（廷）推上二人，若三四人至五六人，唯上命，乃其後制。王官不外調，王姻不内授，大臣銓府佐州縣正官。

驗封掌封爵、襲蔭、褒贈及吏算之事。凡公、侯、伯、勳、烈、外戚、恩澤及闕里大宗，各徵其誥券、適孽、功罪、封號，以第其世流降除之等。以士流馭吏官，以誥敕授封贈，以進階、貤封、加贈、追奪勵愆良，以蔭敍録任子，以等級給散官，以考撥差胥算，以須知訓入官。

稽勳掌勳級、名籍、喪制之事。凡文官五品上始授勳，百官黃類登之內府，有故則除之。凡三年喪，解職，糾奪喪，禁短喪，謫匿喪。欽天監奔喪三月復。父母老七十，鮮兄弟，得終養。更名有諱，復姓無漏役，名姓更復必登版。

考功掌官吏考課、黜陟之事。凡內外官三年初考，六年再考，九年通考，奏請。大臣不註考。京官五品下巳、亥年考，不職者除名、冠帶閑住，致仕有差；留用者有復職，有降調。四品上自陳。外官辰、戌、丑、未年考，不職若留用者如之。內外官有劾章，若大臣自陳下者，品其良不肖，擬去留，聽上。王官考察如京官。倉、場、庫官一年考，巡檢二年考，教官及流外冗官九年，陟無過一等，惟舉人教官得引選試，陞陟無等。京官七十、外官六十五致仕。其乞致仕者不限年。諸請葬祭，贈謚蔭，必按其滿考（考滿）被劾與否，傳公議以聞。以閑劇量殿最，以旌異廉政績，以貢舉搜遺逸，以保留達民情，以紀録懲愆過，以謫戍糾罷閑官吏。

用人之道，莫備於周禮，此萬世之準也。當其始也，三歲大比，則鄉大夫考德行道藝，質諸比閭族黨，就鄉先生而謀賓介，帥其吏以禮賓焉，曰賓興。厥明，鄉老及鄉大夫羣吏獻賢能之書於王，王再拜受之，登於天府，曰選士。此謂使民興賢，出使長之，使民興能，入使治之者也。而遂大夫之興甿明功亦如之，非是族也，不在舉典。司徒以選士之秀者而陞之學，俾成德達材以益就於成大樂正造焉，不征於司徒，曰造士。大樂正論造士之德成材達者告於王，而陞諸司馬，曰進士。而大司馬辨論之，論定而後官之，任官而後爵之，位定而後禄之，是銓選之所始也。於是乎太宰以八法而治官，以八柄詔王馭羣臣，蓋爵禄廢置予奪生殺具而治官者爲已悉矣。少宰又以六計弊吏治，德詔爵，功詔禄，能詔事，久奠食而任焉。月終，小宰以官府之敍，受羣吏之要而考之。歲終，考歲成，太史典禮，執簡記奉王。歲事，諸司諱惡者不諱，以諫王。王齋戒受諫，王自考之道也。司會以宰歲成質於天子，宰齋戒受質，宰自考之道也。先自考敕正，而後以正人也。於是令百官各考其屬，受其會，聽其政，事詔於王而廢置之，司會逆焉。以參互考日成，以月要考月成，以歲會考歲成，以周知四國之治，以詔宰而廢置之。三歲，則大計羣吏之治爲誅賞，八柄行焉。夫其掄德行以虔始，謹法柄以嚴中，精考課以成終，此成周之治所以舉無廢官，官無廢事，而卷阿棫樸之所以爲盛也。

三代而後，能以成周之法用人者，莫如明初。當其創起淮甸，正值天地閉，賢人隱，知庸碌者不可與圖治也。乃輪旌束帛交馳於四方，定金陵，辟陳遇；下鎮江，聘秦從龍；克婺州，召許元、胡翰；克處州，徵宋濂、劉基、章溢、葉琛。其同事幕中者，皆一時之人傑也。元年，詔曰：向干戈擾攘，疆宇未一，養民致賢之道未講也。獨賴一時輔佐之功，匡大業於底定。山林巖穴，念豈無懷才抱德之賢，何隱而不列也。豈朕政令靡常，國無法守與？抑刑辟煩重，人懷其居與？抑朕寡昧，事不師古而致然與？不然，賢士大夫幼學壯行，欲堯、舜君民，豈固甘汨没而已哉。今天下頗定，方將與諸儒日講明治道，以沃朕心。巖穴之士，能以賢輔朕，以德濟民者，尚不吾棄。三年，下開科詔。曰：朕特設科舉，起天下抱才懷德之士，務在經明行修，博古通今，文質相副。其中選者，朕將親策於廷，品學識命官焉。超衆者顯擢，使中外文臣一皆由科舉而進，非科舉者不與。六年，詔：科舉取士，終浮文，罷不設。令有司察賢才，先德行，次文藝，舉用。又諭吏部曰：古之帝王，若商高宗，若周文王，皆皇皇於版築鼓刀之賢，豈其智不足哉，以賢才不備，不足以爲治也。鴻鵠之遠舉以六翮，蛟龍之騰躍以鱗鬣，人君之能致治以賢才爲之輔。今山林之士，念豈無德行道藝之賢，其令有司採舉，禮遣赴京師，朕將任用焉。其時，天下郡縣舉聰明正直、孝弟力田、賢良方正、文學才幹之士至京者八百六十餘人，又徵經明行修儒士三千七百餘人，又詔來朝官各舉一人。十七年，復科舉法。命禮部頒科舉新式行焉。是年冬，即詔各布政司、府、州、縣官舉秀才人材，必會同境内耆宿長者，訪求德行道藝著聞州里之人以充，從隣里保結，命有司驗實。蓋科、薦並行。十九年，詔郡國舉經明行修之士。諭禮部曰：比有司舉士，置耆年宿德不問，而拔少俊，覬後恩，大誖也。昔周文用吕尚而興，秦穆違蹇叔而敗，伏生既老，白首傳經，豈可槩以耄老而棄哉。今郡國所舉士，年六十以上者置翰林，備顧問；六十以下者，於六部及布政、按察司官使之。時孝廉人材，及郡縣學所貢士若富户、耆民皆得見。見稱旨，即擢不次。而國子生奉命巡列郡，廉官方吏治，問民所疾苦，還稱旨，即擢用爲行省參政僉事、知府等官，至有擢僉都御史者。已上謂吏部言：朝廷懸爵禄待天下之士，惟賢是用，何可以資格限也。資格者，獨以爲常流設耳。自今庶官，有才能居下位者，不次用。於是召萊州知府董俊尚書兵部，寧波知府余文昇尚書工部。是時宜興主簿王復春守公不奉上。上聞，遣吏科庶吉士齎手勅往勞慰，即擢爲同知；新化丞周舟以進士莅官，有治行，考最，擢考功。新化民詣闕，願得留。詔復任，禮部宴賞之而遣。當是時，馭下用重典，有贓罪，懷印綬未煖，輒被逮去，非謫戍即門誅。羅天下士之制甚設，而不爲君用之法亦特峻，以深弛張闔闢。以鼓鑄天下人材不循法，故居職惴惴，常恐不能奉法恤民，以稱塞上意，故當時之民出水火而藉袵席。繼以建文仁明，在位信用名賢，治幾刑措，此能師周禮之效也。

冢　宰

周禮·天官：太宰掌建邦之六典，以佐王理邦國。註云：百官總焉，則謂之冢宰。列職於王，則謂之太宰。漢初，凡郡國舉秀才、廉吏，貢於京師，屬光禄勳。成帝初，置常侍曹尚書二人，一主公卿，一主郡國，蓋選曹之所始也。光武改常侍曹爲吏部尚書。唐以中書令、門下侍中、尚書令、左右僕射三省長官爲丞相。尚書，三省之一也。尚書省有令，有僕射，有左右丞。太宗嘗爲令，後不設。僕射，猶今之尚書也。左、右丞，猶今之侍郎也。其選法：試而銓，銓而注，注而唱，集衆告之，然後類爲甲，上於僕射，乃上門下省，給事中讀之，侍郎省之，侍中審之，不當者駁下。既審，乃上聞，主者受旨奉行，各給一符，謂之告身。尚書曰中銓，侍郎曰東、西銓。

宋法，文選屬審官院，武選屬樞密院。王安石擅政，乃以文選、武選皆屬吏部。尚書左選主文，侍郎一人主之，謂之審官東院；尚書右選主武，侍郎一人主之，謂之審官西院。

洪武元年，設六部，以滕毅爲吏部尚書，正三品，屬中書省。十三年，罷省，以山西參政偰斯爲吏部尚書，改正二品。中書省既罷，以五府、九卿分理庶務，翰林、春坊官看詳諸司啓奏。

徵聘

聖王在御，必有不召之臣，徵聘尚矣。賁玉帛於丘樊，躬萬乘於巖阿，非好屈抑也，蓋必如此始可得非常之才耳。聘莘訪渭，往古不論，如元末廟堂，虛無人焉。洪武之初，設禮賢館，而得劉基、宋濂、章溢、葉琛，呼爲四先生；下鎮江，而得秦從龍；下金陵，而得陳遇，皆人傑也，俱於徵聘得之，孰謂晚季乏才，而僅可收俊髦於七義也。任官，人之責者，宜於山林隱逸有實負經濟、究心名理者奏請敦聘，亦人臣以人事君之第一義也。

四先生或以謀畧，或以文章，或以政術，人皆知之。至陳静誠先生遇有足異者。先生以秦元之之薦聘至，俾典戎務。上幸其第，密咨籌畫。授供奉，不受。洪武元年，首陳爲治要道三事，授翰林學士，不受。賜肩輿校尉十人，除中書左丞，不受。召至華蓋殿，令坐，草平西詔，除禮部侍郎兼弘文館學士，不受。尋進禮部尚書，不受。召至奉天門，命坐，詢問典故。時炎暑，賜衣，命引入内池沐浴，賜宴，又命其子侍衞，亦辭不受。年七十二，竟以布衣終。夫下不肯屈其身以受官，上亦不肯挾勢强人以官，兩得之矣。此三代以後不多見也。

讀洪武六年諭曰：世有賢才，國之寶也。古之聖王，恒汲汲於求賢，若高宗之於傅説，文王之於吕尚。二君者，豈其智之不足也，而遑遑於版築鼓刀之徒，蓋賢才不備，不足以爲治。鴻鵠之能遠舉者，爲其有羽翼也；蛟龍之能騰躍者，爲其有鱗鬣也；人君之能致治者，爲其有賢人爲之輔也。今山林之士，豈無德行文藝之有稱者，宜令有司採舉，備禮遣送至京，朕將任用之，以圖至治。十一年，諭曰：天下之務，非賢不治。求賢之道，非禮不行。故湯致伊尹，由於三聘；漢徵申公，安車束帛。近朝臣爲朕舉賢，朕皆徵用之。所舉者多名實不稱，徒應故事而已。夫披沙將以求金，掘井在於獲泉，薦士期於得賢。今所舉皆非，豈昧於識人耶，抑賢才之果難得也。爾吏部其以朕意再諭天下，有司盡心詢訪，必求真材，以禮敦遣。其諄切如此。當時，下鎮江，聞元御史隱居秦從龍之賢，命兄子文正以銀幣往聘。將至，上親迎至龍江關，訪以時事，乃即元故御史臺改爲府以居之。每有諮問，以筆書漆簡甚密，左右無知者。又以賢良聘至者劉于也，以文學聘至者王禕也，聘至而留爲後日用者方孝孺也，聘至修禮書成而不受官者梁寅也，聘至修史書成而不受官者楊維禎、陶宗儀、趙汸也，聘至衡文典試而不受官者沈夢麟、滕克恭也。一時名碩，盡在弓旌中，孰謂晚季乏才哉。

洪武之初，人材進用，專事採訪徵聘，進士之科，一行而罷。至十七年，復行科舉。然每科所取不過數十百人，與召聘之士同登並用。下至正統、景泰間，遵守如故。當時楊文貞士奇以白衣歷編修而入内閣，吴思庵沉以儒醫歷御史以至都憲，況鍾以吏員至知府，並爲一時名臣。成化而後，科舉重而徵聘遂爲曠典。粤稽載籍，成周以鄉，三物教萬民而賓興之：一曰智仁、聖義、中和，取其德也；二曰孝友、睦婣、任恤，取其行也；三曰禮、樂、射、御、書、數，取其才藝也，文辭弗與也。兩漢取士，則郡國有孝廉之察，有賢良方正之舉，公卿則得自召補掾史，州郡則得自辟用僚屬，是以當時士修於家而聘召自至，士不孜孜於求用，而人之好德自不能舍之，布列在位，濟濟多賢，雖至桓、靈衰微，而一時人才風俗之美，雖成周不過是也。尚賢興行，其效豈小小也哉。

經曰：正其本，萬事理。今貪墨日甚，民生日見凋瘵者，凡以致理之未得其本也。致治以賢才爲本，求才以興廉舉孝爲本。經曰：居家理故治，可移於官。傳曰：求忠臣於孝子之門。此探本之論也。李克曰：窮，視其所不爲；貧，視其所不取，此察廉之方也。修之於家，而壞之於天子之庭，理無是也。今欲扶世救民，舉一諷百，徵聘一事，斷宜亟講也。

霍韜疏：臣嘗伏讀太祖高皇帝遣内使趙通聘壺關縣儒士杜斅諭，畧曰：昔之御宇内者，無倖位，無遺賢，致時和而世泰。今朕才疎，遺聖道之良宗，是致賢隱善匿，民未康，世未泰。今爾博學君子，齒有年矣，符若到，精力有餘，則策杖來朝。果可作爲，加以顯爵，與朕同遊。大哉，太祖高皇帝之至德也。聘一儒士，猶自謂才疎，遺聖道之良宗，其謙德禮賢之心何如也？杜斅，乃草莽之臣耳，猶曰與朕同遊，其待臣下之厚何如也？又嘗伏讀英宗皇帝遣行人聘崇仁縣處士吴與弼勅諭，畧曰：勞於求賢，然後成無爲之治；樂於忘勢，乃能致難進之賢。聞爾與弼，潛心經史，博洽古今，特遣行人曹隆往詣所居，徵爾赴闕。至哉，英宗皇帝法祖之善也。

鄒元標疏：爵禄富貴，天之所不靳予；聰明才智，天之所不輕畀。蓋百人中而得一焉。用才者宜體上天生才之意，國家得才之難之故矣。臣讀詩至白駒之章，未嘗不歎當時之輕於棄才；讀摽梅之章，未嘗不歎用才者貴及時也。

保舉

夫以天下之大，人才之廣，而僅取用於銓衡一司，網疎甚矣。欲使官得其人，人盡其才，舍保舉其奚由焉。夫保舉與薦舉異。薦舉者，誠有所知一舉焉，而臣之心畢矣。保舉者，舉其顯，復保其微；舉其始，復保其終。故薦舉者，上世之法也；保舉者，晚世之法也。明主好賢如渴，而又慎之，以不得已，非薄視天下也。保而舉之，不厭慎也。

周官曰：推賢讓能，庶官乃和，不和政厖，舉能其官，惟爾之能，稱匪其人，惟爾不任。此保舉之始也。

兩漢近古，人才爲盛。當時，有薦舉而無資格，至不舉孝，不奉詔，以不敬論；不察廉，不勝任，當免。董仲舒之言曰：臣愚以爲使列侯、郡守、二千石各擇其吏民之賢者，歲貢各二人以給宿衛，且以觀大臣之能；所貢賢者有賞，不肖者有罰。夫如是，諸侯、吏二千石皆盡心於求賢，天下之士可得而官使也。此漢之得才所以盛也。

宋劉貢甫言：唐有天下，諸侯自辟幕府之士，唯其才能，不問所從來。而朝廷常收其俊偉，以補王官之缺，是以號稱得人。蓋必許其辟置，則可破拘攣，以得度外之士。而士之偶見遺於科目者，亦未嘗不可自效於幕府，取人之道，所以廣也。今時雖有辟法，然白衣不可辟；有出身而未歷任者不可辟。其可辟者復拘以資格，限以舉主。蓋去古法愈遠，而倜儻跅弛之士，其不諧尺繩於科目，受羈馽於銓曹者，少得以自達矣。此宋人言宋事也。近代人才遠不逮古，大率坐此，不獨宋爲然矣。

馬端臨言：按兩漢二千石長吏皆可以自辟曹掾，而所辟大槩多取管屬賢士之有才能操守者。後世長吏，既不與之以用人之權，而士自一命以上，拘於三互之法，不使之效職顯能於本土，而與郡守、縣令共治其民者，則皆凶惡貪饕舞文悖理之胥吏，大率皆本土人也。夫吏胥一途，近日每欲與科貢並用，而不予長吏以辟舉之權，則吏治不光，而並用之事亦未易輕議也。

明之得人，洪、宣爲盛。蓋大行保舉之法也。宣帝至出招隱、猗蘭之詩以示激勸。故彼時之治，幾比漢之文、景焉。正統二年，楊文貞士奇疏言：昔唐太宗命在京三品以上官舉郡守、縣令，後來致天下斗米三錢之效。近年有等京官，無人舉保，造爲謗語，專欲褻壞良法。但所舉之人，籍記舉主，後有犯贓，必明正舉主之罪，則人知謹畏，不敢徇私，官必得人矣。詔從其議。

楊文貞士奇在内閣日，所舉賢才，列中外者五十餘人，皆能正己恤民。蓋取人必先德行，而後才能，博詢於衆而信乃舉，不得者怨誹不恤也，此不愧大臣之義矣。

保舉一事，三楊當國時謂借以攬吏部之權，部意不平，事遂漸寢。嗟乎！使官誠得人，人克副官，爵禄固朝廷之爵禄也，臣子何權之有？惟是保舉，聽之衆人，敍用仍還吏部。使舉非其人，部執而議之；部用違其才，朝廷執而議之，事斯善矣。

按歷朝保舉之詔：洪武元年，令舉懷才抱德之士，蒙古、色目人一體擢用。十五年，命朝覲官各舉所知一人。十九年，令舉經明、行修、練達時務之士，年七十以上者禮送京師。建文元年，令在内七品以上、在外五品以上文官及縣正，各舉賢能廉幹之人，吏部考驗擢用，并定連坐法。永樂元年，令内外諸司文職官，於臣民中有沉滯下僚，隱居田里，各舉所知。正統元年，御史有缺，令在京三品以上官各舉一員，除現任知縣不舉；知縣有缺，令在京四品以上官及國子監、翰林院、堂上各部郎中、員外郎、掌科道官各舉一員，俱從本部推訪除授，不職者併坐舉主。五年，令進士辦事一年，監生歷事考中，併坐監三年以上，由吏員授官。曾歷兩考者，悉聽保舉。十四年，令方面知府、併在京三品以上官保舉有才能出衆屈在下僚者，聽風憲官及上司舉薦陞擢。景泰三年，令各處見任官有屈在下僚，文學才行之士隱於民間，文官罷職無贓犯而才學可用者，併聽在京四品以上，在外巡撫、巡按方面，并府、州、縣正官舉薦聽用。天順元年，令處士中有學貫天人，材堪經濟，隱居高蹈，不求聞達者，所司具實奏聞。弘治十一年，令府、州、縣正官保舉山林隱逸之士，懷才抱德，經明行修，衆所推服者。十六年，令各處撫、按及布、按二司官訪察所屬廉能幹濟者，明開堪任某官，具奏陞用。嘉靖八年，命兩京大臣、科道及在外撫、按官用心詢訪才行老成繫時望者，從公各舉所知。至隆慶元年，令各處撫、按將境内人才逐一搜訪，會本具奏。以後，撫、按復命及巡撫年終，各舉行一次。從此，薦舉一事，徒爲故事矣。

撫、按薦舉。會典所載朝覲年分考察既畢，備查被黜方面有司等官，追究所舉，巡按御史，四人以上革職閑住，二人以上降一級調外任，一人罰俸半年。趙太宰南星疏言：保舉之法，先臣如蹇義、楊士奇等皆嘗奉行有效，請於本部之考功司、都察院之河南道及吏科，各立薦舉簿一扇，每遇撫、按舉劾疏到，卽書所舉方面有司、地方人才職名方面有司，通俟朝覲考察既畢，備查所黜官員，照依會典所載，分别議處，庶撫、按知濫舉之必罰，而無敢不慎矣。

陸太宰光祖舉廉疏：臣望皇上無舉卓異，而舉清吏，特召臣等行撫、按諸臣廉訪公論，以苦節獨行、飲水茹蘗如昔海瑞、丘橓、孟秋其人者列爲一等，以公廉寡欲，闇修實履，如昔袁洪愈、嚴清，朱纁其人者列爲一等。撫、按同五花文册，揭報本部。臣等參酌僉同，於大察畢日列名上請。如得其真，雖數十人不爲多；如不得其真，雖數人不爲少。皇上特賜宴賞，或敕本部紀録。舉後，如有改節，以負特恩，較貪吏之誅戮倍之。夫舉卓異，天下將矯虔鶩詭，而鶩於名；舉清吏，天下必刻意厲行，而修其實，化貪爲廉，在此一舉。

資格

夫資格者，吏部之準繩也，使盡屏棄之，大匠立見血指矣。然以四海之大，望人致治，朝廷方以重仔畀我，而我斤斤尺寸，能勝任而愉快乎？故資格不得不破，無容再計而決也。然非明則不知破，非公則不能破，非置是非利害於度外則又不敢破也。大匠之用準繩，不束於準繩，而後可耳。

洪武十一年，諭曰：朝廷懸爵禄以待天下之士，資格者，爲常流設耳。若有賢才，豈拘常例。大哉王言。故當時宋景濂一代文章之宗，楊士奇三朝輔相之首，皆以布衣特起，乃遂掌帝制，典機密，豈譾譾於循塗也。

金世宗嘗謂宰臣曰：今之用人，太拘資歷。循資之法，起於唐代，如此，何以得人？平章政事[張]汝霖對曰：不拘資格，所以待非常之材。上曰：崔祐甫爲相，未踰年，薦八百人，豈皆非常之材歟？

北朝薛琡譏時政曰：黎元之命，繫於長吏，若取年勞，不簡賢否，義均鴈行，次若魚貫，執簿唤名，一吏足矣，何謂銓衡。當時典選者崔亮也。史謂魏之失人自亮始。唐開元十八年，裴光庭爲吏部尚書，始作循資格，而賢愚一槩，必與格合，乃得銓授，限年躡級，不得踰越。於是，久淹不收者皆便之，謂之聖書。宋璟争之，不能得，而天下遂不復見貞觀之盛矣。

邱文莊濬曰：守一定之法，而任通變之人，使其因資歷之所宜，隨才器之所能，而量加任使。

用資格，亦不純用資格。不用資格，所以待非常之才，任要重之職，釐繁劇之務。用資格，所以待才器之小者，任資歷之淺者，釐職務之冗雜者。其立爲法，一定如此，而又得公明之人，以掌銓衡，隨才授任，因時制宜，而調停消息之於常調之中。而有不常之調，調雖若不常，而實不出乎常調範圍之外。

歸太僕有光曰：天下奇俊之士少，而中庸之士多。帝王之道，先爲其法，以就天下中庸之士。而精神運用，獨可於奇俊之士加於其法之外，而不爲法之所限，此其所以能鼓舞一世之人材也。

嚴太宰訥言：朝覲之後，令來朝官各舉所屬府佐以下治行卓異者，蓋位卑禄薄之臣，而中有克自樹立者，非豪傑不能也。故國初，有以典史擢都御史如馮堅，以直廳歷布政如王興宗者，宜倣此意，間陞一二，以鼓其志。乃以潮州府同知王化爲廣東僉事，鳳翔府同知江東爲陝西僉事，辰州府通判邵元美爲四川僉事，廣安知州張澤爲雲南僉事，漵浦教諭李珙爲評事，碣石經歷郭文通爲同知。嚴時以内閣署吏部。

永樂而後，用人雖漸重科目，然以才學自致公卿者甚多。任子如朱長史復之子濬官尚書儀侍郎，[儀]智之子銘尚書太子太保。其餘有蔭編修、給事中、御史者，因其才品，原不限以官。如漢陽知縣王叔英，以方孝孺之薦，召爲修撰。叔英又薦布衣楊士奇，召入翰林修書。董倫薦河州衛吏解縉，召爲文淵待詔。楊、解未幾皆入閣。

霍韜曰：臣觀正統、成化年間，若馬昂爲户部尚書，則由貢士；若寇深爲都御史，則由監生；

若魏驥爲吏部尚書，若陳璉爲禮部侍郎，皆由教職；若薛瑄入閣，則由御史；李賢入閣，則由主事。當時人材，雖片善寸長，皆無淹滯，效忠竭節者得自策勳猷。

張文忠居正集載洪武六年六月以户部郎中吕熙爲本部尚書，尋又以爲吏部尚書；以都督府經歷俞溥爲户部尚書；以户部侍郎陳則爲大同府同知，以大同守將壞法，有司不能禁輯故也；以刑部主事陳璿爲本部尚書。八年二月，以都督府經歷韓焯爲户部尚書。十一月，以登州衞知事周斌爲户部侍郎。九年八月，以禮部員外郎張籌爲本部尚書。十一年正月，以西安府知府李焕文、寶鈔司提舉費震俱爲户部侍郎；禮部員外郎朱夢炎爲本部侍郎；以兵部郎中陳銘爲吏部尚書。十二年，以萊州府知府董俊爲兵部尚書，寧波府知府余文昇爲工部尚書，常州府知府張度爲吏部尚書。十月，以儒士王本等爲四輔官，以教諭石璞爲户部侍郎。十四年七月，以刑部郎中胡禎爲本部尚書。禎，錢塘人，御史臺吏也。十一月，以禮部郎中高信爲本部尚書，大同衞知事朱安仁爲户部侍郎。十五年十一月，以上海訓導顧彧爲户部侍郎。十八年十二月，以庶吉士楊清爲户部右侍郎，以給事中秦陞爲户部試侍郎。二十二年正月，以浙江道御史凌謨爲右副都御史，數日，又陞右都御史。二十三年正月，遣行人賫勑以上尊楮幣賜勞温州府平陽縣知縣張礎，以其執法愛民也。以韃靼指揮安童爲刑部尚書，是以武臣任文職，始見於此。二十四年正月，以蕪湖知縣李行素有實政，擢刑部右侍郎；復以吏部考功司主事周舟爲新化縣丞。初，舟爲新化丞，有善政，陞考功司。至是邑民詣闕言：舟去任，民不安願，借舟再爲丞。故有是命。賜宴禮部而遣之。二十五年九月，以刑部員外郎某爲都察院右副都御史，刑部郎中任勵爲本部左侍郎，司務祁著爲右侍郎。二十九年正月，以詹事府丞杜澤爲吏部尚書，左贊善門克新爲禮部尚書。三十年正月，以禮部員外郎侯泰爲刑部左侍郎，司務暴昭爲刑部右侍郎。

内外

夫官之有内外也，内之中有外焉，翰院之於部、寺是也；外之中又有外焉，部、寺之於省直是也。在内者既薄視淮揚而不爲，在外者又遥望長安於天上。其得之，則侈然自恣，其不得也，則頽然氣沮。營營一官，遑問職業矣。内者既昧民社之宜，外者鮮通輔導之術，士無實用，未有近世之甚者也。周官曰：明王立政，不惟其官，惟其人。古不分文武，何有内外，互而用之，斯固周官之旨乎。

漢制，以郡縣守相之高第者爲二千石，二千石有治行者爲九卿，九卿稱職爲御史大夫。宣帝以蕭望之才任宰相，欲試以政事，乃從少府左遷爲馮翊，曰：所用皆吏治，民以考功，故試之於三輔。

于文定慎行曰：宰相之職，上佐人主，下總萬國，必嘗親歷民事，知錢穀、刑名之詳，然後可以贊理萬幾，不涉懸斷。故漢、唐以來學相之任，往往起家郡邑，未有文學、侍從不出禁門，而進宅端揆任天下之重者。

元人王惲云：唐制，選京官有才識者除都督刺史，都督刺史有政跡者除京官，使出入常均，永爲定式。又云：漢制由郎官而出宰百里，由郡守而入爲三公。

宋人初改官，人必作令，謂之須入。除殿試上三名南省元外，並作邑。其後雖宰相子，殿試甲科，無不宰邑者。

胡端敏世寧曰：内閣缺，不當專於翰、詹、吏、禮，當斟酌先朝閣臣李賢等故事，於六部尚書、左右都御史簡其公忠體國，知人有容，練國體王事者推補。部尚書、都御史缺，宜於内部侍郎，於外督撫、副都御史中簡其人才望懋著者補之，則心膂股肱得人任職，而天工時亮矣。六部侍郎、副都御史，在外總制、總督等缺，宜於大理寺卿、坐堂僉都御史、府尹、詹事、學士并在外各處巡撫、巡視南京管糧副僉都御史、十三布政司左右布政使共四十餘人内推補。各邊腹巡撫并巡視河道御史缺，宜於各寺卿、少卿、大理寺丞，年深出衆給事中、御史、郎中，在外右布政使、按察使、左右參政，年深兵備副使，上等知府内推陞。原職高者陞副都，原職卑者陞僉都，十分資淺者陞署職，令其領勑一般行事。其有在邊不諳軍旅而善理民事者，改任腹裏，不爲貶抑。年深有勞者就彼僉都陞副都，副都陞右都，常管此方。十分年深勞著者，就陞部院掌印。如正統、天順年間，金濂、年富皆自副都陞户部尚書。府尹及布政使稱職者留，以久任遷陞侍郎并坐堂副都御史。如天順年間，刑部尚書陸瑜、禮部尚書蕭暄皆由布政徑陞。翰林院、春坊、詹事府等官，以備顧問，侍講讀，草制誥，修史牒，最一清要之職。唐、宋以來，多重此官，以備卿輔之選。然多選外官才學過人者試任，雖取中狀元，亦令試歷民事，方纔取入翰林。

國初多用徵聘隱逸之士。永樂、宣德、正統以來，如楊士奇、張洪由王府審理教授，黄淮、劉鉉、張益由中書舍人，鄒濟、陳仲完由教職，儲懋、王洪、陳山由給事中，劉球、李時勉、陳敬宗由主事，胡儼由知縣，蔣驥由行人，于敬由御史，各陞翰林、詹事、春坊等職。又如張英由教職薦陞給事中，復進中允；郭璡由參政，李賢由主事，薛瑄由御史，皆歷陞侍郎、尚書，兼詹事、學士。又如張顯宗由翰林歷陞祭酒，出爲布政；郭濟歷任春坊，復陞知府；王珣由檢討陞大理寺丞，巡撫貴州；歐陽謙由御史改編修，復陞郎中；徐旭由御史陞郎中、祭酒，復改修撰；羅汝敬由侍讀改御史，是皆惟才所宜，不拘内外出入，所以得人。給事中、御史皆有言責，上而君身朝政缺失，下而臣僚是非邪正，皆唯其所言是聽。使非其人，人主誤聽其言，則聰明惑亂，是非邪正不明，誤事不小；不聽其言，又爲拒諫，取謗天下。至於御史，又有巡按，激濁揚清，除奸革弊之責所係，一方利害尤重，故自古慎重此官。我祖宗朝，如干翺由寺正、甄庸由知府左遷，陳祚由參議、康慶由知州落職，皆復陞御史；虞翔、王鐸、年富由教職，冀凱由州判官，皆陞給事中；又如丁璿由主事，馬守中由同知，俱陞御史；徐旭由御史、郎中，復改翰林；歐陽謙由御史入翰林，復陞郎中，是皆惟才所宜，不限資格。所以得人，而又拔其尤者超擢侍郎、僉都御史等官；所以肯盡其職，且又不時考察，使偏私浮僞者不得混於其中，以惑上聽明；所以天下常受納諫之福，而君上不受拒諫之名。知府、知州、知縣於民尤親，於治體尤重，宜畧倣唐内外均調之法，不歷刺史郡守，不得任侍郎、列卿；不歷縣令，不得任臺、郎、給、舍；進士出身，不得徑選州郡正官；京官外補，不得徑陞參政副使。參政副使缺，惟推訪知府、知州、知縣久任卓異者當之。

管志道疏：正統中，劉永清，翰林院侍講也，以才堪繁劇，擢爲廣東左布政。景泰中，徐有貞，春坊左諭德也，以智能治河，擢爲僉都御史。而嘉靖中歐陽德，則以知州而累遷禮部尚書，魏校則以副使而召爲國子監祭酒，蓋猶内外通融也。近乃專以内閣及禮部、詹事府、國子監堂上清秩爲遷轉翰林官之地，别衙門不得與焉。卽有自翰林出爲方面者，亦以備考察之遺，與左遷無異矣。又如宣德中，初設巡撫官，則郎中趙倫、員外郎吴政、長史周忱等，與御史于謙，同擢爲各部侍郎。弘治中，大理寺丞缺，鄒魯以御史謀陞，而吏部竟從何喬新之薦，以郎中魏紳補之，蓋猶擇人不擇官也。近乃專以都給事中與文選司郎中占提督四夷館及謄黄、通政之缺，以監察御史占大理寺丞之缺，其餘雖德若顔、閔，才如張、葛，弗與矣。

久任

夫官之不能集事也，陞轉之速也。經曰：聖人久於其道，而天下化成。不久而成，聖人難之，況其下焉者乎。雖曰晚季淩競，志希速化，稍需次焉，則拊髀書空、攢矢銓衡之堂矣。然有説焉，非人不樂久，上亡有以處久也。古之久於其任者，大槩皆賢者也，不則去之惟恐不速，寧能久乎。其賢者功深而效著，惠浹而譽起，上於是初以璽書褒之，繼以車服寵之，再以顯秩擢之。彼久者，既得行其志，而又大其報，其誰不以久爲榮，而以速爲辱哉。漢之三公闕，則以九卿、郡守賢而久者任之，故其得人媲於三代。人情何常，顧上所以用之者何如耳。

宋濂曰：取士莫善於選舉，用人莫善於器使，命官莫善於久任。

葉氏曰：周官司士以久奠食，何也？蓋古人爵人以德，不觀其暫，而觀其常；禄人以功，不觀其驟，而觀其素；任事以能，不揆其始，而揆其終。議論要諸久而後定，功效要諸久而後成，此先王所以久於任人而不驟遷也。

考久任之法，三代皆世官也。至漢，文景之後，治幾三代。宣帝有言：民所以安而無怨者，政平吏良也。與我共此者，其惟良二千石乎。以爲吏數變易，則下不安業，久於其事，則衆服教化。其有政理者，輒以璽書勉勵，增秩賜金，或爵至關内侯。公卿缺，則以次用之。漢世循良，於兹爲盛。

司馬温公光曰：自古得賢之盛，莫若唐虞之際。然稷降播種，益主山林，垂爲共工，龍作納言，契敷五教，臯陶明刑，伯夷典禮，后夔典樂，皆各守一官，終身不易。苟使之更來迭去，易地而居，未必能盡善也。今以羣臣之材，固非八人之比，乃使之遍居八人之官，遠者三年，近者數月，輒以易去，如此而望職事之修，功業之成，必不可得也。

元人吴萊云：欲富國者，必在於養民；欲養民者，又必在於重郡縣之選，嚴守令之職。苟重其選，將任之以久，而可成功；苟嚴其職，將權有所歸，而易集事。

韓尚書邦奇曰：官不久任，雖欲言治，皆苟而已。百弊皆生於不久任，百利皆生於久任，非可以言説盡也。不必上考古制，我高皇之法，三年一考，六年二考，九年三考，然後考功司付文選司，因其考語之高下，或平除，或陞一級，或陞二級。間有緊急用人，功業顯著者，六年以後，亦得超陞。若不再考而陞者，考功必詰之文選，何所憑據，而知其賢乎？弘治以前，皆遵行之。

舊事，按察司官惟按察使陞布政副僉，鮮有陞布政司者，惟風力不著之人，間以陞之副使。李隆陞參政，見邸報，泣曰：我何負於其職，而陞此官乎，遂致仕去。布政司官亦鮮陞按察司者。至正德中，止因躁進無恥之士干求權幸，而圖速化，吏部以其年資尚淺，無可奈何，或以僉事陞參議，或以參議陞副使，而祖宗之成法壞矣。

張文忠居正疏：各衙門佐貳官，須量其才器之所宜者授之。平居，則使之講究職業，贊佐長官。如長官有缺，卽以佐貳代之，不必另索。其屬官有諳練政事、盡心官守者，九年任滿，亦照吏部陞授京職。高者卽轉本衙門堂上官。小九卿堂上官品級相同者，不必更相調補。各處巡撫官果於地方相宜久者，或就彼加秩，不必又遷他省。布、按二司官，如參議久者，卽可陞參政；僉事久者，卽可陞副使，不必爲小轉之法，互遷數易，以滋勞擾。如此，則人有專職，事可責成，而人才亦不患其缺乏矣。

巡撫久任。周忱在蘇松二十二年，王翺在遼東十有一年，于謙在河南、山西一十八年，陳鑑在陝西十餘年。

宣德中，陝西鞏昌知府孫亶、昌黎知縣楊信俱九年考滿，耆老乞留，命各加俸二級，復任。蘇州府知府況鍾、吉安知府陳本深兩處部民請留，加正三品，仍管府事。

陝西寧州知州劉綱爲州守三十二年，每考績，皆以州民奏留，仁宗特賜璽書褒異，加四品章服。

吏部，自永樂改元，至天順丁丑，上能推誠，下無逸口，蓋五十六年僅蹇、郭、王三尚書耳。

自弘治丙辰至嘉靖辛亥，亦五十六年，凡易二十八人。此後更加傳舍。銓部如此，他可知矣。內閣久任，則楊文貞公士奇歷三朝四十三年，楊文敏公榮三十五年，金文靖公幼孜二十五年，楊文定公溥二十一年，陳芳洲循十三年，商文毅公輅前後十七年，彭文憲公時前後二十年，李文達公賢十年，劉文穆公吉十九年，徐文靖公溥十二年，劉文靖公健二十年，謝文正公遷十一年，李文正公東陽十七年，楊文忠公廷和前後十四年，費文憲公宏前後十三年，張文忠公孚敬八年。

吏部，則蹇忠定公義二十七年，輟部事備顧問者八年，郭公璡十七年，王文端公直十四年，王忠肅公翺十八年，尹恭簡公旻十四年，王端毅公恕先後十餘年。九卿則夏忠靖公原吉在户部二十八年，胡忠安公濙在禮部三十二年，馬端肅公文升在兵部十三年，戴恭簡公珊爲左都掌院十二年。巡撫則黄忠宣公福在交趾十九年，周文襄公忱在蘇松二十二年，于肅愍公謙河南、山西十八年，陳祭酒敬宗在國學二十年，況公鍾守蘇州十二年。

吏部以年高久任者，蹇忠定義在部時七十三，王文端直在部時七十八，王忠肅翺在部時八十四，馬端肅文升在部時八十一，黄太宰宗載在部時七十八，王端毅恕在部時七十七，王太原瓊以七十三再入吏部，楊文襄一清起吏部入閣七十六，王國光在部時七十一，楊海豐巍在部時七十四，孫恭介丕揚在部時七十三，趙忠毅南星在部時七十五。至於以八十爲內閣如楊文貞士奇諸人，以八十爲部堂如儀宗伯智諸人，載於王元美集中者不録也。宋人有言曰：天將祚其國，必祚其國之君子。視其君子之衆多如林，則知其國之興；視其君子之康寧福澤如山、如海，則知其爲太平之象；視其君子之摧折頓挫如湍舟、如霜木，則知其爲衰亂之時，諒哉。宣德中，蹇忠定、夏忠靖在部俱將三十年上，以其春秋高，尚典劇司，非以優老，乃令解部事，朝夕左右討論治理。

陞除

夫推陞、選除，銓之大端也。司官之條分縷晰者，至堂而合挈矣；司官之詳稽博採者，至堂而施行矣；司有難肩之擔，堂猶難焉，其誰肩之？司有難任之怨，堂猶難焉，又誰任之？故高居端揆之堂者，當鑑空衡平，因物付物，以彰癉還之天道，以名器還之朝廷，以利害置之度外，庶幾福被民生，慶延宗社，百官所以統，四海所以均乎。昔趙忠毅在部年踰七十，日以懲貪抑競爲事。嘗曰：年老如此，不爲何待；時危如此，不救何時。此忠之爲忠，毅之爲毅也。嗚呼，能無念哉！

國之大僚，政事係焉，會推不可不審也。每遇員缺，先一日，移會大九卿、掌科、掌道集於闕東。九卿東、西立，科道北向立，選司致詞，推某缺，遞一空册於冢宰。冢宰云：推某正、某陪，各畫題，而本不列名，此舊例也。吏科給事中翁憲祥云：大僚之有會推，蓋冢宰不獨受其權，博謀以示公。若冢宰舉手而聽，則所司何事。

萬曆壬辰，内閣張位議會推大臣，宜令九卿、科道各舉所知，送之吏部類奏，取自上裁。孫太宰鑨争之，以爲會推乃爵人於朝之義，官至大臣，歇歷已久，才品已定，會推之時，九卿、科、道俱在，如有不當，自宜面相爭引，何必類奏。給事中史孟麟疏云：如輔臣之言，則始以一部之權分而散之於諸司。究也以諸司之權合而收之於禁密，聽自上裁，旨由閣票，內托上意，外諉廷推，誰執其咎。遂罷其議。

嘉靖中，禮部尚書汪俊請告，上徑取南兵部侍郎席書補其缺。吏部尚書喬宇固爭，以爲尚書不由會推，祖宗百餘年所未有，請收回成命，令俊與書各守職如故，人韙之。

少詹事霍韜既陞詹事，辭不拜，以新命由內閣推用也。因言：內閣推官，非祖宗制。自楊士奇、楊榮、楊溥及李東陽、楊廷和專權、植黨，籠絡翰林爲屬官，中書爲門吏，故翰林遷擢不關吏部，而中書至有夤緣迭進六卿，及支一品俸者。臣嘗建議，謂翰林遷擢去留，盡屬吏部，庶不陰倚內閣爲腹心，內閣不陰結翰林爲朋比。

萬曆辛卯，閣臣員缺，例當會推。上傳趙志皐、張位入閣辦事，申公時行密薦也。陸冢宰光祖執奏曰：閣臣例當會推，兩臣之賢，卽不負所舉，然一聽密薦，恐開徇私之門。上是之，後不爲例。時王公錫爵曰：詞林鱗次有例。光祖正色曰：宰相非掾史，何可例進。卽請致仕。

會推冢宰。嘉靖中，尚書聞淵致仕，會推禮部尚書徐階。上曰：階方事朕左右，如何輒擬外遷。乃推戶部尚書夏邦謨。

萬曆中，吏部尚書孫鑨致仕，內閣欲推禮部尚書羅萬化。時侍郎趙用賢署篆，以爲不可。勳司郎顧憲成云：內閣者，翰林之結局；冢宰者，各衙門之結局，況論用人大道，止當問其孰可內閣，孰可冢宰，不可問其孰爲某衙門；論救世大機，通冢宰於翰林其勢易，通內閣於各衙門其勢難，不可不深計也。内閣無以奪，竟用南太宰陳有年清正，時稱得人。

選法之壞，自萬曆甲午置籤始也。孫太宰丕揚杜權貴請托之弊，行大選掣籤之法，一時稱公。于文定慎行譏其非體。古人見除吏條格，却而不視，以爲一吏足矣。奈何衡鑑之地，自處於一吏之職，而無所秉成，亦已陋矣。至於人才長短，各有所宜；員格高下，各有所便；地方煩簡，各有所合；道里遠近，各有所準，而以探丸之智，爲挈瓶之守，是掩鏡可以索照，而折衡可以懸决也。

趙忠毅疏：掣籤之法，自古未有，自萬曆年間始用之，以示公。其初，即不能行，遂有造籤之法，討缺者無不如意。御史翟學程之疏，至以爲可笑，良亦無怪其然。荀卿曰：探籌取鈎，所以爲公，上好曲私，則百吏乘是。而後偏此假設，以見行法之在人也，而不意天下之果有此事也。似宜變之，以復祖宗之舊。遂停抽籤之法。至天啓末復行。人因譏銓部爲籤部。

豐城李太宰裕每當大選，先二日於後堂設木牌，上書皇天鑒之四字，與二侍郎坐定。文選司官前立，以缺員并選人姓名、品第，較量筆之於牘。至期，引奏畢，對牘填榜，更不移易。此吏部原行之法，銓之所以爲銓也。

詞林陞用，原非一格。如都給事夏言爲侍講學士，左給事司馬恂陞洗馬，吕懷改春坊，司直給事金幼孜改檢討；御史王子沂爲左司直，徐敬、陳灝、劉子春、周幹、韓守善等俱陞中允，王大任、姜儆陞侍讀學士，陳叔綱、邵宏譽陞修撰，歐陽謙改編修；吏部主事李賢、唐順之、户主陳淪、兵主虞淮、陳節之俱改編修，禮主劉球、兵主劉鋐陞侍講，工主王一宏改修撰；中書舍人芮善、姚友直陞洗馬，黄淮陞修撰，朱孔暘陞編修；行人右司副張洪陞修撰，蔣驥、沈伯咸改檢討。苟有真見，特疏陞改，則用人之端也。

倪鴻寶元璐考選議：考選一事，請自吏部先以治行考定科道部司等員。其於科道，但擬懸銜，部司照嘗銓次具題。得旨，則以所定科道人數送閣考選，館員自部司而下，不得參預。凡與試者，悉爲治行之尤，在内閣卽可一意衡文，不必分心采望。其高下名次，以文而定，而授官編、檢，仍準官評。如原擬給事者則授編修，原擬御史者則授檢討。拔科道之尤爲館員，既可尊文學於政事之上，定編、檢之次，以部議仍是升器識於文藝之先。

何良俊言：考選科道，當於各部署主事中推舉，不當徑用新行取諸人。以推知取到者分置各部任事，後選其有風力者任科道。

胡氏致堂云：祖宗時，充臺諫之選者，皆天下望士，或中外踐更已久，無所不知，故能有補。後世乃以新進爲之，宜其觀望喋喋，而莫可遏也。又司馬温公言：凡擇言事官，當以三事爲先：第一不愛富貴，次則重惜名節，次則曉知治體。此乃名言。

洪熙己未，諭尚書蹇義：御史，耳目之官，惟老成識治體者可任。又曰：都御史，十三道之表，如廉清公正，御史雖間有不才，亦當畏憚。今之不才者無畏憚矣，其咨訪可任都御史者。

趙太宰南星言：可以救民者，莫過於巡撫。而此官甚不易作，必德望威稜，能使貪污解綬而後可耳。其次，則知府最急。知府賢，則州縣官不敢害民。二者，官有大小，皆宜選擇，破格而用之，久任而優擢之可也。

翰林陞轉論資，科論俸，道論差，吏部論選，大約以六選爲準。科、道、吏部年例，六年以上陞參政，五年以上陞副使，四年以上陞參議，三年以上陞知府、僉事。内外陞，科每年二人，道四人，吏部一人。科與吏部又有以大計勞陞者，御史以兩畿學差滿陞者。内外陞原徑從部定移取，非例也。

吏部司官雖論省，然亦有不盡拘者。如萬曆中，吕坤、黄克念皆寧陵人而同時，司汝霖、傅作雨（舟）皆江陵人而同時。趙忠毅于江西用吴羽文、鄒維璉，雖人有煩言，趙不之顧。

吏部以觀政進士而卽補本部司官者李公賢。時郭公璡爲太宰，見其嘉禾詩，曰：此臺閣器也，卽補驗封主事。譚公倫觀政時，王公翺爲大宰，一見卽曰：南人中乃有此誠實之人，卽補驗封司主事。夫吏部方欲破格用天下之才，而於本衙門司官顧不當破格乎？各部司官外陞皆有定俸，九年大參，七年憲副，五年參議，四年知府，三年僉憲。禮、兵二部無知府，然隨才酌用，地方不拘，而萬不可使之闞捷躐冶也。

高文襄拱署吏部，加意郡邑正官，尤重邊才。疏言：邊方有司，實兼牧民、禦賊之責，必擇年力精强、才氣超邁者除補，或查治有成績、兼通武事者調用，以三年爲率，比内地之官加等陞遷。有能捍患禦敵，以軍功論，不次擢用。如才畧恢宏，可當大用，卽由此爲兵備，爲巡撫，爲總督，無不可用之者。若用之不效，無益地方者，降二級別用。若觀望推諉，以致悮事者，輕則罷黜，重則軍法治罪。夫既開功名之路，以歆之於先，又嚴降罸之條，以繩之於後，庶修職者多而邊方有賴。直隸兵備俱有兼制隣近州縣之責，勅書具載。至於各省直交界道分如大名、山東、河南、北直、與徐州、南陽、荆州、襄陽之類推之，有接壤守巡官，俱宜選擇，而使重其事權，假以便宜。凡隣制有司給由一體註考，庶幾有分土，無分吏、分民，而精貫脈聯，方成臂指相使之勢，此弭盜撫民最急務也。

提學一官，關係極重，俱用風憲官，須選品行、文章兼優者充之，不論資俸。每科場後，例有甄别，有内轉，有平調，有議處。今欲興士行，爲國儲真才，其法不可廢。

漢以來重守令。守令親民，得行其政，故當時循良爲多。雖有刺史部，史有繡衣直指之屬，間一命之不，專以爲治也。唐世，諸道置按察使，後改爲採訪處置使，又改爲觀察使。其戎旅之地，置節度使。然每道不過一使臨之而已。宋時，州郡控制，按刺率五六人。元時，立行中書省，設官皆視中書。至明，改爲布政司。今猶稱某省，仍元舊也。各省布政使二人，參政二人，參議二人，按察使一人，副使二人，僉事二人。又有巡撫統之，歲命御史按之，政令紛然，守令欲舉其職，難矣。留心世道者，所宜講也。

内六卿分職，守令則六卿之責皆萃焉；外三司分職，守令則三司之責皆萃焉。故非才識，不可以漫授；非久任，不可以責成。昔元末任非其人，酷刑横歛，台、温、處之民樹旗村落，曰：天高皇帝遠，民少相公多，一日三遍打，不反待如何？由是黄岩方谷珍因而肇亂，江淮紅巾徧四方矣。今欲救民水火，可不慎擇而久任乎？

按縣令之制，在唐有七等：一曰赤，京都所治；二曰畿，京之旁邑；三曰望，滿四千户；四曰緊，三千户以上；五曰上，千户以上；六曰中，不滿千户；七曰下，五百户以下。凡注爲令，總治民政，勸課農桑，與户口、賦役、錢糧、賑濟、給納之事皆掌之。有孝弟、行義聞於鄉閭者，申州激勸，以勵風俗；有戍兵，則兼兵馬都監或監押，其職守若是。

宋詔，縣令以十二事遵行：一曰敦本業，二曰興地利，三曰戒游手，四曰謹時候，五曰戒苟簡，六曰厚蓄積，七曰備水旱，八曰戒宰牛，九曰置農器，十曰廣栽植，十一曰恤田户，十二曰無妄訟，而以勸課農桑總之。

冢宰王恕在部中，有青州府益都縣新進士石存禮，年二十二歲，應選知縣，乃改選行人。題曰：竊惟知縣乃一縣之主，百責所萃，生民休戚係焉。今石存禮年方二十二歲，氣質清秀，形體孱弱，若除授知縣，使之宰百里之地，居羣僚之上，督率衆職，分理庶務，加以送往迎來，承上接下，勞苦百端，恐不能堪。看得行人司行人，亦係三甲進士該除官員，其職最簡，而無勞事，故將石存禮仍送該衙門辦事，候有行人員缺，另行除授行人，使本官讀書進學，日省月修，待其老成，然後授以任事之職，斯可責其成績。

給事中楊允繩言：古者立郡縣之等，明銓序之品，所以人與地相適。今宜劑量政務煩簡，地方邊腹，道里衝僻，列三等爲銓除。中有請託規避者，痛加裁抑。至於履任後人才地方或未相宜，又有出於銓擬所不及者，令撫按官奏報改調，則人才各適於用，銓擬漸趨於平矣。

高文襄疏：國家用人，不得官於本省，惟有民社之寄者則然耳。若夫學倉、驛遞、閘壩等官，其官甚卑，其家甚貧，一授遠地，或棄官不能赴，或去任不能歸，零丁萬狀，其情可矜。宜照教官例，酌量隔府近地銓補。

國學例於三、九月陞轉，博士、助教皆從八品，學正正九品，學録從九品，部院寺司務亦從九品，是司廳之缺惟正録可轉，而往往品高者越之。越一人遂致久候，不均不平，宜令選司立畫一之規可也。

宣德中，方面官俱令在京五品以上保舉，初行甚善，既久弊生。景泰初，王冢宰直力言其非，仍還之部用。時李文達賢爲選司，令將六部郎註年深者第其才之高下爲一帖，御史爲一帖，給事中爲一帖，方面有缺，持此帖斟酌用之。將盡，復增之。既用而人不知，奔競之風頓息。初行，内閣不悦，既服其公。

范公景文典選時，上疏：今天下仕路，舉國如狂，嗜進如騖，毋亦衡鑒之地先自不清，而欲其恬漠寡營，詎可得乎？竊念除者有歲格，其久近不得而私也；遷者有資勞，其深淺不得而私也；特擢者有績望，其高下不得而私也。今與需次諸臣約：一行請託，臣不能爲之諱；又與同事諸臣約：一聽請託，亦願諸臣勿爲臣等諱。以天地人材爲天地惜之，朝廷名器爲朝廷守之，天下萬世是非公論與天下萬世共之，人還其人，我無失我，此臣心可自信者。范公此疏，可爲吏部銘。

吏部有用人捷法，無如進士觀政。久之，人視爲故事矣。進士分試九卿衙門觀政，堂長司僚與之朝夕而試之，視其人端邪能否若燭照而數計之，於是會其實以上於天官。天官籍准以爲銓注文學、政事、風節、慈愷，隨所成以授其任。任則必久而不數更，是以無不可用之才，無不可知之人。此易簡之道，先朝所以得人爲盛。昔李賢觀政吏部，郭太宰璡見而器之，題授稽勳主事，由郎署而少宰，而太宰，始終在銓，卒成賢相。此知而用之之明效也。

萬曆二年，吏部題：辦事進士不許借差引疾，如有疾者，准令在京調理三月。不痊，掌印官方與具題。仍申諭各官：躬儉用以省費，忍嗜慾以保身，習律令以通政務，服勤勞以圖報效。得旨：詐病托故，推奸避事的，部、科即便糾奏，照例罷職不敍。其狗情題覆，朦朧結勘，一體治罪。其嚴如此。余於辛未觀政户部，司農畢公屢委查兑錢糧。同年諸人觀政刑部者，皆理部事，上本列名。

考課

夫取人之途欲寬，不寬則野有遺賢也；課官之法欲嚴，不嚴則朝無實政也。取而任之，任而課之，亦賢者所樂見其長也，聖王豈有姑息之政哉。明試以功，車服以庸。舍明試，別無車服之道矣。故周禮日有成焉，月有要焉，歲有會焉，不厭詳焉。明興考課之制，遠法唐虞，近酌列代，最爲有法。至江陵相柄國，大加振刷，益赫然可觀。迨其顛躓時，且以覆轍鑑之矣。人務因循，事趨簡便，内外大計，止據各衙門開報，聊一舉行，而三年報滿，槩加褒獎，以爲封典之地已耳。何怪乎人競傳舍其官，而事功日見其隳也。

百官考課之法，皆以三年爲一考，六年再考，九年通考，始行黜陟之典。是則舜典三載考績，三考黜陟幽明之制也。官滿者則造爲牌册，備書其在任行事功績。屬則先考於其長，書其最目；轉送御史考覈焉，亦書其最目。至是考功，稽其功狀，書其殿最。凡有三等：一曰稱，二曰平常，三曰不稱。既書之，引奏取旨，令復職，六年再考，亦如之。九年通考，乃通計前二考之所書者，以定其陞降之等。其立法之簡而要，詳而盡，漢、唐以來所未有也。

按漢郡守辟除，令長得自課，刺史得課郡國守相，而丞相、御史得雜考郡國之計畫，天子則受丞相之要。唐法：百司之長，歲較其屬，善最集於尚書省唱第，然後奏。宋法：有審官院、考課院，京朝官引對磨勘，非有勞績，不許進秩。明之以御史考覈，即漢宣命御史考殿最也；書以考語，即唐人第其善最也；稽其牌册，引以奏對，即宋人之引對磨勘也。

九年之內，二考稱職，一考平常，從稱職；二考稱職，一考不稱職，或二考平常，一考稱職，或稱職、平常、不稱職各一考者，俱從平常；二考平常，一考不稱職，從不稱職。其陞降又論地方繁簡。京官俱以繁論。

京官有首領者得稱堂上，考滿得單引，不出考語。其餘如庶子、諭德等皆出考語。又給事中除職事相等，得前後通考，御史外除則不得通考，有司官考滿至部，如户口不增者送問，清軍得三分以上者得陞，其餘雖錢糧未完，不在問例。

王端毅恕於弘治三年奏言：考課之法，廢格不行，甚非政體。今後考滿官俱令給由，赴部照例考覈。故當時政治精明，中外恬熙。及王瓊爲太宰，乃言四方之遠，一官赴京考滿，往回勞費，且誤公務，許令本處考覈。方面官有巡撫、巡按開報考語，亦令就任復職，待朝覲定黜陟。於是成法盡壞，而政體日偷。

初制閣部大臣考滿，多有不能還職者，如鄭曉今言載：內閣胡儼以考滿出爲祭酒，故永樂五年十一月諭蹇太宰義曰：胡廣等侍朕日久，繼今考滿，勿改外任。

嘉靖五年，吏部奏：請凡府、州、縣官治績卓異者，各撫按以聞，令其加俸管事，俟九年滿，不次陞遷。報可。

洪武十七年九月，以懷慶府通判戴莊、湖廣都司斷事高翼、靜寧州判官元善俱爲右僉都御史，東昌府教授馮叡爲左贊善，皆以秩滿考績課最，故超擢之。洪熙元年，思州府通判檀凱九年考滿當陞，其民詣闕言凱愷悌，乞留復任，加正五品俸以優之。

韓尚書邦奇曰：古人九載黜陟幽明，今制三年考察，其法已密。在外撫按事竣，復有旌劾，是又不時考察矣。其所劾固有貪殘之輩，中間或小過，或詿誤，或譖謗，或語言不合，趨承未至，以致黜退。我國家以科目取士，中其選者，皆俊乂之器，才識不大相遠，但習與不習耳。習之於累年，棄之於一旦，以壯年有用之才終身閑廢，深可惜也。

邱文莊濬曰：本朝三年一朝覲，天下司、府、州、縣各齎須知文册來朝，六部、都察院行查及所行事件有未完者，當廷合奏，以行黜陟。近因選調積滯，設法疏通，輒憑巡按御史開具揭帖，不復稽其實跡，立爲老疾、罷軟、貪酷、素行不謹等名以黜之，大非祖宗初意。按舊制官員給由到部，考得平常及不稱職者亦皆復任，必待九年三考，然後黜降。其有緣事降職、除名，亦許伸理。其愛惜人才，而不輕棄絶如此。彼何人哉，立爲此等名目，加以空文，何以厭服其心乎。

鄒忠介元標疏：臣查先朝以陸容之賢，能爲人甘心至今，載之埜史，以爲寃抑。邇者一錮顔鯨，再錮胡桂，芳、萬廷言，三錮管志道，譚者皆爲諸臣寃。臣竊以爲奪一時浮榮，與萬世清議，諸臣得專心并精不朽之業，睎之浮榮，猶一吷也。是所奪諸臣隘，所與諸臣奢，何所不樂。故（顧）近爲國體傷，遠爲國史玷，以黜幽宏典，開報復私竇，正人君子，心竊憂之。臣愚謂京察年份，不必分單咨訪，許部院各寺糾覈各屬，以備考察，如撫按糾方面例，翰林屬之掌院，六科屬之掌科。倘糾覈不當，他日公論既明，重則削職，輕則不與葬祭。夫彼既已宦成，猶不爲國惜才，使好修之。夫屈首蓬藋，足以干天和，召戾氣，卽重懲不爲過也。法嚴則人心肅，彼雖求一時之諧衆口，不能不憚他日之拂公論矣。且與其陰開册送部院，不若明上疏君父之前，使疏而果當其罪，是與衆共棄之也。光明正大之典，願力行之。

胡端敏世寧上疏：臣先爲南少宰署事，察吏五人陳璜、朱應昌、陳則清、陳榮、喬祺當黜，稍令外除。今細詢之，五人者俱能其職，且素賢臣。前事已過，乞復之。五人卒得復。徐文貞常言：王三原爲太宰，大計疏上，孝宗點留九十員，自方伯至尉，三原執之力。或曰：此皆廉吏，上使人察得之者。三原乃使親信於近畿州邑訪數人，果皆不染脂膏，遂不復執，以此服。孝宗不惟仁厚大度，而英睿精綜，使人不欺如此。當時，内侍亦皆謹飭，無敢饕肆，其治象可想見也。端敏不執已遂過，誠有古大臣風。

天順八年，令考察誣妄者科道官指實劾奏，南京者則責南京科道官。嘉靖六年，令朝覲官有考退者，果執法被誣奪職，許大臣、言官卽時論辯。舊時立意，公慎如此。後乃嚴禁，則寃抑者多矣。

吏部以考成爲飭吏，自崇禎朝始。按萬曆中，吏部因户部參罰徵賦不及格官員當降調，乃疏言：地方有素稱難處，各官恐其爲累，亦有願離地方以别就功名者，於是政拙催科，心甘降調，則本以示懲，適遂私計。若乃前官積逋數多，後官所徵止作前數，而見年之額，反稱逋負，俱非事理所安。此後，宜以見年爲正徵，當年既完，以前負爲帶徵，陸續補足，總計分數若干，議定降格。其當降者，止降一級，仍在地方視事，俟完足之日復原官。復官之日，始計俸考秩，行取陞遷。至於地方凋敝殊甚，雖盡力催徵而亦不能完者，當令撫按官覈實定限，許其從容徵補。如資俸已深，限期未滿，而額有半完者，亦得陞遷行取。上從之。按正徵帶徵之法，余於崇禎辛未初爲令猶行之，至丁丑候考在京，見一切錢糧俱入考成，縣令卽有賢如龔、黄，亦無所用之矣。而國之亡，實在於此。

羅太宰欽順吏部題名記：建官之法，源於邃古，至周而益備以善，三公論道，三孤弘化。六卿分職，取法於天地四時，而天官卿實掌邦治。天官雖與五官並列，然五官之得人與否，亦必由之，故其責任尤重，傳所謂天子之相。是以周家治化之盛，歷年之久，前後鮮及。雖由文、武、成、康賢聖繼作，抑豈非建官有體，職分勢一，相與左右維持之效哉。嬴秦事不師古，亦既罔終。由漢以來，規制率相沿襲，未有能卓然盡復周官之舊者，其治效之不古若，無足怪也。我太祖高皇帝以天縱之聖，開萬世之基，制治保邦，一惟有周是式。乃洪武十三年斷然罷革中書，天下大政悉以分屬六部，而升崇其品秩。於是尚書秩正二品，左、右侍郎秩正三品，凡中外百官封拜、考課、黜陟之事，吏部掌之，列聖相承。凡用爲吏部者，恒極一時之選，而冢宰之蒙簡命，禮數特異。若夫勳勞茂著，則三孤是加，及其卒也，往往三公是贈。申之以易名之典，任之專待之厚，而其人所建立，光明碩大，亦班班可數，治隆化洽，端有賴焉。雖嘗驟值權姦，僭作威福，若無所容其力者，徒以體統素正，品式具存，猶得慎守堅持，默捄潛扶，以需大來之慶夫，然後有以知我聖祖之稽古建官，慮周萬世，而收其效於近日者，亦云偉矣。今天子初即位，首用趙郡石公爲吏部尚書。俄入掌絲綸，亟召太子太保南京兵部尚書太原喬公爲之代。至則修明紀法，舉措惟允，孜孜夙夜，以翼維興運，與石公先後一心，朝野欣欣，以爲太平可歲月冀矣。公視事稍暇，日考求前人名跡，以爲尚友之資。已而得大司徒九峯孫公所集兩京吏部題名録，參互考訂，乃戒工礱石，次第書而刻之，將樹於部之後堂，以表交承存法戒焉。惟吏部之稱，於北京始自永樂辛丑，迄今嘉靖壬午，凡百有二年。中間十六七年雖仍以行在吏部稱，然大政所出，固無改也。故今題名之刻，斷自永樂辛丑始，卿佐凡七十五人。其在南京，及辛丑以前之行部，皆不與焉。後來者可得而續書也。刻垂畢，欽順適承乏南銓，公遂以記文見屬，顧惟不敏，再三辭避，而公不余釋也，乃勉書其顛末如此。若其人孰爲可法，孰爲可戒，觀者當自得之。要豈出於公私義利兩言之外哉，是爲記。

丁尚寶元薦萬曆辛亥京察記事序：今皇上御極四十有二年，大察京朝官者七，其一以星變閏察，前後主計者，太宰稱孫清簡鑨，御史大夫稱辛襄成自修、温三原紀（純），南太宰稱李肅敏世達、曾吉水同亨，御史大夫稱海忠介瑞、陳恭介有年，少宰稱楊上饒時喬，副院稱陳莊靖瓚，功郎稱趙高邑南星。諸計大不平於輿論者丁丑、辛巳，所甚快曰癸巳，次丁亥，次乙巳。丁亥借拾遺大僚譁，襄城去矣。癸巳借拾遺庶僚譁，高邑逐清簡行矣。乙巳借楚事妖書譁，三原、上饒岌岌乎不免矣。是明爲羣小報復也。顧稽勳憲成、王比部德新發憤於丁亥，陳秀水泰來、張義興納陛、賈滁陽巖、顧梁谿允成、薛毘陵敷教、于金沙孔兼發憤於癸巳，陳給事嘉訓、劉車駕元珍、龐武庫時雍發憤於乙巳，諸君子至今有一人掛仕籍者乎？蓋姦人巧於簸弄，敢於亡忌憚，手滑者三十年矣。雖然，此標也。綱紀不肅則倖門啓，清議不重則四維裂，君子齗齗苦口爲國扶元氣，非求勝於小人也。説者曰，激而兩敗，不若劑之以平。夫君子還之以君子，小人還之以小人，天下之至平也。畫一於令甲，而清議爲權輿。舍此，非遷就閣臣，卽左右袒於臺省，前却於門户者，又一門户也。避門户者，巧而逃之，無非無是，勢不得不混。混之爲弊也，微獨紫可亂朱，抑使荃化爲茅。於是乎主計者之責綦重且艱，風波日滋險。嗟乎！三原王恕之齮於邱文莊濬也，鈞陽馬文升之脅於王鏊、吴彝也，孝廟時已作之俑，寧論今日哉？一則自捄，一則藉口劉文泰，猶可解者。若乃鐵冠鷹繡，秉憲一堂，忽焉首鼠成事，開翻局之端，自辛亥始也。乘釜鬵之機，糾衡決之衆，陰搆陽煽，撼必去之，太宰怵攢眉愬苦之閣臣，主之者二三人，而噂㗶於臺省，又自辛亥始也。時有刻京察記事者，覈之疏揭，不能半，其人亦多不安於心，故有所諱與？譬若訟然，兩造紛列，立堂上者虚平參互是非，不鈎索定矣，又豈以衆寡强弱分勝負哉！予故仍原本，蒐遺漏若干，系以萬曆辛亥，論其世也。時南計則史晉江爲政，婁江、四明、崑、宣諸黨拊掌，稱二十年快事。嗟乎！此又富平之幸與！

鄒忠介元標銓曹紀要序：憶余爲郎，猶得事楊海豐、宋商丘。楊博大有容，啓事頗多；商丘精勁，而以瘁薨。其後如孫清簡、陳恭介、陸莊簡、蔡奉新、孫富平、楊端潔，皆世推鼎吕。然上饒當相臣去就未定，故得優游在事，餘皆不得安其位，默默去。獨孫富平疏鳴不平，上卒鑒其忠，再召之，然竟不得志去。冢卿者，各司之表；各司者，冢卿之幹。幹强則表榮，表端則幹直，聯絡一體，相爲榮悴。冢卿既不安其位，何有各司諸君子，奈何不逐不老且死也？昔三楊在事，西昌冢卿十八年歸老澄江，猶賦詩有未竟用之歎。使其覩今日蒼松翠柏亂落深箐，明珠碎璧擲棄道旁，感歎不知何似？又使起西昌、鹽城、三原而在今日，挽回又不知何似？余不無遐思焉。余又惟銓政固有摧之者，亦自摧也。世法無常我有常。無常者變，有常者卒不變。使人各守其常，可生可死，何有一官？庶幾澄清而有日矣。

附　載

崇禎七年甲戌八月二十一日，上御平臺，召内閣、九卿、科道，及翰林院等官，令各舉堪任吏部尚書者。閣臣温體仁奏：臣等先舉，恐諸臣觀望，俟諸臣舉後，方舉所知。吏科盧兆龍等亦奏：科道例不薦舉，只舉有不當的方行糾劾。西班定國公徐允楨等奏：臣等例不與推文官。上令：各舉所知也好。遂令内璫授紙筆令書名。於是西班先舉原任吏部尚書王永光、南吏部尚書謝陞、兵部尚書張鳳翼、戎政尚書陸完學、刑部尚書胡應台，而吏部左侍郎張捷舉南都御史唐世濟，原任尚書吕純如、右侍郎賀逢聖舉其鄉胡應台，户部尚書侯恂舉南户部尚書鄭三俊，禮部尚書李庚先舉侯恂，右侍郎陳子壯舉其師内閣大學士王應熊，欲如高拱故事，衆哂之，兵部尚書張鳳翼舉侯恂，刑部尚書胡應台舉其鄉原任尚書陳所學，工部尚書周士樸舉其師左都御史張延登，户、兵、刑、工各侍郎俱舉其部尚書，都察院左副都御史田惟嘉舉胡應台，左僉都御史帥衆亦舉應台及其鄉原任侍郎李邦華，大理寺卿朱大啓舉謝陞、唐世濟，左右少卿李日宣、鍾炌共舉侯恂、胡應台、鄭三俊及其鄉南工部尚書劉定國，左寺丞李懋芳舉其鄉原任尚書商周祚、原任府尹劉宗周，通政司通政使楊建烈舉侯恂，左通政吴甡舉鄭三俊，翰林院掌院詹事吴士元舉胡應台。既畢，於是大學士温體仁、錢士升同舉謝陞，大學士王應熊舉唐世濟，大學士何吾騶舉侯恂。上曰：在北各官現有職掌，不必推。因詢謝陞、唐世濟何如人？輔臣各有奏對，次及吕純如。上曰：純如係逆案中人，且問科道如何説？於是吏科盧兆龍首糾，而工科孫晉、兵科蔣德峻繼之，御史金光宸、韓一元繼之，獨掌河南道御史羅元賓默無一語，而張捷力薦純如，至云：用純如不效，願同罪。上曰：既是逆案中人，不用也。罷，復以次詢陳所學、商周祚諸人。已復令九卿各舉侍郎一人而退。是役也，上鄭重太宰之選，廣咨精擇，曠古一遇。然數日前舊宰李長庚方逐，即有言温體仁欲用謝陞、唐世濟者；及召對時，捷首舉世濟，大理卿朱大啓爲温同鄉，所舉謝陞、唐世濟，迎合其意。而二十三日，上特召陞、世濟之命下矣。既而，謝陞入吏部，與體仁合力以逐文震孟；唐世濟爲都察院薦霍維華，遣戍。

春明夢餘録卷之三十五

户部一

户部，在闕之東，吏部之下，西向。設尚書，主天下人民户口、田賦、征役、經費之政令，經鹽法、邊儲、金穀出納之制，以贊於天子。侍郎二人爲之貳，司務、照磨、檢校典磨勘計算爲首領官。屬清吏司四：曰民部，主天下省、府、州、縣之圖志，以周知其地里、古今沿革、山川險易、田土肥瘠寬狹、户口物産多寡登耗之數；曰度支，主會計天下存留、起運，若廪禄俸給之經費；曰金部，主天下魚、鹽、税課，若贓罰之折收；曰倉部，主兩税起運倉庾之委積。已上念地曹務繁，更定爲十三清吏司，司各理一布政使司户口、錢穀、賦役課程之事，而司分民、度、金、倉爲四科。郎中、員外、主事所添設繁簡，視所司劇易。兼直隸府州之貢賦，贊尚書邦政焉。

其職事：以版籍稽賦役，以墾荒業貧民，以占籍附流民，以畸零寄細民，以馴野馭羈縻之民，以圖帳抑兼并之民，以折銀劑米值，以平米均田税，以布帛斂庸調，以桑棗課農官，以芻地給馬牧，以里老攝鄉社，以律誥嚴禁防，以給除差優復，以珍異儲上供，以鈔錠節恩賞，以限田裁異端，以賜田懷降虜，以封閉密砂鑛，以金穀累贓罰，以課程闌雜物，以關榷市船材，以引由嚴茶政，以權量和市易，以時估約均輸。凡獻産、詭産、漏産、朋户、析户、逃户有禁，亂宗類、淆良賤、遊手遊食有禁，毀鈔、遏錢有禁。諸王大臣毋得請常課，乞閑田。寶鈔提舉司若局庫倉所官悉隸焉。

周官：司徒，掌邦教，敷五典，擾兆民。在當時，所司者教化；後世，則專理財賦、户口之事。

從古財用之政，莫備於周禮，而善言周禮者，莫備於太平經國一書。有志於當世之務者，在所亟講也。如云：先王與民爲生，後世則民自爲生，至于今世，則民無以生矣。嘗觀周之世，其所以與民爲生，非一事也。井九百畝，其中爲公田，八家皆私百畝，使之相養相生，如是足矣。爲之比、閭、族、黨、州、鄉，爲之鄰里、酇、鄙、縣、遂，爲之溝、洫、川、澮、畛、塗、道、路，以安其生；爲之禱祠、醫藥之政，爲之賙救補助之法，以衞其生。如是又足矣，而猶以爲未也。謂王畿之内皆齊民，而未有特富者；生生之具雖以粗給，而祭祀、喪紀猶有所不足，而取於常數之外，於是九職之任頒焉。雖臣、妾、閑民，皆不敢遺，而亦必有以厚其生。反覆太宰之九職，未嘗不三嘆先王之政思慮周密，安養生利備至，蓋不措之於仰事俯育無憾之地，則鬱鬱然如有負於斯民也，此民所以樂其上之愛己而忘其勤，於是相與出其賦税，以供其上税，以足食賦，以足軍國之用。而先王猶不敢泰然而享之，斗粟尺帛則有司存鈎考會計，猶恐其用之妄；間有水旱不登，則焦然凜然，念民生之不易，禍至之無日，捐租出粟，欲減膳而不御樂矣。自上不能制民之產，而行九職之任，而民始自爲生有父子、兄弟、夫婦之聚，而無衣、食、生、養之資，去而爲工技，散而爲商賈，不得已而爲庸保，而民之爲生始勞矣。迫之以水旱，役之以軍旅，困苦之以加征、厚斂、貪官、猾吏，而民始無以爲生矣。

又云：冢宰歲杪制國用，九賦、九貢之後，又有九式，以節財用。蓋君心之非，莫大乎侈心之生。財聚於公上，而大臣不敢撙節於其間，則府庫之充牣，財物之浩穰，而人主之宮室、器用、服食、賜予，一切始無度矣。故嘗論冢宰屬官，以爲内外庭宿衞之士，士之賤者也；烹庖饔膳之事，事之辱者也；魚腊、酒漿、醯醢之物，物之微者也；次舍、幄帟、喪服爲末用，宦寺、嬪御、洒掃、使令爲冗役，而宴私玩狎之際，易以惑悦人主之耳目。而府庫之財物，國家之耗費，亦莫大乎是數者之間。使太宰身不得總其人，心不得約其用，則多寡、豐殺、去取、用舍、損益之目，誰得而檢之？

又曰：周禮理財，理其出而已矣，非理其入也；理國之財而已矣，非理天下之財也。昔者，天下之民，百畝之田，可以無饑；牆下之桑，五母之雞，二母之彘，可以衣帛而食肉。而又任之以百工、商賈，責之以嬪婦、臣妾，資之以山澤、藪牧，故其地無餘利，而其民有餘財。當是時也，下之所以輸於上者常易辦，而上之所以取於下者常不見其難集。内而九功之正税，九職之正賦，外而九土之常貢，其時已至，其財已可取，則太宰立法，以授之征者，司徒之屬征財，以入之掌者，太府之職掌財，以頒之當用者，如斯而已矣，非理天下之財之人也。財之來爲無窮，財之取爲甚易，其藏之也充足而盈羨，而其用之也則常懼其姦欺而鹵莽。是故一時之財，不待於理其入，而常盡心於理其出焉。

又曰：内府若可以兼玉府矣，而必分爲二府者，切於一身之用，固不可以混夫一國之用也。司會若可以通司書矣，而必立爲二司者，掌財用之會計，固不可以汨之以書契版圖也。職内若可以攝職歲矣，而必設爲二職者，出入之數，固不可以專責之一人之手也。此特其不相參者耳。至於相參而相考者，則内府在内，反以供邦之大用；外府在外，反以供王及后、世子衣服之用，内外互相考也。職内職入，反以每歲所入而考其所出；職歲職出，反以每歲所出而證其所入，出入互相考也。不相參，則可以專其耳目；必相考，則可以防其姦欺，惟其然也。故財用之出，上無所肆其侈，下無所容其私。上不侈而下不私，則財常足於用，征斂常不至於虐，而民無復有受其病者。然則，周家之理財，理其出而已，非理其入也。理之於上者，不欲虐取之於下而已，固非屑屑然爲是，不憚煩也。

田土 户口

禹别天下爲九州，三代因之。秦分爲三十六郡。漢分爲十三部，每部多寡不等。晋分爲十五道。唐十道，旋分爲十五道。宋四京二十三路。元十一行中書省，二十三道。明兩京十四布政司，後棄安南，實十三司也。

天下田土。據諸司職掌載：洪武年間田土，官民共八百五十萬七千六百二十三頃六十八畝零。據會典載，弘治年間田土，官民共六百二十二萬八千五十八頃八十一畝零。萬曆年間田土，官民共七百一萬三千九百七十六頃二十八畝零。崇禎年間田土，據會計册開載，見額七百八十三萬七千五百二十四頃零。

天下户口。據後湖册開載：洪武中，户一千六十五萬二千七百八十九，口六千五十四萬五千八百一十三。弘治十五年，户九百六十九萬一千五百四十八，口六千一百四十一萬六千三百七十五。嘉靖二十一年，户九百九十七萬二千二百，口六千二百五十三萬一百九十五。萬曆中，户一千六十三萬一千四百三十六，口六千六十九萬二千八百五十六。至天啓、崇禎之季，荒殘相繼，市井蕭然，版籍不可問矣。

周官制地之法：六鄉以教爲主，而其民有郊於内，故其地爲郊，而民則謂之民，以其近主而有知者也。六遂以耕爲主，而其民有遂於外，故其地爲野，而民則謂之氓，以其遠主而無知者也。

明制：凡行郊祀禮，以天下户口賦籍陳於臺下。祭畢，收入内庫。著爲成式。每歲類報總數，十年攢造黄册，以定賦役，覈隱漏，清逃亡，法例甚詳。

黄册以一百一十户爲里，推丁多者十人爲長，餘百户爲十甲，甲凡十人，歲役里長一人，管攝一里之事。城中曰坊，近城曰廂，鄉都曰里，凡十年一周，先後則各以丁數多寡爲次。每里編爲一册，册首總爲一圖，鰥寡孤獨不任役者則帶管於百一十户之外，而列於圖後，名曰畸零。

賦役

稽古定制，以天下之墾田定天下之賦税，因其地宜，立爲等則。徵之以夏者謂之税，徵之以秋者謂之糧。其額數則具於黄册，總于户部；其徵輸期限則責之藩服州縣。若夫丁口之税，百無取焉，惟逐年編里甲，十年一度輪差。其餘年份，官司有所營爲，隨時起集傭倩，事已卽休。

科則陞降：洪武初，令田起科，每畝官田五升三合五勺，民田三升三合五勺，重租田八升五合五勺，蘆地五合三勺四抄，草塌地三合一勺，没官田一斗二升。

歲入賦額：其載在會典者不開，據萬曆八年太倉考所載，録之備考。

派剩麥米，折銀共二十五萬二百八十五兩。

絲綿税，絲農桑絹折色一十三萬一千八百二十一疋二丈二尺七寸一分，每疋折銀七錢，共銀九萬二千二百七十四兩八錢五分八釐九毫七絲。

綿布苧布，折銀共三萬八千六百一十三兩。

府部等衙門禄俸米，折銀共二萬五千九百八兩二錢。

馬草，折銀三十四萬五千六百一十四兩二錢四分零。

京五草場草，折銀六萬一百八十兩三錢六分八釐。

户口鹽鈔銀，共四萬六千八百九十七兩八分八釐六毫。

薊、永、昌、密、遼東五鎮民運改解銀，共五十二萬三千八百二兩五錢三分。

各鹽運司并各提舉司餘鹽鹽課税銀，共一百萬一千六百六十四兩。

黄白蠟折銀，共六萬八千三百二十四兩八錢。

霸大等馬房子粒銀，共二萬三千四百三十九兩五錢七分。

備邊地畝銀，三萬三千四百九十一兩五錢八分。

京衛屯牧地增銀，共一萬六千一百四十一兩三錢五分零。

崇文門宣課分司約解商税正餘銀，一萬六千六百六十二兩一錢六分，銅錢一千八百八十七萬七千七百十六文。猪牙税銀，二千四百二十九兩。

張家灣宣課司約解商税正餘銀，二千四百七十九兩二錢，銅錢二百八十八萬七千七白六十二文。

河西務鈔關約解商税正餘銀，一萬四千六百三十三兩六錢八分。

臨清鈔關約解商税正餘銀，四萬四千七百七兩一錢一分零。

滸墅鈔關約解商税正餘銀，一萬七千三百七十六兩五錢六分零。

九江鈔關約解商税正餘銀，一萬九百九十兩三錢二分零。

淮安鈔關約解商税正餘銀，一萬一千四百一十四兩六錢三分零。

揚州鈔關約解商税正餘銀，九千六百七十八兩九錢七分零。

北新鈔關約解商税正餘銀，三萬六千八百三十九兩四錢三釐。

泰山香税銀，二萬兩。

贓罰銀，十二萬八千六百一十七兩五錢。

富户銀，約解三千一十八兩三錢六分三釐。

共銀二百八十四萬五千四百八十三兩四錢零，銅錢二千一百七十六萬五千四百零。

太倉銀庫，有舊庫、新庫。余於崇禎十四年巡視查册舊庫餉數目：浙江省額銀二十一萬五千八十二兩五錢九分七釐零，江西額銀一十一萬一千三百五十四兩六分三釐零，福建額銀一十二萬五千九百二十九兩三錢四分六釐零，湖廣省額銀一十八萬九千一百一十二兩六錢二分零，河南額銀五十八萬九千二百八十九兩九錢三分六釐零，山東額銀七十六萬三千五百三十六兩四錢六分零，山西省額銀八萬七千一百七十一兩五錢三分二釐零，陝西額銀三萬九千九百二十九兩四錢六分六釐零，四川額銀一十三萬九千五百五十一兩七錢三分九釐零，廣東額銀一十萬九千一百四十七兩五錢八分八釐零，廣西額銀二萬八千六百八十六兩八錢三分九釐零，雲南額銀二萬三千三百二十六兩六錢一分四釐零，貴州額銀一萬七千六百二十五兩七錢四分九釐，南直額銀六十一萬三百二十八兩九錢二分五釐，北直額銀十六萬二千一百七十二兩一錢六分三釐，又襍項額銀十萬四千九百九十三兩九分五釐零，各衛額銀三十萬九千八百八十五兩一錢一分六釐零，鹽課額銀一百二萬七千六百八十五兩六錢八分七釐，關税額銀三十一萬三千二百四十六兩六錢一分三釐。是舊餉額數，統而計之，不過四百九十六萬八千五十六兩一錢五分四釐，合天下商民共爲承辦，猶未見其甚困也。至一加遼餉，遂有九百一十三萬四千八百八十餘兩之多，再加練餉，遂有七百三十四萬八千八百餘兩之多，視原額舊餉不啻三四倍矣。而所謂勦餉不與焉，軍前之私派不與焉。猶此人民，猶此田土，餉加而田日荒，徵急而民日少，皮之不存，毛將安附？當日司計者，肉寧足食哉？楊嗣昌在兵部，議加勦餉一百八十萬，欲練兵十二萬，爲勦賊之用。餉既加，陝、豫、江、楚報兵八萬，然仍舊籍之兵也。又議加練餉七百餘萬，將宣、薊邊兵抽而練之，集成勁旅。謍制紛紜，出彼入此，仍舊籍之兵也。勦不成勦，練不成練，而四海之困窮已甚矣。操其說者沈迅、張若麒輩誤嗣昌，嗣昌遂誤天下。易曰：小人勿用，必亂邦也。洵其然哉。

經費

明初邊制，止遼東、大同、宣府、延綏四鎮，繼以寧夏、甘肅、薊州爲七，又繼固原、山西爲九。其防守士馬，各鎮原自有主兵，一鎮之兵，足以守一鎮之地。其合用芻糧，各鎮原自有屯田，一軍之田，足以贍一軍之用。後主兵不足，增以募兵，募兵不足，增以客兵，調集多于往時，而坐食愈衆。屯糧不足，加以民糧，民糧不足，加以鹽糧，鹽糧不足，加以京運，饋餉溢于常額，而横費者滋甚。大農潘潢言：邊餉取辦民屯，馬料取之採牧，昔者未嘗稱乏。今動稱不足，屢請内帑，虛腹心以奉四肢，非完策也。宜嚴覈民運完欠，屯種虛實，是後會計歲用，先儘民屯二糧，開中鹽引，及各稅科等項，通融計算，裒多益寡。或有非常蠲減，方許奏發帑銀。庶邊臣奏討之煩，非所慮矣。

萬曆中，總憲王德完論經費曰：軍國之務稱重大者惟邊餉，而軍國之需稱浩繁者亦惟邊餉方今邊餉，匱詘極矣。在鎮臣按額而呼，尤有額外之呼，在計臣按時而應，尤有不時之應。呼者至急，應者至艱，呼者愈頻，應者愈窘。何内外相違若是，豈祖宗朝固已然耶？臣考開國之初，及嘉靖之季，其所爲經制繁簡，有若天淵逈絶者。國朝自洪、永以來，原無年例。年例自正統始。薊、保、密、昌，原不稱邊，稱邊自嘉靖始。臣請縷析言之。宣府歲額不過五萬兩，今主客餉銀不下二十九萬有奇；大同原額亦止五萬兩，今不下四十五萬有奇；山西原額不過二萬兩，今不下二十六萬六千有奇；遼東初不過一萬兩，嘉靖時增至二十萬三千，今不下六十萬有奇；薊鎮初不過一萬五千兩，嘉靖時增至七十三萬，今不下一百二十四萬有奇；延綏初不過一十萬兩，今不下三十六萬有奇。其在甘、固等鎮，或增八九萬、四五萬，此眇少者也。總計弘、正間各邊年例大約四十三萬而止，在嘉靖則二百七十餘萬，業已七倍，至今日則三百八十餘萬，且十倍之。竭九州之財力而不足以供，括百年之蓄藏而難乎其繼，撫今追昔，能不寒心。然臣伏而思之，我祖宗朝土田、賦税非有加于今也，乃事不煩而自足。今甲兵戰馬大不逮於昔矣，乃例歲加而難支，其故何也？蓋祖宗朝寓兵以屯，且耕且守，有備無患。此趙充國金城之遺蹟也。自屯田之法湮，則經界隱没而難明，屯丁蕭索而賠苦，人皆逋逃，地爲陷穽，戎馬、財賦，遂分兩塗。祖宗朝中鹽於邊，納粟於倉，有飛輓之利，而無轉輸之勞。此鼂錯實塞之遺意也。折銀之説出，則金錢盡出於太倉，枵腹咸仰於内帑，脂膏益竭，芻粟愈難，米珠草桂，可爲扼腕。數十年來，謀臣策士，蒿目嘔心，思復屯、鹽之舊者至諄切矣，然榛莽之區竟無畔岸。開荒之報，多是虛文，逐末之輩，率憚耕耘。開墾之譚，卒成畫餅。生財有道，舍此何由。

崇禎二年，倉場侍郎南居益查奏京支出數

在京各衙門如宗人府、五府、六部、翰林院、詹事府、都、通、大、太常、太僕、光禄、尚寶、六科、十三道、國子監、中書、行人、鴻臚寺、欽天監、上林苑監、順天府宛、大二縣，自公、侯、駙馬、伯及錦衣、旗手等衛指揮、經歷，暨各衙門監吏各俸銀，雖陞遷名數時爲增減，較數歲之中以爲常，每歲支銀十四五萬餘兩。惟太醫舊制，院使一員，院判二員，吏目十員，御醫十員，惠民局生藥庫大使、副使各二員，連醫士共止一百一十員名。沿至萬曆年間，官醫已增至三百二十三員名。迨天啓年間，增添日多。及至崇禎元年，官醫共計五百三十三員名。但查每年見支俸銀三千三十一兩零，比萬曆四十六年歲支已多銀一千三百六十餘兩。文思院舊制，大使一員，副使二員。洪熙元年，添註大使、副使六員，後仍裁革。其匠役名數，俱不甚煩襍。沿至萬曆年間，官匠已增至七百六十三員名。迨至天啓年間，增添日多。及崇禎元年，官匠共計三千一百九十八員名。今但查每年見支俸銀三萬四千三百二十一兩零，比萬曆四十六年，每歲支已多銀二萬七千四百九十餘兩。若較祖制，各不啻數倍相懸，究何關於有無之數哉？其餘京軍布花，太常寺小麥，光禄寺果品，丙字庫綿花絨，欽天監歷日版片，惜薪司抬炭甲夫，司苑局召買豆草，丙字庫召買黑菉豆穀草價，又煮豆蓟稭價，供用庫召買正旦、元宵、端陽、中秋三單年例香蠟價，光禄寺錢鈔，禮、工二部賞夷折絹，兵部咨紙筏夫，廣盈庫題染顏色商價，神樂觀樂舞生布、絹、小麥、黄豆、芝麻折銀，光禄寺廚役冬布折銀，器皿廠小麥、惜薪司炭餅、糯米價，內官監召買稻草價，外供用庫召買黃菉豆、穀、草價，太常寺祭祀猪價，陵寢墳園、公侯駙馬造墳、及會試合用米麥折價，銀作局造册金價，承運庫、御用監、供用庫、丁字庫凡遇吉凶典禮，題買金珠、香蠟、銅錫價，各衛軍伴優恤、各倉故官、錦衣衛宣官馬匹草料折銀，又將軍馬匹草料，又禁兵春秋二操口糧，又衛營、家丁鹽、菜、馬匹、料草，錦衣衛禁兵廩糧，旗手、通州等衛馬匹、糧、草折銀，定、慶陵做工鹽銀，京糧廳祭祀，各倉籌架、造斛、修理閘河，各衙門工食公費，三王府鹽菜銀，崔黃口三大營勇士、四衛營糧草折銀，京營飛石教師口糧，山東、河南班軍口糧、犒賞，巡捕營官軍并馬匠料草，各官心紅、番役工食等銀，訓練營并通州三標營鹽、菜、草料，總督房價，訓練三大營鹽菜、草料、行糧銀，各衛所新兵月糧，訓練總兵家丁鹽菜、料草，三大等營護送梓宮口糧、草料銀，各衛所月糧折色等項銀增減不一，每歲約支銀四十五六萬，迄今有見在停止者，有無容輕議者，及典禮修舉不時，營辦數多，擅難預定，而米折籌架數項分隸漕折，合行另算外，惟是三大營馬匹、草料銀，萬曆年間，歲支銀八萬七千餘兩，至天啓三年，遂增至一十八萬四千餘兩，迄天啓七年，雖經少減，尚計一十六萬四千五百餘兩。查舊例每馬一匹，月支草料銀五錢六分，後議每馬月支銀八錢六分，及選鋒題增全馬、振武營添馬六百匹，遂比舊例歲增銀八萬餘兩矣。

又查奏邊鎮年例數目

按永樂、正統之間，各邊鎮不過有儹運糧料之例，其京運舊額，在薊鎮止五萬兩，永鎮止二萬八千六百七十二兩八錢九分，密鎮止一萬五千兩，昌平、易州、井陘并無京運，遼鎮止一萬兩，宣府五萬兩，大同五萬兩，山西二萬兩，延綏十萬兩，寧夏四萬兩，甘肅六萬兩，固原四萬八千八百七十一兩二分，又犒賞銀五百八十八兩八錢二分二釐五毫。迨世宗朝，始議宣、大、山西每年發主客兵銀二十五萬五千餘兩，薊州主客兵銀五萬六千餘兩，永平四萬八千餘兩，密雲三萬三千餘兩，昌平一萬兩，延綏新舊主客兵銀二十九萬七千餘兩，寧夏主客兵銀四萬五千兩，甘肅主客兵銀二萬二千餘兩，固原主客兵銀五萬兩。隆慶中，又增昌平防秋銀一萬六千餘兩。嗣後又議四川撫按及茶馬各衙門贓罰稅科等項改解延、寧、甘、固及宣、大、遼東、山西、三關等處，准作本年應發年例。雖沿革多寡不一，尚未至十分懸殊也。嗣因覆定經制，在薊鎮原額銀止五萬兩，後增至三十八萬九千四百九十三兩，賞軍、撫賞之數不與焉。今見支又增四十二萬八千八百九十二兩零。密鎮原額銀一萬五千兩，後增至二十九萬四千三十七兩，今見支幸減至二十六萬五千三百九十一兩零。永鎮原額銀二萬八千六百餘兩，後增至二十四萬六千八十五兩，今見支又增至二十八萬九千八百六十六兩零。昌鎮原無舊額，後增設京運銀一十七萬三千九百九十二兩，今見支幸減至一十四萬二百三十二兩零。遼鎮原額銀一萬兩，嗣後本折歲用銀四十一萬七千七百餘兩，後又增至五十二萬兩。自萬曆四十六年發難，始設新庫，其銀屬爲幫支，奉本部題奉欽依，每年正幫新庫銀二十萬兩。易鎮先止河南、山東扣送太倉糧價，抵作客兵年例銀二萬八百餘兩，後增至五萬九千兩，今見支又增至一十七萬七千八百六十餘兩。宣府原額銀五萬兩，後增至三十三萬三千二百二十餘兩，今見支幸減至二十九萬九千一百五十餘兩。大同原額銀五萬兩，後增至四十二萬四千六百三十餘兩，今見支又增至四十五萬六千三十餘兩。山西原額銀二萬兩，後增至二十一萬三千六百餘兩，今見支幸減至二十萬六千三百兩。延綏原額銀十萬兩，後增至三十六萬七千二百六十餘兩，今見支又增至四十三萬三千七百餘兩。寧夏原額銀四萬兩，後增至五萬二百五十兩，今見支又增至一十三萬三千七百九十餘兩。甘肅原額銀六萬兩，後減至五萬一千四百九十餘兩，今見支又增至一十九萬七千五百餘兩。固原原額銀四萬八千八百七十餘兩，後增至六萬一百三十二兩，今見支又增至一十四萬五千八百二十三兩零。又萬曆四十二年下馬關招兵買馬，立左右正兵四營，歲支銀四萬二千三百七十餘兩。以上除遼東一鎮今見增數不開，但據太倉考經制與原額較，内除甘肅一鎮稍減，其餘十三鎮便增銀二百八十六萬一千七百七十餘兩。今再以見支與經制較，内密雲、昌平、宣府、山西四鎮稍減，其餘九鎮又增銀五十五萬四千四十餘兩。豈屯鹽之政久格而不行，故主客軍餉盡改爲年例乎？抑備禦日煩，募選日增，不如此不足以爲四裔之守耶？在各邊鎮計口授食，必自有説，但朝廷出入，祇有此數，入者幾何，出者無算，又何怪年例之拖欠無償也？合營馬、草料、醫、文兩院月俸，共增銀六十六萬餘兩矣。

内供

萬曆間奏疏：天下之所入爲一千四百六十一萬，而入于内府者爲六百餘萬，其爲金花籽粒銀不過一百二三十萬，而絲、綿、絹、疋、醋、茶、顔料則將五百萬，頃餉臣請改折一歲，而陛下不許，豈以内供不可缺哉？然在朝之士未有爲陛下言其故者，陛下安得而知之，愚竊痛焉。今陛下有贖貨之名，而礦税既罷以來，實未嘗横取於外，不過損抑内豎，使以孝順名目日竭其資。苟不能承旨，則加以嚴刑。或有亡故，籍其所積耳。然而内帑之克牣，已亘古所無矣。夫内豎自刑入宫，豈有私財。自東廠之外，不得與聞外事，豈能雨粟生金，以供上之取哉？不過刻削内供，甚至陰爲盗賣，恣其奉養之娱，足其子弟之業，以其餘應上耳。夫好利者取之於外，求之於人，未聞以所有之物聽其恣盗，又從而取之，徒以聚衆怨，失令名，何其左也？陛下天縱睿聖，特未思耳。而羣臣又莫言，徒日夜請内帑。上曰：内帑者，非取之民，民之脂膏非由内帑而竭；非取之有司，有司之庫藏非由内帑而虚。司計者曷不圖之，所以萬請而萬不應也。今若爲陛下言致財之繇，則一檢核之間，而姦弊一無所容足。所供需量爲改折，則可以應目下之急。清其弊源，無使冒破，則可以歲損數百萬。卽明入内帑，備不時之需，亦無不可，何必宛轉其事，而坐受其弊哉。此清源之大者也。天下財賦入户部太倉者可得而稽，其入内庫者不可得而稽。皇城甎城北甲、乙、丙、丁、戊五庫，與天財、承運等庫，以收贓罰銀、香料等項；甎城内文華殿南是内承運庫，以收銀、絹，除歲用外，其餘皆入内女官庫。雲南各處礦銀，各閘辦銀，竟入女官庫。

附記金花銀

鹿定興善繼爲户部主事時，遼東方缺餉請帑，疏皆不報。會廣東解金花銀至，公謂大司農李汝華曰：每歲廣東解金花銀兩，恭進大内，此近例也。頃督部有扣留之議，此時仍進大内，則部議終成畫餅，欲經解太倉，則俞旨艱如拔山，莫若題留爲便。考會典，國初金花銀折糧俱解南京，供武臣俸禄。各邊或有緩急，亦取足其中。正統元年，始改解内府，歲以百萬爲額。嘉靖三十二年，題准三宫子粒及各處京運錢糧，不拘金花折錢等項，應解内府者，一併催解貯庫，悉備各邊應用，不許别項那借。夫曰緩急取足，是内府與外府分用也；曰備各邊不許那借，是備外府專用而内府不得旁分也。今邊烽告急，軍糈乏用，即舉金花全數，一旦復還太倉，亦率由祖制，非奪大内所有而益外府也。惟是皇上批發，庋之高閣，而中涓熒惑其間，急難得旨。一面題知，一面劄納銀庫，轉發遼左，權自外操，不至如帑金之緘縢不可問。天下事爲之有機，留與不留，係於進與不進，此際間不容髮。萬一宸怒不測，請以身任罪。不然，局外者方議留，而局内者且議進，無論清議不可，即主上視吾輩何如也？司農如公議上請。上怒，奪公俸一年，勒令補還。司農不敢違，公力持不可。謝恩日，中官闔門扇不聽公出，勒問太倉云何？管太倉主事劉榮嗣報曰：發三日矣。然實未發也。中官傳嚴旨，促令補還。公曰：有銀何用借，無銀又安用補。中官愕眙，不敢應。公曰：但執善繼語回奏，死生惟命，不敢易一字也。中官歎息而去。無何，堂官奪俸二月，公降一級，調外任。舉朝交章請留，不報。擬降山東運判，亦不報。公遂移疾去。

賦役全書

崇禎元年七月，户部纂修賦役全書，尚書畢自嚴上條議曰：看得賦役全書，肇自行條鞭法始，距今已四十五年矣。查賦役初定，錢糧數目自有定則，惟是地方因事加添。司道每年增定，吏書受賄，任意那移，有一州縣而此多彼少者，其弊爲溷派，州縣奉行而不敢問；司道偶增，不過千百中十一，而有司不肖者，一聽奸胥之暗洒派分，如每兩因加一分而卽加二分者，其弊爲花派，小民遵行而不爲怪。二者乃寓内通弊，牢不可破者也。欲清其弊，全在撫按，先爲裁定，今當亟爲申飭，其説有八：

一、錢糧之規則宜明也。省直錢糧，因地起糧，因糧起科。其間有上中下不同，而則次亦異。如某地係某則，應該糧米若干斗升，該科銀幾分幾釐，逐項開載明白，由升而合斗，由分釐而合錢，上、中、下分別明白，以則例定編派之額，以編派衡出入之數，則錢糧之大概了然矣。

一、總撒之確數宜核也。省直銀糧，名色雖不一，大約田賦、均徭二項，不離起解、存留兩欵。宜令各州縣不論賦、徭，不論起、存，共開一總，次開二項，各揭一總，又於二項之下備開起、存、支解撒數，務期撒合州縣總，州縣合府總，府合省總，省合部總，一分一合不爽分毫，則飛洒增減之弊絶矣。

一、新舊之糧額宜晰也。省直錢糧既有則例，當以萬曆初年賦額爲準。從前糧每石納銀幾錢幾分，又於某年因某事又增銀幾分，合舊額若干，今果有裁減否，逐一開明，不得一概開入撒數。其有裁減，如征播、征倭等項，亦須開明某年事停除豁，勿溷原額之内。至遼餉一款，有因地畝起科者，有因田糧起派者，與舊額京邊錢糧原自各分，此係新增，不在全書之内，今亦另開一項，則新舊二項瞭然明白矣。

一、起存之瑣細宜備也。夫解京有官運，解邊有民運，悉屬起解一項。臣部於崇禎元年會計册内，刊有成數。而存留一項，在各省直地方支銷者，頭緒紛亂，難以窮究。須將存留錢糧先查全書原額若干，後因事加增者幾項，逐一開明。其應加、裁汰，并應改、充餉者，亟爲拈出，聽臣部酌定議改，不容隱匿者也。

一、雜項之開列宜詳也。以新餉言之，雜項數款，而抽扣工食、雜支公費等項括於其中；以舊項言之，會議數款，而司道公費、修理衙門等項括於其中。又有冗官、冗役，先由撫按題准裁汰。仍留以充餉者，並今見存仍可以量裁者，凡隸某項，卽於某項開載原額若干，今裁減充新舊二項若干，分別明晰，較若列眉，俾與存留數内總撒相符可也。

一、驛站之增派宜減也。驛站銀兩在原刻書内者，自有定額。年來因驛遞苦累，多有額外加增，而他處之協濟不與焉。目今功令新頒，郵傳廓清，出數既少，而入數猶多，是病民也。今後務照原額派徵，凡額外私增者，俱應註明裁去，以蘇民困於萬一也。

一、民屯之出納宜清也。凡各省直賦役書内多不載民屯銀，是以豪右得以肆侵吞，衛弁得以恣乾没。據萊州衛指揮楚邦禎具奏，已有左驗。由萊衛而推之東省，由東省而推之天下，無處不然。合令省直將原徵民屯銀兩，並支銷款項存剩數目，另項造入簡明册内，以憑彙編，無容遺漏者也。

一、裁定之册式宜簡也。各省直送到全書，有詳有畧，有宜于昔不宜于今者，皆當商確裁定。裁定未妥，臣部當再駁。如將賦役全書通行繕寫，未免躭費時日。合令省直撫按裁定賦役，如全書詳備者，止於本項下貼一浮簽，明註某項因何應删改增減，某項應節省，解部用印鈐蓋，以憑酌議。如全書未備，另造一簡册，以便彙編。近者限三月，遠者限五月送部，要以寧速毋遲爲便計耳。

八議既備，而裁定之事思過半矣。此外，合通省計之，地方有肥瘠，通寓内計之，風土有南北，中間均一款項，爲此所有而彼遂無者，務令詳造，不許掛一漏萬。此在撫按司道自能酌定，而非臣部所能預擬者也。

查奏舊餉

崇禎元年，主事周夢尹疏言：地畝正餉，約以三分起解，歲入太倉，反不及九鳌。旨令户部查奏。尚書畢自嚴疏曰：夫田賦之有留存、起解也，可按籍而復視，起解之有本色、折色也，亦可分款而稽核。謹按崇禎會計册所載，宇内見額田地七百八十三萬七千五百二十四頃有零，所載太倉每年額入以充邊餉者實該銀三百一十萬五千有零。然内仍有在京衛所屯糧、秋青、鹽課、贓罰、備邊缺官吏、農事例等項，約居過半，其實地畝起解者僅一百五十六萬耳。取一百五十六萬之銀，坐派于七百八十三萬七千五百二十四頃有零之内，雖有雲、貴、四川、廣西等處截留餉銀，并北直抵買遼豆銀共四十八萬五千有零，計畝而論，爲數幾何？即夢尹浙江人也，浙江一省額地四十八萬一千八百七十一頃，所稱天下雄藩，財賦之鄉，實計解之太倉充爲遼餉者共銀五萬六千五十四兩零，計畝而論僅得一二鳌耳。即此以例，其餘地畝有肥瘠，則例有差等，恐一畝之起解固有不止三分者，亦有不滿三分。而三分之起解，實未盡入太倉而充邊餉也。請以起解項款言之，如漕糧有四百萬，白糧則二十餘萬，而南糧不與焉。金花則百餘萬，民軍折色則三百五十六萬餘。内供絹、布、花、綿、蠟、茶、硃、漆、芝蔴、紅花、桐油、銅、鉛、膠、礬、槐花、茜草等項，暨兵部之柴薪，工部之料價，及内供本色織造緞疋、柴炭、軍器等項，動以數百餘萬計。而又加之王府禄米、河工站價、科舉公費、廪俸、工食等項，又不啻幾百萬。凡此廣浩繁項，不可枚舉，孰非賦自地畝，則計歲入太倉歲充邊餉者，真無異馬體之毫末也。

撙節

李康惠承勛定經制疏：夫量入以爲出是謂仁政，量出以爲入是謂虐政。既不量入爲出，又不量出爲入，雜然而收，泛然而用，是謂無政。考成周之制，以四分制國用，每歲用三存一，以備凶荒。故三十年之通，則國有九年之積。漢之時則有計相，唐之時則有判度支，宋之時則有判三司，皆所以會有無而制國用也。近年以來，户部雖有會計之虚名，而無量入爲出之實政。臣愚謂當因其名而舉其實，通查一歲天下税糧所入總計若干，經國之費總用若干，首兩京，次各邊、各省、直隸各府，每歲所入、所出俱查有的數，分爲二目，倣周禮用三以足一歲之用，存一以備不測之虞。萬一所出多于所入，則會九卿于堂上，科道官各查凡百費用有約于昔而浮于今日，必考昔之所以約者，請而復之；又考今之所以浮者，請而約之。至于裒多益寡之道，撥此補彼，又在臨時通融議定，務使所出不踰于入之數，通將出入總數攢造黄册一本進呈，以備御覽。然時有盈虚，事有因革，每十歲一會而損益之，此十年一會之大綱也。若歲有豐凶，事有多少，每歲十一月户部會奏，各官通查某處災傷蠲免若干，某處用兵該用若干，則以各處茶、鹽、商税之所入者補足錢糧正額，以備軍國正支。其餘雜用，一切不得糜費。漢毋將隆所謂大司農錢自乘輿，不以給供養，蓋不以本藏給末用，不以民力供浮費，别公私，示正路也。經制一定，取之有經，用之有義，而財恒足矣。

張居正歲賦出入疏：伏蒙發下票擬章奏，内有户部進呈御覽揭帖一本，臣等看得國家財賦正供之數，總計一歲輸之太倉銀庫者不過四百三十餘萬兩，而細至吏承納班、僧道度牒等項，毫釐絲忽，皆在其中矣。嘉、隆之間，海内虚耗，公私貯蓄殊可寒心。自皇上臨御以來，躬行儉德，覈實考成，有司催徵以時，逋負者少，姦貪犯贓之人嚴迸不貸，加以北虜款貢，邊費省減，又適有天幸，歲比豐登，故得倉庫貯積稍有贏餘。然閭閻之間，已不勝其誅求之擾矣。臣等方欲俟國用少裕，請皇上特下蠲租之詔，以慰安元元之心。今查萬曆五年，歲入四百三十五萬九千四百餘兩，而六年所入僅三百五十五萬九千八百餘兩，是比舊少進八十餘萬兩矣。五年歲出三百四十九萬四千二百餘兩，而六年所出乃至三百八十八萬八千四百餘兩，是比舊多用四十萬餘矣。問之該部，云：因各處奏留蠲免數多，及節年追贓人犯財産已盡，無可完納，故入數頓少；又兩次奉旨取用，及湊補金花拖欠銀兩計三十餘萬，皆額外之需，故出數反多也。夫古者王制，以歲終制國用，量入以爲出，計三年所入，必積有一年之餘，而後可以待非常之事，無匱乏之虞。乃今一歲所出反多于所入，如此年復一年，舊積者日漸消磨，新收者日漸短少，目前支持已覺費力，脱一旦有四方水旱之災、疆場意外之變，何以給之？此皆事之不可知而勢之所必至者也。比時欲取之于官，則倉廩所在皆虚，無可措手；欲取之于民，則百姓膏血已竭，難以復支。而民窮勢蹙，計乃無聊，天下之患，有不可勝諱者，此臣等所深憂也。夫天地生財止有此數，設法巧取不能增多，惟加意撙節，則其用自足。伏望皇上將該部所進揭帖置之座隅，時賜省覽，總計内外用度，一切無益之費可省者省之，無功之賞可罷者罷之，務使歲入之數常多于所出，以漸復祖宗之舊，庶國用可裕，而民力亦賴以少寬也。伏惟聖明留意。

魚鱗册

初脩魚鱗册，以土田爲主，田各歸都啚，履畝而籍之，諸原坂、墳衍、下隰、腴沃、瘠鹵之故畢具爲之經，而土田之訟質焉。其黄册以户爲主，田各歸其户，而詳其舊管、新收、開除、實在之數爲之緯，而賦役之法從焉。其後魚鱗册歲久漫漶，至亡不可問，而田得買賣，糧得過都啚，賦役册獨以田從户，而田所在不復可辨知，于是飛洒、寄詭、買賣、推收，其爲虚僞至不可原詰。求其言之痛快可行，莫如嘉靖中唐冢宰龍爲江西廵按時一疏矣。疏言：國初計畝成賦，縣有定額，歲有常徵。近置買田産，遇造册時，賄里書飛洒之見在人户，名爲活洒；有暗栽逃絶户内，名爲死寄；有花分子户，不落户眼者；有留賣户不過割，及過割一二名爲包納者；有過割不歸本户，有推無收，有總無撤，名爲懸掛挑回者；有暗襲官紳脚色捏作寄莊者。

在册爲紙上之桑，在户皆空中之影，以致派糧編差，無所歸着，俱小民賠償。小户逃絶，責之里長；里長逃絶，而糧長負累。由是户口日耗，盗賊日熾，告訐日滋。乞令巡、守二道分詣地方，督州縣將飛洒、詭寄弊源重者隨田丈量，輕者隨户清理，究首尾之因，度廣狹之則，定高下之科，分肥瘠、磽沃之等，均崩灘、開墾之數，各將原糧填入原户，歸之原田，而啚總都、總縣，總造流水册十本，甲各收藏。縣因造册爲大造，爲册四，上府、州、縣，上南京後湖收架，俾因户推田，因糧編户，户與田有一定之則爲便求。其綜覈田畝之法，莫如裕州、知州安如山爲善矣。裕州故阻險，然四衝，野多坡坂，地磽確，土雜砂石，不皆可田種。知州安如山白于上，爲丈量，命耆老董其役，命區長驗區畛，命量人步阡陌，命算人制畝分，精覈版籍，因區定畝，因畝準税。區爲綱，畝爲目，綱以麗目，則無漏畝；畝爲母，税爲子，母以權子，則無逋税。平衍原隰膏腴之田一而當一，平石岡田二而當一，山石岡田三而當一，山石陡陂之田四而當一，陂池、林麓、廨宇、鋪舍、廛市之税蠲之。田溢税則從增，税溢田則從減。咨詢徧，故人無遁情；版籍明，故上有定徵；疆土别，故下有定輸。此皆可爲天下取法。

詹事霍韜疏：臣查洪武十四年天下田土原額八百四十九萬頃有奇，至弘治十五年存額四百二十二萬頃有奇，虧額强半。彼承平相繼事猶如此。迨後所虧，不知凡幾矣。此斷當亟爲經理者也。顧事當創始，計慮宜周，地係久荒，經營不易，宜勑下督、撫二臣專委道臣及各府正官，請將南京後湖先年魚鱗册籍與弔到各屬近年黄册逐一查對，要見某州某縣原額田土若干，見今成熟若干，拋荒若干，坍没若干。成熟者有無欺隱，坍没者曾否開銷，拋荒者作何開種，各督撫委道府官親履疆畝，延召端方通敏致仕鄉官、公直人等細加體勘丈量，除欺隱者追出還官，坍没者照數開破，及荒田原有人佃領代糧者，仍准承業，俱無庸另議外，其一應丈出田地，採訪輿論，或借給牛種召人承佃。或南方五頃以上、北方十頃以上有産之家，每家定限墾田一頃，田多者仍照頃加算，至十頃而止。或設有官兵之處，每一百名以七十名操防，三十名承佃，三番屯種，如古營田之制。或每縣民壯五七十名，責令量分三分之一領佃，各預借二年兵糧工食，以便備辦犁鋤工本，三年以後，方許一例陞租。其開荒之法，卽不能倣古井田一畝三甽，深尺廣尺，甽達于溝，深廣四尺之制，但合數百畝之田必有溝，合數十溝之水必有川，合數大川之水必就窪而爲湖，以達于河、于江，而匯于海，則高亢者有瀦，卑下者有障，固非苟完于目前，亦非糜費于無用，上爲千秋之業，而獲有百倍之饒矣。

一條鞭

差役之法，洪武以後，皆以丁糧多寡編派大小差役。至嘉靖四十四年，議准行十段錦册法，算該每年銀力差各若干，總計十里之田，派爲定則。如一甲有餘，則留二三甲用，不足，則提二甲補之。久之弊生，里下騷然，莫必其命，浙江爲甚。龐尚鵬巡按浙江時，乃奏請行一條鞭法。其法，通府、州、縣十歲中夏稅、秋糧存留、起運額若干，均徭、里甲、土貢、僱募加銀額若干，通爲一條，總徵而均支之也。其徵收不輪甲，通一縣丁糧均派之，而下帖于民，備載一歲中所應納之數于帖，而歲分六限納之官。其起運、完輸，若給募，皆官府自支撥。蓋輪甲則遞年十甲，充一歲之役，條鞭則合一邑之丁糧，充一年之役也；輪甲則十年一差，出縣多易困，條鞭令每年出辦，所出少易輸。譬則十石之重，有力，人弗勝；分十人而運之，力輕，易舉也。諸役錢分給，主之官，承募人勢不得復取贏于民，而民如限輸錢訖，閉户卧，可無復追呼之擾，此役法之善者也。後江陵相當國，復下制申飭海内通行者將百年。而今，又有不然者。余讀懷柔縣志載賦役議曰：天下有名爲節省，而其實有大不便于民者，則今日之清減條鞭是已。里甲之累民，易知也，以故改而爲條鞭。立法者貴其可繼，故改鞭之始，尚寬有餘地，以俟有司之酌處。乃一倡爲節省之説，各款盡爲裁減，減之又減，以至必不能行矣，而各款將終焉。已乎必不能已，則私役里甲以濟之者也。昔止一里甲之累，而今兩累之大家。爲掩耳盜鈴之計，其害更甚于加賦。竊謂今日之裁減太甚，徒掣賢者之肘，而益以恣不肖者之無忌憚，困民極矣。司國者將有策以復條鞭之舊乎？

鈔關

倪文毅岳疏：祖宗舊制，各設有鈔關，收受商税，俱委各本府通判等官管理。行之百年，雖不能無弊，然課鈔亦未見其虧，客商船隻亦未見其留難。蓋通判等官職卑責重，上受巡撫、巡按、分巡、分守等官節制，少有不才，隨加罪黜，故非極妄無知之人，則不敢在關生事，動擾客商。近年以來，改委户部官員出理課鈔，其間賢否不齊，往往以增課爲能事，以嚴刻爲風烈，籌算至骨，不遺錙銖。常法之外，又行巧立名色，肆意誅求，船隻往返過期者指爲罪狀，輒加科罰；商客資本稍多者稱爲殷富，又行勸借。有本課該銀十兩，科罰、勸借至二十兩者。少有不從，輕則痛行笞責，重則坐以他事，連船拆毁。客商號哭水次，見者興憐。夫增課爲國雖稱聚斂，猶是有名，其科罰勸借者，或倚稱修理公廨，或倚稱打造坐船，率皆借名入己，無可查盤。況此等官員既出部委，各處巡撫官視爲賓客，巡按官待以頡頏，是以肆無忌憚，莫敢誰何。以致近年客商懼怕征求，多致賣船棄業。此豈祖宗設關通商、足國裕民之初意哉？伏願聖明俯察民隱，特勅該部停止新例，遵復舊制，仍勅鎮巡等官時常糾察各府委官，如法奉行，務要公私兩便，商民不虧，庶幾人心快悦，怨聲消弭，而天意可回矣。

蕭彦商税議：商税倣古關市之意，以佐國用，胡可已也。顧法愈詳，税愈重，視國初異矣。他姑無論，即如河西務大小貨船，船户有船料矣，商人又有船銀；進店有商税矣，出店又有正税。張家灣發買貨物，河西務有四外正條船矣，到灣又有商税。百里之内，轄者三官，一貨之來，榷者數税，所利幾何？而可堪此！夫船料舊也，條船果舊乎？出店、進店可重税乎？而不落店家徑赴京賣者，彼且未嘗進店也，一體徵收，何名乎？此萬曆八年該司郎中之議，而今因之者，約所增三萬有奇，而商困矣。商困則物騰貴，而民困矣。獨奈何不一蘇之爲商民計也？淮安四税，下及脚抽，真同商賈。議者以爲權宜之術，不可已矣！然不可漸減耶？而日用米穀，進、出店二税，如河西布疋、通州油簍類者，又不可蘇耶？至于儀真之税，既非祖制，亦無重獲，曩言官之疏詳矣。乃以該地方執稱軍餉之充，爲數幾何，不可議罷耶？諸如此類，難以枚舉。此商税所當議也。

司農粱材鈔關禁革題例疏：查得嘉靖四年，爲應詔陳言，以裨聖政，以同天變事，該本部置立空白印信，稽考文簿三扇，發去該鈔關委官主事收掌，令其逐日填寫船料、商税數目，差滿之日，將一扇存留本關備照，一扇委官收執，一扇差人解部查考等因。又爲陳言時弊，以裨國用事，該雲南道監察御史楊彝題，該本部議行，各鈔關委官自文書到日爲始，于附近府、州、縣内行委佐貳官一員，與同簡鈔人役查收錢鈔，不必另刷號紙，就將原立稽考文簿一扇交付府、州、縣委官，令將收過錢鈔，眼同各役登簿呈報主事，查見在實數，并將文簿二扇，即將親筆于前件項下，照款填注明白，錢鈔照常發府、州、縣收貯，季冬解部類進。差滿之日，仍將部簿籍三扇，應存留備照、解部，俱照舊施行。如此而猶有不飭廉隅、不惜名檢者，是謂衣冠之盜，聽本部指實參行吏部，不待考察，即時罷黜，以示懲戒。至于皂隸、門子、書算等項，聽各該有司審編，照常額送役，不許自行收取、更換，致生物議。仍要嚴加訪察，如有積年充當及各作弊情由，徑自拏送各府、州、縣問罪發落。抽分之時，各商裝載柴、米并自用物件，不得一概混抽等因。嘉靖七年，本部題奉聖旨：是。各鈔關收受商税船料雖稽考嚴密，而宿弊不能盡除，差去官員亦多苛刻取盈，往來多怨。今後務差老成廉静的去，嚴加關防覺察，如再有貪鄙不惜行檢的，你部裏便參行吏部，不待考察，就行黜罷。欽此。又爲改收榷税，以便商民，以濟國用事，該巡按直隸監察御史魏有本題，該本部議擬合無行，令各該鈔關委官主事將經過軍民船隻應納錢鈔自嘉靖八年十月初一日爲始，照例每鈔一貫折銀五釐，每錢七文折銀一分，傾瀉成錠，轉發各該附近府、州、縣官庫收貯，按季差委經收人役依限解部，轉送内府承運庫收貯等因。奉聖旨：是，准議行。欽此。

崇禎二年，户部議榷額疏：南、北榷關，凡入，有舊額，有新增。查北新關原額四萬，天啓元年加增二萬，天啓五年加增二萬，共八萬兩。滸墅關原額四萬五千，天啓二年加增二萬二千五百，天啓五年加增二萬，共八萬七千五百兩。九江關原額二萬五千有奇，天啓元年加增一萬二千五百有奇，天啓五年加增二萬，共五萬七千五百餘兩。而兩淮鈔關原額二萬二（三）千，天啓元年加增七千六百兩有奇，天啓五年加增一萬五千，共四萬五千六百兩。揚州關原額一萬三千，天啓元年加增二千六百兩，天啓五年加增一萬，共二萬五千六百兩。臨清關原額銀八萬三千八百兩，河西務原額四萬六千兩，以上二關并無加增，因解不足額，臨清議減二萬兩，河西務議減一萬四千兩，總期于必完者耳。崇文門原額六萬八千九百二十九兩，今天啓五年加增二萬，共八萬九千九百二十九兩。此舊額與新增之數也。查以前榷關司屬有加額起解者，有解不足額者，今再申飭，嚴加考核，以完欠爲殿最，少溢額爲優紀。又查天啓六年奉旨助工税差，照正額每兩加羨餘一錢，後來各差所解多寡參差，有名無實。後因大工已竣，題改助工爲助餉，每兩加羨餘五分，解入太倉。查正額已兩經議增，尚有完欠不等，應于解羨餘内仍量增五分爲一錢，照正額通算合計入關，每年共增银五萬餘兩，務要全解，毋託空言。仍不許借口增税，致剥商賈，以叢物議。至差滿日，亦同正額考核，庶法平而商不稱困，羨報而數亦頓增矣。

張居正曰：余嘗讀鹽鐵論，觀漢元封、始元之間，海内困敝極矣，當時在位者皆扼腕言榷利，而文學諸生乃風以力本節儉，其言似迂然，昭帝行之，卒獲其效。故古之理財者，汰浮溢而不鶩厚入，節漏費而不開利源，不幸而至于匱乏，猶當計度久遠，以植國本厚元元也。賈生有言：生之者甚少，靡之者甚多，天下財力安得不詘。今不務除其本，而競困賈豎以益之，不亦難乎。

洪武十三年六月，諭户部曰：曩者奸臣聚斂，深爲民害，税及天下纖悉之物，朕甚恥焉。自今如軍民嫁娶、喪葬之物，舟車、絲布之類，皆勿税。爾户部其榜示天下，使其周知。

鹽法

天下鹽課，惟兩淮爲多，浙次之，長蘆次之。福建無巡差，以行無遠地。河南場無運官，以出有專所。廣場兼之，故巡運俱無。總計天下設轉運司者六，提舉司者七，歲辦舊額一百一十七萬六千五百二十五引，每引五百五十觔。多五觔以下照例割没，五觔之上照夾帶律問擬。初制，每引納银八分，粟二斗五升，商人納粟于邊，受鹽于場，無守支之苦。嚴禁食禄之家不得牟商利，一切請乞悉絶之，私賣阻亂者處死。竈丁給以滷地、草場，每引給工本鈔二貫五百文，復其雜役。有餘鹽，官自出鈔收之。下以資竈户，上以攬利柄，故鹽法行。自正統中有常股存積之法，常股七分以爲常，而存積三分以待塞下之急，倍賈開中，越次支放，又引價日增，需索日繁，而鹽法大壞。且易粟而爲银，不之塞下而之鹽司，於是塞地盡荒，邊儲俱匱，而邊事亦大壞。造其議者户部尚書葉淇，允其請者内閣徐溥也。

户部尚書李汝華疏：國家財賦所稱鹽法居半者，蓋歲計所入止四百萬，半屬民賦，其半則取給於鹽策（筴）。兩淮歲解六十八萬有奇，長蘆十八萬，山東八萬，兩浙十五萬，福建二萬，廣東二萬，雲南三萬八千各有奇，除河東十二萬，及川、陜鹽課雖不解太倉，併其銀數，實共該鹽課銀二百四十餘萬兩。又各邊商所中鹽糧銀，淮、浙、蘆、東共該銀六十餘萬兩，總鹽課、鹽糧二頃（項）併舊額新添計之，實有二百餘萬之數。每歲完不缺額，庶合民賦，牽補邊計，猶少二十餘萬，乃今竟何如也？蓋我朝鹽法自正德迄今凡三壅，而今爲甚。正德末年，權閹占窩，淮鹽大壅。至嘉靖初年，爲小鹽之法以疏之。嘉靖末年，鄢懋卿增行引三十五萬，淮鹽復大壅。至隆慶初年，龐尚鵬倣小鹽之法以疏之。迄今十餘年來，璫課横行，淮鹽復益大壅。謂亦宜倣小鹽之法，師其意以疏之。臣兹不揣，竊謂今日兩淮鹽法須以急救二商爲主，以急復祖制爲經，以正行見引附疏積引爲題目，以預關引目改行小鹽倣前人已事爲方畧。預關引目，所以行新引也；改行小鹽，所以疏積引也；見行正引而帶疏積引，如見徵正賦而帶徵夙逋，所以復祖制也。祖制復而二商蘇矣，二商蘇而國計舉矣。蓋新引之利，人人所攘臂而争趨焉者，惟是舊引日積，無法疏通，則併新引之利而捐之。今有法于此，令得新引之厚息，而又併沾舊引之微貲，人其舍諸？蓋舊引、新引皆以一商合併而行，其虧本者少而其獲利者多，故積壅漸疏而新課無套搭之憂，倉鈔盛行而邊引無不售之嘆也。

鹽道袁世振綱法議：今查淮南紅字簿中納過餘銀之數，凡三十一單，該有二百六十餘萬引。内除消乏銀者納六十餘萬引，其實數僅有二百萬稍縮耳。本道刳心極慮，爲衆商設爲綱法，遵照鹽院紅字簿，挨資順序，刊定一册，分爲十綱，每綱扣定納過餘銀者整二十萬引。以聖、德、超、千、古、皇、風、扇、九、圍十字編爲册號。每年以一綱行舊引，九綱行新引。行舊引者，止于收舊引本息，而不令有新引拖累之苦；行新引者，止于速新引超掣，而更不貽舊引套搭之害。兩不相涉，各得其利。如今丁巳年，爲第一聖字綱應行舊引之年，止令行本綱二十萬舊引，不令行新引一張。其新引派于淮南者凡四十八萬六千五百九十六引，却分派與九綱共行之，又加以掛掣附綱十餘萬引，每正綱算派新引五萬一千二百引，附綱算派新引二萬五千六百引，是在向也以四十八萬有零新引，而責行於二十萬舊引之商，今也以四十八萬有零新引，而散行于二百餘萬超掣之商。其在僉點之中者，既不苦于力量之難支；其在僉點之外者，又不苦于冷坐而難待。至明年戊午年，爲第二德字綱應行舊引之年，亦止令行舊引，不行新引，却令第三超字綱以至第一聖字九綱及附綱，照窩數派行新引。己未已後，俱照此行。從此以往，行至丙寅，凡九年而舊引盡净，卽掛掣之引是年亦盡，却令漸加新引以補淮北暫停新引之數。此十字綱册自今刊定以後，卽留與衆商，永永百年，據爲窩本，每年照册上舊數派行新引。其册上無名者，又誰得鑽入而與之争奪哉？此法至輕便，至明白，至公普，至饒益，利無不收，弊無不除，不待行之數年而卽今鹽法已一旦豁然大通矣。若行于數年之後，不但歲額無停，可以漸爲增加，卽運司庫中亦從此大有餘積矣。昔人論行鹽法，惟劉晏知取予，謂知所以取民不怨，知所以予民不乏也。今兩淮數十年來所以征商者，稍急之而怨讟叢至，稍緩之而匱缺多虞，取予之謂何？

保舉縣丞沈時鹽法疏：向之官鹽，鹽賤輕而雜費少，今之官鹽，有引價，有餘银，有割没，復有遼餉、挑河、募兵、賑濟、常例等項種種重費，每一引共出本三兩八錢，投之水商，止得銀三兩。若私鹽每引止須鹽本五錢，卽有上下賄通之需，不及輸官者十分之四，奸人遂以私行爲得計，且行之地方。官鹽價高而難售，私鹽價賤而易施，所以私鹽之利十倍于官，而官鹽之壅百不售十也。是今日之鹽政，私鹽則公行之，而官鹽反私匿之，使二百萬引餘鹽之利悉供奸人竊取，而朝廷不得過而問焉。在計國者，惟日增鹽課以爲生，不知名雖增，奸民善避之而旁走，求多益寡。是故帝王之生財與民不同，謂之大道。大者，畧其小而忽其微，務其寬大廣博。寬大一分，則國日增益一分，廣博一分，則國日擴充一分。惠雖在下，而利實總歸于上。今欲將二百餘萬引之私鹽立變而輸官課，惟祈皇上特簡重臣之最清廉才望者專責前往兩淮疏理，將三十鹽場舊制滷地、草場一一清結竈丁而厚恤之，每年煎鹽務盡其物力之所出，除正鹽七十餘萬外，其餘餘鹽，卽將本額正賦銀兩照時值工本給價，官收而貯倉，官賣每包額定五百觔爲一引，新舊派足三萬引之數，每一引除商人引價五錢外，止取鹽稅九錢，悉去餘設遼餉、助工、南北新窩等費計一兩四錢外，再加鹽本五錢。在商人，一引止輸銀一兩九錢，較前三兩八錢之數則減其半。官收餘鹽，則竈丁不窮，課額減半，則商人不困。竈丁敢私匿一引，而奸人敢私販一引，犯出，授與受，卽立時處絞，家産籍没入官。如此力行，如塞決者水無傍流，扼喉者氣無傍出，餘鹽盡入于官，則私鹽不禁而自止。私販止，則遍天下皆官鹽也。食鹽功績之名，悉行除去。在竈丁，知官收之價不減于私，則何樂就私；在奸人，知私賄之費不減于官，則何苦避官而陷不測之罪哉？臣計三百萬引之輕賤，可得銀四百二十萬兩，除舊額一百四十九萬七千餘兩，頓增二百七十萬三千兩。且奸商化爲良賈，千萬家私販頑户化爲良民。而行鹽地方，南極湖廣，西抵河南，東海數千里人民咸亨賤鹽之利。兩淮若此，合各運司行之，可勝計哉！收餘鹽減正價之説，按嘉靖十三年給事中管懷理先言之矣。其疏云：欲通鹽法，須先處餘鹽；欲處餘鹽，必多減正價。大抵正鹽賤則私販自息，私販息則正鹽自行，此不易之定論也。今雖不能法祖宗時八分二斗之制，宜斟酌開中。每正鹽一引，定價五錢或四錢，餘鹽一引，定價二錢五分或三錢，俱令在邊照時上納粟米、豆料、草束，每年差給事中或御史一員赴邊趂時開中，禁革一應買窩、占中等弊，正鹽給與引目，餘鹽給與小票，正鹽下場支給，餘鹽徑自收買，正鹽一引許中餘鹽三四引或五六引，務以盡收竈丁餘鹽爲止。若或未盡，再添一二倍亦無不可。如此，正鹽價輕，既有以利乎商人；餘鹽盡收，又有以利乎貧竈。國課不集而自足，私鹽不禁而自止。沈疏卽此意也。

崇禎十一年，張慎言疏：計天下之鹽法，河東不同于長蘆；長蘆不同于兩淮；兩淮不同于兩浙。乃其要領，則可一言而盡，曰恤商而已。猶之足賦者，在盡地之利。欲盡地之利者，在得農之情，而農得竭其利（力）。欲得農之情而竭力，在去其農之苦。鹽法亦然。欲課之無虧者，在得商之情而去其商之害。故策鹽者不必官別尋一整齊之法，卽以行鹽之法仍曲詢于商，若何而行，若何而可以經久，若何而可使私販不禁而自止。因其勢而利導之，卽有奸商積弊，但去其太甚，使之樂而喜從事，自下令于流水之源矣。猶記萬曆末年，有袁世振者，行綱法，行之半年，新舊之引帶銷而課之解太倉者幾倍于曩時。其後，法既效，而世振誤用羣小，敗，人去而法已更矣。其所謂綱法者，臣不知其詳，然淮之父老必有能悉之者。其時世振爲官，另設于運使之外，今但重運使權而慎其選，令御史提綱于上，訪世振之法而輕重布之，不必再設多官足矣。

茶法

榷茶之法，始於唐而詳於宋。宋在江南則宣、歙、江、池、饒、信、洪、撫、筠、袁十州，廣德、興國、臨江、建昌、南康五軍；兩浙則蘇、杭、明、越、婺、處、温、台、湖、常、衢、睦十二州；荆湖則江陵府，潭、澧、鼎、鄂、岳、歸、峽七州，荆門軍；福建則建、劍二州，歲輸租折税，送六榷貨務鬻之。置榷茶務江陵府，于真、海、荆州、漢陽、無爲軍凡六務，在淮南則蘄、黄、舒、廬、光、壽六州，官自爲場，置吏總之，曰山場。十有三州軍采茶民隸焉，曰園户，歲課作茶輸租餘，官爲市之。先受錢而後入茶曰本錢。又民歲輸茶折税賦者曰折税。茶民有茶者售于官，官給其食用，曰食茶。凡民茶折税外匿不送官及私鬻販者，没入之，計直輸罪。園户輒敗毁茶樹者，計所産論罪，後乃稍寬。商賈貿易入錢若金帛，京師榷務以射六務十三場，給茶券，隨所射與之。至道末，鬻茶至二百八十五萬餘貫，後益稍增至三百六十萬貫，而以雍熙用兵令商人入芻塞下，即今中鹽之法，而高其估，遂以三百六十萬貫僅易邊儲五十萬石入中者，非盡行商，多土人既不知茶利厚薄，得券則轉鬻之商，若京師交引鋪，商鋪因得收蓄貿易以射利，券以積滯，雖二三年不足償，邊以頓乏，茶法日壞。於是使入粟塞下者度地里遠近，卽實糧量增直給券，徑至權貨立償以緡錢，而茶則罷本錢，使園户與商白相交易，而官收其息。如舒州羅源場茶觔鬻錢五十有六，官不復給本，但使商輸息錢三十有一，而聽其所指地行，得給券通行爲左驗，以防私售，謂之貼射。若歲課，不盡官市之如舊，而以商驟失利，尼之不行，至後始行輸茶之法。而茶户摘山者往受錢于官，乏困于輸錢之不時，入則刑隨，商賈利薄，販鬻者少，官似簡易，而利大損，商民亦交困矣。蓋其法卽今鹽法之變竈户與商自交易，其弊必至此也。此後，始以王韶言行秦鳳茶，卽明初設巡茶御史，所巡者止存此一路，而利亦薄矣。明初茶法，商人詣所在買茶已具數，赴官輸錢千文給引照茶百觔。具畸零不及引者，納錢六百文，給繇帖。繇帖照六十觔量地定程以賣，而犯私販與鹽法同罪。諸批驗所截角退引，一准鹽法以行。民間蓄茶，不得過一月之用。茶户私鬻者，籍其園入官。成化中，批驗所不詳茶商姓名貫址，聽冒名給引爲轉相販賣，故退引累催不繳爲影射，茶出山時不從公盤詰，批驗所又不如法批驗，而夾帶者衆，又法商人詣批驗所買引，而所在獨應天、常州、杭州三府于産地分遠者數千里，近不下數百里，道苦遠多費，而姓名貫址揚爲欺，于是用尚書王恕言，聽茶商于産茶府州納課已，卽姓名貫址買引照茶。年終，該府縣各將賣過引由造册，并收過紙鈔解部，仍具數買領，次年合用引由，各批驗所遇茶商經過，照批驗將截角引，仍付放行，有夾帶，送所在官司問理。年終，具驗過客商盤獲私茶，具申册揭，合于上司繳部。其法未爲不備。今川、陜番市者，茶積年不行至累數年，而内地茶户不知官茶、私茶之説久矣。天下之言生財者，亦罔聞知。

春明夢餘録卷之三十六

户部二

屯田

萬曆策衡曰：養軍而不困民，法莫善於屯田。國家原額屯田八十九萬二千七百八十九頃餘，今所存六十二萬七千一百九十七頃餘，然增損不一。在南京衛所、南北直隸、浙江、湖廣、福建、山西、河南、廣東、廣西、山西、萬全、陜西、雲南、遼東則有加於昔，昔爲額二十一萬一千九百四十四，今爲額五十九萬三千九百五十五，共增三十八萬二千一十一。唯在京衛所、江西、四川、貴州則損失舊額，舊爲六十八萬八百四十五，今爲六萬三千二百四十二，共失去六十一萬七千六百零三頃。内四川失六十一萬七百四十一，其最多者矣。昔之養軍，自京衛而外，共一百七十一萬四千二百八十二，今之養軍爲一百二十九萬九千一百九十四。昔之屯糧不可考，今之屯糧爲四百三十三萬五千三百七十五石，爲銀九萬三千六百一十兩，除京衛外，尚有糧四百十五萬五千七百四十八石，爲銀六萬一千五百五十三兩。京衛之軍，向亡其籍，考之先臣奏議，大約爲四十餘萬。南衛之軍，亦不可考，大約遷鼎以後爲額一十二萬。而京衛屯田舊額不過六千三百三十八頃，南衛屯田舊額不過九千三百六十八頃，卽如舊制每分五十畝，收正餘糧二十四石，則京衛亦不過三十萬四千二百二十四石，必不能供四十餘萬之衆。卽南衛之四十四萬九千六百六十四石，亦不足供十二萬之衆，其取給於饋運也明矣。若夫外衛則不然，雖曰爲分不等，或百畝，或七八十畝。然以南衛之法准之，每分爲一由，每由田實量嘗有七八十畝，至寡者亦爲六十五畝，則所寬卽寬於分之內，而非分有差等也。故會典三十五年始定科額，每分正糧十二石，餘糧十二石，科額定則糧可准矣。屯之衆雖曰三七、四六、二八不等，而大約爲三七，是以三人耕，供七人之食也。耕者授粟多，故得十二石，守者授粟寡，分得五石一斗四升，然此數似不足以養。且嘗總計之，外衛昔田八十七萬七千八十三頃，應得一百七十五萬四千一百六十六人耕也，盡驅其軍爲屯軍，亦不可遍，況三七乎？蓋以四川之屯田爲六十五萬九千五百四十五頃，而軍額不過一萬四千八百二十二，必不能人耕四十五頃之地，今惡其害己而去其籍，法不可考，姑置此全蜀，則昔額止二十一萬七千五百三十八頃，度其糧尚有一千四百四十四萬二千八百十四石，除正糧外，尚有五百二十二萬一千四百十二石，軍除三分屯種外，尚當有一百二十萬人，亦非每人四石三斗餘之所能供也。然國初之時，不聞有轉運之粟以養軍，則所以待軍之法通縮之故，俱可想也。今折米之銀大約每石三錢，則今之額減昔之額，度不過九十萬，今之軍視昔一百二十萬之額加不過將十萬，昔何以不加派而自足，今何以西北歲益年例四百萬，東南歲有募兵之餉，派民、徵商、借鹽，種種措辦而不給，竊嘗思之，非法之弊，而行法者之弊也。屯法之壞，一壞於餘糧之免半。洪熙行寬大之政命，免餘糧六石，是捐其半也。是時大臣違道干譽，不能爲經遠之計，夫舉天下之軍藉食於屯，一旦失其半，何以足軍國之需。再壞於正糧之免盤。宣德十年，始下此令。正統二年，率土行之。不知正糧納官，以時給之，可以免貧軍之花費，可以平四時之市價，可以操予奪之大柄。今免其交盤，則正糧爲應得之物，屯産亦遂爲固有之私，典賣迭出，頑鈍叢生，不可收拾，端在於此。屯糧日虧，徵發日甚，不取之此，必取之彼。易欺者民，則倍徵而不以爲苛；難制者軍，遂棄置而不敢問，非法之平也。況取者已竭，亦將爲不可誰何之人，兼軍受其貧，而豪右獨享其利乎？歷朝以來，皆知脩屯法之善，卒未有能舉之者，徒以疆界難清，豪强難抑，徵催難整耳。愚以清疆界莫如嚴丈量，丈量則寸壤不可隱，故相以丈量犯江南巨室之怒，然國受其利，此左驗也。抑豪强莫如撫貧弱，奪不應得者與應得之人，則衆心得而禍不煽矣。整催徵莫如調屯官，今各督其衛，恃爲固有，必一以軍政之法，分調賢能，等其繁簡，一有不稱，置之重典，則人人凛凛，不敢刁恣矣。然後復正餘糧二十四石之額，復上倉交盤之制，卽以今田等之，量其入可得粟三千一十萬五千四百五十六石，除正糧以食其十之三，尚可得餘糧一千五百五萬二千七百二十八石。今京軍額不過十二萬，南京軍額不滿四萬，盡補天下失伍之額，不過一百四十六萬，除屯軍外，不過九十八萬餘，用其粟大半足以養矣。截長補短，盡取給於此，更不煩轉輸之勞，而歲有兩歲之支，苟足九年之蓄，則繕險治器皆可取給。更以其餘，設預備之倉，補饑荒之缺。軍有餘食，民無暴取，野無棄土，國有積儲，雖井田復興，内政復作，不能過也。但經理之時，向抛荒者，未免有牛種開濬之費，在邊外者，未免有築堡防禦之勞。然築堡卽所以修邊，開濬乃所以永利，牛種之費，止在一時，苟兼行錢法，取之裕如，不足煩當宁之慮也。若夫齊、魯、宋、衛、秦、晉、燕、趙之墟，古之膏腴，今爲瘠鄉，民惰土荒，以至於此，因而開濬教導，使如江南無三尺之惰農，無尺寸之棄地，不過五年，可使富足。此愚所囁嚅而未敢深言者也。

總理屯務僉都御史方孔照疏：竊惟京師者，天下之本也。畿甸富強，可以抗天下而制其勝。今日者，非貧寡之患，而均安之難也，故術貴變通，機惟知恤，生節兩端，豈容緩計，阜財詰戎，宜先自京師始。請以兵論，則諸葛亮減兵省將之意爲可師也。兵未遽減，當練土著；將未遽省，當寄有司。今畿甸之民，差徭太繁，鉗羅又密，涣散仳離，實不忍言。以職所聞，每畝約納糧一百七八十文，雜差多至三四百文，思避無門，惟有投獻。而小民之當户，差重疊而無告矣。卽聖恩蠲緩，而催徵自如，邦本若斯，何能泄泄。宜嚴敕京兆尹、順、真撫按道府，細察民隱，盡除一切雜差之最苦者，力甦重困。大家巨室，當茲患難，一體均勞，屏絶投獻詭寄之風，賦役無私，自然樂業。然後并免本户丁徭，聽其每甲訓練鄉勇一名，大縣可得六七百人，小縣可得三四百人，此皆户籍可稽，不同浮募。妙選州縣正官廉惠勇幹者，以當將帥之任，每府則脩舉衛政爲府標，臨屬縣以聯絡之，文不妨兼武銜，外不妨予京銜。小縣如殘，不妨併入中縣，本縣若勁，不妨併應隣縣，此所以爲固守者大端備矣。京營衛屯十有二萬，内堪戰者十之二三耳，餘爲城兵，隨操無益，稍爲調劑，可積餘糧。當事既已得人免操，各稍通其憊。衛所軍人，既充選鋒，軍改爲兵，軍田自在，更簡舍餘原備三十六萬之數，有充軍民二差者，免其民差，可增丁壯。每三十丁抽一，其餘助丁銀作糧，大約三營與餘丁共練戰兵三萬，所向便能克捷。若屯政既裕，勁旅漸增，此强國所自始也。請以食論，則周官遇荒弛禁和羅之意爲可師也。聖詔久頒保民、興屯二書，而效尚未彰者，有其時而無其地，有其地而無其人，地請自皇上躬耕藉田之典擴而充之，凡上林、草場諸禁地，西北山諸禁水，似可先之勞之，利自三倍。其間腴土佳泉，不下數千頃，宜敕該管衙門募屯開種，三春一麥，便見充盈。如難其人，則營衞之備兵，與罪人之贖作，皆可招應而來。皇上慨然爲輦下先矣，近臣、親臣勇於倡義者，但能備本別墾荒蕪，信行賞格，所墾之利仍歸各姓，行之蕃庶，穀粟自饒矣。秋間，御前四十萬爲和糴本，誠爲至計。更宜設法招商，寬其榷課，而後各邊會通，有無不窘。蓋漕已半耗，後運虞阻，勢如草昧，創起艱難，若復似承平之規，遠望轉輸，恐不能如願也。推行畿内，其效逐年而見，此富國所自始也。今光景已逼，振舉在人，伏望敕諭宫府，内外一體同心，各衙門冗員冗食，爲公撙節。凡一切損傷民心、破碎民財者，盡與釐剔，使百姓忘勞而忘死。民心既得，兵政自嚴，冒破自清，親上自切，次第施爲，不外于均安和而已矣。

[附]後唐同光三年閏十二月吏部尚書李琪上疏曰：臣聞古人有言：穀者，人之司命；地者，穀之所生；人者，君之所理。有其穀，則國力備；定其地，則人食足；察其人，則徭役均。知此三者，爲國之急務也。軒黄以前不可詳紀，自堯堙洪水，禹作司空，于是定九等之田，收什一之税，其時户口一千三百餘萬，定墾田約九百二十萬頃，爲太平之盛。及殷革夏命，重立田制，每私田十畝，種公田一畝，水旱同之，亦什一之義也。洎周室立井田之法，大約百里之

國，提封萬井，出車千乘，戎馬四千匹，畿内兵車萬乘，馬四萬匹，以田法論之，亦什一之制也。故當成、康之世，比堯、舜之朝，户口更增二千餘萬，非他術也。蓋三代之前，皆量入以爲出，計農以爲軍，雖逢水旱之災，而有凶荒之備。降及秦、漢，重税工商，急關市之征，倍舟車之算，人口既以減耗，古制猶復兼行。按此時户口尚有二千一百餘萬，墾田亦一千八百萬餘頃。至乎三國並興，兩晉之後，則農夫少于軍衆，戰馬多于耕牛，供軍須，奪農糧，秣馬必侵牛草，于是天下户口止有二百四十餘萬。洎隋文之代，而與漢比崇。及煬帝末年，又三分去二。唐太宗文皇帝以四夷初定，百姓未豐，延訪羣臣，各陳所見，唯魏徵獨勸文皇帝力行王道，由是輕徭薄賦，不奪農時，進賢良，悦忠直，天下粟斗直兩錢，自貞觀至于開元，將及九百萬户，五千三百萬口，墾田一千四百餘萬頃，比之近古，又多增加。所云堯時户口田土之數，不知何所據，録之備考。

畿輔屯丁

萬曆中，給事中郝敬疏：臣檢閲章奏，濟陽衛舍餘李大用等一本，奏爲不費官錢，情愿效力，以報恩養事。大畧稱：畿輔附近濟陽等衛屯牧額兵共四十八萬，願以萬人隨行征倭，衆軍自貼糧餉，情辭踴躍，臣心疑之。夫以征戍遠役，不召而自赴，又不費官餉，裹糧從役，必非人情。乃徑瀆天聽，豈好事欺罔若此。旋訪其故，粤自永樂年間，我成祖文皇帝靖難功成，剩精兵四十八萬，内將一十二萬選入十二團營，餘三十六萬給賜屯田牧地種納子粒馬價，分置七十八衛於順天府所屬各州縣地方安插，俱屬三千營統轄聽調征勦。今二百餘年，生齒繁衍，游手坐食，與民混雜，有司派以馬户、撑船、運米等役，衆軍以馬户運米應屬民差，脱卸無計，昨者寧夏之役，各餘丁議自備糧隨行征勦，求免前差。未幾，寧夏平，議遂寢。二十五年，倭奴告警，李大用等重復申奏。蓋彼以三十六萬之衆，止出萬人，是三十六人中抽一丁耳。以三十六萬衆共餉萬人，是三十六家共贍一軍耳。又得概免民差，圖此便利，汲汲上請。據臣所聞，大畧如此。此情若果，何憚而不從？今東征師老矣，可勿復用，此惟是遼左空虛，枝梧無策，合無因羣情爲轉移之計，令該部會同新撫臣李植呼大用等面詰前情，果無别項違礙，即于各衛原籍中務要每十名抽一名，據三十六萬原數，除六萬作耗外，尚可得壯丁三萬人，擇令廉幹將領官數員統領，前赴遼東駐紮開種屯田。于存留三十萬中，每十名幫貼屯兵一名，牛種廬舍之費，行令所在有司，一概免其前項馬户、撑船、民差。開墾田成，即給本兵爲永業，自耕自餉，彼無征倭險遠之苦，又受田管業，愈欣然樂從之恐後矣。大率每兵一名，納墾田二十五畝，内除五畝爲官田，每畝量收子粒五六升，則此三萬人可墾田七十五萬畝，一歲收官田子粒可八千餘石，以備緩急之需。至于畫地經野之法，悉聽該巡撫司道官布置，考其成功。臣嘗見經畧標下有王宗聖者，條陳沿邊井田圖式，又有陳伯懌者，言遼東墾田之利，皆鑿鑿可行。語云：狂夫之言，聖人擇焉。若其可用，便當依彷爲之，不可以人廢言也。但各衛兵籍廢壞已久，清覈須嚴，及有餘丁規避民差依投勢豪者，清查檢舉。此一廉幹兵備官之力，不費帑藏，不煩轉輸，不勞征調，因其願赴之人心，蠲其不急之徭役，一呼而得勝兵三萬，坐收兵食兩利之效，備門庭之警，扶肘腋之危，何憚而久不爲此？按明初宿重兵於畿輔至四五十萬，不費一粒一芻及中葉而後，猶有萬人自備糧糗願效力行間者，後何不振乃爾耶？昔人言祖宗之法，惟祖宗能行之，豈不信然。

陝西之屯

崇禎十年，陝西巡撫孫傳庭疏：竊博考故牘，洪武年間，每軍額地一頃，歲徵正糧十二石，餘糧十二石，盡行收貯屯倉，以正糧按月支給本軍，以餘糧支給官軍糧俸。餉不煩轉輸而倉廩充實，兵不煩召募而士卒精强，法至善也。至永樂二十年，奉詔減免餘糧六石，然正餘一十八石猶然交倉按支，法尚未壞也。至正統二年，以正糧十二石兑給本軍充餉，免納免支，止徵餘糧六石入倉，而屯法大壞矣。至後不知何時，復將餘糧六石改爲正糧，一併兑軍免納，而屯糧既不入倉，屯地幾爲私産，莫可究詰矣。陝西省下舊四衛，因檄行西安府推官王鼎鎮清查，除右護衛名隸秦府外，先將左、前、後三衛各地查明，酌古准今，推情定法，按地起課，即責辦於見今承種之人。每上地一頃徵糧十八石，中地量免三石，下地又免三石。每石折銀七錢，總計三衛共該起課地三千三百二十七頃零，徵銀三萬五千餘兩，寬平易從，無不翕然相安，不呼籲以窘大農，不加派以厲孑遺。疏上，上褒嘉之。

編修吴偉業疏：臣嘗觀宋之諸臣，慨然以郡縣削弱，欲救其敝。李綱請以三鎮置帥，文天祥請以四閫分都統制。今非常之原，不可驟開，然衛所者，高皇帝所以修郡縣之備也。事久寖微，虚糜廢弱，今宜清餉覈軍，甄别世職，其不任者汰之，以授有功。特令大臣典護一省衛所，許其徵辟幕僚，收召義勇，互相脣齒，以壯干掫。時不能用。

墾荒

崇禎七年，户部疏：查得北直、河南、山、陝等處抛荒田土最多。然有額内者，原屬軍民，有額外者，原係曠土，不屬軍民者也。以額外言之，沙礫斥鹵，其中不無可耕，民間自願開墾，墾之或未畢力，耕之或未獲利，官府隨而起科。此科一起，便無脱理，將來水旱蕪治尚不可知，目前小獲，永遠包賠，民雖至愚，誰肯自貽伊戚。故明明知其有利，明明棄之額外，難墾全在於此。有如洪武十三年詔：陝西、河南、山東、北平等布政司，及鳳陽、淮安、揚州、廬州等府，民間田土，許儘力開墾，有司無得起科；又令山東、河南開荒田地，永不起科。以此募民，堅如金石，信如四時，民未有不應者。此田原係額外，不必起科，但使地無不耕，民能藏富，朝廷之利已多，此一議當急行者也。以額内言之，非軍則民，或逃徙他鄉，或見在無力，田久荒廢，而人不敢耕，即有司募民給帖，耕種成熟，未幾而本主至矣，所在告訐，不奪不休。甚或已無本主，而本户争之；已無本户，而本管里長、總旗争之。又或墾出膏腴，大收花利，則本地豪勢無不人人争之，而開墾者莫必其命，招徠者反受其謗，往往有之。額内難墾，又全在此。有如洪武初令：各處人民先因兵燹遺下田土，他人開墾成熟者，聽爲己業；業主已還，有司於輔（附）近荒田撥補。又令復業人民，見今丁少而舊田多者，不許依前占護，止許儘力耕墾爲業；見今丁多而舊田少者，有司於輔近荒田驗丁撥付。以此募民，堅如金石，信如四時，民又未有不應者。此項原係額內，不畏起科，但使人知恒産，竭力耕耘，官府之糧自辦，此一議當急行者也。至於清查隱占屯地，宜首正疆界，巡行阡陌，按地畫圖，從某至某有田若干，屬某衛所，係某旗軍管種，只以見在著業爲主，方一里刻一石，記其界址，分其弓口，録其户口，通徧各處如此清查而屯之，實地實籍，舉在於此，不必問簿書也。比至夏秋成熟，又復巡行，按圖履畝，此某某之屯果成熟者，曾否納糧，完則已，否則立追；果荒蕪者，有無水旱災則已，否則必究，通徧各處如此覆覈而屯之，實成實虧，舉在於此，亦不必問簿書也。如此清查覆覈，果係著業而耕種勤、納糧早者，量行奬賞，且奬賞其衛所之官，名在籍中；而無力耕種，虚占抛荒者，勒令退出，另召軍民給帖開墾，永爲己業，且罰治其衛所之官，則隱占未有不清，荒蕪未有不墾者矣。不然，屯在阡陌，而求之於簿書，屯在山谷，而了之於衙署，抄謄册籍，積習相蒙，何時而破。且纔有更端，告訐因之而起，奸豪肆騙，良善人人自危，甚則激變者有之矣。又查得萬曆七年，山東巡撫趙賢議：青、萊、登三府海島二十餘處熟地八千餘畝，令海防官軍往來耕食，免納租税二十餘年。又該巡撫鄭汝璧請撥登州軍兵渡海北長山諸島畫畝耕種，收穫糧食，運至郡治，抵充軍餉。三十三年，長蘆巡鹽御史徐元正議：山東島田開墾成熟已計萬餘，今長蘆各場草場，沿海一望無際，乞要責成天津道專委分司，徧歷各場，不拘祖地、無主荒地，召募盡力開墾，每頃每年止納課鹽四引有奇，給與印帖，永爲己業。又令墾地之家，抽壯爲兵，聯以保伍，訓以武事，無事兼捕盗賊，有事驅之戎行，俱經本部覆准施行。此則登、津往例，今應查責兩處司道，照此處置兵屯，聽其自耕自食。如不能行，則此兵百無一用，斷乎當撤，毋令兩地虚縻新餉，歲至二十餘萬也。

古時軍國之需仰於西北而有餘，今也軍國之需益以東南而不足，蓋地有遺利，應墾而不墾，民有餘力，宜務而不務，此其本之失也。夫濟、兗之地，非古井田之區，三代所倚以給軍國者乎。今荒沙漠漠，彌望邱墟，至於京畿之間，亦復如是，而各邊之地可知已。大抵官非其人，理非其要，膏腴之區，貪併於巨室，磽确之地，荒失於小民，而屯田壞矣。務貪多者失於鹵莽，困賦税者一切抛荒，而農業隳矣。所謂地有遺利，民有餘力，此之謂也。沿邊諸郡，宜倣趙充國屯田故事，兼以晁錯募民耕塞下之議，參酌損益，選京官之識見明達、幹望精密者分督其事，段界丘畫，區析畝分，閲其强壯，優其食給，隨地所宜，務力於農。乘其餘閒，課之騎射。昔韓重華之在唐，釋罪吏耕邊田，歲償官逋四十萬斛。又募人爲屯田，歲省度支千三百萬。軍不病饑，寇不爲害，韓愈稱之以爲兵農兼事務，一而兩得。至於腹内西北諸路，必得如漢之趙過、召信臣，國初之陳脩其人者，分方經理，相原隰之宜，立旱澇之備，定肥瘠之區，寬税賦之額。居止而作者，使循其舊；流亡而復者，各歸之田。湖蕩之間可以水耕者，則引水鑿渠；高衍之地可以陸種者，則分疆定界，務使人各歸農，農各力田，地各樹藝，藝各得力，天下而不長治久安，未之有也。

宋紹興五年，屯田郎中樊賓言：荆湖、江南與兩浙膏腴之田，彌亘數千里，無人可耕，則地有遺利；中原士民扶携南渡幾千萬人，則人有餘力。若使流寓失業之人，盡田荒閒不耕之田，則地無遺利，人無遺力，以資中興。可見今稱財賦之區者，昔固曠土也。韓愈謂賦出天下，而江南居十九。以今觀之，浙東西又居江南十九，而蘇、松、常、嘉、湖五郡又居兩浙十九也。今國家都燕，歲漕江南米四百餘萬石以實京師，而此五郡者，幾居江西、湖廣、南直隸之半。自宣德、正統以來，每擇任有心計重臣巡撫其地，蓋以此地朝廷國計所資故也。若不曲爲經理，恐如往昔，膏腴仍變爲荒閒，天下事不可言矣。

從來大臣，未有不留心民事而可爲大臣者。他不具論，如元相王鶚，因懷孟路勸農官王秉中入朝，即訪問枋口去路，六十里屬濟源縣所開水利，即今溉田幾何？秉中曰：水舊名古秦渠，蓋魏末司馬孚創脩，至隋盧賁復開治，唐太和間，河陽節度使大加疏導，溉河內、河陽、溫、濟、武陟五縣民田五千餘頃，宋天聖初，枋堰始壞，至是秉中復爲起廢。又云：初興役時，掘地丈餘，得栢枋數十段，稱曰枋口，豈因是得名乎？觀相國亟以民事爲問，而任事者對答詳明如此，俱可以爲後世法。

畿輔墾田

葉春及疏：臣嘗讀司馬遷所爲貨殖傳，列致富人十數家，具道鹽盬、鐵冶、丹穴、卮茜之事，與王者埒家，不啻津津矣。及敘白圭觀變趨時，若猛獸鷙鳥之發，必以李悝務盡地力先之，然後知遷傷切於世，憤其所爲末作濫而本業衰也。故曰：本富爲上，末富次之。此豈昧於大較，悅奇勝、惡治生之正道哉。呰窳之人，負郭千頃，荒蕪不治，持籌執筴，以爭刀錐，指計僮奴，扼吭而誅其入，所謂舍萬金之産，而行乞於市也。土田當闢，古今諸儒具有論著，大者在唐、鄧、汝、潁、陳、蔡、許、雒、荆、襄、淮、楚間，臣未敢論，論畿甸中。古者畿内謂之甸服，粟米總秷（銍）於是而出，所以省輸將，便資給也。國家建都北平，古爲燕國。燕故諸侯，宫闕城郭之壯麗，玉帛會同之輻輳，百官萬民之殷庶，何敢仰望萬一。然自文公以後，立於彊國之間，北迫蠻、貉，南拒齊、晉，又嘗帥師争馳中原，乘勝逐北，翺翔千里之外，此其爲費非微細矣。蘇秦入燕時，東有朝鮮、遼東，北有林胡、樓煩，西有雲中、九原，南有滹沱、易水，卽今畿内。東西所至，視昔雖狹，而南有渤海、鉅鹿，至於邯鄲、濮陽，蓋兼齊、趙之地，長短相互，實亦當之。昔者纖悉出於其國，而今盡仰江南，非所以富國息民也。蘇秦謂燕足以棗、栗，粟支數年，不言秔稻之事，豈非人謀地利，漸乃出哉。臣觀往牒，何承矩耕水田於河北，虞集議海田於京東，脱脱大興營田，西自西山，東至遷民鎮，南起保定、河間，北抵檀、順，皆從司農佃種，欣慕之焉。水泉陂塘之迹，門堰捍築之方，召募敕授之法，器具工作之資，蜃蛤粟米之富，燦然可觀也。按成式，法往智，數歲之後，其效立見，此與轉吴會、漕潞渚，功相十，利相百矣。窮山澤計毫毛取赢萬里，而直千里之内棄而不收，甚可惜也。然出數十萬緡以爲利本，而取息于數載之遠，非富厚之家不能，貧者一日之入尚不足一日之用，而何暇思乎其他。蘇轍有言曰：賈人之治産也，將欲有爲而無以爲資者，不以其所以謀朝夕者爲之也。取諸其不急之處，指鹽鐵等，今内帑金有未用者，所謂不急非耶？且富人之出錢也，度其能償，且在旦夕，而後貸之。興水利，闢草萊，亦旦夕可償者也。雖然，事議非難，任難；

任非難，用難；用非難，成難。夫天下之人每病太怯，不敢任事。事偶相值，謾然受命而不自量，上雖用之，常有輕之之意及其未成而奪其業。古之君子，先量其身，而又要乎其君。君能用之，則受命而不辭；不能用之，不敢一日苟然以試，而君亦專責之，事終以濟，故足述也。方册遐矣，成化中都御史原傑經理鄖陽，不可稱哉。荆襄迤西，沃壤千里，蓬藋蒿萊，實盡其利，籍流民墾曠土，得户一十二萬，君相委心，豪傑效職，亦千古之概也。今朝廷之上，望治如渴，天下之大，獨無一人可使乎？抑洪武初，天下土田八百四十九萬頃，至弘治已失其半，近日司農所入，又多詘焉，不耕之田固不少矣，獨畿内哉？藩府州縣雖有農官，孰爲朝廷任事者？富强之道，在任用矣。

徐貞明西北水利議：當今經國訏謨，其大且急，孰有過於西北水利者乎？雖然，概而行之則效遠而難臻，驟而行之則事駭而未信，蓋西北皆可行也。盍先之於畿輔，畿輔諸郡皆可行也；盍先之於京東永平之地，京東永平之地皆可行也；盍先之於近山瀕海之地，近山瀕海之地皆可行也。盍先之數井，以示可行之端，則效近而易臻，事狎而人信。又恐其難於遥度也，則又裹糧屬二三解事者，走永平傍海近山之境，相度而經畧之，既得其水土之宜，疆理之詳，始信其事之必可行。京東輔郡，而薊又重鎮，固股肱神京，緩急所必須者。矧今地負山控海，負山則泉深而土澤，控海則潮淤而壤沃，水利尤易易也。予所屬二三解事者，蓋遍歷山海之境，閲兩月而返，披圖出示，如指諸掌也。爲言諸州邑泉從地湧，一決而通，水與田平，一引而至，比比皆然，姑摘其土膏腴而人曠棄卽可倐舉以兆其端者，自西歷東，如密雲縣之燕樂莊，平峪（谷）縣之水峪寺及龍家務莊，三河縣之唐會莊、順慶屯地，皆其著者。薊州城北則有黄厓營，城西則有白馬泉、鎮國莊，城東則有馬伸橋夾林河而下，城南則有别山舖及夾陰流河而下至於陰流淀，疏渠皆田也。遵化西南平安城夾運河而下，及沙河舖地方乂（又）鐵廠、湧珠湖以下至韭菜溝、上素河、下素河百餘里，夾河皆可成田。遷安縣北徐流營山下湧出五泉，合流入桃林河，又三里橋湧泉流出灤河，又鼂姑廟湧泉成河，與灤相接，夾河皆可田之地。盧龍縣燕河營湧泉成河及營東五泉湧漫四出，至張家莊撫寧縣西臺頭營河流，亦是燕河營湧泉而來，皆可田。自西以東，如豐潤縣，南則大寨，及刺榆坨、史家河、大王莊之地，東則榛子鎮，西則鴉洪橋，夾河五十餘里，皆可田。玉田縣清莊塢導河可田，後湖莊疏湖可田，三里屯及大泉、小泉引泉可田。其間有民所不業之地，有屯地，有牧馬草地。屯草之地屬於官，官則闢其蕪而收其利，不難也。至於民不業者，召民業之，官爲助其力，何至連阡以棄，鞠爲茂草乎？至於瀕海可田，則自水道沽關黑崖子墩起，至開平衛南宋家營之地，東西度之百餘里，南北度之百八十里，皆隸豐潤，其地與吴、越瀕海之沃區相等。今萑葦彌望，而繫名於勢族。然葦之利微，即勢族亦無厚入於其間也。若如吴、越人田而耕之，則利十倍於葦，即捐其一以與勢族，使不失其舊入，勢家亦何憾焉。昔虞文靖公之議，東極遼海，南濱青、徐，瀕海皆可田之地。今豐潤實其中境，欲舉其議而行之，兹非其先當致力者乎？蓋先之京東數處以兆其端，而京東之地皆可漸而行也；先之京東以兆其端，而畿内而列郡皆可漸而行也；先之畿内、列郡，而西北之地皆可漸而行也。在邊陲則先之薊鎮，而諸鎮皆可漸而行也。至於瀕海，則先之豐潤，而遼海以東，青、徐以南，皆可漸而行也。夫事有小用則宜，大則局而不通；大用則宜，小則窘而難布。茲其試之一井，究之天下，無不利者。事有旦夕計功，而遠猷不存；積久考成，而近效難覩。茲其暫之歲收，久之永賴，無不利者。特肇端於京東數處，因而推之西北，一歲開其始，十年究其成，而萬世席其利矣。

左光斗屯田水利疏：萬曆四十七年，屯田御史左光斗題爲足餉無過屯田，屯田無過水利，懇乞聖明，申飭當事着實舉行，以濟急需，以圖永賴事。臣幼聞父老言，東南有可耕之人，而無其田；西北有可耕之田，而無其人。既候命闕下，間取農書水利及古人已試陳迹，畧一講求，頗得大意。適承乏屯牧，耕當問奴，此其職已。方今東事正興，籌邊無策，十八萬枵腹之兵，待八百萬畫餅之餉，催外解之檄如火而不可得來，求内解之涕如雨而不能得去，止有漕運一脉，而民力已竭，加以旱乾水溢，接濟不全，河竭海漂，種種難測，其他意外之事，中梗之患，且未忍言，若不汲汲講三年、九年之儲，而局局爲不終朝、不終夕之計，臣愚不知其可，蚤夜以思，只有屯田可以救急。而今之屯田者，不過按籍徵糧，期於及額而已。間有隱占，多不可問，然亦不必問也。惟是西北不患無地，而患不能墾。以臣所聞，京以東，畿以南，山以東，兩河以南、以北，荒原一望，率數十里，高者爲茂草，窪者爲沮洳，豈盡其地利哉，特不墾耳。其不墾者，苦旱兼苦澇也。其苦旱與澇者，唯知聽命於天，而不知有水利也。一年而地荒，二年而民徙，三年而地與民盡矣。今有道於此，使上之不爲魃，而下之不爲魚，相反而相爲用，去全害而得全利，何憚而久不爲此。謹陳上屯田水利三因十四議，惟皇上採擇焉。其一曰因天之時。五行之用，誰能去水，三江震澤，禹貢所稱，厥土塗泥，厥田下下，昔之汙萊，今之沃壤，何常之有。邇見莞蒲、魚鱉、蜃蛤之屬到處有之，自南而北，風氣固然，而謂水偏利在南，偏害在北，火耕水耨，缺五行之二，名曰誣天。其一曰因地之利。引漳溉鄴，渠鄭富秦，龍首渠漢世尤盛。民之歌曰：涇水一石，其泥數斗，且溉且糞，長我禾黍。河源如昨，地脉未改，而謂水偏利在古，偏害在今，使瓠子之歎長興，宣房之績不顯，名曰誣地。其一曰因人之情。南人惜水如惜血，北人畏水如探湯，習固使然，亦未見其利耳。翟方進壞陂而黄鵠之怨興，召、杜開陂而父母之歌作，有之以爲利，死且不避。近日京東一帶，多所開濬，浸浸已見其利，所在州縣，亦知有争水者矣，臣私喜之。而謂水不宜北，北不慣水，拂耕鑿之情，而失田民之利，名曰誣人。禹功明德，惟是平水土、濬溝洫而已，未有不治河而洽（治）田者。支流既分，而全流自殺；下流既洩，而上流自安，無昏墊之害，而有灌溉之利，此濬川之當議也。沿河地方，唯運河不敢開洩外，其餘源流瀦委，是不一水，陂塘堤堰，是不一用，或故迹之可尋，或方便之可設，工力多者，官爲量給，費少者聽民自舉，惟無水之處，不必鑿空尋訪，以蹈卽鹿無虞之戒，則疏渠之當議也。秦漢之世，鑿地爲港，掘地爲井，汲而得灌，以一畝一鍾。卽東南地高水下，車而溉之，上農不能十畝。北方水與地平，數十頃直移時耳，事半功倍，難易懸殊，則引流之當議也。河流漸下，地形轉高，遠引不能，平引不可，將若之何？其法：闌河設壩以壅之，大約如囊沙之意，或壅二三尺，或壅四五尺，然後平而引之。水與壩平，流從上度，遞流而下，節節壅之，亦復如是。蓋不能俯地以就水，而惟昇水以就地，支河淺流，最宜用此。卽如滏陽一河，發源以至出口，約七八百里，得其利者僅一二縣，餘皆以低下棄去，不曉此法故也。則設壩之當議也。蓄洩不時，泛溢爲害，加以秋水時至，百川灌河，壞民禾稼，蕩民廬舍，往往有之。惟於入水之處，設斗門以時啓閉，旱則開之，澇則塞之。出水之處反是。此建閘之當議也。沿山帶溪，最易導引，山水暴漲，沙石壓衝，再行挑洗，勞費不償。其法：順水設陂以障之，用支河不用河身，支以上溉，身聽其下行，此設陂之當議也。而必概種秔稻，恐不素習，得利轉微。隨其高下，聽其物宜，宜粱、宜菽、宜薏、宜芋、宜蔬，惟意所適。總之，水源一開，灌旱地之利勝水田之利一倍，每畝之值亦增價三倍，漸漸由而不知，通而不倦，而焦原盡澤國矣。則相地之當議也。春夏澆灌，常苦水少，秋冬無所用之，常苦水多，儲有餘以代不足。法用池塘濱淀以積之，既可儲水待旱，兼可種魚蒔蓮。每見南方百畝之家，率以五畝爲塘，水不勝用，利亦如其畝之所入，何不倣而行之。而五家一塘，或十餘家一塘，居然同井遺意。而築塘尤易于浚井，但期築做如法，可以注水不漏，惟原窪下之處不必另設，則池塘之當議也。以一教十，以十教百，必用南人。而南人寧爲農夫，不欲爲農師。北地徭輕，江南役重，以走利如鶩之情，乘避徭如虎之勢，吾土雖美，樂郊可適，但著爲律令，永爲世業，不得一二年後卽行告奪，將負耒而來，爭先恐後，舉锸爲雲，決渠爲雨，此之謂也。則招來之當議也。四民之業，迭相爲用，南方士子，不得志有司，則棄爲胥吏，舞文犯科，往往此輩。若倣漢世力田之科，令墾田若干畝，許令占籍，而又不礙地方本額，且令官司與之講明水學，如胡瑗之教授門人，不猶愈于白鏹而鬻青衿者乎。蓋先師與后稷並位，勝與倚頓争坐也。則力田之科當議也。虞文靖公建議于元泰定之時，聽富民欲得官者，能以萬夫耕則爲萬夫長，千夫、百夫亦如之，今其意可師也。若令各屯衛所官軍及經歷，俱以墾田多寡加級，雖格外之勞來，實本等之職業，於計甚便。今議者動抑豪强，防其兼併，不知富者樂耕，則貧者轉貸，但得地無曠土，土無遺税，何妨勳戚貴近、大賈富商駢集而來，徙豪實塞，實用此意。則募富開爵之當議也。宋巡行使者，分道四出，民苦不便，蘇軾力非之。而治杭之日，脩治西湖，欲天下盡興水學，毋亦行之。介甫則不善行之，文忠則善耳。今水利之銜猶設，而勸農之義無聞，至於有司，多所不解，但得撫道而下，個個得人，又皆講求之熟路，已試之成事，如懷隆、靖虜、河内、磁州、海島先後諸賢分滿布列，彼此呼應，官無添設之煩，民無追呼之擾，穡人成功，田畯至喜，則擇人之當議也。天津一處，舊撫汪應蛟墾水田八千畝，設兵二千，用充額餉。今援遼千名，即八千畝多蕪，且有申言種穀不如取葦者，廢興由人，良可浩歎。誠得練習，明作一將官，領兵數千屯之，而天津一帶不足墾也。永平負山瀕海，擇官而墾亦如之。附近關外，得穀一石，足抵漕之五石，且屯且練，用備不虞，則擇將之當議也。或者曰，游惰之軍，不任耰鉏，是不然。近見出關觳觫之狀，視關内如春臺壽域，若練其老弱，使盡力南畝，死且不憾。而又計田行賞，比於得級，如宋給事廖剛之策。其言曰：執耒之勞，較之操戈之危，豈不特易。夫驅之戰與驅之耕，臣固知其必悦也。則兵屯之當議也。臣所言者止於臣屬耳。由畿輔而九邊，由關内而關外，豈乏充國其人，又豈乏武侯、子儀其人，而坐令金城、祁山、河中之績，爲千古絶盛哉。此數議者，不煩公帑，不勞民力，而又皆田里樹畜，老農常談，無甚高論，舉朝皆言其可行，當事亦見爲當行，而不肯力行。國家無事，既以因循而不行，有事又以張皇而不及行。農既疲於養兵而不耕，兵又恥於爲農而不耕，謂見效遲在三年之後，而三年後復然，謂大利遲在十年之後，而十年後復然，譬之富人衣珠而餓死，豈不惜哉。元末年，東南有梗，始思虞文靖之言，倣其意設海口萬户，業已無及，乞張士誠貸米數百斛，反覆告急，僅乃得之，而終無救於亡矣，可不寒心。先臣徐貞明曾以尚寶專理此役，而事出創議，難與慮始，且欲以一身兼禹、稷之任，大開河工，復井田之遺，省東南之運，語近迂闊，會忌者而止，乃其意不可磨也。今潞水客談及治田存稿具在，任事之難，令人追恨無已。今時勢迫矣，過此不行，更無行時。伏乞明天子照臨於上，賢公卿百執事主持於下，各舉所知，知人善任，更祈勅下户部，酌議委妥，轉行所司，着實舉行，勿狃故事，勿急速效，勿憚事始，勿撓事終，載入考成。一切有司，首課農政，田野不治，卽異能高等，亦註考下下。其有不習者，孳孳講求，務期曉暢，躬自勸相，單騎巡行阡陌，問民疾苦，不得勞民煩費，無益民功，小有嫌怨。臣等力爲主張，追試有成效，破格超遷，永着爲令。庶幾小墾小利，大墾大利。小利在地闢而民聚，民聚則墾者愈多；大利在粟賤而民饒，民饒則墾者愈易，生聚漸繁，和糴轉便。卽不必省東南之漕，而亦不專靠東南之運矣。

給事中魏呈潤水利疏：臣聞農者天下之大本也，泉流灌溉所以育五穀也，是以山澤通氣天下收其成功，雨暘示徵王者因之争美。比者滹沱諸河乾可步涉，東光等淺轉漕若石，近京數百里一望赤地，假十日不雨，哀此勞民，多稼少穫，何以御歲。臣聞雨者天地之和氣，霏潤上騰而後雲滃澤解，洋溢頃畝，是以山居知雨，非山之能厭浥也，山必有澤，燥濕相蒸而變化生，高下相感而雨水成。夫天下之水自足灌天下之田，而每苦於不能用，天下之田自足給天下之生，而每苦於不能穫。周禮曰：幽州，藪曰貕養，其川河、泲，其浸菑、時；冀州，藪曰揚紆，其川漳，其浸汾、潞。言水澤至沃也。國家定鼎於燕，用幽冀以爲畿輔，負重山，面平陸，奥衍之利甲于東南，若疏其上源，自涓滴傳而致之，何田不充，何漕不裕？惟北方不知蓄水，聽其自旱自雨，自盈自涸，而莫之均節，故潦蕩則遍地巨浸，炎烈則滿眼砂礫，一遇饑歲，比室如懸，民之凋敝極矣。昔舜命禹治水，至千百年獲其利。而考其言，曰決九川，距四海，濬畎澮，距川也。此之謂水政，卽農政也，漕政也。自秦開阡陌，廢井田，而溝澮之制始湮。漢、唐而後，日受河決之害。夫以數丈之河，挾五、六月之霪霖，而無有旁地以停蓄之，其潰軼也固宜，此潦害也。潦時不收之爲利，一或天靳其澤，地屯其膏，遂致焦熯，而無所措，此旱害也。夫聖人在上，水旱不能爲之災，其時沿河之水，無一勺不疏如血脉，是以沿河之地，無一畝不化爲膏腴。今近畿州縣之間，自守令而上，水利、河屯等官各有司存矣，請勅下撫按，分責所隸監司，務以疏瀹水土爲事。凡地形高窪之勢，源委分合之宜，古今通塞之故，與夫興作之緩急，工程之多寡，一一循行而咨度之。然後編册以獻，曰某處可復爲大渠達於漕河，某處可復爲中渠達於大渠，而小渠諭令自開濬也。册已陳矣，其力役之費，不盡需之官帑，亦不盡需之民間。需之官帑者，則以付之罪人，操畚鍤而往從之，徒計里而杖計丈，不然，則常平之積可間給焉。需之民間者，因水之所利而用之，利在一井則役一井之民，利在一邑則役一邑之民，利在隣邑者隣邑助之，利及隣郡者隣郡助之，皆官預爲會計，而民不苦於追求，則無不趨事之人也。趨事衆則水利廣，總其全力既可以致遠，分其餘力并可以潤槁矣。昔管仲之相齊也，其説曰：聖人之治於世也，其樞在水。是以自脩封脩界，以至於脩制，十仞見水不大潦，五仞見水不大旱，蓋誠急富國而盡地利也。曩者月食差度，皇上既治歷明時，法堯之開天，茲雨澤愆期，虔禱方應。臣愚以爲皇上亦當濬川導泉，紹舜之闢地，誠及此時，舉地利而經理之。富民不能供貧民之役，必轉募田，間而窘於耕者得食於工，一利也；旱則蓄其流，澇則宣其溢，瘠産化爲沃土，流民漸次復業，二利也；水道與田疇相通，譬咽喉之氣達於肺臟，靡不虚而咸通，漕事可以旱濟，三利也；北地種植既多，即粟米芻茭俱將輸之天府，遠可省額外之徵，而近可蠲召買之役，四利也；原野之間，有溝有防，高下自成，天塹窺闞，探丸之盜不敢援弓而馳馬，五利也。夫不費太倉之金錢而坐獲此五利，何不可爲也。要以瀦防溝渠之法，不獨衞輝，真定以南，濟寧以北，可以漕運計而已。天下無不可用之水，無不可用水之地，如吳起之用魏也，引漳水溉鄴，而河内富；鄭、白之先後用秦也，舉雲決雨，涇水一石，其泥數斗，而關中沃；李冰之爲蜀守也，壅水作堋，穿二江，通舟楫，而諸郡徧溉，今遺迹具在。若乃吳、越州郡，則引太湖苕、霅諸溪之水，汝南、九江引淮，東海引鉅定，太山下引汶，并州西南若汾、若沁盡可引注爲農田。他小渠者，不可彙紀也。第舉之有序，不至或興或廢，委爲不急之務，則無地不耕，無人不屯，水之爲利，當與天澤上下同流矣。傳曰：雨者，水氣之所化。然則水利脩，又所以致雨之術也。臣渺學寡識，敢因霖雨而效微忠若此。

近畿水利。昔何承矩建議于宋，於河北諸州興建水利，發戍兵萬八千人開泊種稻，民賴其利，卽今河間、保定淀泊之區也。虞集建議於元，謂京東瀕海之地，海潮日至，淤爲沃壤，宜用浙人之法，築堤捍水爲田，聽富民欲得官者，合其衆，分授以地，官定其畔，以爲限。能者授以萬夫之長，千夫、百夫亦如之。察其惰者而易之。三年後視其成，以地之高下定額，以次漸征之。五年有積蓄，命以官就所儲給以禄。十年不廢，得以世襲，如軍官之法。時善其言而莫能行。至正間，丞相脱脱復議，西自西山，南自保定、河間，北抵澶（檀）、順，東及遷民鎮，召募江南民師，立法佃種，給鈔五百萬錠以供牛種，卽虞集之議也。時天下已亂，欲行已晚。危素爲大農，墾田於雄、霸二州，相地授畧，薙除荆棘，闢田幾千萬畝，以補漕運之缺。夫固本足用不行於平日，而僅行於衰亡之時，此元人之失策也。

萬曆庚子，保定巡撫汪應蛟海濱屯田有效疏：天津葛沽一帶地，從來斥鹵不耕種，臣謂以閩、浙治地之法行之，未必不可爲稻田。今春買牛制器，開渠築堤，葛沽、白塘二處耕種五千餘畝，内水稻畝收四、五石，種薥荳者得水灌溉，亦畝收一二石，惟旱稻以鹹立槁，始信閩、浙之法可行於北海，而斥鹵可變爲膏腴也。天津爲神京牖户，開府設鎮，其地益重。見在水陸兩營兵四千人，歲費餉六萬四千餘兩，俱加派民間。若盡依今法爲之開渠，以通蓄洩，築堤以防水澇，每千頃各致穀三十萬石，以七千頃計之，可得穀二百萬石，非獨天津之餉取給，而省司農之轉饋無不可者。且地在三岔河，海潮上溢，可以灌溉。白塘地無糧差，白塘以上爲静海縣，糧差每畝一分八釐，民願賣則給價，不願則給種，於民情無拂。請以防海官軍用之於海濱墾地，每歲開渠築堤，可成田數百頃，一面召募居民承領，數年之後，荒田漸闢，各軍兵且屯且守，民間可省養兵之費，重地永資保障之安矣。

天啓中，屯田都御史董應舉疏：臣近到天津，歷何家圈、白塘口、雙港、辛莊、羊馬頭、大人莊、鹹水沽、泥沽、葛沽，見汪司農往日開河舊蹟猶存，可作水田甚多，荒廢不久，開之甚易。一畝農工止用八錢，可得粟三石三斗，久荒者畝用農工一兩。其挑濬舊河，爲力不多，只須挑濬數尺，明年萬石之糧可必也。按天津水田議之者，科臣解學龍也。前董應舉所開四當口及雙、白二港，又同知盧觀象所開何家圈，皆得米萬石，轉餉關門，此亦曩行水利之明效也。後盡汙萊矣。

嘉靖三年，大理卿鄭岳言：臣勘事陝西，道經畿内、河南，見太行西倚潼關，東繞懷、衛，北及燕、冀，水皆東注，南入於海。盧、易、滹沱、琉璃、漳、洺、衛、沁、洛、瀍，其大也，宜令瀕水開田，築堤鑿渠，平疇無水者，量濬甽澮，或爲陂塘，下通水泉，上蓄雨潦，數年之後，皆爲沃壤矣。此經國至計，所謂待其人而後行也。

古時西北水利。魏史起引漳水溉鄴，鄴以富；秦開鄭國渠，溉舄鹵之地四萬餘頃，關中爲沃野，秦以富强；漢文翁溉灌繁田千七百頃而蜀饒；白公穿渠引涇水溉田四千五百餘頃而以饒富；馬援引洮水種秔稻而狄道並塞之民得以樂業；虞詡復三郡激河浚渠爲屯田而省内郡之費，此前人興水利於西北之明效也。

爲差。逾限者房屋入官變價充餉，田地入官爲公田。有旨：下部議。禮部侍郎蔣德璟出揭駁之，謂限田起於井田，三代時有井田，故田可限也。自秦而後，經界廢矣，漢董仲舒始建議限田，李翺、元稹、林勳皆祖其説，非不雅志。三代爲抑富扶弱之圖，然皆不見用。惟漢王莽、宋王安石、賈似道三人力任爲必可行，而皆以擾民致亂。似道至首捐己田萬畝爲倡，其法益峻，其禍益酷。由此思之，法非不善，而井田既湮，勢固不能行也。説者謂開創之初，户田稀少，土地荒曠，田尚可限，故唐太宗嘗行之，而未幾亦廢。洪武初，北方府縣近城荒地召人開墾，有餘力者不限頃畝，皆免三年租税，仍免雜泛差徭；又令北平、山、陝及江北等處民間田土儘力開墾，不許起科。甚且給以牛種、田器，不惟不限，且恐其不能田大哉，神謨卓冠千古。惟令履畝丈量爲魚鱗圖册，而嚴詭寄投充之禁，則雖不言限田，而限田之法亦行其中矣。胡公世寧言：立國者不於平定之初復古授田之制，中葉而後，安懷成俗，而云均田，田未易均也。其説是矣。然平定之初，卽欲計畝授田如三代制，而不封建、不井田，總不能久，況中葉之後乎？鄧徵君元錫謂有三難。何者？守令歲月更改，各懷一切，莫慮經久，一難也；豪强兼并，謗讟朋興，二難也；守令不能履畝而較，必寄於吏胥，上下其手，豪右售賕，貧弱抑勒，名曰均田，實滋弊孔，故王莽、王安石、賈似道行之而亂，皆生今反古

限田

崇禎庚辰，工部主事李振聲請限田。一品官田十頃，屋百間；二品官田九頃，屋九十間，以是

之過也。今欲足兵食，莫如務農，欲務農，莫如貴粟，惟在遵守國初重農諸欵行之。如北平、山、陝、河南、江北諸處，聽民盡力開墾，三年不起科，及課植桑棗，脩治農田水利，令府縣官考滿以農田水利桑棗爲殿最，如此庶民勸於耕，而粟有三年、六年之積，以漸致太平，倘亦捄時之急務乎。

蘆田

計曹條議曰：議者欲清南京太僕寺所隸草塲地六十萬頃，出佃價一兩，使此法能行，則可得銀六千萬，利莫大焉，然而不能也。自馬草均派于田畝，民間已忘其事，故江北尚有名目，而其田本賤，值不過數錢，豈能頓增一兩。江南田貴易增，而竟莫可辨析，苟欲徵其價，必至攤派，此教之亂也。愚以爲蘆洲一項，可以此意行之。今沿江一帶，田之利微，洲之利重，故洲必歸於豪勢。兩豪相爭，累年不止，且甚至逞戈結營，白日殺人，而官不敢問。衹以不煩佃價，辦課輕微，而影射易滋，故不惜身命而争之耳。今得爲之令曰：某處某洲若干畝，每畝納價若干，不論業主、他户，能納者聽。既納之後，永爲世業，舊業主不得争。民縱出佃價，其利尚浮於田，必争先而納，舊業主家能辨者唯恐失其利，亦必競納，不煩催督，而可以得無限之資。原其本始，皆由白佃，未爲奪其所有。既納之後，永無相争之端。續有新增，亦必遵此。不得以水影微課，先佃爲辭，利滅事平，争端少息，亦致治之權也。計蘆政分司所轄見爲畝三百三萬三千九百二十四，如往年少試於如皋等處，每畝納四五錢不等，民無不樂從。則分等量入，亦不下百六七十萬，可坐而致也。若能命一幹官，嚴爲丈量，度其隱蔽，不啻一倍，上而川蜀，亦可倣行。數百萬之利，在一使者得人耳。事集民樂，又何患焉。

預備倉

備荒之政，莫善於預備倉。成化中，敕布、按二司言：洪武中，州縣設預備四倉，所以廣儲蓄，備旱澇，爲民賴也。比久廢弛，爾等督同各府州縣正官將原設四倉覈實，見在儲蓄有無多寡之數，仍儘各處在官贓贖金續糴粟備之，有不敷，聽於存留糧内借撥，或於各里上中户内勸助以充；其看守倉者，於附近里分僉殷實有行止者主之；有通同官吏實收虚放爲侵盗者，論如律；都司督同衛所正官於衛所地分置倉，亦如之。後都御史林俊題定預備倉所儲粟務三年積足周一歲之食而後已，大都五十里積粟三萬石，百里積粟五萬石，官儲中程者爲稱職，不及三分而上罰，有差少六分課殿。而給事中吴世忠言：積貯之名，歷代不一，而常平、義倉獨存於後世。自臣觀之，莫善於常平，莫不善於義倉。義倉之法，凶年則散之，豐年則斂之，其初未嘗不善也。然官與民償貸，其弊易生。方其貸也，寄之於里胥，而詐冒之名多；迨其償也，責之於里胥，而徵求之弊作。及其弊也，里胥必詐與貧民通而許爲詭詞，貧民必甘與里胥市而覬爲滅跡。前者獲利，後者效尤，將斂散之粟與存者無幾矣。其又弊有借止一石，或償至十數石而不足，借止一年，或徵至十數年而未休。下户細民有寧賣子女，甘流徙，而不肯窺倉廪之門，見官吏之面者。以故粟竭於官，有出而無入；約爽於民，有貸而無還。其勢必盡廢而後已。此義倉之弊也。常平則不然，豐年穀賤，則增價而糴以爲備；凶年穀貴，則減價而糶以濟饑。願糴者與之而無所强，願糶者受之而無所追。其利常周，而其本不仆，故公私兩便。今宜因義倉之舊，更以常平之法，量民數多寡以貯粟，酌道里近遠以立倉。每豐而糴，委之於富民而計其數；時凶而糶，臨之以廉吏而主其衡。糴不出一人，人不過一石，而又善爲之處，嚴爲之法，使所糴皆貧民，而富者無所侵焉，斯可矣。或曰：義倉之行，饑者可徒手而得粟；常平之設，必轉貸糴本而粟始可得也。其轉貸之際，安知富人之不留難；而徵取之時，又安知富人之不侵漁乎？臣應之曰：天下無不弊之法，爲治者但當酌其弊之輕重而審處之。常平立於漢，義倉立於隋。而用常平者常多，用義倉者常寡；常平每廢而猶存，義倉隨起而卽廢。至於宋常平特置提舉之官，而義倉無聞焉，亦足明其法之善矣。

林希元救荒叢言：臣聞救荒有二難：曰得人難，曰審户難。救荒有三便：曰極貧之民便賑米；曰次貧之民便賑錢；曰稍貧之民便轉貸。救荒有六急：曰垂死貧民急饘粥；曰疫病貧民急醫藥；曰病起貧民急湯米；曰既死貧民急募瘞；曰遺棄小兒急收養；曰輕重繫囚急寬恤。救荒有三權：曰借官錢以糴糶；曰興工役以助賑；曰借牛種以通變。救荒有六禁：曰禁侵漁；曰禁攘盜；曰禁遏糴；曰禁抑價；曰禁宰牛；曰禁度僧。救荒有三戒：曰戒遲緩；曰戒拘文；曰戒遣使。其綱有六，其目二十有三，備開於後，編次以進，總曰救荒叢言。是皆往哲成規，昔賢遺論。臣嘗斟酌損益，或已行而有效，或欲行而未得，或得行而未及，謂可施於今日者也。若夫恐懼修省，降詔求言，蠲租稅以舒民困，散居積以厚黎元，皆人主救荒所當行，則陛下已先得之，不容臣言也。至於賣軍職，賣監生，賣吏典，乃不得已救急之[弊]事，非盛世所當行，則大臣已先言之，不待臣言也。陛下倘不以臣言爲愚拙，爲迂疎，乞勅部院詳議可否，即賜施行。

潘潢積穀議：查得先該户部奏行天下府州縣官，各照里社積穀備荒，立格勸懲，不爲不密。但如每一小縣十里之地，三年之間，不問貧富豐凶，概令積穀萬五千石，限數既多，責效太速，以致中才剥削取盈，貪夫因緣爲利，往往歲未及饑，民已坐斃，及遇凶荒，公私俱竭，爲困愈甚。臣聞田野縣鄙者，財之本也；垣窌倉廩者，財之末也。與其聚民脂膏以實倉儲，孰與盡力溝洫以興水利？昔宋儒朱子賑濟浙東，所至原野極目蕭條，惟見有陂塘處田苗蔚茂，無異豐歲，於是益歎水利不可不修，謂使逐村逐保各治陂塘，民間可永無流離餓殍之患，國家可永無蠲減糶濟之費。此則救荒不如講水利，明效大驗之可見者。合無本部備行都察院轉行各處御史，申明憲綱，嚴督所屬，凡境内應有圩岸壩堰坍缺，陂塘溝渠壅塞，務要趂時脩築堅完，疏濬流通，以備旱澇，毋致失時，有傷禾稼，及因而擾害於民。每季終，預將疏築完壞備細緣由開報御史及總督水利官員，不時巡歷勘驗。如有申報不實及壞久不脩，脩不完固，或因而害民者，並爲不職，從實按勘施行。遇該考滿，務查水利無壞，方許起送。有能爲民興利如白起溉鄴、鄭國開渠之利者，具奏，不次擢用。該管官員亦照所轄完壞多寡分數，定註賢否，一體旌別。其八分紙價，贖罪、贓罰銀錢，香錢、引契、魚鹽、茶酒等税不係解部者，悉如御史王重賢等所言，盡數糴穀入倉備賑，不許分外分毫科罰侵剋。庶幾藏富於民，因地之利，雖有旱乾水溢，民無菜色。管子所謂積於不涸之倉，藏於不竭之府者，用此道矣。

宋朱熹曾請於府，得常平米六百石賑貸，夏受粟於倉，冬則加息計米以償。自後隨年歛散，小歉則蠲其息之半，大饑則盡蠲之。凡十有四年，得息米造倉三間及以原數六百石還府，以見儲米三千一百石以爲社倉，不復收息，每石止收耗米三升，以是一鄉之間，雖遇凶年，人不缺食。熹又嘗言於上曰：臣曾摹得蘇軾與林希書，説熙寧中荒政之弊，費多而無益，以救之遲故也。其言深切，可爲後來之鑒。

洪武間，湖廣孝感縣言民饑，請發預備倉糧以貸乏者。太祖謂户部臣曰：朕嘗捐内帑之資，付天下耆民糴粟以儲之，正欲備荒歉以濟急民也。若歲荒民饑，必候奏請，道途往返，民之饑死者多矣。爾户部卽諭天下有司：自今凡遇歲饑，則先發倉廩以貸民，然後奏聞，著爲令。

本計

明鄧元錫曰：記載家言，高皇帝方定金陵時，諭太史令基、起居注禕言：今軍興，四方民生苦甚，吾欲舒其力，且奈何？基、禕對曰：師行必齎糧食，上存此心，幸甚。然天下未底定，紓民力宜未易及也。上曰：不然，紓民力在均節財用，在制常賦，國家愛養生民，猶保抱赤子，惟恐傷之，苟掊克以朘之，雖慈父不能得之其子，君安能得之民乎？今當定賦節用，崇本而抑末，庶民力少有紓乎？基、禕頓首曰：臣等愚所不及，此仁政之本也。永樂初，湖廣夏税至，後期，户部尚書郁新請案府州縣官稽緩罪治之。文皇帝不許，曰：賦入但無失經制而可矣，耕種有先後，地里有遠近，何可槩必。任官牧民，當察其難易，而悉其情，一主於利民。苟罪其官，必急責於民，吾民殘矣，其勿問。洪熙初，昭皇帝諭工部言：古土貢隨地産，不强其所無。比年丹漆、石青之類槩下郡縣徵，郡縣迫小民鳩金幣轉買，價騰踴百倍，朝廷得不十一，而民費以千百，何痛也。自今於出産地計直市，毋槩派毒吾民。嗚呼！聖神之計慮深矣。

給事中吴執御理財必本經術疏：臣静觀今日國勢民情，無如理財爲急。今諸臣爲苟且之計者，無不謂此時多事，勢不得不出於權宜。臣耳目孤陋，不能遠引唐虞三代，請舉祖宗朝多事者一折之，可乎？臣攷永樂初年，承廢弛之後，府庫空虚，一時賜賚功臣，大封親藩，而又招集諸儒編輯大典，未幾而有安南之役，有營建京兆宫殿之役，費以萬萬計。而户臣夏原吉殫力經營，未嘗告乏。豈今日之多事，有踰是乎？今諸臣爲權宜之説者，又無不謂此時民窮財盡，勢不得不出於苟且。臣竊謂天下之民未嘗窮，而天下之財未嘗盡也，惟主計者自爲窮之、盡之之計，剜肉醫瘡，去皮附毛，令比屋脊脊嗷嗷，府事之所以日虚，泉流之所以日竭也。臣耳目孤陋，亦不能遠引唐虞三代，請以幼學所聞質之祖宗已行故事，與諸臣一商確，可乎？聞之仲尼，曰生財，曰節用，此兩言者，已畧盡理財大端矣。屯政、鹽法，生財之大者，諸臣業已言之，皇上業已行之，臣故無容贅。臣考祖宗時有曾泉者，爲汜水縣典史也，涖事已勤，然督農事，稽女工，時歷鄉村，率民墾荒田以恢穀麥，伐林木以贍財貨，無牛具、無紡織具者，皆設處借之。行之三年，官有積貯，民無窮乏，以其羨餘造船以備僨運。夫官至典史，微矣，殫心殷阜，有殷阜之效如自，典史以上，何官不可倣此以自效乎？陳壽之之巡撫延綏也，開邊耕耘，架梁採木，不期月省費二十七萬。葉盛之巡撫宣府也，修復官牛、官田之法，墾田積糧；以其餘歲補戰馬一千八百餘匹，修屯堡七百餘所。此兩臣者，治兵非不稱雄，而其理財又如此。凡爲巡撫者，若邊若腹，獨不可倣此以自效乎？至劉大夏之治淮鳳，民饑，奏裁光禄供辦也，歲省費銀錢八十餘萬。趙璜因正德中歲派料價過濫，遂取弘治前成例而裁之也，所省歲費亦不下數萬。夫國家之經費有限，而漏巵影没漸生其中，主計者苟留心撙節，此二者非其標的乎？蓋泉流之通於天下也，與天地並行不息，而無一塵一忽不灌輸於斯民者，故巡撫以下，典史以上，無一臣非皇上保民之人，即無一臣非皇上理財之人，爲計臣者，當大宏經術以急濟時艱爲生爲節，務與諸臣實實求所以補救之方。臣愚謂大約以固本厚基爲至計，以酌虛劑盈爲權宜。臣知九州之大，四海之廣，皆環拱以作皇上外府，定無有憂不足者矣。若夫加派、捐助、搜括者，竊不能無議焉。加派一節，皇上原以不得已之心而姑行之，其停止近或在一年之外，遠或在三年之中，似可無言，然必不可不即停止者。近畿保、河六府之加也，臣觀太祖高皇帝開基建業，鎮江、寧國諸府爲京師翼郡，故屢行蠲恤，其曰子孫百世何可忘江左之民，蓋注意邦畿如此其重哉？保、河六府又奕世爲皇上拱神京者也。其地多沙磧，原與南土不同。矧年來多故，哀鴻之歎，十室九空，此二十二萬餘者，加之原無益於山岳，減之又何損於涓埃哉？其餘省直，皇上與計臣預定年限，庶百姓知息肩有期，而幽遐之歡聲雷動矣。至捐助、搜括二者，尤難爲訓。夫臣子媚兹有心，一芹一曝皆思上獻，則捐助何獨爲非？竊謂人臣但能奉公守法，約己裕民，而以區區爲忠愛，恐不教之偷者鮮矣。搜括原有欵項，豈爲横取？竊謂郡縣之間，當留有餘以防不足，矧正賦未完，搜括先到，此果足以療度支之饑否？熙朝之世，寧堪受此名乎？考洪武三年，户部請論蘇州守臣逋税罪，高皇帝云：蘇州積欠兩年，民困可知，若逮其官，必責之民，民畏刑罰，必傾貲以輸官，如是而欲其生遂不可得矣。又朱英總制兩廣，府藏頗充，有勸以羨餘進者。英曰：王者藏富於郡縣，苟羨餘一進，他日餉匱，奚從取給？盛世君臣無一念不爲斯民計，亦無一念不爲先事計，此真可作今日良藥。矧皇上懲貪禁墨之令無日不下，而有司不肖或借捐括以爲辭，倘賜罷之，諸凡郡縣，誰敢不洗腸濯胃以自干斧鉞乎？今天下邊腹多虞，臣亦具知，但以天地財源無一不輸於民，故理財自理民始。民裕而財自阜，財阜而賦自足。不然，皇上試問諸臣，今秦、晉間何以不責其輸正賦，且欲請賑、請餉，了無屬厭之日乎？臣觀計臣清强，儘足辦事，而在廷多忠智之佐，伏乞皇上下臣言敕諸臣共殫，虚心參酌。如有一得之愚，亟賜採擇施行。

御史吳履中論加派疏：近日者議增加派矣。皇上惓惓於開節大計，以賦加民困爲念，真經國之深慮，愛民之至仁也。卽向來急催科，嚴參罰，開事例，裁額欵，皆不得已而爲之。臣下遂以其心全用於此，百姓遂以皇上所急專在乎此，而德意幾不見於天下矣。國家歲入計一千四百六十餘萬，而遼餉五百萬不與焉。捐助、罸、贖事例等項，鹽課、税額所增，復不下數百萬，而尚不足，則安能於天下之外，再得一天下之物力以取其盈乎？臣謂財之生數，至此已極。自有遼事以來，取諸民者已溢於制，而魏忠賢搜括之術復無所不至，以至今日，真皮骨俱盡之時，不惟加派不可行，而催科更當緩；不惟開之苦於無術，而節之尤病其失經。如青衿優免，歲不過十數銖，然培養士氣，賴此一綫而併去之，何以爲勸士之藉？皂快工食，猶官之有禄，乃以養廉而併裁之，彼安能裹糧奉公而不至横視百姓也？凡爲此者，皆權宜苟且之計，非盛世所宜有。臣意此時非中國得意之秋，雖衞、霍將兵，未能窮追遠討，以俟成功。但宜爲固守計，蓄積糧草，訓練士卒，伺察邊情，嚴烽火，整器械，謹斥堠以備之。兵精則不必務多，餉省則不憂財匱。昔勾踐之治吴，曰：十年生聚，十年教訓。皇上春秋鼎盛，如日方昇，長駕遠馭，久道成治，何必計旦夕之功，竭天下之力，以事一隅？萬一民窮財盡，外患未寧，内盜蜂起，何以處之？莫若甦息民力，固結人心，以爲久安長治之圖，進取恢復之本。此兵事民生，有强弱枯榮之勢，未必非天心所軫結，以冀皇上憬悟者也。

崇禎八年，御史鄧啓隆民害未除疏：臣聞趙宣子舉韓厥爲司馬，厥以軍法戮宣子僕；左雄薦周舉爲尚書，舉卽劾雄不應選貪污。若今户部尚書侯恂舉臣者也，臣爲國忘私，不後古人，寧敢三緘？請悉數其罪可乎？大學稱：與其有聚斂之臣，寧有盜臣。夫子三千之徒，其鳴鼓而攻者，惟有冉求聚斂。孟子稱三王巡狩，惟掊克在位則有讓。從古聖賢，惡言利之人如此。其至也，自流賊發難以來，於今六年，而無如客冬今春之烈，所至之處，民無不望風相迎，甚有望其來而恐不來者。何以故？則困於徵斂，與其饑死，不如盜死。計秦、晉、楚、豫、鳳、廬之焚戮，寧啻萬萬？此萬萬之命誰殺之？恂殺之也，罪一也。流寇平日之垂涎，在淮揚、金陵耳。鳳陽之凋瘵，賊亦稔知，無奈方圍潁州，而鳳之窮民遠幾百里相邀，具以册授賊，某家富厚，某處無兵，於是賊遂擁衆焚劫，震動祖陵。試問誰使發祥重地一旦化作煨燼？恂釀之也，罪二也。祖陵既震，感愴聖懷，在外諸臣，方勤干掫，計招撫，薄海内外，延頸企踵，仰應宥之詔令。而恂且劾江、浙、吴、楚各撫按住俸帶罪，使扶杖觀聽之老幼，僉訝寬恤之日，何有此督責之嚴？盛典爲之不光，罪三也。人才者，天地之所鍾毓，祖宗之所培植，得之甚艱，摧之甚易。今海内科甲，强半守令，幼之所學，壯之所行，誰肯不以撫字爲政者？而恂不論地方，不分豐歉，嚴立參罰，或前官之拖欠累及後官，或地方之瘠疲累及守令，有七八年不得行取者，有降至二三十級者。於是卽有馴雉集鳳之賢，不得不化爲碩鼠猛虎之毒，使海内之人才壞於參罰之苛酷，罪四也。語曰：利不百，不變法；又曰：知者作法，愚者制焉。昔龐尚通博考精通，袁世振講求鹽法，十年方奉特遣清理，故變法而信從。恂不學無術，妄意紛更，不規疏理之舊，懸定取盈之額，舊票銷至十年，遼寧兩項俱增，紙上之虚易填，庫中之實難輸。商人愁怨載道，司計顰蹙求脱，猶自詫曰：寬其積逋，導其壅滯。將誰欺乎？罪五也。皇上所嚴禁者賄賂也，内外諸臣無不洗心滌慮。恂陽假考成，陰規厚利，考滿要無參罰，考選要無參罰，省直錢糧，那緩就急。或已解司府而未到者，或止欠二三十兩者，差役賫文入京，道阻且長，往返維艱，不得不稱貸凑補。又欲題開復竣事，不得不稱貸備禮。杜牧所謂不敢言而敢怒者也，罪六也。其他剥青衿廩餼，減有司公費，刻核太甚，又其餘矣。此等臣立朝一日則釀亂一日，一時則釀亂一時。今皇上明正典刑，列其罪狀，布告天下，流寇聞之有不投戈解散，百姓聞之有不呼慶更生，臣不信也。

崇禎十三年，刑科給事中孫承澤劾軍前私派疏：邇因寇禍益深，皇上特遣閹臣楊嗣昌秉鉞躬勦，凡徵兵、索餉之事，内呼如雨司農。臣初應之以新餉，繼應之以勦餉，再應之以練餉，惟恐須臾稍緩，無以慰任事之心，且有以開卸事之口，蓋已竭閭閻之膏血惟命是聽矣。然孰知軍前之需，取之部額者有限，而私派之地方者正無紀極也。憶臣待罪縣令時，倏奉一文：取豆米幾千石、草幾千束運至某營交納矣；倏奉一文：買健騾若干頭，布袋若干條，送至某營交納矣；倏奉一文：製銅鍋若干口，買戰馬若干匹，送至某營交納矣。並不言動支何項錢糧，後日作何銷算，惟曰：遲誤則以軍法從事耳。州縣之吏，凜凜恐後，間有借支正餉以救目前之急者。然派之里下者，則比比矣。是以私派多於正賦。民不堪命，怨聲四起。而行間之臣，止計目前，不計遠大，於是綿延數省，無一寧宇。使從賊者無復還鄉之望，爲民者徒爲溝壑之填。歲即豐稔，萬亦難當，況今值此百年未有之荒災也。臣見我皇上念切痌瘝，每於部請加派之際，不知幾爲斟酌。豈意部中之加派，皇上得而斟酌之，而軍前不時之私派，未行題明，不奉部檄，不知凡幾，烏可置而不問也？近日閣部軍前派徵益厲，甚至小縣有派米稻三千石、黑豆二千石、粟米二千石者，計價不下二萬餘，此果勦餉乎？練餉乎？是驅民而爲賊也！何日平賊之有？伏望聖明嚴諭：軍前之需，俱照部中撥定分數，即有不足，不妨明白奏請，不許私行徵派，使將士戀餉玩寇，以重小民之困。至於誓師已久，敉寧無期，宜文武諸臣認定限期，仰遵明旨，務期努力殲盡，斷無留賊尚至十四年之理。不然露布徒聞賊勢益熾，將見軍實日墮，民怨愈深，竟於封疆何如也？奉旨：奏内私派米豆價不下二萬餘金，小縣何縣？奉何衙門私徵？着孫承澤指實奏來。該部知道。

又疏：臣見邇來民生日蹙，所在騷然，大江以北，幾無寧宇。人止知歸咎於天行之災沴也，又歸咎於部派之繁重也，而不知軍前之横徵苛派，其害更甚。臣頃具民力久困一疏，蒙皇上令臣指實具奏，請卽以江北言之。臣督餉其地，兵燹荒殘之景，目所親擊。近聞鳳、滁所屬，坐派不一，卽小縣如全椒、來安等處，先後各派米豆亦至七千餘石。蝗旱之後，價值騰貴，計費不下二萬餘兩。檄文一至，官吏攢眉蹙額，小民魚驚獸駭，真不啻身在湯火中者。一處如此，他處可知。臣職司耳目，敢不據實入告，以爲百姓請命哉？至於督理勸餉，原有部臣，或係徑行，或係轉奉閣部楊嗣昌之命，望皇上勑江北按臣，一察卽明，仍力爲釐飭，以甦民困者也。嗟夫！小民竭力以養兵，兵貪餉而玩賊，究之賊不能一殲而立盡，而民復轉迫而爲賊。上下相蒙，日復一日，何所底止？臣亦惟望皇上嚴令行間諸臣速圖勦蕩，以救民於水火而已。

崇禎十七年，給事中光時亨、王言更新疏：竊臣見給事中孫承澤疏内有求皇上下罪己之詔一欵，言極切直，此誠今日轉亂爲治第一要務也。以古帝王之盛，猶凜於四海之困窮，責夫省躬之六事。故罪己而興，蓋勃焉。三代而後，惟漢詔最著。蓋漢承秦弊，事必更始，故其諸所詔令，迄今讀之，猶可想見當日規模鴻遠。今陛下聖明天縱，亦何罪之與有？臣以爲繇於有誤陛下者，其罪實不容不論。或人已往，而是非宜明；或人見存，而賞罰宜當。臣敢謬爲縷指之：孰爲練餉之加，以致民竭夫膏髓，兵亂於抽募者乎？孰爲撫寇之説，以致慘遍乎中原，人習爲媚賊者乎？孰爲欵敵之議，以致邊臣因而懈守，戰士爲之灰心者乎？孰催戰松、錦，以致八鎮精鋭盡喪荒原，遂貽寧遠孤注之憂，斷關門犄角之勢者乎？孰鑿挖河堤，以致汴城億萬化爲魚鱉，反開冒功倖賞之門，爲親藩避地之始者乎？孰謂制科可廢，以致鎮帥跋扈，譁卒生心，卽今武弁紛紛薦文臣，糾文臣，救文臣，仍踵其故智，無所不至者乎？孰爲加等之律，以至刑名日濫，善類摧殘，卽今明詔煌煌，議清獄，議停刑，議貰罪，猶猝難挽回，恩膏未遍者乎？此輩奸深啓釁，苛刻相因。附其熱者，有立然之死灰；逢其螫者，無不投之陷穽。甚至尤而效之，使風憲大臣傳殺人媚人之衣鉢，以遍肆蜂蠆，竄伏逆案，逞如鬼如蜮之伎倆，以遥制朝權。陰險足以招外寇，慘毒足以兆干戈，結轖足以生疫癘，乖悖足以致天變，反覆足以長小人。當其時，或亦有小忠、小信、小功、小利以互相歆動，而不知其騙官市儈者，巧於鬻封疆；提線護法者，善於竊威福，以致財盡民窮，神怒人怨，皆此輩日漸月累之所爲。陛下試一回思，十六年來，誤國諸奸，歷歷如睹。伏乞聖明立詢廷臣，詳開姓名，欽定一案，大誥中外，使曉然知禍亂所自起。諸奸之罪案明，而陛下之聖德益彰。明綸所布，凡深谷窮黎，必感而泣，弄兵赤子，必悔而返。以有唐奉天一詔，猶能動人若彼，何況英謀睿斷，迥出尋常萬萬者乎？從來是非不兩立，賞罰必並舉。陛下先行此擊奸誅亂，以杜後起之僉壬，旋及於搜滯拔幽，以收失志之豪傑。所謂四罪而天下咸服，舉逸民而天下歸心，其此之謂矣。夫遏亂有大勢，尤有大機。機之所在，不可失也。

春明夢餘録卷之三十七

户部三

倉場

總督倉場公署，在城之東裱褙衚衕，設於正統三年。糧儲抵通，分貯京、通二處：在京者曰舊大（太）倉，曰百萬倉，曰南新倉，曰北新倉，曰海運倉，曰禄米倉，曰新大（太）倉，曰廣備庫倉；在通州者曰大運西倉、大運南倉、大運中倉、大運東倉。户部侍郎或尚書總督之。其公署在舊大（太）倉内，銀庫在總督公署之左，中爲銀窖老庫。元時有京畿都漕運使司，所管倉有萬斯南倉、萬斯北倉、千斯倉、相因倉、豐閏倉、通濟倉、廣貯倉、永平倉、永濟倉、維億倉、盈衍倉、大積倉、豐實倉、廣衍倉、順濟倉。今之倉多其地也。

漕額

漕糧歲入四百萬石，内兑運三百三十萬石，改兑七十萬石，除舊例折糧三十六萬一百八十八石七升八合，又除上薊、密、昌鎮天津倉糧四十五萬四千九百四十七石三斗，實上京、通倉三百一十八萬四千八百三石九斗九升二合。

倉支

下糧廳約放二百一十萬六千石外，四月、十月共折三十四萬石，通倉約放七十七萬二千石外，四月、十月共折二萬石，輕賫银共四十二萬七千七百二十八兩六錢七分零。

金仁山曰：有殻曰粟，無殻曰米。粟卽穀也。古人米與穀兼積，米切用而易腐，穀氣全而可久，緩急兼儲。後世軍儲獨以米，故久卽不可食。

漕河

京師百司庶府，衞士編氓，仰哺於漕糧。永樂初，運道一由海達直沽，一由淮入河，逾陽武入於衞，由衞入白河，抵通州，運兼水陸，爲勞費艱。永樂五年，户部會官言：北京合用糧餉，盡河北税糧籽粒，並河所漕粟，不足供需，海運乃濟。而運船少，歲運不過五六十萬石，且未設漕官督理，事權不一。請於蘇州太倉設海道都運使，其中擇文武中公廉勤幹者以充，銜視布政使，轄衞所諸海運船并出海官軍，時檢理如法。太宗重其事，下部詳覆。而濟寧州同知潘叔正言：元自須城縣安山西南行，由壽張東北至東昌，又西北抵臨清三百八十五里，引汶絶濟屬之衞，卽今御河也，建閘三十有一，以時蓄洩，名會通河。時河初開，岸陿水淺，不能負重載，歲不過運十萬石，故終元之世，倚海運爲重。洪武中，會通河故道猶存。迨河決原武，漫安山湖而南，而會通之迹始湮。今海險陸費，而會通河故道淤者三之一，宜可濬以漕。漕成而南北之運通，則無窮利也。於是天子命工部尚書宋禮、刑部侍郎金純、都督周長董其事，發山東六郡丁夫十有六萬五千，役二十旬，蠲租百千萬石濬之。而御史許堪言：古海豐故河漕汶，以運道猶存，宜可疏屬之衛。而老人白英畫以爲元遵（導）汶入洸，出濟寧，而陽穀、汶上、東平之間地高圩數丈，南旺之間，水淺涸膠舟，舟不任重載，固其理也。今築壩於東平州之戴村，抑汶水無東流，合盡入南旺湖。南旺者，運河之脊也。得全汶而湖深廣，宜可漕。於是疏衞河達海豐古河，而築壩抑汶水入南旺。至南旺而中分十之四南流以屬徐，分十之六北流達臨清，相地勢高下，增築閘以啓閉蓄洩。自分水至臨清，地降九十尺，爲閘十有七，而達於漳、御；自分水至沽頭，地降百十有六尺，爲閘二十一，而達於河、淮。設清衞河工提舉司，其中創造運船五百艘，已運至三千艘，以轉輸。平底倉闊，受載不深，於度淺易脱，得水僅六拏而足。六拏者，三尺也。於是會通既道，淮浦底績，而南北之運始通。初平江伯陳瑄督海運，會通河既浚，海運罷不用，命瑄理漕河事。瑄疏清江浦，引水由管家湖入鴨陳口達淮，避河、淮風濤之險；浚瓜洲、儀真二壩，祛潮港之湮；鑿徐、吕二洪之巨石，平水怒；行沛縣昭陽、濟寧南旺、高郵甓社諸湖，築長堤以蓄巨瀦；開泰州白塔河以通大江；鑿高郵渠四十里以便舟楫；自淮抵臨清，增閘四十七，以便蓄洩；自淮至通州，濱河置廬舍五百六十八所，居卒以治淺；緣河堤種樹、鑿井，以待暍者；置倉於淮安、徐州、臨清州、通州，以便轉輸。諸四千里，數十年漕河事宜，皆瑄所經綜周慮而力圖之，至今是賴。

漕運

明初尚用海運。洪武三十年，海運糧七十萬石於遼東。永樂六年，海運糧六十五萬一千二百二十石於北京。十二年，接運海運糧四十一萬四千八百一十石於通州。自是而後，始專用會通河儹運。其會通河之運凡三變：一曰支運，一曰兑運，一曰長運。永樂初，令直隸蘇、松、常，浙江杭、嘉、湖等府歲糧，原坐太倉海運之數，送淮安常盈倉交收；鎮江、廬鳳、淮揚糧送徐州廣德倉交收；徐州并山東兖州等府糧送濟寧倉交收。令裡河船於會通河以三千隻支淮安倉糧運至濟寧，以二千隻支濟寧倉糧運至通州，每歲四次。其天津並通州等衞，各撥官軍接運通州糧至京倉，所謂支運也。永樂末，巡撫侍郎周忱會同平江伯陳瑄議，令民運淮安、瓜洲，補給脚價，給搬淺費，給耗，給蘆蓆費，兑與軍，而直隸各省軍各於淮、瓜領兑，所謂兑運也。成化七年，復用都御史滕昭言，罷瓜、淮兑運，令江南、江北官軍僱江船於江南水次交兑，民加江耗視遠近爲差，而淮、徐、臨、德四倉支運糧七十萬石，皆各就水次兑之，所謂改兑運爲長運也。

總漕

舊制自瓜、儀以至通州，河道皆屬漕撫，設郎中二員，南北專理之。其諸洪閘各有主事一員專司之。漕運都御史勅諭，則各有自通州至揚州一帶水利，有當蓄洩者，嚴督該管官司并巡河御史、管河、管洪郎中等官設法疏築，以便糧運。怠職誤事者，一體參奏。凡有便於糧運，利於軍民，悉聽爾便宜處置之命。河、漕事原歸一。其後偶遇黃河潰决，則專勅大臣一員往治，竣事還京，不常設。後連有水患，遂以爲定員。其職專管黃河，於曹州駐劄。河南、山東管河副使則屬之。管河郎中、洪閘主事，不相屬也。故總河勅云：今特命爾前去總理河道，其黃河北岸長隄，并各該隄岸應脩築者，亦要着實用工脩築高厚，以爲先事預防之計。如各該地方遇有水患，卽便相度防究水源，可以開通分殺，并可築塞隄防處所，仍嚴督各該管官員斟酌事勢緩急，定限工程，分投用工，作急脩理。凡脩河事宜，敕内該載未盡者，俱聽爾便宜處置，事體重大者奏請定奪。此原敕也。後增入云：近年沛縣迤北漕河屢被黃河衝决，已經差官整理，今特命爾前去總理河道，督率管河、管洪、管泉、管閘郎中、主事，及各該三司軍衛有司掌印、管河兵備等官時常往來親歷，多方經畫，遇有淤塞去處，務要挑濬深廣。蓋此敕亦爲黃河衝塞漕河，故有是命，其實專爲黃河也。先年，總漕都御史每歲押糧運進京會議，往迴查看河道。其後，私托巡按御史奏留，自嘉靖元年都御史俞諫後，更不赴京矣。至嘉靖二十年，二洪淺阻，糧運不通，總漕乃具疏盡推之河道，奉旨切責，自管河都御史而下俱戴罪料理。自此，總河、總漕分而爲二，竟以漕爲米，不知爲河矣。而且彼此水火，漕法始亂。故張江陵當國，竟裁總河李世達别用，而專用吳桂芳兼理，河漕俱治。後有營求總河者，託言官條陳復設，相沿不改。

漕總

按吕梁洪志：天下漕船十總，每年過洪船一萬二千一百四十三隻。其一，則南京總。曰旗手衛、羽林左衛、金吾前衛、府軍左衛、瀋陽衛、應天衛以及興武衛，共十三衛。其二，則中都留守總。曰鳳陽衛、懷遠衛、留守中衛、長淮衛以及潁（穎）上所，共十二衛。其三，則南京總。曰留守左衛、虎賁右衛、錦衣衛、鷹揚衛以及虎賁左衛，共十九衛。其四，則浙江總。曰杭州前衛、紹興衛、寧波衛、處州衛、台州衛以及寧海所，共十三衛。其五，則江北直隸總。曰淮安衛、大河衛、徐州衛以及歸德衛，共八衛。其六，則江南直隸總。曰鎮江、蘇州、太倉、鎮海等十一衛。其七，則江北直隸總。曰揚州、通州、泰州、鹽城、高郵等十衛。其八，則江西總。曰南昌、袁州、贛州、安福等十二衛。其九，則湖廣總。曰武昌、岳州、黄州、蘄州、荆州等十二衛。其十，則遮洋總。曰水軍、龍江、廣洋等十三衛。後行泇河，過淮不過洪，則有十三總，而事體亦多更置矣。

漕軍

軍旗十二萬一千七百一十一名，每一船十人。一人運正米三十七石，分倉收貯，共封識之。中推一老成者綱領之，謂之綱司。次綱司者，又有攔頭、扶柁二人，相協持之。旗甲則管領之。凡出納必同，悉於綱司籍記之。餘則共利，少則共償，其贏縮利害亦同也。以故交兑無虚會之弊，沿途無盜賣之失，而運於是乎興矣。今也，兑納皆旗甲一人，衆則惟任撑駕，利害毫不相關。甚至一船皆僱倩無藉（籍）之夫，以數百石之米付之一人，此運之所以敝也。是何也？各處月糧不給，軍日貧乏故也。雖有殷實在伍，百法避之。而領運之官，營營自私。此運法日敝而不可復也。

漕船

漕船初造於清江提舉，部給料，舊船三，新船七。景泰、天順間，計船一萬一千七百七十五艘。又産木處每隔歲輒令有司自行派造。其後，止解物料焉。又其後，料解漸縮。而各省所採木在川廣者，亦以漂泊罕至。至者復爲監收官留難。於是有解價之議。而廠料愈不繼，船遂以無當。成化中，令船薄漂流者，罪及提舉，然終不得堅固。其後停止解價，取木價於荆、杭抽分二廠而已，而軍士復有私辦之額。其合領船料，工部又不以時給。給之止於舊三，謂運軍操舟，見爲受成，謾不慎護，則所謂新七者，量足其四，以三屬之運軍以難之。嚮者軍士私辦，遂爲公額矣。弘治中，以軍士困，參酌而益之以銀，軍皆喜，船議爲之一振。正德而後，六七年間，船多料少，大約不及期而壞。又材木半出貰貸之錢，展轉相續而下，自旗卒運弁，以至主造之官，無不盤摅其中。蓋料愈多，而船愈無當。至隆慶末年，船漂流益甚，科臣往勘，還報曰：船薄而小，並糧太重，漕臣過也。漕撫王宗沐奏：運船市木，歲責商人，商人豈不利佳木哉？一經南都，則拔其尤者爲黄馬船料矣。下瓜儀，則市其佳者於民間造作矣。至其中空不堪者，始萃於清江。清江廠所委指揮等官，出於營求，而又甲乙相承，莫可究詰。夫以不堪之料，付之營求之人，而乘以不可究詰之勢，運船之弊，橫潰四出，不亦宜耶？謂自今廠署毋註選，聽工部擇司官練達清謹者任之，三年而代，指揮等官悉罷委，別於淮安衛山陽縣附註經歷、縣丞四員，俾專成造，亦三年覈其功罪而代。又請歲解銀湖廣布政司，責成糧儲道，必市美木，皆親造揀選，庶幾乎船勝漕也。詔曰：可。

漕倉

京倉爲天子之內倉，通倉爲天子之外倉。徐、淮、臨、德倉置外，所以備凶旱，以防不虞也。徐州之倉曰永福、廣運，淮安之倉曰常盈，臨清之倉曰廣積、常盈，德州之倉曰常盈。臨清倉自洪武間建，謂夫南北間一都會也。永樂初，節級寄倉爲轉搬，後因直達京師，徐、淮、臨、德分貯之。其初，則建倉廒黃、衛之湄，受淮倉米，轉之直沽。直沽又海舟所停泊處也。其年，卽直沽設天津衛置倉。三年，增置露囤千四百所。於是淮倉自衛河，太倉自海，咸輸天津倉，而山東輸德州倉。天津、德州二倉所受，又總輸之通州，由通州輸之京。此轉搬法也。五年，增設通州左衛，置左衛倉。八年，修北京驍騎等衛倉。十三年，漕河成，益置倉水次，受民納，令官軍節級支運。仍移德之廣積倉於臨清，移原坐太倉海運糧於淮安府。淮以北曰徐州倉，徐以北曰濟寧倉，絡繹臨、德，以抵通京。十六年，復益通州衛通濟倉。歲凡三運，其達京倉者二，儲通倉者一。宣德四年，益增脩京、通、淮、徐等倉，益拓臨清倉，度可容三百萬石。正統元年，定所增通州大運曰中倉，曰東倉，曰南倉，曰西倉。時歲運米五百萬，京十之四，通十之六。其年，復增造三百萬石倉於大運西倉之側。是時，國家承仁、宣之積，重以兑運方盛，歲額日益廣，倉在在贏溢。四年，增設府庫、左右金吾、前三衛倉。天順四年，卽通州西倉之南草場置大運南倉。五年，復增通州大運倉百間。而南倉設北、東二門，餘倉皆三門，設守衞軍一人，辦事官一人，軍一人。然由是設總督太監監督，内官漸多事矣。弘治中，言者極言内官剥削之害，請量裁罷之，不聽。至正德中，冗食冒支益甚，監督内官賄賂公行，世宗盡罷革。隆慶初，巡倉御史蔣機言：漕儲通倉者三百三十餘萬，而京倉僅二百餘萬石，根本之地，出多入少，非所以備緩急，請無拘三七、四六之例，凡兑運者悉入京倉，改兑者入通倉。詔可之。久之，御史楊家相復言：通倉誠多放一月，則京倉省一月之給，京倉多折銀一月，則京糧餘一月之儲，非必減通倉而後可實京倉也。户部清除改兑，盡入通倉，以省脚價。其兑運入京倉者，仍於中撥六十萬石足通倉原額。詔如議。

倉耗

太倉總督廳板刻則例：一廒兑正糧一萬二千石，每石耗米七升，共計八百四十石，約定四百八十石作正支銷，餘准作耗。數内欠五十石，或一百石，以至二百石以上，經歷官攢甲斗級，照依欠數多寡責治有差。數外間有剩餘者，則是多收之數，不敢别作支銷，節年於倉中隙地掘窖埋之。嘉靖十三年，周侍郎叙初督倉場，見餘米歲埋數多，心切惜之，乃言於大司徒儉菴梁公材。公曰：此出耗米附餘四百四十石之外，若欲具題作正支銷，主收放者法應參究，況起此附餘之端，他日害大計矣，寧復棄之，不敢作俑也。周乃貯之空厫，以數作一手本報部，公亦不受，令總廳自計。乃知老臣固識體耳。宣德年間，京、通二倉收受斛米一尖一平，尖斛淋尖，平斛行概。後將淋尖斛外餘米俱要入官，有虧旗甲。成化元年，參將袁佑奏：要每石不分平尖，明加一斗，俱刮鐵收受。户部題奉欽依，只加耗五升。成化二年，又該户部題爲收受糧斛事，奉欽依准加八升。今載入議單，每石兑運加耗七升，原爲尖斛而增，今於加耗之外復收斛面以爲附餘，則是耗外又加耗矣。

輕賫

糧運輕賫，所謂一六、二六、三六者，即耗糧也。江西、湖廣、浙江兑運正米一石，加耗六斗六升，又加尖米一斗，共七斗六升。以四斗隨船作耗，餘三斗六升則折銀，故謂之三六。江南、直隸兑運正米一石，加耗尖米共六斗六升，除四斗隨船作耗，只二斗六升折銀，故謂之二六。江北、直隸兑運正米一石，加耗尖米共五斗六升，除三斗隨船作耗，亦即二斗六升折銀，故謂之二六。若山東、河南兑運之耗，并尖米只四斗一升，除二斗五升隨船作耗，餘一斗六升折銀，故謂之一六。蓋加耗隨地里遠近爲差耳。先是耗糧俱本色隨船，候到灣僱車起糧，則易銀爲用。後以灣中米價低昂不一，而易賣又滯交納。弘治十三年，都御史張敷華、都督郭宏方議折銀，每石定價五錢，可以輕賫，就於交兑之時支領隨船，此一六、二六、三六輕賫之名所由始也。然只令完納兑運三百三十萬石而已，餘耗本折皆歸旗卒，官固無利之者。是故旗卒富饒，糧運於斯爲盛。成化七年，改淮、徐、臨、德四倉支運糧七十萬石於山東、河南、直隸四倉民運交納者，亦令軍船就水次與民交兑，運赴京、通二倉上納，即今之所謂改兑者，其加耗數少，止有隨船耗米，俱無一六、二六、三六折耗輕賫，就令於兑運輕賫銀内均貼脚價進倉等用。若地方災傷，支運倉糧，亦以兑運輕賫帮貼之，亦即總完四百萬石而已。此雖減耗乞貼，比之只了兑運者，數雖減少，然用亦裕，而軍無告困。至正德六七年，來京師權要始有官債、虚立文約、逼奪輕賫之弊。時各總運官多出其門，牽引爲害。蓋借公物以爲私賄，希求寵庇，於是始有艄封過淮，赴漕運衙門呈驗重封，仍委官至張家灣驗過發之，蓋以革逼奪之弊。而把總聶欽遂因夤緣驗封，查算使用，以羨餘獻之於官，故又有扣除之例矣。聶欽雖即以贜敗，而後之相繼者則用意算扣，歲增其數，咸務多獻以爲功。太倉庫所積羨餘至盈數十萬，而官旗揭借賠償，貽害不可勝言。欽之倡始，爲可罪也。夫一六、二六、三六輕賫，乃耗糧也。惟因地有遠近，故耗有多寡，非脚價也。若脚價則一例矣。灣中起糧使用，則各總皆同，又何必分一六、二六、三六之殊哉。今以輕賫扣除於官，是則正糧四百萬之外，復收其耗糧也，豈制法之意乎。楊宏疏曰：唐史，裴耀卿爲發運使，凡三歲運米七百萬斛，省僦直錢三十萬緡。或説耀卿獻之。卿曰：此公家贏縮之利耳，奈何以市糴錢充公帑？宋崇寧初，蔡京爲相，始求羨財以供侈用，用所親胡師文爲發運使，以糴本數百萬緡充貢，爲户部侍郎。自是來者效尤，時有進獻，而轉搬無用矣。矧輕賫原係耗米，實非正納之數。舍耀卿之至計，用蔡京之弊政，將來軍逃運缺，勢所必至。久之，司計者竟不知其故，以輕賫入有司之考成，尤可怪也。

漕規

漕之兑運，各有水次。凡水次：江南於瓜、淮，已又於九江，已又令淮、瓜運軍過江就兑；湖廣於長沙、漢口，已又於蘄州、漢口、城陵磯三處；江西於吴城，已又於進賢；河南於小灘；山東於濟寧，已又令河南、山東俱于臨清，已又令河南仍小灘。凡當兑米，徵收以十月，水次交兑以十二月。踰十二月，終次年正月。糧與船至者三之一，弗至者府州縣正官、督糧官、領運指揮千百户等官，俱聽巡按御史逮問，奪俸奪級，以久近爲次。已復申定罰例，較前率先一月，督糧自糧道而下，領運自把總而下，後期者無次，并罰之。凡樣米解部，山東、直隸以三月爲期，江北、直隸、鳳陽等處以五月爲期，南京、江西等處以六月爲期，浙江、湖廣以七月爲期，違者繫其所在巡按，究其官吏。已令江北官軍兑本府州縣糧者，過淮以十二月；南京、江南、直隸官軍兑應天府等州縣糧者，過淮以正月；淮以北，山東、北直隸二總兑本糧及遮洋總兑河南、山東糧者以正月及三月完報，事皆屬之儹運。凡米至京倉，月旦爲期。五月一日，北直隸、河南、山東衛所至；七月一日，南直隸、鳳陽等衛所至；八月一日，南直隸過江支兑者至；九月一日，浙江、湖廣各衛所至。後者奪俸，先者進秩，皆有差。已又令，完期各前一月，始四月，終七月止。又令更前一月，及六月止。凡漂流米二百石以内爲小患，二百石以外爲大患。小患報官，大患以奏聞。漂流損米，罰治皆有分數，然仍令之領運。補完者復之，不完者終身及子孫勿得復。漂損糾劾及漕運撫總官，聽上所處之。凡軍有犯，罰軍糧贖罪，亦皆有差次。無力者發戍極遠邊衛。已復罰罷運，第令如數納米贖。凡倉次給醫藥，官若軍有故者，歸其骸，存卹之。

恤軍

洪熙元年，節該欽奉敕諭：官軍運糧，遠道勤勞，寒暑暴露，晝夜不息，既有盤淺之費，糧米耗折，所司又責其賠補，朕甚憐之。今後除運正糧外，附載自己物件，官司毋得阻當，欽此。正統三年，户部復議：運糧官軍人等合遵敕諭，順帶土貨以爲盤費，不許沿河巡司官軍人等生事阻當。成化二十一年，都御史馬文升復奏申明。正德八年，又該户部欽奉聖旨：説與户部，近年以來，漕運軍士爲因流賊生發，阻截運道，燒刼船隻，好生困苦。先年有奏准事例，許令量帶土宜貨物，以備脩船、剥淺等項支費。你部裡還行與漕運衙門知道，欽此。欽遵仰惟朝廷優恤運軍之典，至諄至切，爲臣下者正宜遵守奉行，奈何近年所司罔肯體恤運船，但帶柴菜竹木等物，經過瓜儀抵京，大小官司俱要攔阻搜盤，求索虐害，終不憫恻。至於空船回還，又假以盤鹽爲由，每處拘留三五日或十數日，勒取報結，不容放行。雖醎菜魚腥之物，亦皆搜去，甚至有將官軍行李、衣鞋公然挾制盜取，不敢言喘。如斯之害，已非一日。竊以鹽之得利惟在瓜儀，如淮揚盤禁，理固相應。今德州、臨清、東昌、濟寧處處搜盤，況彼處地道蚉寒，鬧座又多，每年回船凍阻，獨滯于斯，乞敕該部再將前例申明，重復行移沿河各該衙門，今後運船所帶土貨等物，令其隨便發賣，以助貧軍剥淺、守凍、盤費之資，不許違例阻當擾害。若官軍乘機不將運船裝糧，滿載客貨，妨誤糧運者，事發仍照例追究，納鈔抽分。其回空船隻，果有夾帶私鹽，聽淮揚官司依法搜查，禁治施行。

海運

按元人海運有三道。初，伯顔建議，自上海劉家港入海，經揚州海門黄連沙頭萬里長灘開洋，沿山嶴而行，抵鹽城縣，歷海州東海縣、密州、膠州，放靈山洋，投東北路，多淺沙，行月餘抵成山。計水程至楊村馬頭一萬三千三百五十里。至元二十九年，朱清等陳便道，自劉家港開洋，至撑脚沙轉沙嘴，至三沙洋子江過匾擔沙大洪，又過萬里長灘血沙放大洋、清水洋、黑水洋至成山，過劉島至之罘、沙門二島，放萊州大洋，抵界河口，其道差徑。至正十三年，千户殷明畧又開新道，劉家港入海，至崇明州三沙放洋，向東行入黑水大洋，取成山轉西至劉家島、登州沙門島，於萊州大洋入界河口。舟行風信有時，自浙西至京師不旬日，比二道尤便。洪武四年，置遼東，即發兵五萬戍遼，命鎮海侯吴禎總舟師萬人，由登萊轉運，歲以爲常。禎卒，張赫繼之，二十年封爲航海侯。己未，命督遼東海運，歲一行，軍食賴之。其後有朱壽者，亦海運有功，封舳艫侯，歲運七十萬石。至永樂間，會通河成，始不復講。隆慶五年，山東巡撫梁夢龍勘報海道疏：自古建都，一切轉運莫不因形勝以制便宜。恭惟我朝成祖定鼎燕京，轉運大計，一由河道，一由海運。至永樂十年以後，平江伯陳瑄開清江浦，尚書宋禮開會通河成，始盡由河運。然海船猶存，遮洋海運未廢。宋禮之議又曰：雖由會通儹運，每三年海運一次。是當時，未嘗絶意於海運也，爲慮遠矣。弘治間，大學士邱濬倡議，請于無事時通海運故道，與河漕並行，一旦河漕少有滯塞，此不來而彼來；又謂海運之利以放洋，而其險也亦以放洋，今欲免放洋，宜訪素知海道曲折者，講求傍海通運之法，歷淮、揚、青、登等府，以抵直沽濱海去處踏看，萬一可行，是亦良便。是時，河漕通利，未見力行。正德迄嘉靖間，河患嗣是一遇滯塞，大小臣工疏陳策試數百萬言，皆以海運爲請，竟未力行。隆慶以來，河患益劇且頻，每當乞濬築塞，工程浩大，刻期勒完，晝夜併工，公犒私貼，計費不貲，上下窘急。接連三省丁夫調發動踰十萬，寒暑風雨，暴露經年，手足潰爛，枕籍傳染，疾病死亡，殆不可計。大衆數聚，久勞怨生，啓釁干和，關係不細。愛國之臣，深以爲憂。我皇上撫臨華夏，天覆海涵，世躋隆平，乃去歲邳河陡塞一百餘里，今歲宿遷漂傷無算，異常河變，屢見迭出。太倉空虛，咽喉梗塞，中外危之。先蒙皇上採納忠猷，簡差科臣胡檟，會同臣等計處膠河，期通海運，以佐河漕之急。社稷大計，孰先於此。時臣等勘得膠河雖屬難開，而原題海道，南自淮安至膠州，北自天津至海倉，各有商民船隻，經行歲久，委堪行運。及勘得中段自膠州至海倉一帶海道，與南北一水相通，亦有島人并商民船隻經行二十餘年，堪以一體行運。自淮安至天津，總計二千三百餘里，風便兩旬可達，不便稍遲，每歲五月以前風順而柔，較之六月以後更爲便利。臣等前後親詣登、萊二府地方，訪得沿海官民，俱稱二十年前傍海潢道尚未之通。今二十年來，土人、淮人以及島人做販魚、蝦、茶、豆，往來不絶，其道遂通，未見險阻，羣情踴躍。臣等猶恐事無的驗，今兩試俱利；兼恐人有遺議，今衆見僉同。臣等蚤夜思議，竊以大海風波雖不可知，然海面多潢，猶陸地多岐。海人行海，猶陸人行陸。傍海而行，非横海而渡。海道險利，兹可具推。臣又與三司各官再三面審行海委官指揮王惟精，千户韓禮、陳璋，緣事千户汪土弘，納級官魯礦，并水手等役數十餘人，俱稱今次踰出海道，傍海居多，間有近洋，洋中島嶼聯絡，遇風可依，岸上人烟，舉目可見。若船非乾朽，行遵占候，自無他虞。較殷明畧踏出之道尤屬穩捷。是卽邱濬所稱傍海通運，果爲良便。臣家於陸，先年未至海上，不能測識濬議。今待罪海邦，親勘博訪幾八閱月，始歎服濬議乃神京遠計。若畏風波，則江河與海皆所不免，今歲宿遷河道漂傷衆多是也。若重民命，則大役死亡，或更多也。況歲免濬築，永無遷徙。天津密邇通州，不煩陸輓，既不勞民傷財，更擅形勝便宜。濬之言曰：家居海隅，頗知海舟之便。先年前後總漕大臣王恕曰：高郵湖大作，波濤洶湧，損壞船隻，失落錢糧、人命不可勝計。邵寶曰：陸之爲勞，不減行海之險。陸銓曰：汶水導引，南接淮、泗，北通白、衛，自元人始。然河渠淺澀，故終元之世，海運不廢。永樂年間，禮部會議曰：黄河漕運未能周急，必藉海運，然後足用。諸臣斯言，當必有據。今議海運，誠爲足採。臣等愚見，請及今日以河道爲正運，益加綜理；以海道爲備運，兼爲規復。萬一河道未易疏通，則海運可至。畜艾對症，臨急無患，河道大工，自可安心濬築如法，以垂經久。再照海防至重，沿海衛所，疲玩歲久，先年江南、閩浙、蘇松、江北、淮揚各沿海州縣數被倭患，近來加意整飭，自是寧謐。山東海面東望朝鮮，北接遼東，西邇畿甸，南控淮揚，遠達浙閩，真四海上游形勝之區，沿海衛所，疲玩更甚，久無倭患，識者有未然之憂。今行海運，兼飭海防，是不但有裨於國計，兼有裨於地方。如是則咽喉無恐，肘腋有備，京師百萬人心自是安定，萬年永利，昭代全規。我皇上繼述之善，太平之烈，光於千古矣。行之數年，極稱利便。萬曆元年，以龍鬬傷七艘，户科賈三近請罷海運。户部議如三近言。

總漕王宗沐疏：古語天不滿西北，地不滿東南，故東南之海，天下之水之委也。渺茫無山，則迴避靡地，近南水煖，則蛟龍窟居，是以風波足畏，傳聞可駭。昔元人海運之有驚壞，以其起自太倉、嘉定而北也，若自淮安而東，引東萊以泊天津，則原名北海，中多島嶼，可以避風。又其地高而多石，蛟龍有往來而無窟宅。故登州有海市，以石氣與水氣相搏映日而成，石氣能達於水面，以石去水近故也。北海之淺，是其明驗。即以舟與米行於登萊，因其曠達，以取其速，而標記島嶼，以避其患，則名雖同於元人，而利實專其便易，佐河運之缺，計無便於此者。然此猶舉時宜之緒論，而非臣條議之初圖。若語其全，則有稍進於是者。其説有三：一曰天下大勢，二曰都燕專勢，三曰目前急勢。漢不遠引，請以唐、宋之事明之。唐人都秦右，據岷涼，而左通陜（狹）渭，是有險可依，而無水通利也。有險則天寶、興元乘其便，無水則會昌、大中受其貧。宋人都汴梁，背負大河，而面接淮、汴，是有水通利，而無險可依也。有水則景德、元祐享其全，無險則[重和]、宣和[靖康]受其病。若國家都燕，北有居庸、巫閭以爲城，南通大海以爲池，金湯之固，天造地設，以拱衛神京，聖子神孫萬年之全利也。而乃使塞不通焉，豈非太平之遺慮乎？此臣所謂天下大勢也。夫三門之險，天下之所謂峻絶也。然唐人裴耀卿、劉晏輩百計爲之經營者，以彼都在關中故也。粟不能飛，則途有必由，是三門者，秦都之專路也。若夫都燕，則面受河與海矣。一河自安山涉汶、濟，即今之會通河；一河自淮入汴、入衛，而俱會於天津。然終元之世，未嘗事河，而專於海者，彼以夷陋紛攘，終歲用兵，固無暇於事河也。彼又以爲河亦間有不如海者，入閘則兩舟難並，是不可速也；魚貫逆遡，一舟壞則連觸數十舟同時俱糜，若火則又甚焉，是不可避也；一夫大呼，則萬櫓皆停，此腰脊咽喉之譬。先臣邱濬載在衍義補者，是不可散也。若我朝太平，重熙累洽，主於河而協以海，自可萬萬無慮。故都燕之受海，猶凴左臂從腋下取物也。元人用之百餘年矣，梁、秦之所不得望也，此臣所謂都燕專勢也。黄河西來，禹之故道，雖不可考，然不過自三門而東，出天津入海，是腹雖稍南，而首尾則東西相衡也。至宋時，直獵大名，則已稍南矣。我朝弘治三年，決張秋，奪汶入海，是其首猶北向也。乃今則直南入淮，而去歲之決閻家口，支出小河近符離、靈璧，則又幾正南矣。自西北而直東南，途益遠，而合諸水益多，則其勢大而決未可量也。故以漢武之雄才，尚自臨決塞；王安石之精博，且開局講求。河之爲立國病，詎直今日然哉。且夫去年之漂流，大臣之與國同休及小臣之有志於世者，聞之有不變色者乎？夫既不能不變色于河之梗，而又不能無難色於海之通，則計將安出？故富人之造宅，則旁啓門焉，防中堂有客，而看核自旁入。此臣所謂目前急勢也。

海運里數。自淮安府至安東縣九十里。安東縣至馬洛橋五十里。馬洛關至蘆浦四十里。蘆浦至楊寨四十里。楊寨至白沙關二十里。白沙關至雲梯關二十里。雲梯關至淮河套六十里。淮河套至大海東洲山一百二十里。東洲山至高公島三十里。高公島至鷹游山三十里。鷹游山至虚溝所十五里。虚溝所至青口六十里。青口至興莊五十里。興莊至東流所九十里。東流所至濤洛場三十里。濤洛場至信陽場一百二十里。信陽場至齋堂島四十里。齋堂島至靈山島九十里。靈山島至竹槎島五十里。竹槎島至浮島四十里。浮島至灣島六十里。灣島至鰲山管島三十里。管島至田横島七十里。田横島至欽島一十里。欽島至青島一百二十里。青島至海洋所灰島七里。灰島至坑兒島十八里。坑兒島至元城島一百二十里。元城島至雙駝埠二十里。雙駝埠至寧津所八十里。寧津所至成山衛五十里。成山衛至青鷄島六十里。青鷄島至羅山所五十里。羅山所至威海衛四十里。威海衛至劉公島五十里。劉公島至寧海州七十里。寧海州至空空島五十里。空空島至奇山所三十里。奇山所至福山縣三十里。福山縣至登州新海口八十里。登州新海口至沙門島六十里。沙門島至桑島五十里。桑島至萊州𡾊屺島四十里。𡾊屺島至三山島八十里。三山島至芙蓉島五十里。芙蓉島至海倉一百里。海倉至魚兒鋪十里。魚兒鋪至白浪河五十里。白浪河至八溝河三十里。八溝河至小清河二十里。小清河至清河五十里。清河至絲網口子十里。絲網口子至江岔河十里。江岔河至大口子四十里。大口子至大清河十里。大清河至唐頭寨十里。唐頭寨至小沙河五里。小沙河至渾水汪十五里。渾水汪至降河三十里。降河至九山河十里。九山河至大沙河二十里。大沙河至泊油河十五里。泊油河至套河十五里。套河至沙頭河十里。沙頭河至大溝河三十里。大溝河至桑句河三十里。桑句河至徐家溝十里。徐家溝至乞溝河七十里。乞溝河至大沽河一百二十里。大沽河至天津衛一百五十里。天津衛至張家灣八十里。

以上淮安府起，至張家灣止，海道水程共計三千三百九十里。

崇禎十二年，沈廷揚上疏，倡先小試海運事。户部覆請。奉旨：這所議暫募運以省排造，先試運以通故道，説的亦是。其松、太等處沙船、鵰船是否可用？每歲撥運若干，經費作何措處？運官作何遴委？海上聯絡防護事宜，通着總漕臣恪遵前旨，一併確實畫酌妥速奏。漕臣奉旨，檄太倉州撥糧一萬石，委官募船下海試運。適太倉漕兑已畢，廷揚遂領淮次糧一萬石由淮入海。

海道各有程途，各有宿泊島嶼。且近海岸俱有淺灘，惟山東萊州一路地方突出海中五百餘里，不得不放萊州大洋，自此有自蓬頭石礁、成山金嘴石等島險，始（殆）不可言。若得出洋子江，沿江岸行，至山東麻灣口別搬入船，運至海倉口，相去僅三百七十里。中間原有膠萊廢河一道，可以疏通。到海倉口再入海船，運至直沽，僅一二日之程。

崇禎癸未十一月十五日，考庶吉士畢，上於德政殿召對。因問曾櫻：曾請開膠萊河，已發銀十萬兩，曾否支用？昨計臣倪元璐奏有養魚池通漕便道，欲遣賀王盛踏看，是否可行？蔣德璟對：膠萊原有馬家濠，元時所鑿，嘉靖、萬曆中皆再鑿，欲以避成山之險，然尚未通。陳演奏：聞尚有數里。德璟奏：只有十四里未通。演奏對：卽鑿通，如沙潮一衝，恐又淤塞。德璟對：前倪元璐奏欲於未通處所用陸運，將漕米搬過，亦是一策。然兩邊船隻及車夫，亦費區處。上曰：養魚池見在何處？德璟對：在文登縣。因賀王盛曾令文登，故知之。上曰：卽遣賀王盛去勘來，并前户、工二部所發銀十萬兩通查來看。先生每擬旨行時，山東已亂，而所遣者亦非其人。每問山東近海人，皆言新河可通，原長六十里，今四十里，海潮日到，未通者二十里耳。曾公櫻清而有才，當日之請非無見，惜未竟其用也。

渦河在淮之南（北），商船自淮入渦，至河南祥符銅瓦廂以達陽武。陽武去衛河只六十里，此元人陸運之故道也。此説却似可行，但今日邳州以下黄河淤淺，淮水爲門限沙所阻，倒灌泗州。一旦黄河北決，淮水冬乾，則清江浦便爲平陸，雖欲自淮入渦，其道何繇哉？永樂元年三月，瀋陽軍士唐順之言：衛河南踞黄河陸路纔五十餘里。若開衛河，距黄河，置倉廒，受南方所運糧餉，轉至衛河交運，公私兩便。上曰：此策亦是。命近臣詳議。如可行，亦俟民力稍甦行之。

倉支

萬曆七年，倉場尚書汪宗伊疏。永樂二十一年，每歲漕糧，以兩運京倉，一運通倉。往因通惠河未疏，通倉糧多於京倉。故嘉靖四年，議放五年糧，京倉六個月，通倉六個月。自疏通之後，京倉積倍於通倉，反以四月、十月改折色。是京倉收二分，而僅放四月，通倉收一分，乃放六月。今京倉，隆慶五年，分糧已及九年，漸多浥爛。且以京、通倉粳米計之，萬曆六年，歲報京倉一千二百五萬九百八十石，該年放一百三萬四千三百九十六石，雖放十一年而有餘。通倉三百一十五萬九千五十六石，該年放八十七萬二千三百三十八石，雖放四年而不足。合査照原收之糧額，定支放之月分，每年坐放京倉二分，通倉一分，兩月折色，歲以爲常。尚書張學顔議得四月、十月係開操之日，赴倉關支，有誤隨行。且軍士支糧，在京倉，甚近甚易，在京倉放米六個月，通倉放米四個月，似爲多寡適均。如遇米貴，則折色又當停止，而京倉糧米復當多放，臨時酌行題請。

倉場侍郎南居益漕儲疏：漕糧每年以四百萬爲額，除永折邊糧計七十八萬二千四百四十餘石外，實入京、通者額該三百二十一萬七千五百五十餘石。卽地方被災折免，祖制仍責令於附近郡邑撥補足數，原不容折銀虧額也。如附近府分各有災傷，無處奏補，猶將臨、德兩倉收貯備荒糧米内照數支運，務不失原額四百萬石之數。祖宗朝鄭重倉稍如此。查神祖初年，京、通之貯，尚計米一千五百二十餘萬。於時每年支放，止該一百九十餘萬。今自關、鮮借留，地方截折，每年實入京、通者不過二百餘萬石。而軍兵增設，各役冒破，每年實支米反該三百二十餘萬石。除本年兑運盡數支給，仍應搭配舊糧百餘萬方足歲額。今計京、通二倉實在米止二百餘萬，不過兩年配搭，便罄盡而無餘矣。此一倉糧也，雖云軍需，其實滿京都何家無軍，亦何家不食漕米，萬一搭支淨盡，根本重地，豈卽能神運鬼輸，以卒禦不可知之事變乎？此時惟有嚴核虛冒。而各衙門或創設，或增添，但就萬曆間迄今，每年已多支米五十萬二千六百餘石矣。況一營衛官軍也，何以此月之支給較彼月之支給漫無定額；一文思院官匠也，何以屢清之後較未清之前支多踰額？酌時宜而緩急布之，所當按衙門而各令責成矣。議者謂加放漕折，可以省粒，可以裕儲，而庫銀不敷。且時有借漕折而別用者矣。夫米果有餘，何妨給米以存銀；米既不足，斷當量入而制出。查每年折色，例該兩月，而前任督臣畢懋良具題增四月，卽今不能四月，獨不能三月乎？又豈可減於二個月之祖制乎？至關門遼米，另編幇牌，總漕已有成議，此後或不致再爲倉米之蠹。而鮮兵既裁，獨不可稍爲酌減，而猶株守十萬石之往規乎？各地方災折，卽無奈多祲，獨不可據議單而令通融補湊於豐稔之府縣乎？臨、德備災之米，空懸日久，獨不當急圖修復，以資不時之支運乎？河患、火燬，卽恩典不容終格，而獨不可嚴行稽察，勿使以少報多，捏假當真乎？此外，若掛欠運官千石以上者參送法司，千石以下者押發漕司，除究罪外，其所失之漕糧，法當照數追補者也。其掛欠者，固不知作何開銷？其終欠也，亦不知作何結局？雖各衙門自有見行之事例，倘亦不應如此之草草也。今後各衙門似當將完欠存銷各數目，年終俱清册投部，互相關白，以便稽查。而一切追完錢糧，仍當歸還太倉，以湊本折支放之用。再查通庫所餘輕賫等銀，及鋪厫板木折改濟邊者，數原不多，皆漕米本項也，合無盡奏放漕折。物極則反，理固然耳。要之，裁減冗溢，更屬吃緊。而言者徒殷，聽者自忽，非以酌量之虚文塞責，則以勢重之難反見泥。祖宗法制非不犁然，而絃轍之膠猝難變更，天下事大都如此矣。

又疏：看得倉庾爲國家積貯，天下命脉所關，糜耗則不足，撙節則有餘，此一定之理也。神祖朝時，值承平，官享常禄，役無耗蠹，積貯藉以充裕。至熹宗時，郊祀、享謁、典禮紛紛告舉，兼之邊疆多故，在營衛則添設兵丁、標勇等項，在禁衛則冒替旂力、軍校，以致原額大增，公廩匱乏。倉臣南居益憂先杞人，有直陳國計匱竭一疏，原據京糧廳趙建極查核，條分縷析，極爲詳備。如錦衣衛旂力、軍校，在萬曆年間止以一萬六七千爲常，乃自天啟年來，駱思恭題增三萬，後田爾耕陸續濫收至三萬四千四百名有零，雖節經查汰，較萬曆四十六年尚有萬四千九百五十員名，月增米一萬四千九百五十石，歲約增米一十七萬九千四百石。今即曰如四十六年一萬六千爲少，不有如户、兵二部所議以二萬五千爲定額乎？至文思院，准工部咨原額七百三十三名，今多增二千七百四十四名，查係錦衣衛食糧匠役，以功陞文思院帶俸，雖此增彼減，而除增減相因之外，仍多六十二名。即米照原數，又每歲增俸银八千四兩零。前經奉
旨：各監局自行清汰。嗣雖各有減損，而仍太浮舊額，是不可量減以省糜耗乎？若營衛官軍，
祖宗所制，三大營以十二萬爲額，每軍僅糧一石耳。至萬曆五年，而始有雙糧之選鋒；至天啟年間，而始有一石五斗之壯丁。查萬曆四十六年，一石軍一十一萬六千三百八十三名，選鋒八千七百六十名，合軍選共一十二萬五千一百四十三名，比原額多五千餘名。至天啟初年，歷崇禎元年至四年，止增收官兵選鋒，三大營將官、家丁，巡捕營將官、視丁、家丁，各監局匠役，太常寺厨役，倉庫官吏、田斗，神木廠軍夫，共增一千九百六十一員名，月增米三千一百一十餘石。又添設新軍三大營壯丁，標下營選壯，陵軍歸並京標，弘仁橋家丁，御馬監、勇士營坐營家丁、教師、勇士，四衛營壯丁，共增一萬六百六十八員名，月增米一萬四千四百二十餘石。較之四十六年，除減汰外，共實增一萬二千一百三十七員名，月增米一萬七千五百二十餘石，歲約增米二十一萬三百六十餘石。值今東西交訌，寇盜竊發，京畿重地，雖防護宜周，而漏巵宜防，是不當姑留之以壯聲靈，而徐議之以杜濫觴乎？統計錦衣衛并營衛等衙門，實增二萬七千八十七員名。明旨所云：增額幾至三萬者，蓋亦洞晰宸衷，而明徹隱微矣。天下財用

方匱，皇上既以糜耗爲憂，臣等敢無説以處此：錦衣，在扈從之班；營衛，備禦侮之用；文思院等，亦監局急需匠役，皆在輦轂之下，依日月之光者也。不汰，則金錢有幾，其能堪乎？汰之，則衆實有口，胡從弭也？不曰省其糜費，而曰奪我粢糈；不曰汰其老幼，而曰撤我精壯。萬一多口亂聽，訛言蜂起，恐冗冒者尚未汰，而紛囂者已叢節；省者尚未見效，而繁費者益滋鋌而走險，其爲憂方大耳。惟是簡閲之際，查有老弱疾病者，次第汰之，不必借名再收；查有逃亡物故者，陸續删之，不得冒名再替。隨事綜核，設法釐剔，庶在國家無清汰之名，而有清汰之實；各役雖在清汰之中，而亦不見有清汰之迹。目前既享鎮静之福，日後漸復原額之數。凡在文武内外諸臣，各有憂國之心，誰無急行之念。審能仰體皇上撙節，益以實心，行實政，将糜耗漸清，而倉庾自充矣。

給事張棟解白糧議：按國家歲派白糧，正額二十萬石有奇。我聖祖定鼎金陵，東南數郡近在輦轂之下，故用民運。今東南去京師不啻三四千里，每白糧一石，有白耗米三斗，加二舂辦，該米二斗六升。又夫船米八斗，内本色四斗，折色四斗，該银四錢。又車脚银四（二）錢。是白糧一石，費用米九斗六升，又银六錢，而後得達京師。且有浥爛，有漂没，而鈔關又有船税，臨清又有帶磚，河西務又有剥淺，諸如此費，更不可計。既達京師，已離苦海，而鋪墊之費，歲歲加增，有多至加七者。是朝廷所得不過正米一石，而小民所費幾及數石矣。臣以爲宜照漕糧事例，卽令旗軍帶稍，本船每船以十分爲裁，漕糧九分，帶白糧一分，諸凡加耗、板薦等費，比之漕糧，寧過於厚，而船帶磚、并税、剥淺等項一不累之。運到之日，仍責成巡倉御史或另設科道官親自監收，毋致抑勒以害貧軍，則小民既得免北運之累，卽旗軍亦何累而不樂從耶？此白糧之當議者也。

司農王國光糧船抵壩議：查得前後建議諸臣，皆謂漕運糧船舊止抵灣，今俱抵壩，運軍扤糧雇役及泊船去處窄狹，挨次起糧，轉搬耽誤，中多未便，乞仍到灣起米，運官赴部坐撥廒口，令剥船運至通州交割。因查舊卷并通州志，載通惠河卽元郭守敬所修故道，國朝成化丙申更命，平江伯陳鋭疏通之，運船直達大通橋下。彼時勢豪欲灣中起旱，尅取脚價，妄假黑眚之説，托城社阻壞其事。正德丁卯，命工部郎中畢昭、户部郎中郝海、參將梁璽復濬，又壓於權奸，功卒不就，故淺船不復達大通橋。然俱到通州城下，挨次起車，無攔河委差之擾，無起剥脚價之費。至嘉靖初年，御史向信倡言灣中搬剥，始置外河剥船。遇船起剥，若五、六月水漲，仍令至通州石、土二壩起旱。戊子年，因御史吳仲之言，乃命工部郎中何棟、户部郎中尹嗣中、參將陳璠仍濬裡河四工成，計費纔七千兩，而所省脚費十二萬。初止運軍糧，後并民糧亦運，於是專設工部郎中一員，淺夫六百名，挑濬外河，以求必達。自後建議者，復撓其計，運船只抵灣，勞費如昔。故隆慶四年四月，該總督倉場侍郎陳某議令淺夫及時疏濬，務使運船抵壩，以省脚價。又該户科給事中劉繼文、巡倉御史楊家相各題請糧船抵灣交割，剥船運石、土二壩，糜費太多，奸弊多端，要行照先年舊例，責令淺剥二船俱抵通壩，考據甚真。户部復奉欽依通行，欽遵訖續。該河道侍郎萬恭題稱：糧船到灣，仍於里二泗官民船剥赴京、通倉，免其項壩擠塞。隨經户部查議得，糧船擠塞不在抵壩，而起於大通橋之阻滯。故橋運若速，自可流行等因。覆欽依仍令淺、剥二船俱抵通壩，遵行五年矣，公議稱便。然前後題覆，仍舊抵壩者，豈專爲扣省脚價？官旗人等駕言，必欲抵灣者，豈直爲抵壩辛苦？蓋運官許帶私貨，雖限以四十石，往往倍於此。載放船底，灣中商賈雲集，四散交易，倍取其直。通州實非轉發之地，此其不便者一。京軍每歲通州支米六次，總計一百二十餘萬石，雖人只一石，惜費脚價，多賤售於灣中勢豪，棍徒年年囤積，以待運家買以插和其好米，沿途盗賣，侵欺無算。若通州則部官密邇，奸計卽發，此其不便者二。且灣中一應人等，喜運家貯貨覓利，近失其望，此其不便者三。横議煽動，全在於此。今若必遂其計，竊恐糧運蚤到，各帮湧集，通計淺船近萬，每船裝糧約計五六百石，共糧有三百五六十萬。剥船目下添至八百隻，加以損壞将半，假令盡數起剥，每剥船止容百石有餘，須再造剥船三千，再費脚價數萬，勢或不能。故先年强攔商民船隻起剥，因致怨聲盈河，今未盡免，此其不可者一。見在剥船八百，若無着落，皆責之武清縣富户，領駕年費，修船灰艌，民苦不堪，往往告困，乃又益之一縣之民，必将逃徙，此其不可者二。萬一天雨水漲，起剥不前，漂流難免。如隆慶年間，壞船四十二隻，强半在張家灣迤南。豈盡抵壩之故，乃運家借此爲言，尤訛之甚，此其不可者三。灣南至壩，迂曲止二十里。卽揹勒再四，若船由浙江，遠者三四千里，近者二三千里，或阻隔於江河，或淺澀於閘壩，亦将要剥船以接運乎？經數千里而來，靳二十里而止，其情不待辯也。故抵壩者，舊例也，嘉靖中年以前行之也。其法約而善。不抵壩者，新議也，嘉靖中年以後變之也。其法狥而不善。今乃以新議爲舊例，誤矣。

春明夢餘録卷之三十八

户部四

寶泉局

寶泉局，在皇城東北。國初錢法專屬工部寶源局。自天啓二年，始設户部錢局，以右侍郎督理之，名錢法堂，加爐製造，以濟軍興。

户部尚書侯恂條陳鼓鑄事宜

一、議興鑄利。古寶龜而貨貝，後世易之以金幣。然自太昊、高陽以來，則已有錢矣。虞、夏之際，幣爲三品，曰黄、曰白、曰赤，兼龜貝行之，不純用錢。管子亦云：先王以珠玉爲上幣，黄金爲中幣，刀布爲下幣，所以守財物，御人事，而平天下也，故命之曰衡。謂之衡者，將以行輕重之術，使一高一下，乃可權制利門悉歸於上也。秦兼天下，幣二等，黄金爲上幣，銅錢爲下幣，而珠、玉、龜貝、銀、錫之屬爲器飾寶藏，不爲幣。漢自建元以後，即山鑄錢，而又用白鹿皮爲幣，造銀、錫爲白金，有三品。未幾皆廢。唐於銅錢外有飛錢。宋以鐵錢與銅錢兼行，又倣飛錢爲交子，爲關子，始以楮爲錢。南宋造會子，有大鈔、小鈔之別，凡十等，又謂之錢引，亦謂之關會，實一而已。元造交鈔，以鈔一貫權銅錢千文。無何，物價騰踴逾十倍，積鈔不售，國用大詘。明興，右鈔抑錢，旋令錢鈔兼行，禁民間不得以金、銀、貨物交易，違者治罪，告發者卽以其物給賞。若有以金、銀易鈔者聽，一百文以下止用銅錢。永樂中，以鈔法圮而峻金銀錢物貿易之誅。然究之鈔易昏爛，收換艱難，制雖設而法不行。今天下自京師達四方，無慮皆用白銀，乃國家經賦，專以收花文銀爲主，而銀遂踞其極重之勢，一切中外公私咸取給焉。民用不贍，而國安得不貧？幸賴稍稍用錢耳，安得不亟行鼓鑄以救其乏乎？夫錢出於銅，銅不鑄錢，則銅而已。鑄之爲錢，而可以前民用，則是盡天下之銅皆已變而爲銀也，利孰大焉？以錢濟銀之窮，而又用錢殺銀之勢，使錢廣布民間，則可陰歛銀以歸之上。於是用銀爲母，錢爲子，而因以行其高下之術。昔先臣邱濬欲倣古三幣之法，寶鈔、銅錢通行上下，而一權之以銀。夫鈔恐難行矣，舍鈔言錢可也。

一、議遏銅流。自三品之貢興，而黄、白、赤金世爲天下幣。漢而後，佛、老象教盛行於域中，寺若觀糜黄金者億億計，而天下刻鏤、織作、錘治爲冠服、衣履、什物者又不可勝原，故黄金日銷而赤金乃大行，已亦漸貴，固其理也。夫有利之源，有利之權。利源之消長在天地，利權之操縱在人主。昔之善議鑄者無若漢二賈。山之言曰：民不應與主共柄；誼之言曰：銅畢歸於上，則博禍可除，而七福可致。今天下姦民私鑄，陰持主柄以厲公錢，果如誼言。上收銅勿令布下，民安所得銅而私鑄之？故收銅之説，持柄息奸之要術也。劉秩曰：鑄錢之用不贍者，在乎銅貴。銅貴之由，在乎採用者衆耳。夫銅以爲兵則不如鐵，以爲器則不如漆，禁之無害。使銅無所用，則銅益賤，則錢之用給矣。又銅不布下，則盜鑄者無因而鑄，則公錢不破。公錢不破，則人不犯死刑，錢又日增，末復利矣。斯言可謂曲盡。自漢先主取帳鈎銅鑄錢以充國用，唐大歷中，嚴天下用銅器之禁。貞元九年，張滂奏請國家錢少，損失多門，興販之徒潛將銅錢一千爲銅六斤，造做物器，則斤直六百餘，有利既厚，銷鑄遂多，江淮之間，錢實滋耗。伏請除鑄鏡外，一切禁斷。如有銷錢爲銅者，以盜鑄錢罪論。宋朝鑄錢比前代最多，銅禁最嚴，大抵國計仰給於此。自熙寧間王安石一變其法，而國用日耗。聖祖始定天下，令軍民惟鑄鑑及軍器，又禪門鐘、磬、鐃、鈸得用銅，此外并收之官，有私藏者禁。嘉靖六年，題准但有銷鎔舊錢及今制錢造作銅像、銅器等項，比盜鑄律科斷。隆慶元年，部議：軍民之家，但有廢銅願賣者，聽赴所在有司易錢、易銀，照舊給價。宜申明前例，嚴藏銅之禁，行收銅之法。民間私藏銅器及造作銅像、銅器被告發者，比盜鑄律，罪無赦。市有鬻銅器者，罪亦如之。官收民銅，給銀若錢，視銅之直。如有爐座處所，於存留錢糧内動支，其銅卽以充鑄；如無爐座處所，於起解錢糧内動支，准將銅估抵解京。夫民以無用之銅易有用之鏹，其何苦而不輸之於官？官可藉爲續鑄之資，而無費於公帑之金，又何憚而不收之民？況銅藏於民，銅祗銅耳，而私藏有罪。銅一入官，銅盡錢也，而國家日富。聖主所以獨持大柄而利天下者，無出於此。

一、議省鑄局。錢以銅、鉛參雜而成，而銅、鉛各有産處，搬運重難。是以歷代多卽坑冶附近之所置監鑄錢。唐有八監，宋有三十六監，惟永平者最久，永通者爲最多。然至熙寧，歲輸六百萬貫，則幾不可繼矣。夫天子藏富於山川，冶鑄太煩，則民力耗竭。漢武帝時，專令上林三官鼓鑄，而天下非三官錢不得行，諸郡國前所鑄錢皆廢銷之，輸其銅三官。誠見利源所在，不得不謹節其流耳。國初置寶源局於應天府，已令天下藩司各制貨泉局，又更名爲寶泉局。其後罷置不一。嘉靖以來，止令兩京鑄造。萬曆四年，通行天下一體開鑄。至十年，奉詔停止。天啓元年，以遼餉匱乏，增置户部寶泉局。無何，又令各省直藩司開爐鼓鑄，每年坐定鑄息共八十二萬兩，徒存虚額，無一踐者。諸局爐亦相繼報罷，止存湖廣、陝西、四川、雲南、密雲、宣大、遼東數處而已。崇禎二年，奉旨：利權本自上操，舊制只兩京鑄錢，嗣因軍興煩費，遼東、宣大奏請權宜，近乃紛紛開鑄，致私錢殽雜，反自外來，紊制病國，大非法紀，著查出通行禁止。維時户部以秦、楚、蜀、滇四省係銅斤出産地方，就便鼓鑄稱便，未議概停。後江西復以開局請，至如南京兵部、操江及應天府亦各紛紛鑄錢，然皆自鑄自用，又大小輕重不一其制。於是滯錙愈多，銅鉛愈窘，不獨户部不得其尺寸之用，而寶泉局亦已成眢井矣。每見議錢法者，皆係廣鑄局爲言；而乃惓惓欲議省者，誠見爐座繁興，銅産有限，惟局省則銅源裕，而錢制一則弊絶，較諸廣局之利，虚實得失孰多也？不然，昔之鑄局不爲不廣矣，而不效，何哉？

一、議禁私販。昔唐陸贄之論錢法也，以爲宜廣卽山殖貨之功，峻用銅爲器之禁，二策並行，不可偏廢也。今或離銅場頗遠，則其勢不得不出於買，乃私販之禁，有不可不與銅器俱嚴者。

夫一處之銅而止供一處之用，則價平矣；一處之銅而供數十處之用，則銅價踴矣。以今銅之流行，遍天下皆是。召買嗇於公家，斂藏溢於私室，人人吳、鄧，處處爐錘，銅産幾何，能不騰躍？而況於官買與私買争，其數不敵。何者？官價估有定例，其價必平；私買乘隙暗投，其價多侈。官買或有别費，而給發不無稍緩；私買並無破冒，而交兑晷不踰時，市井嗜利，誰肯捨此就彼？其流之弊必至銅盡歸於私鑄，而官買束手矣。考嘉靖三十四年，嚴禁商賈人等不許私販銅、錫，以致價值騰踴，謂宜著爲厲禁：凡往産銅、産鉛處所收買銅、鉛，必告投本處官司，給有批文，方許運發，經過關津，驗批免税。除兩京及滇、蜀、秦、楚四省聽商人從便往賣，報官收買。如驗無批文及闌出他省，致被覺獲，即比依盗掘銅、錫律，人論罪，貨没官。至若私鑄關頭，尤在於點造。蓋鑄錢之銅，必將紅銅配鉛，點造成黄，而後可鑄。請飭天下，凡有私設點爐者，罪即比於私鑄。知而不舉，即與連坐。庶幾私鑄可絶，而官買乃可繼也。

一、議垂定制。周太公立九府圜法，錢圜函方，至今仍之，而輕重無常，代有變革。秦錢如周，重十二銖。漢興，變爲莢錢，重三銖。已變爲八銖，又變爲四銖，其重赤仄以一當五，而得中者惟元狩之五銖。降而蜀之直百，而吳之當千，則愈變而愈重。晉之四文沈錢，宋之荚（莢）子、荇葉，甚而爲鵝眼、綖環，則變而愈輕，而得中者惟武德之開元通寶。從來美錢制者，皆以二錢之式並言，而其重實未始相類也。謹按古權法，十黍爲絫，十絫爲銖，八銖爲錙，二十四錙爲兩。今開元通寶其錢徑八分，重止二銖四絫，則此五銖錢爲輕二銖六絫矣。故五銖錢二文而重一兩，開元必積十文而重一兩。洪武初，敕户部及各行省鑄錢，大小凡五等，當十錢重一兩，當五、當三、當二重皆如其當之數，小錢重一錢，蓋卽開元舊法。至嘉靖六年，始令兩京工部鑄造制錢，每文重一錢三分。崇禎元年，從錢法侍郎孫居相議，改爲一錢二分五厘，雖視開元錢稍重，而較之漢五銖尚輕。然體質堅厚，又磨鎔（鋊）莫施，輕重得宜，人情便之。至其鑄法，每錢一文必令用黄銅二錢，剉磨之餘，只存一錢二分五厘，如此，然後可以革減銅多鑄之弊。蓋局中每有減銅多鑄，而創爲補秤之説以塗耳目者，實明許商匠之私鑄，而陰收其利，今若著爲定數，按月按期必令報完，俾貪吏無所容其通同，而奸商、奸匠無所容其隱屏，亦卽簡御煩之術也。其收錢，每五千文爲一錠，上用竹牌寫爐頭、匠頭及綑錢人姓名，各堆一處，聽督鑄官照爐抽驗。遇有漏風、缺邊、縮字等樣，綑錢人重責，錢輕色淡者責匠頭，沙眼多者責翻沙匠，邊粗糙者責滚剉匠，磨不亮者責磨洗匠，灰不浄者責刷灰匠，選退錢搥碎回火。如犯前弊多者責爐頭，仍發看錢人挑選。通同容隱，看錢人重責。如是則錢制既精，殽雜自難，若當五、當十等錢鎔造似易，工本較省，然私鑄者，競爲捷趨，識微者謂非久道，不鑄可也。

一、議重制錢。錢法之弊，由於盗鑄者多。盗鑄非薄劣則無所得贏，往往摩官錢取鎔（鋊），而殽之以鉛、錫，於是減輕其價，以與制錢雁行。於是市井愚民，惶惑莫知適從。奸商當鋪因而爲奸，每於通衢關隘倡言某錢盛行，某錢不行，轉相煽弄，既貴賣其所積以圖目前之利，又賤收其所棄以圖他日之利。時而私錢得與官錢並價，此其所積者多而欲出也；時而私錢二三文折官錢一文，此其所收者少而欲入也。若輩操其利權，錢法受其壅滯，豈可無整齊之術，聽奸錢日生而莫之禁乎？今有捷法於此。大凡盗鑄者，每鑄新錢而不鑄舊錢，蓋舊則真僞難欺，而新則耳目易眩。請敕天下，除雜年號錢難以畫一，惟崇禎通寶體製色澤務取相同，每錢一文重一錢二分五厘，如有輕重不合式者，卽係盗鑄。推究所由，真犯匠人，依天啓三年令擬斬無赦，其知情買使及販賣行使者，查照律從重問擬。令下限三月内，許民間將前所收買私鑄錢自行首出倒换，依嘉靖六年例照銅價給與價銀，免其私販之罪。敢隱藏不出首者，事發，比照私鑄銅錢爲從者律問罪。收過私錢，卽與銷化爲銅，以俟改鑄。如是，則於官法獲全，而於民情不厲，其下令於流水無疑矣。若夫前代古錢及歷朝舊錢，流通已久，方俗所便，不必禁斷。官民出納，惟崇禎通寶不許留難，而其他雜錢，第聽民間轉輸自便，官不許收一文。天下曉然，見雜錢與制錢貴賤不敵，積漸以往，勢必棄雜錢不用。如願赴官倒换，亦準爲照銅價收買，而後一王無偶之利柄，於是可全收也。

一、議計本息。泉局之錢，發太倉作官俸者十之三，發邊鎮充月餉者十之七。原奉聖諭，定六十五文估銀一錢，今已習而安之矣。請依此數，以權鼓鑄之本息可乎？謹按銅礦産於石山之中，鋼鑽打入。每得鑛一百斤，用木炭一百斤，將鑛燒煉，一火成銅鑕，二火成黑銅，三火成紅銅。每鑛百斤，上者燒銅十五斤，次者十二、十一不等。其用錘手並燒爐匠共二十名，每日給工食共銀八錢，用造飯、運水夫二名，每日給工食六分，用幫扯提礦小夫四名，每日給工食一錢二分；用鋼鑽三十根，每根鋼二斤，日費一斤，約銀一錢。以上共費銀一兩二錢，約得銅鑛二百斤。而又用木炭一百六七十斤，約價四錢。三火成紅銅三十斤，則共前項費銀一兩五錢。是每斤費本只五六分耳。復用窩鉛點化之，則爲四火黄銅。計窩鉛每斤價銀不過三四分。據今見行配鑄則例，每紅銅五十七斤入窩鉛四十三斤，作黄銅一百斤。益以搬載之費，每斤量估一分，大約黄銅一斤，所費至七八分而止。若夫市銅鑄錢，原無甚利。據京局舊例，紅銅價不出一錢四分，黄銅不出一錢，窩鉛不出七分，後漸騰踴。部議以紅銅點化成黄，既失本質，易於攙和，遂革黄銅不用。但買紅銅與窩鉛，如今法配搭，定價紅銅每斤一錢四分三厘，窩鉛每斤七分七厘，計配成黄銅一百斤，該價銀十二兩。給爐頭鼓鑄，應交錢一萬一千一百一十一文。其行使以錢六百五十文估銀一兩，計共估銀一十七兩零九分四厘。除該給各項匠役煤礶、米、菜、工價二千二百九十五文，估銀二兩五錢三分二厘零，并除銅本外，實存息銀一兩五錢六分一厘零，計僅浮本銀十分之一耳。近據陝西撫臣練國事疏報：自天啓二年開鑄起，至崇禎四年止，計十年間只動過本銀一萬二千四百餘兩，陸續獲息銀十一萬七千八十兩零，則所得幾與本銀相準。又查南部錢廠所得加五有奇，蓋銅、鉛出産輳集地方，獲息原自不貲。今秦、楚、蜀、滇四局見在議開，姑未預畫成數，但令其自行認報，即最少亦當以加五爲率。滇、蜀、楚三省，則取其息以解京充作新餉，按季交納。秦中之息，專留該省充餉，以抵京運可也。乃議者多謂萬曆中曾以錢五十五文作銀一錢，亦自通行無滯，以爲母既處貴，子不應處賤，欲於六十五文之内稍縮其數行之，而獨慮取利頗奢，則盜鑄者將如雲而起。自古論錢法多矣，惟孔覬不惜銅不愛工二語爲不可易。政以本多費巨，縱復私營，初無厚潤，應自息心，無俟嚴刑廣設耳。先臣譚綸有言：鑄錢之費與銀相當，似於朝廷無利，然歲鑄錢一萬金，則國家增一萬金之錢，流布海內，鑄錢愈多，則增銀亦愈多，是藏富之術也。

一、議權出納。幣有出有入，流而不息，故曰泉府。若上自爲壅，而求下之疏，卽曰肆人於市，無爲也。漢律，人出一算，算百二十錢，則民賦以之矣。館陶主爲其子求郎不許，賞錢千萬，則恩賚以之矣。隆慮主以錢千萬爲其子贖死，則罰鍰以之矣。又募豪民入粟縣官，而內錢於都內，則開納以之矣。諸胡降者，贍以少府禁錢，及時出內庫錢賜軍士，則餉賞皆以之矣。今有司承行錢之令，出則無慮不普發於民，而納則不肯收一文，是自賤之也。自賤之，而欲人貴之，其勢焉得？民愚相煽，閉匿觀望，每至聚市而譁，而錢遂不可行矣。夫解京之入，濟邊之出，其有待於銀也似也。以其爲物輕微易藏，可以多致也。錢固重貨，而若各項存留爲地方用者，卽以錢出入焉，誰曰不可？誠令郡縣於存留銀內只徵其半入錢，卽贖金亦兼輸之。自大吏監司而下，倣在京文武官常祿例，以錢充俸薪。其師生廪餼，驛、站兵糧，各役工食及公費供億之類，但不關起解者，悉取給於錢。而遺下不發之銀，卽可盡行解京，則所得錢息，卽在乎其中。行之十年，而天下之銀盡輦而歸之於京師矣。況乎錢下而不上，則其權在市井；上而下，下而上，則其權在朝廷，誠實其貴賤。用歛散之法，以在官者爲母，在民者爲子，當其賤，則存留錢糧盡行收錢，而賤者可貴；當其貴，則各項關給盡行散錢，而貴者可賤。蓋錢太賤則病官，太貴則病民，故用此法以均之。管子所謂使之一高一下，不得有調；賈誼所謂輕則以術歛之，重則以術散之，以調盈虛，以收奇羡，皆此意也。然有司之不肯爲此者，有兩端焉：或以貪，或以朦。凡銀之出納，有耗有羡，而錢則一文不過一文已耳。利無所漁，必故爲齟齬以破壞之。其自飽者，貪也；其中於胥役之口者，朦也。

崇禎八年，給事中王家彦疏。初設錢局，原爲藉錢息濟軍興。惟天啓二三年，督臣李宗延、陳于廷相繼受事，用過銅本二十萬九千五十四兩，獲息十二萬八千六百六兩八錢零；四年，舊督臣鄭三俊用過銅本銀一十四萬三千四百四十一兩四錢，獲息一十二萬八千九百三十二兩，計得利七分、八分不等，爲十餘年來跫然足音矣。夫鼓鑄，化銅爲銀，非無利也。利歸之胥役、爐匠與官，而上不得受也。查長安内外與法錢雁行於市者，皆私鑄也。而私鑄之難詰，莫過局之爐頭官匠。此輩或隱屏兩部，或朋合諸夥，册上莫辨其名。或埋銅窖中，或遞錢出局，夜間莫識其氣。私鑄不已，繼必夾鑄。私鑄則乘官司之不覺，至夾鑄則每爐加銅數十觔，官實與匠瓜分。此弊盛於南廠，而北亦然。廉其人而用之，而後弊乃可得而釐也。然得人矣，不久任，以專責成，可乎？夫爐匠諸役，皆老於其局，長子孫於其中。以一年報滿，汲汲欲去之人，而御長子孫之役，欲責其爬梳無遺，挽中滿之利，以盡歸於上，其數必不勝也。至於屏局舍，約爐座，以便省試；削人數，核出入，嚴干掫，以防夾帶，一日一領銅，五日一交錢，爐如流水，以使之上無旁及，所謂需其人而後行者也。得人久任，其於鼓鑄之道思過半矣。

崇禎十六年十月二十六日，内閣錢法揭帖。適蒙發下匣封，内一件。奉御批：疏通錢法，本爲便民，已有諭旨。前先生每曾議買收作銅，良是。近聞低錢甚多，著司鑰庫及五城親行收買，不許驚擾。如有胥役故違需索害民的，必殺無赦。該城動用房號銀兩，該庫動用新錢，隨收隨碎，類解該局鼓鑄。將收過數目，一月一回奏，仍以收錢多寡爲諸御史殿最。先生每商酌可否，擬旨來行，欽此。竊惟鼓鑄一事，既可足國，兼以便民，苟爲民所共趨，則於國自無不足。恭誦御劄，收買低錢，嚴禁擾害，德意周密，具得王政理財之本。大約低錢不許流行，則其勢必賤，而又以房號銀及新錢收之，則在民亦不甚虧。民既安，官復不擾，視古之嚴禁荇葉、鵝眼，至重刑不能止者，功相萬也。而私販無大利，則私鑄亦不禁而自止矣。惟是低錢多夾鉛沙，鎔化不免銷蝕，而新錢因此遂同泉布之流，爲利實大。且聞價亦甚廉，第准市價稱提，似亦不甚懸絶也。惟在鑄局弘開，使新錢接續不匱而已。

又十一月十七日揭。適奉御批：屢有旨疏通錢法，本欲足國便民。近聞賤濫愈甚，小民反成苦累，皆由經管官通未遵行，姑免察究。再行申飭，將一切低假薄小之錢概禁行使。五城御史仍遵旨收買，勒限十日内一奏。其京城所有錢桌、錢市，著廠衛五城衙門嚴行禁飭巡緝，仍將獲過起數一月一奏。先生每商酌，擬旨來行，欽此。竊惟低錢不盡，則制錢不行；而禁誡不嚴，則低錢亦未遽盡。恭讀聖諭，深得窮源制流之法。謹卽祗遵恭謄，酌擬進呈。昨憲臣李邦華謂收之尚苦無本。臣等竊謂各官捐資助鑄，宜悉令收買低錢解庫，立行舂碎，則不煩嚴禁，而低錢可旦夕盡除。臣等卽將助鑄原價先行收買外，并於諭稿拈出，以便遵行。伏候聖裁。原奉批摺，尊藏閣中。謹題。

錢　法

國初，禁金、銀，不得交易。百文以上用鈔，百文以下用錢。法至善也。自污吏不便於行鈔，故鈔法日廢。而民間有換易之苦，水火之苦，故亦不甚便。有收課者，漸改鈔而爲銀。收者爲銀，則用者愈阻，遂爲一貫之鈔，法值銀一兩者，而僅折銀三二釐不等。商課日虧，官禄日薄，而祖宗之良法盡矣。夫金、銀者，產於地，人得而私之。鈔者，製於官，惟上得而增損之，以天下之主，筦天下之命，道至順也。然大寶不可以獨擅，重利不可以獨居，故以國初之法令，而終不能得之於天下，故可知也。然唐、宋之際，天下多事，甚於本朝，而猶不至甚貧者，以行錢法耳。銅之產，多於金、銀。而錢之法，上猶得筦其權。權在，則利存焉。今錢法非不行，而行錢之地，天下十不及二。私錢之廣，百倍於官。官非不知鼓鑄之利，而苦於銅之不繼。不知銅之匱，一匱於器飾，再匱於私鑄耳。今縣官雖議加鑄，而涓滴不足濟。愚以舉一政而可措天下於富者，錢法是也。今言加鑄者，莫利於南京。試以南京之法，準之每爐七人。盡七人一日之力，可得錢萬文。每千錢爲銅九觔，觔價八分，共爲價七兩二錢。人給工銀五分。爐給炭價二錢。共費七兩七錢五分，而可得錢萬文。如國初之制，每千文值銀一兩，則是一爐之鑄，日得利二兩二錢五分也。如國初之制，每布政司各開寶源局，大約兩都之局，可置千爐，藩司之局截補之，間不減五百，則是舉天下之大，而可共得一萬三千五百爐也。每爐歲鑄百日，即可得錢一千三百五十萬緡，度其餘利，值銀三百三萬八千五百兩。宋時二十六監，永通一監歲鑄八十萬緡，他可知矣。銅之值不等，以南之賤，補北之貴，召商責辦，所去不遠，苟非官商而擅易銅者，殺無赦。銅非一種，俱可兼鑄，故唐、宋之制，禁不得他用。至王安石鑄鐵錢，弛其禁，而錢法遂壞。今當修復此法，命見用器飾，自鏡金、樂器、古代鼎彝外，俱勒上之於官。每淨銅一觔，給錢一百二十文。有故匿者，没其家，以半賞告者。所收之銅，加之鉛藥，所費尚不及八分。而民間除鏡金、樂器聽錢局帶造市易，餘以錫鐵代之，無所不便。品官之應用銅者，亦量爲改易。銅屋、銅像，更屬不經，先銷之以爲民望。有私鑄者，朝報夕誅，没家賞告亦如匿銅。其錢之式，如邱文莊之議，改而爲篆，尤可一新耳目。其錢之名，當改爲大明通寶，使萬世行之，而無新舊之阻。天下舊錢，使上之於官。古錢計如銅之價，私錢銷淨而計之。本朝之錢，以十易五。萬曆之錢，以十易八。京師錢貴之地，稍爲通融，則改銷之間，亦不加費。收徵之法，盡棄銀不用，民不得不易錢以應上，則民間交易，不必盡禁金、銀，而錢自不得不行。錢行之後，漸如國初，鑄當三、當五、十者，以便賚發。一以銅之輕重，準當之多寡，而工價猶可稍省焉。此法一立，則有司不得加火耗，貪吏不得資滿載，猾胥巨寇俱難爲奸。成色不分，三尺難欺。一舉百利，莫此爲甚。惟轉運之間，稍須人力。然費小利大，古行而無害。昔宋末兵興，歲加民錢七千二百萬緡。苟求七千二百萬之銀，則今京庫十八年之供也，雖吮血敲髓，何以得之？唐宋所以不貧之故，可以得矣。故曰：舉一政而可以措天下於富者，此也。

前代生財之法，較之今日，尚缺一大政焉，錢法是已。錢者，泉也。如水之行地中，不可一日廢者。從成周、兩漢、唐、宋以來，見之史籍，一一可覩。未有用銀廢錢，如今日之甚者也。而用錢之多，鑄錢之盛也，尤莫如宋。故宋太祖欲積錢至五百萬，贖山後諸郡於遼。又宋之饒處江寧等處，皆其鼓鑄之地。今各處有發地得窖錢者。其餘書史所嘗言幾百萬，無慮鉅萬。累鉅萬之説，率多以錢計。今去宋不遠，故所用錢多宋之物。夫用錢，則民生日裕；鑄錢，則國計益饒，惟人主得爲之。故又曰：錢者，權也。此經國足用之大政，奈何廢而不舉？昔漢文帝之寵鄧通也，曰吾能富之，賜以蜀山之銅，而鄧氏之錢滿天下。吳王濞擅鑄山之利，而輒稱兵，漢廷與之抗。夫以竊一日之權，尚足以得民而抗漢，况以萬乘而自振，其權可勝用哉？今之爲計者，謂錢法之難有二：一曰，利不酬本。然計本利於出入民間之筭，非天府之筭也。夫天府之筭，以山海之産爲材，以億兆之力爲工，以修潔英達之士爲役，果何本而何利哉？誠將天下産銅之處，贖軍徒以下之罪，而定其則，以收銅。於西山産煤之窯，以法司有罪之人，而准其罪以納炭。其運銅，則通水路者，附以官民之舟，如臨清帶磚之例；通陸路者，資以驛遞之力，而給之官庫之錢。其運炭，則出官庫之錢，或官運，或召買。於人工，取之見役而足，則又不煩銀兩可辦也。其二曰，民不願行。强之恐厲民，然累朝行之，至稱爲錢神。嘉靖、萬曆以前，五六百文而值一兩也。蓋錢比鈔異，於小民無不利也。獨所不便者，姦豪爾：一曰盜不便，一曰官爲姦弊不便，一曰商賈持挾不便，一曰豪家蓋藏不便。此數不便者，於小民無與也。且朝廷施恩澤自無告始，行法令自貴近始。豈惟貴近，自朝廷始可也。凡追抵贖者，除折穀外，而責之以納錢；上事例者，除二分納銀外，一分以納錢。存留户口，則兼收錢、穀；商税、課程，則純用收錢。此謂自朝廷始。又因而賜予之費，宗室之禄，百官之俸，則銀錢兼支。又因而驛遞應付僱夫、僱馬，則惟錢是用。又因而軍旅之餉，則分其主客，量其遠近，或以代布花，或以充折色。此謂自貴近始矣。此數者，有出有入，而民間無底滯之患。輕斂輕散，而官府有餘積之藏。著之以必行之令，遲之以歲月之效。久之，而本末兼利，公私循環，天下之青銅俱化爲白鏹矣。昔永樂中，下令：有以金、銀、貨物交易者，輒没給告者。然不徒責之下也。又令：各處税糧、課程、贓罰，俱准折收。此固血脉流通之意，所謂泉也。而法以佐之，所謂權也。

寶鈔局

寶鈔局，始於洪武八年，永樂仍建局於北京，後廢。造鈔之法，用桑穰爲料。其制：方高一尺，闊六寸許，以青色爲質，外爲龍紋花欄，横題其額，曰：大明通行寶鈔。内上兩傍復爲篆文八字，曰：大明寶鈔，天下通行。中圖鈔貫狀，十串則爲一貫。其下曰：户部奏准印造大明寶鈔，與銅錢通行使用，僞造者斬；告捕者，賞銀二百五十兩，仍給犯人財産。若五百文則畫鈔文爲五串。餘如其制，而遞減之。每鈔一貫，折銅錢一千文，銀一兩。其餘以是爲差。其等凡六：曰一貫，五百文，四百文，三百文，二百文，一百文。每鈔四貫，易金一兩。禁民間不得以金銀物貨交易，違者治罪，告發者就以其物給賞。若有以金銀易鈔者聽。凡商税課，錢鈔兼收，錢十之三，鈔十之七，一百文以下則止用銅錢。按明初有銀禁，恐其或閡錢鈔也。而錢之用，不出於閩、廣。宣德、正統以後，錢始用於西北。自天順、成化以來，鈔之用益微。

漢武帝制皮幣。唐憲宗時，令商賈委錢諸路進奉院，以輕裝趨四方，合券乃取之，號飛錢。然猶錢與券爲二也。張詠鎮蜀，以鐵錢重，不便貿易，設質劑之法，一交一緡，以三年爲一界而換之，謂之交子。後官爲置造，謂之交子務。後用交子、會子，會價愈低。賈似道改名關子，而益不可行。金人循交子法，置交鈔，自一貫至十貫五等，謂之大錢；自一百至七百五等，謂之小錢。以七年爲限，納舊易新。元世祖造中統交鈔，以銀爲率，名曰銀鈔。一貫文省准錢一千文，值銀一兩。故五十貫爲一錠，蓋是銀五十兩也。後造至元鈔大行，以一當五，名曰金鈔子。至至正中，中統以廢，改造至正，印造中統交鈔，名曰新鈔，二貫准舊鈔十貫。以至料鈔十錠，易斗粟不得。洪武循元制，寶鈔立法甚嚴，令官民通用，欲其流行，甚於刀泉。後竟壅格不行，但以供頒賜，虛名耳，不但不可易斗粟也。

元主忽必烈以錢與鈔問劉秉忠。秉忠曰：楮用於陰，錢用於陽。沙漠爲陰，華夏爲陽。國家起沙漠，而臨中夏，宜用楮幣。不然，四海不靖。是以終元之世，止行鈔法，而不鑄錢。及至正間，脱脱爲相，立寶泉提舉司，鑄至正錢，而天下遂亂。卽今民間古錢，並無勝國年號，目可見矣。明太祖雖嘗以科場落卷打造寶鈔，然二百年來惟錢行，而鈔不甚行。秉忠之言益驗矣。

明之貧，貧於鈔不行而折價。蓋鈔所值，已天淵矣。如洪武二十四年令揚州府泰州竈户照台、温、處三府例支食，官鹽折納鈔貫，每引二百斤，米四石。每一石折鈔二貫五百文，此與原頒令每鈔一貫值銀一兩已不同矣。至嘉靖六年，詔各處赴運京庫户口鹽鈔，今後每鈔一貫，折銀一釐一毫四絲三忽。如此，則每米一石者，止值銀二釐七毫矣，國課焉得不大損耶？

崇禎十六年行鈔法紀：桐城生員蔣臣言鈔法可行。且云：歲造三千萬貫，一貫直一金，歲可得金三千萬兩。而户部侍郎王鰲永專管錢鈔，亦以鈔爲必可行。且言：初年造三千萬貫，可代除加派二千餘萬，以蠲窮民；此後歲造五千萬貫，可得五千萬金。所入既多，將金與土同價，上特免加派外，每省值發百萬貫，分給地方各官，以佐養廉之需。其言甚美，然實不可行也。止鬻九設内寶鈔局，晝夜督造，募商發賣，而一貫擬鬻一金，無肯應者。蔣永請每貫蠲三分，上曰：高錢七分。京商騷然，紬緞各舖皆卷篋而去。内閣言：民雖愚，誰肯以一金買一張紙。亦皇帝時如何偏行得？内閣對：高皇帝似亦以神道設教，當時只賞賜及折俸用鈔，其餘兵餉，不曾用也。上曰：只要法嚴。閣臣對：徒法亦難行。因言民窮困已極，且宜安静。其語頗多，然上已決意行之。及内寶鈔局言：造鈔宜用桑穰二百萬斤。舊例採取北直、山東、河南、浙江諸處，分遣各璫催督。内浙江杭、嘉、湖三府桑穰價銀，户部請以北新關税銀二萬抵之。閣臣擬旨：採取擾累，且關税例當解京，不准留。又五城御史言：鈔臣除現在五百人外，尚欠二千五百人。各城勾攝，多未學習。議於畿内八府州縣多方勾解。閣臣亦擬：不許。上不懌，俱發改票。

崇禎十六年九月十五日，閣臣議鈔揭帖。竊惟古者以錢代金，宋末以鈔代錢。鈔法誠行，爲利甚大。而鈔虚錢實，頗有不同。蔣臣以宋之交子、會子謂之錢引，即今民間會票是也。然宋時自一貫至十貫凡五等，曰大鈔；一百至七百凡五等，曰小鈔。元時以十計者四等，以百計者三等，以貫計者二等，非不多方廣布，而亦不能久。惟聖祖製法甚精，立法甚嚴，當時軍國賞賜諸費皆取給焉。而後始漸輕也。伏讀御批：務要有益軍國，可行可久。又於部議，推行一欵，宜加嚴明。臣等竊見會典及例律所載鈔法，似已詳盡，總以嚴僞造，禁阻壞，立界法，信倒換爲主。至有司之貪羡抑勒，撫按三尺自在耳。惟今當久廢之後，驟欲督之行使，恐愚民不可慮始，徒法亦難自行。聖諭所謂如何通行，如何更換，業已洞悉其端委矣。蔣臣持論雖堅，臣等實未見其必然之效。倘萬不得已，或且試之京師。於凡百官俸廪，軍匠月糧，以鈔兼行，俾民間有鈔可用；而一切賦税、課程、贓罰，納鈔悉與收受，俾知有用鈔之利。俟上下通行，耳目相習，而後推之天下，或亦變通宜民之一道乎？容臣等約計臣并蔣臣到閣詳細商確，聽其自行回奏外，謹先擬票呈進，未知當否？伏候聖裁。

崇禎十七年正月二十七日，閣臣蔣德璟回奏：行鈔揭適蒙發下二本改票。一爲户部坐會關税事。内言浙江解造鈔桑穰夾紙，動支關税二萬金。一爲各城御史鈔匠城役無多事。内言五城解到鈔匠，並未學習，及人數不足，議於在外州縣多方勾解二千五百人各事情。臣敢不祗遵另擬。惟是造鈔一事，原係祖制。當此三空四盡之時，而能化紙穰爲金錢，且歲得數千萬之入，其利甚大。果如所言，卽一時勞費亦不足惜。而近來中外攢眉，動稱窒礙，細酌情勢，頗費經營。如造鈔必須工匠，而匠則多未學習。計正匠一千名，每月米一石，銀三兩；傭工一千五百名，每名月銀三兩三錢。計每月費米千石，銀七千九百五十兩，措處甚艱。又五城人數既少，若於在外地方廣購，一番勾攝，擾累必多。聞内寶鈔司原有鈔匠五百，似宜照舊造使，俟推行有緒，以漸議之。至桑穰一事，則猶有可商者。國初，令：農家凡有田五畝，栽桑、麻各半畝；又令：鳳滁等處每户種桑二百株；又令：天下多栽桑、棗，每里初年二百株，三年六百株，違者罰有差。故其時桑多而穰亦多。今自賊寇殘破之後，畿内及山東、河南幾無桑矣；杭、嘉、湖三府雖宜桑地，而水旱時告，賦歛繁興，農桑之家，愁苦尤甚。驟責以桑穰四十萬斤，恐盡括之亦不能彀，而其害將有不勝言者。至於作房工料之費及民情惶惑之狀，臣尚未敢盡陳。誠恐害多利少，異日得不償失，以爲宵旰憂，則臣之罪更大矣。臣初疑其難行，亦未詳計至此。或俟安民靖亂之後，人心大定，漸次講求，庶有濟乎？臣聞見既真，不敢隱飾不言。謹因發下改票，昧死附致芻蕘，原票未敢擅改，伏乞聖慈裁鑒施行。

御史白抱一疏：竊惟今天下處處用兵，處處需餉，則生財爲今日第一義。皇上慮地方殘苦，閭閻匱竭，特下製鈔之令，以濟時事之艱。其慮非不周，而意非不善，大小臣工自當遵行惟謹，何敢復生異議。然臣揆度時勢，實有難以驟舉，敢備爲我皇上陳之。從來鈔法與錢相副而行。今出銅地方，如兩廣、山、陝、河南等處，見遭寇患，則銅、鉛勢不能辦；雲、貴諸處，道路梗阻，卽有銅亦無路可達。銅既不足，則鼓鑄萬萬不能充溢。鼓鑄窮，則錢且不能遍布域中。而單單以易浥爛之楮幣，令通行無滯，誰其信之？此其不可行者一。且鈔完必須之州縣，令小民輸銀自領。然後或交易，或納稅，始可上下流通。竊思小民納銀買鈔，又復輸鈔作銀，吏胥勒索，轉折之間，不無虧折。彼以銀輸官，何等直捷，小民不思爲便捷，肯樂此轉折乎？此其不可行者二。且奉行之際，有司賢者上體國法，下順民情，委曲調停，猶不爲害。如遇不肖，藉口功令，以威驅民，强其所難。小民既不甘受，必生忿怒，激而成變，爲害不小。此其不可行者三。且祖宗朝雖云製鈔，然行之未久。今二百餘年，百姓止知銀錢爲重，蓄貯、行使，皆是此物。一旦易鈔，而與銀錢並重，在皇上曰遵祖制，在愚民曰剏非常。非常之原，黎民懼焉。此其不可行者四。至於皇上製鈔，原欲遍行天下，始少獲微息。今南北俱大寇盤踞，則行鈔地方亦似無幾。鈔既不能遍及，利息似亦覺少。當此庫藏匱竭之際，先費二三千萬金錢造此不能通行之鈔，未收難必之利，先費見在之金，何若留此金錢，濟目前急需之爲得計乎？此其不可行者五。且生財之道，前人無處不經筭畫便，此鈔可垂諸永久，前人必有先得我心者，何至今日始議舉行也？臣豈不知計臣爲國苦心，皇上生財睿慮。臣揆度時勢，實實見其難以驟行如此。伏祈皇上勅部與司臣、蔣臣從長再議，暫停目前，俟敵寇平息，小民豐樂，然後舉行，未晚也。臣愚戇不識忌諱，祈聖明鑒宥施行。

春明夢餘録卷之三十九

禮部一

禮部，在闕東户部之南，西向。宣德五年建。時府、部公署皆未營造，以典禮之區，萬方會同，有事於此，遂首建焉。至六年六月成，賜宴落之，公、侯、卿貳皆與焉。本部尚書擬春官，掌天下禮樂、祭祀、封建、朝貢、宴享之政令，叙辨階秩，以贊於天子。侍郎爲之貳。其屬初曰儀部，曰祠部，曰膳部，曰主客部，後改爲儀制、祠祭、精膳、主客四司，俱稱清吏。

儀制掌禮文、宗封、學校、舉貢之事。天子卽位，天子冠，若納后，若册立皇太子，若上慈宫徽號，若朝賀朝見，若大宴饗，則舉諸儀，辨其名數條上之，報可，而令於諸司。凡傳制、開讀、表箋、學校、貢舉、文移、印章、官民服舍，皆辨儀式而頒之諸司。凡巡狩、親征、班師、策勛、行賞，第禮儀條上。凡祥瑞，辨其物名類奏，大瑞特奏，無得請封禪以蕩上心。以鄉飲酒禮、讀律誥、訓禮讓，以養老尊高年，以卹貧宣仁政，以旌表章勸勵，以建言議利病，以連坐、謫戍禁官邪。

祠祭掌祭饗、獻薦、天文、國卹、廟諱之事。辨大祀、中祀、小祀之等，而敬供蠲飭，第其牲帛、配侑、從介，差其禮樂。凡王國、司府、衛所、州縣祀典神示，稽令甲而播之百司。督日官曆象而在其徵變，日月食起止分而豫移諸司。大災異卽聞，次類聞，並乞脩省。凡國喪，若品官、庶人喪，皆辨其同姓九族、異姓母族、妻族親疏之等，而爲三年、期、大功、小功、緦之制，傳古喪禮損益頒行之。凡謚，帝、后、妃、太子、太子妃、王、郡王，以字爲差次。勛戚文武大臣請祭葬、贈謚，移諸司覈行，能傳公論，定議以聞。其侍從勤勞死事，官品未應謚，若夷王、夷使，得特謚。凡帝后愍忌，祀於陵，輟朝，不廢務。凡天文、地理、醫藥、卜筮、師巫、音樂，籍其人，毋得以術越境興妖妄，毋藏讖緯玄象。凡僧道，三年一度，度必通經咒，周知册，檢其僞冒，而嚴其禁令。凡雅樂，屬於祠祭，太常領之，俗樂領於伶人。

主客掌戎夷朝貢、往來、宴賜之事。凡番夷，辨其五年、三年、比年、年至、年再至之貢，與其貢物、貢途、貢使豐約、遥徑多寡之數。王若使至，賓待之，差其迎送、宴勞、賞賚，室廬、帳幕、食料之等。嗣封者，爲請使頒册於其國。諸大酋有保塞功者，授册，郊封之。以信符徵勘合，以金敕諭差發，以通事譯夷情，以開市平交易，以折計收番貨，以刑典禁交通。凡賜，均賞、特賞各有差。凡役，中歲徵其方物，有常式。精膳掌宴饗、牲牢、酒膳之事。凡膳羞、珍品、酒醴，光禄領之，會其數，程其出納。凡貽宴，辨職官、品秩之等。凡番夷土官，辨下程、宴次、食料多寡之等。凡廚役，僉諸民，次僉諸王府典膳之久次者。凡歲藏氷、出氷，移所司謹潔之。

成周盛時，以禮持世。凡其所以建國，而辨方正位，體國經野，設官分職，以爲民極者，皆謂之禮，不徒以祭祀、燕享、冠婚、賓射以爲禮也。太宰掌建邦之六典，以治典爲先，而禮典僅居其一。然其書不謂之治，而謂之禮。秦漢以來，凡其所以爲治者，皆謂之政。特以其所以施於郊廟、朝廷、學校，而有節文儀則者，則謂之禮。蓋三代以前，以禮爲治天下之大綱；三代以後，以禮爲治天下之一事，古今治效，有隆污之異者以此。

禮　制

夫子遺經皆經，諸儒校定，獨禮無成書。朱子於寧宗四年致仕家居，始修禮書，名曰儀禮經傳通解。其書大要，以儀禮爲本，分章附疏，而以小戴諸義各綴其後。其見於他篇，及他書可相發明者，或附於義。其外如弟子職保傅之屬，又自别爲篇，以附其類。其目有家禮、鄉禮、樂禮、邦國禮、王朝禮、喪禮、祭禮、大傳、外傳。其大體已具者蓋十七八。先是，草奏欲乞修三禮，曰：遭秦滅學，禮樂先壞，漢、晉以來，諸儒補輯，竟無全書，其頗存者三禮而已。周官一書，固爲禮之綱领，至其儀法、度數，則儀禮乃其本經。而禮記郊特牲、冠義等篇，乃其義疏耳。前此猶有三禮、通禮、學究諸科，禮雖不行，而士猶得以通習而知其說。熙寧以來，王安石變亂舊制，廢罷儀禮，而獨存禮記之科。棄經任傳，遺本宗末，其失已甚。而博士諸生又不過採其虚文，以供應舉。至於其間亦有因儀法度數之實而立文者，則咸幽冥而莫知其源。一有大議，率用耳學，臆斷而已。若乃樂之爲教，則又絶無師授，律尺短長，聲音清濁，學士大夫莫有知其說者，而不知其爲闕也。臣昔在山林，嘗與一二學者考訂其說，欲以儀禮爲經，而取禮記及諸經史雜書所載有及於禮者，皆以附於本經之下，具列注疏，諸儒之說，略有端緒，而私家無書檢閲，無人抄寫，久之未成。會蒙除用，學徒分散，遂不能就。而鍾律之制，則士友間亦有得其遺意者。竊欲更加參考，別爲一書，以補六藝之闕，而亦未能具也。欲望聖明，特詔有司，許臣就秘書省關借禮樂諸書，自行招致舊日學徒十餘人，踏逐空閒官屋數間與之居處，令其編類，可以興起廢墜，垂之永久，使士知實學，異時可爲聖朝制作之助，則斯文幸甚。會去國，不及上。朱子修禮書時，年已六十有八。越三年，而先生捐館舍，書迄未完。門人黄幹、楊復補喪、祭二禮以成書。先儒言：後之言禮者，不至棄經而任傳，違本而逐末，賴有此書。

臨川吴文正澄著三禮考註一書，考周官以正六典。以大司徒之半補冬官之闕，蓋取陳氏、俞氏之論也；以儀禮爲經，禮記爲傳，蓋取朱子之論也。其言曰：因朱子所分禮章，重加倫紀，其經後之記，依經章次，秩序其文，不敢割裂，一仍其舊，附於篇終。其十七篇次第，並如鄭禮各有義，則經之傳也。以戴氏所存，兼劉氏所補合之而爲傳。正經居首，逸經次之，傳終焉。皆別爲卷，而不相紊。而外，悉以歸諸戴氏之記。朱子所輯，及黄氏喪禮，楊氏祭禮，亦參伍，以去其重複，名曰朱氏記，而與二戴爲三。凡周公之典，其未墜於地者，蓋略包舉而無遺，造化之運不息，則天之所秩，未必終古而廢壞。有議禮制度考文者出，所損所益，百世可知也。

朱文公熹居母憂，自始死以至祥、禫，參酌盡變，因成喪、葬、祭禮，又推之冠、婚，以成編，曰家禮。冠禮，則多取司馬氏；婚禮，則參司馬氏、程氏；喪禮，本司馬氏。後又以禮部侍郎高閌益崇之書爲最精，多採用焉。書成，一侍子竊之亡去。文公没，而其書始出。自敘曰：三代之禮，其宫廬、器服、出入、起居之制節，皆已不宜於世。世之君子有意乎禮，或違其本而務其末，緩其實而急於文，苦其難而不能舉其要也。其困於窶貧者，尤患其終不能及於禮。熹之愚，蓋兩病焉。是以嘗獨究，觀古今之禮，少加損益，爲一家之書。其大體之不可變者，則以謹名分、崇愛敬爲之本。至其施行之際，則又略浮文，敷本寔，以附於孔子從先進之意。誠得與同志之士熟講而施行之，古脩身、齊家之道，慎終追遠之心，庶猶可得復見，而國家崇化導民之意，或其有小補云。

洪武中，命儒臣陶安定郊社羣祀禮，詹同定四廟祫祭禮，李善長定官民喪禮，朱升定祭祀齋戒禮，崔亮定五祀禮，劉基定百官朝會禮，魏觀定祭祀禮，陶凱定軍禮。而又令天下郡縣舉高潔博雅之士年四十以上者，於是徐一夔、梁寅、周子諒、胡行簡、劉中弼、董彜、蔡深、滕公琰、曾魯至京，編集大明集禮。

洪武中所著禮書，曰國朝禮制，曰稽古定制，曰國朝制作，曰大禮要議，曰皇朝禮制，曰禮儀定式，曰大明禮制，曰洪武禮法，曰禮制集要，曰禮制節文，曰太常集禮，曰禮書。上之郊廟朝廷，次之侯王郡邑，下之閭巷州黨，制度俱備。

洪武五年，詔曰：朕聞三皇立極，導民以時，庖厨、稼穡、衣服始制，民居奠焉。五帝教以仁義，益未備之時宜，天下從之，民用和睦。自周至於漢、唐、宋，增損益周，國乃用昌，民受時宜，家用永康。朕蒙皇天后土眷命，祖宗之靈，統一天下，紀元五年。朕本草芥，失習聖經，况摧强附順，二十餘年，居無寧日。胡理道未臻，民不見化，鄉閭市里尚染舊俗。天下大定，禮儀風俗，可不正與？兹條畫事宜，再整彝倫，恤念孤寡，務遵先王之法。顧以德薄，恩澤未孚，下民未説，恐貽上天之怒，夙夜祗懼，若履淵冰。咨爾臣庶，體予至懷，期臻禮義之風，永底昇平之治。

崔文敏銑曰：禮者，理也。人心之理，協之以同。然即百世可通也。今王祭無樂，大臣無廟，仕者不奔祖父母之喪，無功緦之假，冠婚任俗，飲射具文，民無定志而濫，士異學而莫止，伶人道流，秉禮司頌，齊民下賤，踰限犯分，雖有洪武禮制，而廢莫或行。夫國無禮，猶水無坊，人無禮，猶室無基，衝嚙圮毁，夫焉有極哉？禮樂積百年而後興，宜詔徵四方明道奥學之儒，萃於京師，凖以典誥，案以三禮，參以詩之詠歌、孔氏遺言，皆比以今法，寧要毋繁，寧徑毋易，裁成明典，行之天下，垂後世範，俗同德一邦，其永孚於休矣。

屠康僖勳論三大典疏：臣猥以凡庸，叨司風紀，茲當皇上繼體改元之初，正祈天永命之日，百度維新，萬化攸始，首卜郊祀、耤田、幸學三者。夫郊祀，所以敬天尊祖。祀典之載於經者自虞舜，肆類上帝，禋六宗，望山川，徧羣神，爲命而告也。虞書而下，莫詳於周禮、禮記。思文之詩，郊祀后稷以配天；我將之詩，則宗祀文王以配上帝。蓋以萬物本乎天，人生本乎祖，此郊祀而配祖者，大報本反始之道也。至於以時、以樂、以牲、以器之類，各有其義。降及秦、漢、唐、宋，或郊或不郊，或合或不合，或祀白帝，或祀黑帝，其祀不同；或三歲一郊，或過期不郊，其制不一。甚者，或以求仙而行，或以祈嗣而行，皆出於道家者流，怪誕不經，瀆亂非禮，無復古人報本反始之意矣。殊不知天卽帝也，帝卽天也。以其形體而言，故謂之天；以其主宰而言，故謂之帝，其寔非有二也。安得有如異端所謂天皇、太乙之號哉。我聖祖龍興，定爲天地合祀之禮。列聖相承，以太祖、太宗配享，一用古禮，參之周制，分命羣臣，各獻二十四壇。其儀文制度至精至備。三代而下，祀典之正，未有如我朝者。究其所以宥密緝熙，顧諟祇肅，此則歷代敬天法祖之大略也。耤田者，所以重農厚俗。考之月令孟春之月，天子乃以元日祈穀於上帝，乃擇元辰，天子親載耒耜，措之於參保介之御間，帥三公、九卿、諸侯、大夫躬耕帝耤。天子三推，三公五推，卿、諸侯九推。又曰：王命布農事，命田舍東郊，皆脩封疆。蓋天子耤田千畝，收其穀爲祭祀之粢盛，而必躬爲之者，以爲天下之農民帥先爾。天子既身爲之帥先，又必命田畯之官以督其耕，其重農事如此。舜命官曰：食哉惟時，播厥百穀。成王戒農官曰：敬爾在公，王釐爾成。其見於詩，有若七月，皆言農桑之候。其見於書，有若無逸，具言稼穡之艱。厥後漢之文帝，詔耕耤田，以給宗廟粢盛，又親率羣臣農以勸之，賜民田租之半。景帝親（耕后親）桑，以奉宗廟粢盛、祭服，爲天下先。自周以迄唐、宋，莫不以此爲務。然躬耕耤田者，必祀先農。我朝歷聖躬祀先農，親行耤田禮，如古制，具有成法。誠以民爲（惟）邦本，本固邦寧。民之所恃以生者食，食之所賴以足者農耳。幸學者，所以崇儒重道。天生孔子，寔萬代帝王之師。文王世子：天子視學，大昕鼓徵，所以警衆也。衆至，然後天子至，乃命有司行事，興秩節，祭先聖先師。蓋學校禮義之所在，聖賢道德之所宗，萬乘所以親臨之也。雖曰以聚賢斂才，而寔以崇儒重道也。漢明帝初建三雍，親行其禮，備法物之駕，盛清道之儀，尊養老（更）饗射禮。唐高宗幸國子學，親行釋奠。太宗召純儒耆德以爲學官，數臨幸，親釋奠，命祭酒博士講經，賜帛，增廣學舍。宋太祖、太宗數幸國子監，詔講易卦、堯典、説命。哲宗詣文宣殿行釋奠禮，命祭酒豐稷講尚書無逸。之數君者，雖非三代庠序學校之比，而其所以敬仰休風，循古良規者，殆亦可取。我聖祖首建太學，車駕親臨。列聖相承，率循是道。所以勉勵師生者，諄切詳備。諭以聖人爲學之道，期以帝王作人之功，具載御製五倫等書。貽厥孫謀。以燕翼子，正在陛下今日之舉耳。之三事者，其禮相因，其事至重。不考古，無以証於今；不質問，無以探其本。伏望皇上念兹三事之大，不徒循故事之美觀，必求行三事之實意。特敕館閣儒臣經筵侍從，講求郊禘配享之禮，思文、我將之詩，法三代以上所行之善，監秦、漢以下所行之失。然儀文不備，無以合古。誠敬不足，無以格天。必真知上帝之享，享於克誠，黍稷之馨，不如明德，必仁必孝，善繼善述，則一陟一降，在帝左右，而感通之妙，上帝居歆，億萬年之丕基，兆於此矣。所以耤田者，必求古人分井經界之法，豳風、七月之詩，周公無逸之篇，我列聖重農之訓。必崇節儉，以爲裕財之本；必薄税斂，以爲足食之原；禁游惰，則爲之者衆；省力役，則不奪其時；正經界，不爲外戚之所占；均田里，不爲豪户之所侵；貴五穀，賤金玉，務農桑，益種樹，如此而帥先天下。宣其德意，作其農功，勸相有方，貪暴不作，則仁心仁聞，天下被其澤，而勸農之政行矣。所以幸學者，必尊德樂道，以正天下之人心；親賢納諫，以厚天下之風俗。師嚴道尊，如學記之所存；敬怠吉凶，如丹書之所戒。如此而帥先學校，則人倫明，教化興，風俗丕變，人才彙興矣。竊見先儒真德秀大學衍義一編，具載脩、齊、治、平之道，依經據史，引物連類，言天必有徵於人，語事而不遺於理，善惡必録，綱目詳明，誠君天下者之律令格例也。陛下於經筵講論書史之中，常以此書進講，仍以别册置之便殿，以備清燕之覽，則所以事天、重農、崇學，以隆聖治之禮舉，不出於此矣。

宗伯沈鯉議從祀疏：臣等裒集衆論，較量其間，預廷議者共四十一人。除註有原疏外，內註胡居仁從祀者二十五人，註王守仁、陳獻章者俱十五人，蔡清五人，羅倫二人，吕柟一人。居仁則仍有專舉，且無疵議。在石星，則議二臣，不宜立門户講學。在邱橓，則議守仁乃禪家宗旨。在吏部右侍郎王家屏，則又謂從祀重典，非真能信今傳後者，未可輕議，非見其能信今傳後者，亦未可輕議，若使後日議黜，恐反爲盛典之累，故未敢遽擬其人也。臣等反復參詳，看得從祀一事，持久不決，必煩廷議者，則以在廷之臣，可以盡天下之公議，而衆言僉同，人品自定，所以要之於歸一之論也。今預議諸臣，舉從祀者，莫不以胡居仁第一。卽有次及居仁，與其不舉者，亦毫無異議。及臣等考其平生，與其論著，亦大都淵源孔、孟，純粹篤實，一時名士，如羅倫、張吉、婁統、周瑛、高明、賀欽、羅欽順、張元楨之類，皆極口稱道，比於薛瑄，而次其論著與瑄之讀書録並傳焉。斯其爲孔子之徒，已彰明較著，有歸一之論矣。如蒙俯賜采納，容令臣等以居仁行實撰議上覽，特允從祀，自足以仰承德意，增重儒林，豈必求備。蓋我明道化翔洽，人文輩出，二百年間，侑食孔廟者僅薛瑄一人，誠慎之矣。今距祀瑄之未二十年，而又得居仁與之並祀，亦所謂旦暮遇之，比肩而立者，雖一人不可謂少也。至如守仁之學，在致良知；獻章之學，在於主静，皆所謂豪傑之士。但預議諸臣，與之者僅十三、四，不與者已十六、七。甲可乙否，殊未有歸一之論，以稱上意指。臣等亦何敢輕議。查得嘉靖十九年，亦曾廷議薛瑄。彼其時，固毫無間言也。而庶子童承敍、贊善浦應麒猶以爲事體重大，莫若少緩，竟以報罷。至隆慶元年，復下廷議，則在議諸臣，或挽或推，惟恐其不預於澤宫，尸祝者何人心之同也。夫惟人無異議，故盛典一舉，至今爲俎豆之光。今守仁、獻章既不能毫無間言，又一時與議之臣亦多有耆舊老成直亮多聞之士，而不皆爲二臣左袒者，是與論未協。而事久論定，尚非其時也。臣等有感於承敍、應麒之言，故輒敢效其愚，亦請暫緩之，以少候公論之定，而徐議於後，似亦未晚。蓋事可垂千萬年而不朽者，即遲迴數載，而不爲逾時；禮有垂千百世而示法者，即詳審再三，而不爲過慎。與其祀也而有議，豈若議定而後祀乎？蓋可祀不祀者，其失怠，怠猶可補於將來；未可祀而祀者，其失誣，誣則貽譏於後世。拾瀋反汗，勢豈能及，是不可不爲深計也。昔者孟軻氏之告其君曰：國君進賢，如不得已。蓋至於左右皆曰賢，諸大夫皆曰賢，而猶未敢信，必至國人皆賢也，而後察；又親見其賢也，而後用。彼固，人之進退，一時之是非耳，而猶然若是。矧是舉也，在朝廷，則象賢崇德，見道揆法紀之公；在天下，則章軌作人，爲俗易風移之漸。所關甚鉅，可嘗試而漫爲之耶？如皇上以我朝人文逮軼前代，不宜寥寥焉。若是，臣等謂居仁而祀，不可謂寥寥矣。蓋隆古以還，士之以行誼道德令聞長世者，非託之於顯位，則託之於門閥；非託之於文章，則託之於勳業。順風疾呼，聲聞易達，所藉然耳。如居仁者，固深山窮谷之士，而布衣韋帶之夫，自非其德有過人，負一代之斗山於當世，擇地而趨，嚱心而語，其誰爲傾耳而聽、正目而視者？惟皇上超然遠覽，拔之於儔伍之中，榮之於崇祀之位，則日月之光，賁及豐蔀，雖在齊民，無不興起，比於祀瑄，尤爲盛事。兹臣等之所謂一不爲少也。至如蔡清、羅倫、章懋、黄仲昭、陳真晟、吕柟、羅欽順、鄒守益中，間或未有專祀者，仍望推廣德意，專祀於鄉，通候論定之日，另議從祀，則仁至義盡，可爲天下萬世之法。將見薪槱之道，以光蘋藻之禮，不濫一舉，而二物具矣。再照講學爲致知之事，聖門之所謂條理之始也。夫學，亦安可不講也？顧臣等之所謂講學者，殊無甚高論。蓋六經孔孟之道，既昭如日星，而漢、宋諸儒之書又發明殆盡，後雖有述，何以復加。所貴乎學者，亦守其師説，慎思明辨，如何爲格致誠正，如何爲齊治均平，隨事精察，敦行不怠，雖暗室無媿，必白首一節，如是焉而已。世之學者，不務爲平易，而厭薄古訓，欲自名家，至爲續鳧頸以見長，添蛇足以工畫，於子臣弟友日用常行之道，反視爲弁髦不講焉。其又有奇者，則片言單詞，樹之赤幟，而天下之喜爲名高者，亦苟見前茅之所在，遂靡然裹糧而趨之，口耳一言，反復辨難，至窮年不能殫其説。其流之弊，將有内棄其事，而外棄其主之事，以釀成清談之俗者，此不可不爲早辨也。伏願皇上既慎簡可祀之人，又涣發德音，使天下知朝廷之所以崇祀者，意在此，不在彼，則世道、人心不勝幸甚。按孔廟從祀，爲禮之大者。龍江先生此疏，欲止祀薛、胡兩公，而白沙、陽明徐俟論定。又推廣楓山、整菴諸先生先祀於鄉。此正論，亦定論也。乃陳、王從祀，閣中竟以密揭中旨行之。此何等事，而可如是與？

樂音

宋周元公惇頤之論樂，曰：古者聖王制禮法，修教化，三綱正，九疇敍，百姓太和，萬物咸若，乃作樂以宣八風之氣，以平天下之情，故樂聲淡而不傷，和而不淫。淡則欲心平，和則躁心釋。優柔平，中德之盛也；天下化，中治之至也。是謂道配天地，古之極也。

宋建陽蔡元定著律吕新書二卷。其上卷，以漢志斛銘文定長九寸、空圍九分、積八百一十分爲黄鐘第一；以淮南子、漢前志本黄鐘之律，以三歷十二辰積之，得一十七萬七千一百四十七爲黄鐘之實第二；以黄鐘三分爲損益，定生十二律第三；次十二律之實四，次變律五，次律生五聲圖六，次變聲七，次八十四聲圖八，次六十調圖九，於是候氣審度，嘉量權衡次焉，爲十三篇。其下卷，述前史書志、經傳疏注、吕氏春秋、淮南子，下至歷代龠尺欵識，用以明造律、和聲、均調候氣、制器之事。朱文公稱其書：明白而淵深，縝密而通暢，鑿鑿可見之行也。其後文公考訂禮書，定鐘律、詩樂、樂制、樂舞等篇，而鐘律篇大率本元定所著而互演之，稱明邃矣。

自南宋及元，以至於今，皆用大晟樂。考大晟樂乃方士魏漢津之所造，取徽宗指寸爲律。故考亭曰：崇、宣之季，姦諛之會，黥涅之餘，不足以語天地之和。然金太宗取汴得之，改爲太和樂，流傳入元。及明破燕京，得其樂工。今太常雅樂，與學宫所謂大晟樂者，皆漢津之遺，而徽宗之指也。至其百戲隊舞，亦元聲之遺，樂章又近淺，無爾雅之辭。太祖一革元政，而此事却謂金得之宋，先王之遺，不復改創。而當時儒者，亦憒然不知所自。世宗制禮作樂，而止於儀文之末，畧其元聲之本，亦張、夏諸人之過也。

元人吳萊大晟樂論：鄉予北遊京師，聞太常所用樂本大晟之遺法也。自東都失守，大樂氏奉其樂器北趨燕都，燕都喪亂，又徙汴、蔡，汴、蔡陷没，而東李嚴侯獨得其故樂部人。國初，有旨徵樂東平，太常徐公遂典樂，向日月山奏觀，乞增宫縣、登歌、文武二舞，令舊工教習，以備大祀。故今樂户子孫，猶世籍河汴間，僅能肄其鐘鼓鏗鏘，不復能究其義矣。予因考求前代議樂，自和峴以下，更六七鉅公，而議論莫之有定。前日之宿縣者，本謂樂和，曾未幾時，倏已改鑄。或云：樂失之清；或云：樂過於濁。樂工、冶卒且深厭其爐鞲鼓鑄之勞，則或自取其樂之協時，加銅齊以濟之，當軒臨試，雖以老師宿儒，終不能心悟其銅齊之輕重，而徒論其銅律之清濁也。迨夫崇寧之世，魏漢津乃以蜀一黥卒爲造大晟樂府，遂頒其樂書於天下。蓋謂古之制樂者，惟黄帝、夏禹得樂之正。何則？聖主之稟賦，上與天地陰陽爲一體，聲則爲律，身則爲度，故夫黄帝、夏禹之制樂，實自其身而得之。臣今請以聖主中指三節三寸定黄鐘之律，中指之徑圍，又即據而定爲度量權衡，樂以是制，則臣將見其合天地之正，備陰陽之和，而得夫金石清濁之宜矣。當是時，惟丞相蔡京最神其説，先鑄帝鼐八鼎，復造金石鐘簴，雕幾刻鏤，蓋極後世之選。已然，以崇寧之指尺既長，而樂律遂高，惟漢津亦自知之。嘗私謂其弟子任宗堯曰：樂律高，北方元鼎，水又溢出。律高則聲過哀而國亂，水溢出則國有變，而境土喪没，是不久矣。嗚呼！漢津所制，豈復有加於和峴以下諸人所論之樂哉？然且至今沿襲相承，未聞有所改作，樂殊不可以草創苟且而遽定也。雖然，崇寧之樂，亦可變矣。蓋古之論樂者，一曰古雅樂，二曰俗部樂，三曰胡部樂。古雅樂更秦亂而廢，漢世惟采荆楚、燕代之謳，稍協律吕，以合八音之調，不復古矣。晉、宋、六代以降，南朝之樂，多用吴音；北國之樂，僅襲夷虜。及隋平江左，魏三祖清商等樂存者什四，世謂爲華夏正聲，蓋俗樂也。至是沛國公鄭譯復因龜兹人白蘇祗婆善胡琵琶而翻七調，遂以制樂。故今樂家，猶有大石、小石、大食、般涉等調。大石等國，本在西域，而般涉即是般瞻，華言羽聲，隋人且以是爲大簇羽矣。由是觀之，漢世徒以俗樂定雅樂；隋氏以來，則復悉以胡樂定雅樂。唐至玄宗，胡部與俗部並樂工肄樂。坐技不通，然後發爲立技；立技不精，然後使教雅樂。天下後世，卒不復知有古雅樂之正聲矣。自唐歷宋，大抵皆然。是猶未能究夫樂律之元，而僅拳拳於黍尺指尺之同異。及乎大晟樂府之立，吾殆未知其尚有胡俗之雜耶？抑果雅樂之正也？夫以雅樂平淡而聲緩，胡俗繁碎而聲急，今大晟之樂律太高，樂聲急矣。當大晟樂書之行教坊，色長張俣曾制大樂玄機賦，論七音、六十律、八十四調，本不脱乎龜兹白蘇祗婆之舊。正行四十大曲，常行小令四部，絃管猶或尚循乎大唐五代梨園法曲之遺，此非胡俗之雜行者乎？宜雅樂之未易遽復也。然吾就俁之所學，嘗謂樂工肄樂，先須通達强記，巧妙幹旋，復窮十載曉夜之思，而務諳前人格犯之正，故不可以草茅無識而輕議樂，又況漢津蜀一黥卒，稍窺范景仁、司馬君實之議論，而且得與夫黄帝、夏禹配食於樂成之廟，尚可至今沿襲而不變耶？嗚呼！誠以世之通音曉律者或少也。夫何天下四方之所，尚胡俗伎樂，率多輕儇剽殺，嘷呶縱肆，前緩後驟，不中音節，他則倡優雜劇，類且青紅塗抹，子女雜獶，導淫教媟，不得禁止。然以胡俗之樂，音節不中，則聲氣淺浮，而日趨於薄。倡優之伎，禁止不行，則風俗流蕩，而不知所返。此雖小節，所係甚大。漢諺有云：宫中好高髻，城中高一尺；宫中好長袖，城中全匹帛。意者朝廷合議，先正雅樂，然後天下四方悉更胡俗二部之不正者悉歸於正而後止，殆不可視是爲千古之絶學也。然古者律、曆二事，更相爲用。太史郭公一嘗定曆，誠曠世所未有。予謂宜依古法，緹室葭灰，隨月候氣，天地之中氣既應，則鐘律之中聲當無有不應者，要在久而後驗，樂殊不可以草創苟且而遽定也。嗚呼！崇寧之樂，亦可變矣。吾又安得夫伶倫榮緩之徒，而與之共論樂哉。

禮樂箋曰：説者論大晟樂爲宋方士魏漢津所製，此未考本末，不知樂律者也。宋濂議漢津製樂爲亂世之音，在洪武四年。而冷謙所定樂舞，爲洪武之六年，樂章猶宋之舊，而樂音非宋之音矣。以何知之？以律而知之。蓋謙所製者爲太簇之羽，中吕調也。漢津所製，其迎神初奏，爲南吕之角大吕變調也。與謙之樂如參辰黔晳之不相合矣。蓋謙之七均自太簇、夷則、夾鐘、無射、中吕，皆正調也，惟清黄、清林巧爲變調。然此二變音也，固無妨於變也。漢津之林鐘爲宫者，僅商、角二音爲正調，其徵、羽、變宫、變徵皆屬變調，是七均之中，而變者居四矣。南吕爲宫者，僅商音爲正調，其徵、羽、角、變宫、變徵皆屬變調，是七均之中，而變者居五矣。又況漢津之律，卽李照之律，下古樂二律。所謂黄鐘者，僅中太簇，則其林鐘之宫，僅中南吕，南吕之宫，僅中應鐘。應鐘管長四寸六分有奇，而商、角以下，六均無一不出於變矣。君則其細已甚，而臣民事物，靡然不振，哀淫怨咽，此真亡國之音也，豈可與謙之樂同年而語哉？大抵樂律、樂章，本爲二道。由宋以降，樂章屢易，而所用者皆王朴之律也。政和以降，樂章屢易，而所用者皆漢津之律也。至冷謙定樂，樂章無改，而所用者則非宋、元之律也。改其律而不變其章者，聲音道微，政合嚴重，律正其元，曲襲其舊，此謙之所以爲明哲也。謙舊有樂書，在南太常。

函史曰：李教授文利祖吕氏春秋，三寸九分爲黄鐘，曰含少之文，辨黄鐘九寸之誤；以太極、陰陽、五行繇一生二，繇少及多，見黄鐘數少爲極清，辨宫聲極濁之誤；以左右封待，各得百二十九分，辨三分損益，上生下生，至仲吕而窮之誤。其法由十一月黄鐘三寸九分，至十二月大吕則增六分，由大吕至太簇、夾鐘、姑洗、仲吕、蕤賓皆各增九分，由五月蕤賓至六月林鐘亦減六分，由林鐘、夷則、南吕、無射、應鐘以復於黄鐘，皆各減九分，而適合三寸九分之數。由此而如，環無端焉，以相生。其説曰：陽數始於一，成於三，終於九，故律之爲數，三九盡之矣。黄鐘一陽初升，氣微數少，故其管三寸九分。三寸乃陽數之少，九分乃陽數之成。以三涵九，故黄鐘之宫，命之曰涵少，此其證也。十一律皆從以生，而增減亦各以九分。惟黄鐘之於大呂，蕤賓之於林鐘，其增減視他律特異者，大呂當五陰之盛，一陽始生，則陽雖進而尚弱，林鐘當五陽之盛，一陰始生，則陽雖退而尚强，其增減宜僅得三分之二也。律管長短，一本陰陽升降之氣。所謂律、曆，同道者也。作律吕元聲書二篇。范副使輅等信其説，從受學。楊學士廉愛其書，以爲天授。而王尚書廷相、韓尚書邦奇，皆大儒，通解音律，皆不謂然。以爲樂律音調之承傳在中原，依古往而來，非他方及知，非可以臆見卜度決也。

楊忠愍繼盛爲韓苑洛志樂序：世之談經學者必稱六經，然五經各有專業，而樂則滅絶無傳。論治法者必對舉禮樂，然議禮者於天然不易之外，猶深求立異可喜之説。至於樂，則廢棄不講。全德之微，風俗之敝，恒必由之，良可悲夫！然律吕與天地相爲終始。方其隱而未彰也，天既生哲人以作之則；於其既晦也，天忍任其湮没。已乎，闡明之責，蓋必有所寄者。先生自做秀才時，便抱古樂散亡之憂。當其歲試藩司，聞諸督學虎谷王公云：律吕之學，今雖失傳，然作之者既出於吾人，則在人亦無不可知之理，特未有好古者究心焉耳。先生於是惕然省悟，退而博極羣書，凡涉於樂者，無不參考。其好之之專，雖發疽尋愈不知也。既而得其説矣，於是有直解之著，然作用之實，未之悉也。自是苦心精思，或脱悟於載籍之舊，或神會於心得之精，或見是於羣非之中，若天有以啓其衷者。終而觀其深矣，於是有志樂之作。曰：志云者，先生自謙之辭也，非徒志而已也。是故律生聲，鐘生律，馬遷著之矣，而律經聲緯之遞變，體十用九之明示，則未之及也。圍九分，積八百一十分，班固著之矣，而管員分方，旋宫環轉，乘除規圓，則未之及也。六十調、八十四聲，蔡子著之矣，而起調則例，及正變、全半、子倍之交用，調均、首末、長短、相生之互見，則未之及也。六變、八變、九變之用，周禮載之矣，而以黄鐘祀天神，以蕤賓祭地祇，以太簇享人鬼，一造化之自然。以黄鐘一均之備，布之於朝廷宫闈，寔古今之絶唱，則又有出乎周禮之外者也。宏綱細目，一節萬變，信手拈來，觸處皆合，樂之爲道，盡於是矣。志云乎哉？其於先儒、世儒之圖論備録不遺者，是固先生與善之心，然亦欲學者考見得失焉耳。方其始刻之日，九鶴飛舞先生之庭者久之，識者以爲是書感通所致。觀仰秣出聽之説，則鶴之來舞也固宜，而其得樂之正也，此非其明驗矣乎？昔人謂黄帝制律吕，與伏羲畫卦疇，得程、朱數子而始著，律吕得先生是書而始明，則其功當不在數子下，豈曰小補云乎？嗚呼！太和在成化宇宙間，故先生所由生；太和在弘治宇宙間，故是書所由始；太和在嘉靖宇宙間，故是書所由成。則其作誠不偶然也。後之有志於樂者，苟能講求而舉行之，則太和將在萬世之宇宙，而先生之功至是爲益大矣。然不苦心以求之，何以知是書之正？不得其説而精之，又何以知盛之言不爲阿私也哉？噫！盛不敏，雖學之而未能也，講求之責，深有望於同志君子云。

姑蘇王焕如曰：周禮太師掌六律、六同，以合陰陽之聲，播之八音，以爲樂器。孔子曰：易有聖人之道四，以制器者尚其象八音者，聖人致中和之器也。其制之長短、廣狹、小大、輕重皆有數，三三迭運，九九相乘，天地萬物之所生也。太和元氣之所鍾也，聲律家謂之元聲。黄鐘者，天地陰陽之和也。五聲之本，生於黄鐘之律。律十有二，陽六爲律，陰六爲吕。律，法也。律以統氣類物。吕，侣也。吕以助宣陽氣。爲道不同，其中一也。今按黄鐘之長九寸，寸積九十分，分十釐，釐十毫二十忽，忽方五十九萬，□四百九十萬得寸。十寸爲尺，十尺曰丈，十丈曰引。黄鐘之管，其容子粟秬黍中者一千二百爲龠。龠十抄，抄十撮，撮二十圭，圭六粒，粒凡一千二百得龠。十龠曰合，十合曰升，十升曰斗，十斗曰斛。黄鐘之龠，所容千二百黍，其重十二銖。兩龠則二十四銖爲兩。兩四分，分六銖。銖十絫，絫十黍。黍凡二千四百得兩。十六兩曰斤，二斤曰裹，十五斤曰稱，二稱曰均，四均曰石。三之九之，損之益之，以合陰陽之中，以通律吕之和，長短、廣狹、小大、輕重以十有二律爲之度數，以十有二聲爲之齊量，紀之以三，平之以六，成之以十二，天之道也。凡八音之器，莫不以是爲準。是以聲出於器，器得則聲得，器失則聲失也。八音惟革、木無當於五音，不係於律。國語曰：革、木一聲。此之謂也。其餘六器，清濁高下，莫不隨器審察而齊一之。夫金匪改煎齊量不成，石匪旁耑摩鑢不協，竹有穴竅疎密之異，匏有安山卑崇之殊，土惟頫仰啓閉而契，歌惟依永比律而和。總衆音而言之，金欲應石，石欲應絲，絲欲應竹，竹欲應匏，匏欲應土。而八器之音，根祖出一黄鐘。器雖萬，有不同，未嘗不克諧也。祇患僅知七律爲一均，而未知度曲之義；僅知一律配一字，而未知永言之旨耳。所謂七律者，如以黄鐘爲宫，即以林鐘爲徵，太簇爲商，南吕爲羽，姑洗爲角，應鐘爲變宫，蕤賓爲變徵。其七律自爲一均，而聲相諧應。古人欲合聲，先須吹律，使衆音皆合，如一律所出，乃可。近世不解，多以黄鐘奏而聲或林鐘，林鐘奏而聲或太簇。七音之協，四聲各有條理，今以平、入配重濁，以上、去配輕清，奏之多不諧協。六器之定，琴瑟尤難。琴必每調而改絃，瑟必每調而徙柱，上下相生，其理至妙。又琴瑟聲微，常見蔽於鐘、磬，匏、革、竹、土聲長，金、石常不能以相待。矧曠不習閑，擊鐘、磬者不知聲，吹匏、竹者不知穴，操琴、瑟者不知絃；同奏則啓手不均，迭奏則發聲不屬，失之遠矣。故妙達音律者，必於此而幹旋之，度律均鐘，以耳齊聲，以聲定律，而訂黄鐘之宫。準此中聲，均瑟十六聲次第，又以十六聲而齊六器。聲高者抑而下之，聲下者引而上之，過不及者損益而酌中之，使衆器之間，音音翕和，不相淩奪。然後被之於絲彈者，純然如出一手；吹之於匏、土者，翕然如出一口。聲以和樂，律以平聲。金石以動之，絲竹以行之。詩以道之，歌以詠之，匏以宣之，瓦以贊之，革、木以節之，合作於一堂之上，將見八風從律，氣無滯陰，亦無散陽，風雨時至，神民和説，制物備而樂成，庶幾不失夔、曠之遺教云。

樂書曰：昔太史公爲律書，其始不言律，而言兵，不言兵之用，而言兵之偃，以爲天下庶富，百姓嬉遊，此和樂之本也。蓋亦深達制律之意者哉。樂之用，不外乎聲音律吕。通典云：以子聲比正聲，則正聲爲倍；以正聲比子聲，則子聲爲半。如仲吕之管長六寸五分有奇，上生黄鐘三分，益一不及正律九寸之數，但得八寸七分有奇，以爲黄鐘之變律。半之，得四寸三分有奇，爲子聲。此聲有倍、半之略也。淮南子云：姑洗生應鐘，比於正音，故爲和；應鐘生蕤賓，不比於正音，故爲謬。蓋五音相生，至於角位，則其數六十有四。隔八下生，當得宫前一位，以爲變宫；又自變宫隔八上生，當得徵前一位，其數五十有六，以爲變徵。變者與正比則爲和，變者與正不比則爲謬。此音有和、謬之略也。漢書律曆志：天、地、人及四時爲七始，此合而言之也。又以黄鐘爲天始，林鐘爲地始，太簇爲人始，此分而言之也。蓋黄鐘居子爲天統，林鐘居未衝丑爲地統，太簇居寅爲人統，故爲三始。姑洗爲春，蕤賓爲夏，南吕爲秋，應鐘爲冬，以三合四，是謂七始。此三始、七始之略也。以七音因十二律爲八十四調，除二變聲不得爲調，以五因十二則爲六十調，然二變不調，則冬夏聲闕，四時不備。蔡子之説非，而鄭譯之議是也。此六十調與八十四調之略也。以徑象言之，黄鐘長九寸爲乾，林鐘長六寸爲坤，乃邵子皇極經世，聲起於多乾之甲也，音起於古乾之子也，此理之可通於易者也。以娶妻生子言之，黄鐘爲陽，大吕爲陰，猶甲子之娶乙丑，皆同位者也。黄鐘之生林鐘，林鐘之生太簇，猶甲子金之生庚辰金，皆隔八者也。乃沈重鍾律，議用京房之術求之，得三百六十律當一期之日，隨日建律，依次運行，當日者以天爲宫，而商徵以次從焉。此義之有符於曆者也。樂必用五音，然周三大祭皆無商音。説者謂周德木也，故祭鬼神之樂去金。開元諸臣言：唐土德王，請加商調，去角調，以土德王。初作洪武正韻，聲起於東，從角也。後見禮部韻會而遵用之，不起於東，而起於公，此則從宫矣，豈非深達造化者哉？律止於十二是矣。然十二者，律之本聲，而四者，應聲也。本聲重大，爲君、爲父；應聲輕清，爲臣、爲子。故四聲曰清聲，即夾鐘、大吕、黄鐘、太簇之應也。苟不用四清聲，是有本而無應矣。冷謙議用四清聲，故編鐘、編磬皆爲十六，豈非洞達音律者哉？詩稱定之方中，謂測日景以辨方也。土圭之法，祖冲之之論備矣。然候氣者使按日景之子午以布律，則氣必不應，何也？天氣微偏於左，地氣微偏於右，所謂不參差則不能生物者也。故土圭測日景，常在子午之中，此天之正位也。以針定南北，常在丙午、壬子之中，此地之正位也。故冬至置黄鐘之律於壬子之中，夏至置林鐘之律於丙午之中，然後飛灰應律。今元定乃欲一室之中，多截管以候黃鐘，豈非臆説哉？黃鐘起於子之一，以三倍之，歷十二辰，而終於亥之一十七萬七千一百四十七。漢志蓋借十二辰以列三因之算位耳。蔡子乃據以爲真，張皇鋪衍，謬矣。自黃鐘之管，陽皆生下，陰皆生上；自蕤賓之管，陽反生上，陰反生下。此非空言也。從子至巳，陽生陰退，故律生吕，言下生，吕生律，言上生；從午至亥，陰生陽退，故律生吕，言上生，吕生律，言下生。蓋班志隔八相生，一下一上，則終於仲吕，其長止三寸三分有奇。京房之法，至蕤賓重上生，凡五十六上，終於仲吕，其長六寸六分有奇。若仲吕止三寸三分有奇，雖三分益一，不能復生黃鐘之律，故用六寸六分，則三分益一，可以復生黃鐘耳。蔡子乃譏其陰陽錯亂，亦未之思耳。近世儒者，乃曰黃鐘非九寸之管；而引外紀、吕氏春秋所載含少之説爲証，曰：黃鐘，音始也。象則君也，其律宜短，其氣宜微，其聲宜清者也。夫黃鐘，以八十一分爲管，而吹三十九分以爲聲，故謂之含少，乃遂以三寸九分爲黃鐘之律，而執含少以爲清管焉。是此律一差，大吕而下，十一律者皆無由取正矣。蓋太史公之言曰：細若氣，微若聲，聖人神而明之，雖妙必效。今聖主當陽，能禁暴戢兵，保大定功，安民和衆，是樂之本也。區區之器與數，何足論哉？

黃太史道周樂律論：衡樂律，史記所載極爲詳悉。揚子雲太玄只是説曆耳。天地之體，四方各百二十八，周而圍之五百一十二，因而圓之四百八十。凡方圓相割，十有八變，而歸於極。體四則用三，體三則用四，以四爲寔，以三損益。割方卽爲損，割圓卽爲益。考其纖微，皆方不止於徑一周四，圓不止於徑一圍三，約長餘分，是日月差法之所由生也。律曆之妙，皆於此。徑一圍三，上察其微差，以爲相生之律。如黄鍾全律，百二十餘一分七釐有强，因而裁之，八十有一爲黄鍾之上宮，其下宮三十有九，餘分不盡，以起下生。而淮南子、吕不韋俱稱黄鍾三寸九分，此是訛黄鍾之下宮以爲上宮。我朝李文利、鄭世子之流又祖其説，以三寸九分起黄鍾，則黄鍾之聲宜極短而清，毋復牛鳴窌中者矣。管子亦稱黄鍾有大灑之音，此皆於變宮上説黄鍾，非就黄鍾本位起實數也。如就本位起實數，則六律、六吕皆百有二十分。如大吕七十有二，則其餘宮四十有九，又有餘分，不與仲吕相亂。今以子、未、寅、酉、辰、亥、午、丑、申、卯、戌、巳分爲娶妻、生子之序，上下損益，終於南吕之六十，而百二十分之律分中，所謂律之一終也。京房六十律，亦從此始。如用三寸九分之律，則管分極短，吹不成聲，應不動氣。又益五寸二分以爲大吕，顛倒極矣。某自少時常用文利之律，以比於淮南、吕覽之説。久，而知其不然，乃復求之史記。知太史所藏，去古未遠。置一而十一三之，以三爲實，以四爲積，不可易也。伶州鳩所論六間、六正，大不踰宮，細不過羽，從來已舊，安得指極短之律，以起至大之宮，使鍾量衡度皆無所從始乎？凡樂言鍾吕，爲人生致用之大端，鬼神所用進退。亥爲應鍾，卯爲夾鍾，未爲林鍾，此三鍾者，三甲所治。易之先甲三日，後甲三日，謂是物也。巳爲南吕，丑爲大吕，酉爲仲吕。此三吕者，爲三庚所治。易之先庚三日，後庚三日，謂是物也。黄鍾爲子，子與亥而從陽，治陽者爲主，治陽而主鍾。蕤賓爲午，午與巳從陰，治陰者爲客，故言賓而治吕。主客之分，出入之序，六府三事之所爲治也。禮祀天神則用圜鍾爲宮，以相次爲序；祀地祇則用函鍾爲宮，以相生爲序；祀人鬼則用黄鍾爲宮，以相合爲序。其以黄鍾代應鐘，亦猶之尊子而絀亥也。凡道之本於禮樂者，皆與天行之度一一相追，禮退而絀，樂進而盈，樂動而升，禮讓而反。日之讓天，月之讓日，進而稱順，退而數逆，藏往知來，其致一也。日月律度之差，各十三有餘，爲日月交食之會。析之爲六分有半，爲律法之所從極。蔡元定稱子、丑、寅、卯、辰、巳上得全分，午、未、申、酉、戌、亥不得全杪，猶未有定論。唯以十二差之自三分九釐損益上下，以至於一分而極，而半聲間起之法，亦於是而出矣。木上云：然則太師吹銅聽律，以知師之善敗，如何？某云：予非瞽史，安知吹律？然詩稱：其軍三單。大國一軍，萬二千五百人。三軍之數，與天地參，六師之義，倍而用之，用衆之律而過於天道，未有不敗者也。然則律數十有七萬八千餘，强何也？曰：置十而十一三之，是大易之偶數也。因而三之，五十三萬餘强，而與天俱。周律之與禮樂、天道、兵師，其概一也。

崇禎十五年，禮部議覆太常寺樂疏。云：蒙諭太常寺有神樂觀，及給賜浄衣，取其精潔。今郊廟祭樂，亦多疏澀，如琴瑟並無指法，舞容尤乖古制，宜訪求知樂之人，細加參究。因及鄭世子所進樂書，及原任禮部尚書黄汝良樂律考，大要以黄鐘爲主。仰見皇上留心上理，於禮樂精微，無不洞悉。臣等謹察得黄鐘候氣，實爲律曆之本。而自漢、唐以來，或爲三寸九分，或爲九寸，其説不同。前議曆法時，臣等以古葭灰候氣之法，令欽天監與新局並試，皆不甚曉。至樂舞生，則琴瑟、搏拊尚未能辨，矧黄鐘乎？周時以舞教國子，令大胥正舞位，小胥正舞列，節八音，而行八風。蓋五行之義，皆寓於其中。至漢大樂律，則卑者之子不得舞宗廟之酎，凡除吏二千石至六四石，關内侯至大夫之適子，取爲舞生。其教之豫，而選之精如此。以能發揚功德，孚格人天。而今皆伶人下賤爲之，去古實遠。宜令太常倣周、漢意選舞士，不得乃以倡優充數。仍將律書正聲所纂舞圖、舞節，重加翻習，庶足復三代之舊。又輔臣奏廟堂上不宜用教坊樂，聖意亦以爲然。察會典，凡祭祀用太常寺樂舞，凡朝會宴饗等禮用教坊司奉鑾。而相沿既久，疏舛成習，所當嚴行申飭。至古者房中之樂，歌關雎諸詩；燕射之樂，歌鹿鳴諸詩，笙奏由庚諸詩。卽漢人樂府，亦特爲古雅。當時音容，必有可觀。自唐始分太常與教坊爲二，實鄭聲亂雅之始。惜古樂殘缺，未易頓議。亦宜訪求知樂之人，徐加訂定，以副聖天子復古致治之盛心。

律尺

崇禎十四年，上欲考定樂律，命工部察周尺之制。工部不能定，移聞禮部。禮部覆云：周尺之說，古今推求不一，有用累黍者。漢書律曆志云：以子穀秬[黍]中者度之，九十分爲黃鐘之長。一黍爲分，十分爲寸，十寸爲尺。爾雅云：秬，黑黍也。顔師古云：中者，不大不小。後周時，牛弘等議曰：上黨羊頭山黍，其色至烏，其形圓重。唐禮樂志曰：黍真則尺定，尺定則律均。宋竇儼、司馬光等考定：周尺用上黨黍，十黍爲一寸是也。有用指者。古人按指知寸，布手知尺，舒臂知尋。大禹聲爲律，身爲度，用左手中指三節三寸謂之君指，裁爲宮聲之管。許慎說文曰：中婦人手長八寸，謂之咫尺，卽周尺也。有用璧羨者。考工記曰：璧羨度尺，好三寸以爲度。蓋璧徑九寸，羨而長之，縱十寸，橫八寸，周謂之度尺。則周之十寸、八寸，皆爲尺也。有用蔈粟者。蔈，禾穗芒也。淮南子曰：律數十二，故十二蔈當一粟，十粟而當一寸是也。有用蠶絲者。孫子算術云：蠶吐絲爲忽，自絲、毫、氂、分而成一寸是也。有用馬尾者。易緯以十馬尾爲分是也。詳考之，竊謂人指則長短不同，璧羨則古璧難得，粟有輕重，馬尾有巨細，蠶絲秒忽亦難辨，惟纍黍之法爲正。而又有謂圭璧之屬用指尺，冠冕尊彝之屬用黍尺者。又有謂歲有豐歉，地有肥磽，纍黍較驗，亦復不齊者。故前代製尺，非特用纍黍，又必求古器以雜較焉。隋書所載，歷代之尺十有五種。第一種卽周尺，與西漢劉歆銅斛尺、東漢建武銅尺、晉荀勗律尺、祖冲之銅尺皆合。今去古既遠，欲求確據，惟我高皇帝時命宋濂、冷謙等所定樂律，及劉基等所定欽天監晷景可憑。而晷景尤其顯者。宋和峴用西京銅望臬，卽司天臺影表。銅臬下，石尺也，影表上可測天，度數不爽，況其他乎？唐順之曰：今欽天監表尺，乃元郭守敬所造，比市尺止得八寸强。守敬精於律曆，決非妄作。嘗取黑黍中者一千二百粒日乾之，秤量重五錢者，以九十粒横之，命爲九寸，與表尺果合。於今欲求周尺，似不能舍是而他求矣。抑又有説焉，高皇帝創制垂法，貽謀萬世，當時製爲鎮圭，定按周尺，莫若以鎮圭之尺爲主。若欲别造準尺，是必博搜古器如表尺之屬，兼求真黍，參互考定，非可懸虚臆決也。工部據以回奏。奉旨：既説周尺卽鎮尺，著照鎮圭式造尺。

審度嘉量權衡，皆出於律。自積黍之法不明，黄鐘之説始紛然如聚訟。近代鄭世子考羊頭山秬黍以時等則稱之，百粒得二分五釐，至兩龠二千四百重六錢，則今之六錢爲古一兩。以約度量，今之八寸，卽古一尺；今之三斗，卽古之一斛。度以八爲率，量以三爲率，權以六爲率。

大祀

郊廟、社稷、先農爲大祀。已而改先農及山川、帝王、先師、旗纛爲中祀，諸皆小祀。大祀致齋三日，中祀二日。祀有牲，牲四等：曰犢，曰牛，曰太牢，曰少牢。色尚騂，或黝。天、地、日、月，加玉焉。玉三等：曰蒼璧，曰黄琮，曰玉。牲，大祀入滌九旬，中祀三旬，小祀一旬。殺禮，不用牲，用果脯，從其族。或用素羞。祀有帛。大祀、中祀，京師用制帛。制帛五等：曰郊祀，曰奉先，曰禮神，曰展親，曰報功。小祀素帛。禮佛，帛。王國、司、府、州、縣亦用帛，小祀則否。凡祀有樂。樂四等：曰九奏，曰八奏，曰七奏，曰六奏。舞皆八佾，先師六佾，小祀則否。凡助祭，文臣五品，武臣四品以上，小祀則否。

禮部寅清堂有嘉靖十五年秋欽定大報諸祀禮儀碑。每歲大宗伯以大報日期等日告於皇帝，前期於本衙門宿，鴻臚卿具請御殿，及設案奉天殿中。是日，百官公服侍班，皇帝服皮弁，大宗伯具朝服，自午門中道行，捧祀日册，立置於案。皇帝就案先立定，大宗伯跪奏，曰：嘉靖幾年，分大報等祀日册，請敬之。皇帝搢圭，取而恭視。訖，序班舉案於華蓋殿中。皇帝陞座，百官叩頭如常，禮畢。

正祀典

倪文毅岳疏：釋迦牟尼文佛、三清三境天尊[者]。謹按傳記，西方有佛國曰天竺。[天竺]有五，中天竺乃釋迦所生之地。後漢明帝時，其法始入中國。後之宗其教者，遂以釋迦爲師。其曰三世佛者，則以釋迦之本性爲法身，德業爲報身，并其真身，而爲三。其寔本止一人耳。今乃分爲三像而並列之，失其旨矣。唐儒韓愈有曰：三代之時，天下太平，百姓安樂壽考，中國未有佛也。明帝時始有佛法。其後亂亡相繼，運祚不長，宋、齊、梁、陳以下，事佛漸謹，年代尤促。惟梁武帝捨身施佛，其後餓死臺城。事佛求福，乃更得禍。由此觀之，佛不足事，亦可知矣。至於道家以老子爲師。其所謂三清者，蓋倣釋氏三身而爲之，尤爲謬妄。宋儒朱熹有曰：玉清元始天尊既非老子之法身；上清太上老君又非老子之報身，設有二像，又非與老子爲一；而老子又自爲上清太上老君。蓋倣釋氏之失，而又失之者也。況莊子明言老聃之死，則聃亦人鬼耳，豈可僭居昊天上帝之上哉？由此觀之，三清三境天尊實無所據。況躬親祠醮，傾心崇奉如宋徽宗者，可謂至矣。卒之陷身沙漠，覆亡宗社，千載之下，可爲明戒。但緣異端佛老之徒，轉相模倣，惑世誣民。歷代因之，莫之有廢。是以遞年以來，凡遇萬壽、千秋等節，奉欽依修建吉祥好事，或遇喪禮，七七修建，薦揚好事，俱先期一日遣官詣大興隆寺祭告釋迦牟尼文佛，朝天宫祭告三清三境天尊。此皆因襲而行，不合祀典。今議：齋醮既合停止，其前項祭告，俱各罷免。

北極中天星主紫微大帝。謹按象緯書，有曰：北極五星，在紫微垣中，一名天極，一名北辰。其北第五星，名天樞。蓋極星之在紫微垣，萬星所宗，七曜、三垣、二十八宿衆星所拱，爲天文之正中，又曰紫微大帝之座。天子之常居也，即今朝廷宫殿所在，乃其象焉。國朝正統初年，建紫微殿一所於大德觀之東，設立大帝之象。每遇萬壽聖節、正旦、冬至，俱遣大臣一員祭告。今議得：日、月、星辰並曜於天，故古有大明祭日，夜明祭月，幽宗祭星之文。祖宗以來，每歲南郊大祀，内壇已有星辰壇合祭之禮。今乃象之如人，稱之爲帝，以極星之正，祠於異端之宫。稽之祀典，誠無所據。所有前項祭祀，伏乞罷免。

九天應元雷聲普化天尊。謹按傳記，有曰：凡陰氣凝聚，陽氣在内而不得出，則奮擊而爲雷霆，非如異端，所謂龍車、石斧、鬼鼓、火鞭怪誕之説也。雷聲普化天尊者，道家以爲玉霄一府，總司五雷。而雷部諸神，皆其所主。而又託以六月二十四日爲天尊現示之日，故朝廷遂以是日遣官詣大德顯靈宫致祭。今議得：雷、雨、風、雲，皆陰陽之妙用，鬼神之盛德。祖宗以來，每歲南郊大祀，外壇已有合祭之禮；而八月望後，山川壇復有秋報之祭。況自二月發聲之後，無非雷霆奮震之日，顧乃定於六月二十四日，於義何取？至於像設名稱，禮亦無據。所有祭告，伏乞罷免。

梓潼帝君。謹按圖志，英顯王廟在劍州，即梓潼。神姓張，諱亞子。其先越巂人，因報母讐，徙居劍州之七曲山。仕晉，戰没，人爲立廟。唐玄宗西狩，追封左丞。僖宗入蜀，封濟順王。宋咸平中，改封英顯。又按文昌六星在北斗魁前，爲天之六府。道家謂上帝命梓潼神掌文昌府事，及人間禄籍，故元加號爲輔元開化文昌司禄宏仁帝君。而天下學校，亦多立祠以祀之。京師之廟，在北安門外。景泰五年間，闢而新之，勅賜文昌宫額。每以二月初三日爲帝君誕生之辰，遣官致祭。今議得：道家謂梓潼以孝德忠仁，顯靈於蜀，廟食其地，於禮爲宜。祠之京師，不合祀典。至於文星與梓潼無干，今乃合而爲一，誠出傅會。所有前項祭祀，伏乞罷免；仍行天下學校，如舊有文昌宫者，亦合拆毁。

祖師三天扶教輔元大法師真君。謹按傳記，張道陵字元輔，漢光武十年，生於吴之天目山，善以符水治病。桓帝永壽元年，於靈峯白日上昇，百二十歲。唐天寶七年，册贈太師。中和四年，封三天扶教大法師。宋熙寧中，加封三天扶教輔元大法師。大觀二年，册號正一靖應真君。子孫歷代相傳，皆有封號。迨入國朝，仍令傳襲正一嗣教真人之封，秩正二品。歲以正月十五日爲祖師示現之辰，遣官詣大德靈顯宫告祭。又按宋邵伯温聞見録：建安二十年，曹操破張魯，定漢中。魯祖陵，順帝時客蜀，學道鳴鶴山中，造作符書，惑百姓。從授其教者，輒出五斗米，時謂之米賊。陵子衡，衡子魯，以法相授受，自號師君。其衆曰鬼卒，曰祭酒，大抵與黄巾相類。朝廷不能討，就拜魯漢寧太守，鎮夷中。觀此，則陵本非異人，而道家祖陵爲天師者，特因天寶詔稱漢天師而然爾。今議得：正月十五日乃其生辰，自宜其子孫祭於其家。所有前項祭祀，伏乞罷免。

大、小青龍之神。謹按碑記，昔有僧名盧，自江南來寓西山之尸陀林秘魔岩。一日，二童子來拜於前，盧納之。爨薪供奉，雖寒暑無怠。時久旱不雨，二童子白於盧：能限雨期。言訖，即委身龍潭，須臾，化青龍一大一小。至期，果得甘雨。事聞，賜盧師號曰感應禪師，建寺，設像，立碑，以記其事。又別設祠於龍潭之上，春秋遣官祭青龍神。國朝宣德中，勅建大圓通寺。青龍出現，禱之，有應，於是加以封號。至今春、秋二時，遣順天府官致祭。及遇歲旱，遣官祭告。蓋因舊傳二龍能致雲雨，故累朝崇奉如此。然雖稱二青龍，其實蛇也。蛇有神蛇，其名曰蜦，亦能致雨。今此二蛇，西山寺院處處有之，畧無靈異。近者，京師連年亢旱，累累祭告祈禱，杳無應驗。則此亦非蜦。蛇乃凡蛇耳，蓋妖由人興，久自衰息，無足崇矣。昔宋祥符中，天慶觀有蛇極怪異，人以爲龍。孔道輔以手板擊其首，死之，其患遂息。程明道爲上元主簿，茅山池有小青龍如蜥蜴，崇奉以爲神物。明道捕而脯之，使人不惑。後亦不聞如何。則此二蛇之怪誕，正此類也。所有前項春秋祭告之禮，伏乞罷免。

東嶽泰山之神。謹按圖志，東嶽，魯之泰山，今在山東濟南府泰安州。山下有廟，自黄帝以來封禪者七十二君，唐、宋、元皆加神以封號，曰王，曰帝，若祀人鬼。國朝洪武三年，詔去封號，稱爲東嶽泰山之神，有司春秋致祭。有事，則遣廷臣祭告。今京師朝陽門外亦有東嶽廟，蓋自元延祐中玄教宗師張留孫買地爲宫，奉祀東嶽齊天仁聖帝。國朝仍而不廢，歲以三月二十八日，及萬壽聖節，遣官致祭。夫嶽、鎮、海、瀆，以其山川靈氣，有發生潤澤之功，故歷代祀之。而泰山在魯封内，歲時已有常祀。況每歲南郊大祀壇，八月山川壇，俱有合祀之禮。所有前項祭告，稽之祀典，煩瀆無據，今當罷免。

北極佑聖真君。謹按傳記，北極佑聖真君，蓋真武神也。真武本玄武，宋真宗尚道教，避聖祖諱，改玄爲真。玄，龜也；武，蛇也。此本北方玄武七宿，虚、危星形似之，故因而名。後乃以玄武爲真武，而作龜、蛇於下。靖康初，詔加號助、順，曰佑順助聖真武靈應真君。及考圖志，乃云真武爲靖樂王太子也，生而神靈，長而勇猛，志除邪魔。遇紫虚玄君，授以道秘。東遊遇天神，授以寶劍。入武當山修煉，功成，白日飛昇。奉上帝命，往鎮北方，披頭跣足，建皂纛玄旗，統攝玄武之位。此則道家傅會之説，殊爲誕妄。再考國朝御製碑文，太祖高皇帝平定天下，兵戈所向，神陰祐爲多。及定鼎金陵，乃於雞鳴山建廟以崇祀。事載在祀典。太宗文皇帝肅靖内難，以神有顯相，又於京城艮隅，并武當山，各重建廟宇。而兩京歲時春秋，及京師每月朔望，各遣官致祭。武當山則命内外官員專一在彼提督。列聖崇奉之意，可謂至矣。憲宗純皇帝在位，常范金爲像，遣内官陳善齎往武當安奉。蓋亦不過承先志以祈神庥耳。豈期陳善援引左道之人鄧常恩等，上則熒惑聖聽，糜費内帑，下則騷擾道路，虐害生民。且又奏請重修京師廟宇，改號靈明顯佑宫。日居其間，引進邪術，遂使香火之地，幾爲姦盗之區，固非朝廷崇奉之本意。使玄武有神，亦豈其所樂聞哉？今議得：神既有功於國，則累朝崇奉之禮固不可廢。但本以一人，而一歲之間，兩京俱有春、秋之祭，京師復有朔望等祭，過於煩瀆，合無照依。南京，洪武年間以來，例應每年三月初三日、九月初九日各用素修，遣太常等官祭祀，其餘祭禮，并行停止。其武當山神像之類，頻年齎送，不無太繁。況已有内外官員領勅，在彼一應供奉之物，自合責令各官嚴加整辦。所有襄陽府、縣三年一次額辦給散道士闊白綿布二千四百疋，闊白苧布二千四百疋，祀神油、蠟、香、燭三萬七千八十四斤，雖稱送日久，皆係正税所出，卽今民力憊敝，亦宜量爲裁革減省。合行湖廣巡撫、巡按官員徑自酌量奏請定奪。今後差遣内官鑄送神像等事，並乞一例禁革。庶幾神祠不替，而國用少節矣。

崇恩真君、隆恩真君。謹按道家之言，有曰崇恩真君，姓薩氏，諱守堅，西蜀人。在宋徽宗時嘗從虛靖天師張繼先及王侍宸、林靈素傳學道法，累有靈驗。而隆恩真君，則玉樞火府天將王靈官也。又嘗從薩真君傳授符法。國朝永樂中，有杭州道士周思得，以靈官之法顯於京師，附體降神，禱之有應，乃於禁城之西建天將廟及祖師殿。宣德中，改廟爲火德觀，封薩真人爲崇恩真君，王靈官爲隆恩真君；又建一殿崇奉二真君，左曰崇恩殿，右曰隆恩殿。成化初年，改觀曰宫，加顯靈二字。遞年四季，更换袍服，三年一小焚化，十年一大焚化。又復易以新製珠玉錦綺，所費不貲。每年萬壽聖節、正旦、冬至，及二真君示現之日，皆遣官致祭。其崇奉可謂至矣。今就其言議之：薩真人之法，因王靈官而行；王靈官之法，因周思得而顯。其法之所自，皆宋徽宗時林靈素輩之所傳。一時傅會之説，淺謬如此，本無可信。況近年附體降神者，乃欽發充軍顧玨、顧綸之父子，其爲鄙褻尤甚。往往禱雨、祈晴，杳無應驗。則其怪誕可知。但經累朝創建，一時難便廢毁。所有前項祭告之禮，俱各罷免。其四時袍服，宜令本宫住持并庫役人等，於每年應换之日，仍會同道籙司掌印官照舊依期更换，如法收貯，不必焚化，永爲定例。伏乞勑内府衙門，以後袍服等件，不必再行製造。如此，則國用不至於妄費，而邪術亦可以少貶矣。

金闕上帝、玉闕上帝。謹按大明一統志，福州府閩縣南舊有洪恩靈濟宫一所，祀二徐真人，卽今之金闕、玉闕二真人也。真人，五代時徐温子曰知證，封江王；知諤，封饒王。常提兵定福建，父老戴之，圖像以祀。宋賜今額。又考之御製碑文云：太宗文皇帝臨御之十有五年，適遇疾弗愈，百藥罔效。或有言神靈驗者，禱之輒應，脱然平復。於是大新閩地廟宇，命有司春秋致祭，歲時易衣，給户洒掃。又於京師立廟以祀之，加封金闕真人、玉闕真人。十六年，又加封金闕真君、玉闕真君，賜廟額名洪恩靈濟宫。正統初年，重新宫宇，進號金闕崇福真君、玉闕隆福真君。成化二十二年，重加尊號，伯曰九天金闕總督魁神洪恩靈濟慈惠高明上帝，仲曰九天玉闕總督罡神洪恩靈濟仁惠宏靖上帝。遞年以來，每月朔望，并萬壽聖節、元旦、冬至，及二真君誕辰，俱有祭祀，遣官行禮，及時食、獻新，至今不缺。四時已有皮弁冠、大紅紗羅紵絲織錦雲龍朝服，近又加以平天冠、明黄紗羅紵絲衣服。其黄服五年一次更换，紅服十年一次更换，焚化。夫神之世系年代可考如此，本非有甚異也。先年只因有功於閩，廟食一方。後以保護太宗文皇帝聖躬，故京師有别廟之奉祀。但本處既有春秋二祭，而京師一年之間復有前項數次祭祀，不無煩瀆。且惟皇上帝，主宰於天，而兄弟並稱上帝，其爲僭擬可知。至袍服等件，在京更换焚化，差遣内官前往福建賫送，道路騷擾，虐害人民，不可勝言。今議得：廟之創造，既始於閩，則神如有靈，固當往來於閩，所有福建舊時祭祀，宜仍其舊。其京師聖節，并朔望等項祭祀，及時食獻新，俱乞罷免。若以有廟無祭爲嫌，則於二真君誕辰各遣本宫住持致祭一次，仍乞革去帝號，照依永樂年間加封事例，止稱真君。冠服仍用本等服色。在京者聽令本宫住持廟户人等，於每年應换之日，會同道籙司掌印官依期更换，如法收貯，不必焚化。直待敝壞之日，方許奏請更製。將不堪者，照舊火焚。其在福建者，亦同此例。但遇有敝壞者，聽令布政司督屬就彼處置修理，以後再不差人前去，永爲定例。所有現在平天冠、明黄袍服，責付本宫庫内收貯。仍行内府各該衙門，無得再行製造。如此，既不失報功之典，而祀亦不至於煩瀆矣。

神父聖帝、神母元君、金闕元君、玉闕元君。謹按徐仙真籙，及國朝御製碑文，神父、神母者，卽二真君之父母；金闕、玉闕元君者，蓋其配也。宋理宗朝，封父齊王爲忠武真人，母白氏仁壽仙妃，配許氏助順仁忠仙妃，陶氏助善慈懿仙妃。國朝永樂中，加封父翊亮真人，母淑善仙妃，許氏真應仙妃，陶氏恭靖仙妃。繼又進封其父爲真君。成化二十二年，神父加封高上神主慈悲聖帝，神母加封安寧護國恭靖元君，金闕妃天房衞保節靖元君，玉闕妃天房衆母顯祐元君。每歲萬壽聖節、正旦、冬至，俱遣官致祭。而金闕、玉闕君前又有誕辰之祭。皆二真一時禱應之功，故推及而崇奉之如此。今議得：神父徐温，乃五代時誤國、專權、弑主，殊無功德。祀以報功，豈宜濫及。況父母并妃並受隆名，稱帝稱君，僭擬益甚。所有名號，乞照永樂間封者爲正。以後加增，一切祭祀，俱各罷革。

京都城隍之神。謹按易坎卦，有曰：王公設險，以守其國。蓋謂人君者，觀坎之象，知險不可陵也，故設爲城郭、溝池，以守其國，以保其民。人傳記謂其制自黄帝始。歷代建國，必有高城深隍，上以保障宗社、朝廷，下以衞捍百官、萬姓，其所係甚重，其爲功不小。故國朝之制，天下府、州、縣皆有城隍廟之祭。京都城隍廟，舊在順天府西南，累朝皆加修葺。歲以五月十一日爲神之誕辰，及萬壽聖節，各遣官致祭。夫廟祀城隍之神，本非人鬼，安得誕辰，可謂謬妄。況每歲南郊大祀壇，八月山川壇，俱有合祭之禮，事體已重。此與天下府、州、縣之祭不同。所有前項祭告，煩瀆無據，俱各罷免。奉旨：是。

商文毅輅諫祀玉皇疏：竊惟聖上嗣守祖宗大業十有三年，夙夜憂勤圖惟治理，天下之人無不感仰聖德。視前代嗣統之君，遠過萬萬。是宜天道協和，雨暘時若，休徵畢應，而妖孽不作也。夫何近年以來，災變日多。去歲宫門火災，秋大雨水，一冬無雪。今春嚴寒，河冰重結。郊祀之際，大風怒號。二月朔望，日月連蝕。南京地震，陝西天鳴。即日又有妖物害人之異。此皆陰盛陽微，非常之變也。夫天道不遠，感召在人。觀此，則今日人事之不修，政德之有虧，軍民之怨困莫伸，國家之事變叵測，不言可知。此誠皇上側身脩行之時，所宜深省遠慮，以安宗社爲念。增修德政，講求闕失，疎遠私昵，節省冗費，以回天意，可也。臣等又惟人君應天以實不以文，事神以誠不以物。祖宗創爲郊祀之禮，每年一次，舉行極爲慎重。邇者，臣聞皇上推廣敬天之心，又於宫北建祠，奉祀玉皇，取郊祀所用祭服、祭器、樂舞之具，依式製造，并新編樂章，命内臣習之，欲於道家神降之日，舉行祀禮。臣竊詳皇上爲此，非有他故，無非上爲母后祝釐，下爲生民錫福，用圖保安宗社於萬萬年之久。聖心誠敬，人所共知。但稽之於古，未爲合禮。昔傅説之告高宗曰：黷於祭祀，時謂弗欽，禮煩則亂，事神則難。釋之者曰：祭不欲黷，黷則不敬；禮不欲煩，煩則擾亂。皆非所以交神明之道也。況天者，至尊無對，尤非其他神明可比。事之之禮，宜簡而不宜煩，可敬而不可黷。乃别立玉皇之祠祀，并用南郊之禮樂，則是相去一月之間，連行三祭，未免人心懈怠，誠意不專。且郊祀所用執事并樂舞生，皆神樂觀道士爲之，謂其離族出塵，清心寡欲。刑喪病疾之人，一切不預。祖宗制禮，蓋有深意存焉。皇上爲天之子，其於事天之禮，豈可不斟酌典故，而致有纖毫之不謹乎？臣等伏望聖明，將前項神祠停罷，神像送宮觀侍奉，祭服、祭器、樂舞之具送太常寺收貯。凡内庭一應齋醮之事，悉且停止。今後聖節等項脩齋，悉照舊例施行，勿爲褻瀆。庶幾天心照鑒，可以變災而爲祥，轉禍而爲福。宗社萬萬年無疆之慶端，在於此。

徐文靖溥諫祀三清疏：近司禮監傳示聖諭，遞出祭三清樂章，令臣等改補進呈。臣等謹按，天子祀天地。天者，至尊無對，盡天下之物，不足以報其德，惟誠意可以格之。故禮以少爲貴，物以簡爲誠。祭不過南郊，時不過孟春，牲不過一牛。蓋祭非不欲頻，頻則反黷；物非不欲豐，豐則反褻。書曰：黷於祭祀，時謂勿欽，禮煩則亂，事神則難。正此謂也。漢祀五帝，儒者尚非之，以為天止一天，豈有五帝，況三清者，乃道家邪妄之説。謂一天之上有三天帝，至以周時柱下史李耳當之，是以人鬼而加於天之上，理之所必無者也。若夫樂器之清濁，樂音之高下，有制度，有節奏，毫釐之際，不容少差。差則反以召禍。況製爲時俗詞曲以享神明，褻瀆尤甚。以此獲福，又豈有是理哉？我朝天地合祭，祭用正月，皆太祖所親定；樂器、樂章皆太祖所親製，足以傳之萬世。當此之時，豈有三清之祭，俗曲之音？今所遞出樂章，雖云出乎永樂大典，蓋是書之作，博采兼收，欲以盡天下之事，初未聞以此施之朝廷，見諸行事，以爲後世法也。陛下純誠至孝，嗣統守成，一以太祖爲法，以上追二帝三王之盛，不宜黷禮事天。臣等讀儒書，窮聖道，道家邪妄之説，未嘗究心。至於鄙褻詞曲，尤所不習。不當以非道事陛下。所以連日憂惶，不敢奉命者，寔不願陛下此舉也。且古之帝王，必資輔弼以成治化。舜，大聖也，其命禹之辭曰：予違汝弼，汝無面從。伊尹之告太甲曰：有言逆於汝心，必求諸道。蓋惟恐臣之不盡言也。仰惟祖宗所以置文淵閣，簡命學士居之者，寔欲其謀議政事，論講經史，培養本原，弼正闕失；非欲其阿諛順旨，惟其言而莫之違也。臣等待罪此地，積歲累時。今經筵早休，日講久曠，異端邪説，得以乘間而入。此皆臣等講讀不勤，輔導無狀，不能事事規正，以啓陛下之聖心，保陛下之初政。憂愧之至，無以自容。近數月來，凡奉中旨處分，其合理者，自當仰承德意，不敢違越；間於民情有干，治體相礙，亦不敢苟且應命，以誤陛下，未免封還，執奏至再至三，迹似違忤，情寔忠愛。似此者多，伏願陛下垂日月之明，廓天地之量，俯加鑒察，曲賜依從。臣等益當勉策駑鈍，庶幾少有裨益，非但樂章一事而已。

劉文靖健革除濫祀疏：今月十七日冬至節，靈濟宫祭金闕真君、玉闕真君，奉旨遣尚書李東陽行禮。臣等切有愚悃，謹昧死爲陛下陳之。佛、老二教，聖王所必禁，儒者所不談。中世以來，正道不明，人心久溺。如秦始皇、宋徽宗好仙，漢楚王英、梁武帝好佛，唐憲宗仙佛俱好，求福未得，皆以得禍。載在史册，事跡甚明。若靈濟宫所奉二真君，乃南唐徐温二子知證、知諤。謹按正史所載，徐温養子知誥簒僞吴王楊氏，諸子皆爲節度使，知證夭死，知諤病死。五代石晉時，無故立廟，稱之爲神。國朝雖有廟宇，然亦止稱爲真人，令道士供奉香火。成化末年，加爲上帝，禮官失職，不能規正。先帝初年，革去帝號，天下傳聞以爲聖政。真君舊稱，尚未盡革。至於神父、神母、仙妃，皆是僭叛家屬，濫冒美名，尤爲非禮。每歲三大節，分官祭祀，不知何時復遣内閣儒臣。臣等初承遺命，未敢固違，因循至今，勉强從事。恭遇孝宗皇帝崇儒訪治，舍已聽言，方欲具奏論列，而龍馭上昇，徒深悵慕。近者文華殿所供佛像，有旨[見新，]令臣等撰文祝告。臣等以爲事關治體，據理上陳。荷蒙聖斷，即時撤去。仰見陛下聰明正大，遠過百王，善推所爲，雖堯、舜之治，不難致矣。靈濟真君生爲叛臣，死爲逆鬼，而冒名僭禮，享祀無窮，惑世誣民，莫此爲甚。臣等讀聖賢[之]書，當勸陛下行帝王之道。心知邪僞，而身與周旋，則講讀者皆爲虚文，輔導者更爲何事？且有其誠，則有其神；無其誠，則無其神。縱使有之，亦須誠心對越，乃能感格。臣等心既不信，誠從何生？强使驅馳，雖祭無益。若先師孔子遺祭舊規，臣等自當竭誠奉命。其一應寺觀祭告，自來並不干預。伏乞聖明洞察，俯聽愚言，將前項祭祀通行革罷，免令臣等行禮。先帝革號於涖政之初，陛下革祭於嗣位之始，傳之後世，於前有光。庶祀典不忒，治體無累，而臣等瘝官失職之咎，亦少逭於萬一矣。

内閣楊廷和請停齋醮疏：夫齋醮之事，乃異端邪説，誑惑時俗，假此名目，以爲衣食之計。佛教三寶，道家三清，名雖不同，其實同一。虚誕誣罔，聖王之所必禁。在昔梁武帝、宋徽宗崇信尊奉，無所不至，一則餓死臺城，一則累繫金虜，廟社邱墟，生靈塗炭，求福未得，反以召禍。史册所載，其跡甚明。若使二君當時，左右隨侍皆得正人，何至受禍如此哉？二君且未暇詳論，只如近日劉瑾建玄明宫，錢寧建石經山祠，張雄建大慧寺，張鋭建壽昌寺，于經建碧雲寺，張永建隆恩宫，所費金銀不可勝計。其心本欲求福也，然皆身被誅竄，家底敗亡，略不蒙佛與天尊之庇佑。由此觀之，則其不足信也明矣！夫何讒邪小人，公私眩惑，不遵祖宗法度，不畏天下議論，至使宫闈之内修建齋醮，萬乘之尊親涖壇場，上惑宸聽，下誑愚俗，以爲福田可種，利益可求，災患可除，祥瑞可致。不知年來遠近亢旱，風霾災變。彼何不誦一經，不念一咒，以消弭之乎？南北直隸、山東、河南流賊往來，焚刼殺戮，彼何不驅神兵鬼將以掃平之乎？陛下試以此驗之，則其無益有損，不待辨矣。況陛下親蒞壇場，行香拜籙，亦甚勞矣，何不移之以御講筵？修設齋醮，糜費錢糧，亦甚多矣，何不移之以賑窮困？正道異端，不容並立。心既繫於彼，則必不繫於此。邪説既入，聖賢之經訓自疎。播之天下，傳之後世，其爲陛下聖德之累不少，非止虧損聖治，耗蠹民財而已。

宗伯夏言議瘞佛疏：比者，恭遇皇上諮及羣臣，欲除去禁中釋殿，奉建兩宮，以備一代之制。一時廷議翕然，仰贊皇上篤養盡制之孝，闢邪崇正之化，盛德大業，光前振後。已今月十一日，伏奉聖旨，命大學士李時同臣言入看卽所謂大善殿者。臣等看得殿内有金銀鑄像，鉅細不下千百，且多邪鬼淫褻之狀。伏惟聖明燭其誕妄不經，一旦奮然舉而除之，甚盛舉也。但臣見諸几案之上，及懸庋梁栱之間，與夫金函之所藏貯者，爲物尚多，不可識辨。問之守者，且云：是爲佛骨，是爲佛牙。枯朽摧裂，奇離磈磥，計不下千斤。臣惟佛法之入中國，自漢明帝時始，然不過人誦其書，習其教而已。至唐憲宗朝，乃迎佛骨至京師。其臣韓愈上表極言其邪穢不祥，不宜以入宫禁。憲宗不能聽，且深臯愈，竟遠斥之。臣意自是厥後，人莫敢矯其非，凡番僧持以誑惑中國之人而名爲佛顱、佛骨者，相屬於道，由是流入天子宫禁之内。歷世皆然，而不以爲異。今殿中所有，未必非勝國所遺。國朝以來，亦必以爲彼法則，然未嘗深究，以延至今。兹者恭惟皇上，躬堯、舜、禹、湯、文、武之資，行堯、舜、禹、湯、文、武之道，始議撤佛屋，毁除穢像，使詭異之形不得瀆留清禁。此真卓越千古之見，出於尋常萬萬者也。然殿宇像設既除，所有前項佛頭、佛牙之類，皆屬污穢，不宜使之尚存。臣請乞以此物勅下所司瘞之草野，一切掃而净之，以杜愚冥疑惑之端，實爲大聖人非常作爲，有補名教甚大，功德罔極，臣不勝幸甚，後世幸甚。疏入，答曰：大善殿所貯佛骨諸不經之物，瘞之草野，恐後日好事之人仍爲啓視，不如焚之，以杜永患。遂命禮部倶於城外焚之。

宗伯沈鯉拆毁寺觀疏：看得户部尚書王遴條議，要將近日私創寺、觀、菴、院盡數拆毁，僧道年四十以下無度牒者盡數驅逐歸農，流寓者遞歸本籍，土著者收入里户，白蓮、羅道等會惑衆糜財者，悉從重懲治一節。爲照異端之術，足以惑世誣民，苟非禮教素明，未有不蠱於福田利益之説者，在昔已然，其風猶未甚也。邇來遊手遊食之輩，布滿中外，此倡彼和，莫可收拾。以致梵宇琳宫星列碁布，而無知之民約會進香、建幟號佛者，日充斥於道途，豈直民財糜費，上虧惟正之供，且風俗漸偷，釀成地方之禍。臣等目擊兹弊，方欲申飭，今尚書王遴條奏及此，深得移風易俗、足國裕民之計。相應酌議題請，恭候命下，移咨兩京都察院轉行五城内外，及天下司、府、州、縣地方，大小寺、觀、菴、院，除係古刹，及奉有欽依建置，照舊存留，聽其焚修外，若係近日私創菴院，招集僧尼，瀆祀不經者，悉行拆毁入官。以後再不許新立增置，違者依律問遣。僧道曾經給有度牒，年四十以上者，照舊存留；其年四十以下，未經給度牒者，查果戒行無礙，姑准查照見行事例，申送納給度牒；如不行給度牒削剃，不守清規，與流寓遊食之徒一併驅逐原籍，務農當差。一切白蓮、羅道，募緣僧道，及約會燒香，頭戴甲馬，口稱佛號等項愚民，在内聽緝事衙門，在外著巡邏員役嚴加禁捕，務得會首倡率之人，依律枷號治罪。知情故縱者，罪亦如之。勿視虚文，務臻實效。然臣等猶有過計者，夫禮之禁於未然者易爲力，而已然者難爲功。查得僧道之禁，節經言官建白，本部議覆，不啻三令五申矣，而齋醮施捨，愈昌愈熾。俾異端者流，安坐而享富厚，豈盡左道之愚人，抑亦崇尚者之自愚耳。崇之於彼，而欲禁之於此，猶聚羶而去蠅，增薪而止沸耳，其將能乎？今宜於禁令之外，仍以禮教隄防之。乞勅各撫按嚴督各該守令，毋專以簿書期會爲急，而務以移風易俗爲要。申明聖諭，勸化愚民，教以君臣父子之常道，示以農桑衣食之恒業，曉以惠迪從逆之實理。喪葬必依家禮，有擅作佛事者，必罰；祈年必於方社，有揭榜消禳者，必罪。大經既正，邪慝漸消。行之既久，果於風化有裨，不爲俗吏，吏部開著上考；脱有奉行未至，亦宜罰治，以示創懲。庶幾教化與法制並行，民風與世道咸賴矣。奉神宗旨：各處寺、觀、菴、院，除古刹及勅建有名的，照舊存留；其餘私創無名、黷祀不經的，兩京著五城御史，在外撫按官，嚴行稽查，應改，應毁，酌量區處具奏。餘依擬。

禮部侍郎蔣德璟糾張真人疏：臣惟古帝王，天保治内，采薇治外。治内在省刑薄賦，以固民心；治外在選將練兵，以鞏國勢，並無所謂異教也。比者，敵寇交訌，民不聊生，幸皇上神武英斷，清理寃獄，蠲免舊逋，近復再行親耕，勸農頒詔，民始有再生之望。而於邊腹二寇，宵旰惓切，中外翹首，竚見廓清。乃有真人張應京乞涣發三官徽號一疏，則臣等不能無駭者。攄道藏，並無三官之説，近世始有之。其經以天官、地官、水官爲陳子椿之子，有無不可知。

然既經晉號，而應京復請齎諭中外，一體遵奉，共奉慶賀，則不惟例所不載，其意欲以何爲？得無借以簧鼓愚民，使之奔走供奉，以爲利乎？抑幾倖差遣，招摇誑耀，以爲名乎？近年異教盛行，游惰姦民，棄農不務。逃入二氏之徒，脱漏户口，消減丁糧，不啻千萬。别有白蓮、無爲等教，夜聚曉散，所在充塞。若復許之慶賀，其惑亂有不忍言者。漢末之黄巾，以妖術授徒，及應京之祖道陵，以五斗米設教是也。道陵舊事，姑不深言。自晉及唐，其子孫並無封號。宋崇寧中，始賜號張繼先爲虚靖先生，亦並無品級。至元始加真人，稱嗣天師。高皇帝以天豈有師斥之，且以清理釋、道二教責之臣部。大哉聖謨，一洗元人之陋矣。應京酒肉俗流，前春祈雪不效而歸，此來沿途祈雨亦不效，反以得雨誑告，蓋與誦華嚴經咒蝗者並笑破大下之口。而尚久戀京邸，耗蠹不訾，長愚民左道之心，短邊兵血戰之氣，無益有害，斷可知矣。似宜急逐歸山，以清輦轂。至其妄瀆宸聽，容臣等照左道惑衆例依律究處。伏乞聖斷施行。

禮部諫殤王不宜加道號疏：爲傳奉事，祠祭清吏司案呈，崇禎十三年十一月十三日，奉本部送該内府遞出揭帖，奉聖旨：皇五子悼靈王追贈爲孺孝悼靈王通元顯應真君，禮部擇日具儀來行，欽此。欽遵傳奉，到部送司，案呈到部。恭照皇五子孝敬性成，神靈天授，誠爲千古希遘，皇上以孺、孝二字弁於王封，用表岐嶷；而復賜以道號，盛典也，亦異典也。臣等方手額讚嘆，豈敢復有異議。但臣部歷稽職掌所載册封典禮，皆有王號，而無道號。蓋王號以世法垂儀，闡懿易名，皆古今共遵之典；道號以神道設教，玄感靈通，實不可思議之事。皇五子儼然王也，自古帝王至德要道，未有不以孝爲首，稱皇上以儒道治天下，表章孝經，垂訓萬世。而皇五子年甫五歲，孝本生知，誠有成立，屏藩所不能及者，稱爲孺孝悼靈王，傳之中外，洵足光昭孝治。惟是追封真君之儀，遍察大明會典、集禮、國朝典彙、正續文獻通考、杜佑通典及本部職掌等書，皆茫無可循。臣等禮官也，禮所已行者，自當恪爲遵依，仰成懿美；若其未經行者，亦不敢擅自撰擬，致有垂違萬一，使好異者以臣部爲嚆矢，而循常者復以臣部爲射的，則臣等之罪大矣。

章服

學士宋濂議：歙儒有議章服之制者。其言曰：公之服，山、龍、華蟲、火、宗彝五章在衣，藻、粉、黼、黻四章在裳，五章則五列也，四章則四列也。四列之外，雜以雲朵間之。禮官駁之，曰：九章之名則是也；其謂五列、四列，則歷代之制無有也，非也。自軒轅氏肇爲章服，有虞氏從而明之，各章或一或兩而已，惡取所謂五若四哉？假使其言可行，則天無二日，天子之服當繪三辰，無乃有數日乎？矧三辰者咸法天，而成章雲，亦天物也，設用以間之，無乃又益之以一章乎？蓋曲説之無據者也，是未可信也。宋濂曰：禮官之議，皆傳經而辨善，則善矣。至謂歷代之制無有，則不能有以降其心也。竊按唐制袞冕之服，衣繪而裳繡，自山、龍而下，每章一行爲等，每行十二。夫行猶列也。天子之衣既云每章分爲十二，則公之服似可以類推，但不知五四之分又別，何所見也？若自山、龍而下始，然則日、月、星者必仍其舊，而無所加，强誣天子之章當有數日，亦不能通矣。又按宋制，章服並織成，間以雲朵，而補其空地。

夫間以雲者，不過藉爲文章而周飾之，亦非益之以一章也。由是觀之，歙儒其果有據乎，無據乎？若不待知者而後決，所可憾者，好奇之過。舍先王之法，壞侈靡之習，迨於六代極矣。至有議畫鳳於衮以示差降，飾圓花於裳而云於禮無礙者，況於唐宋之世哉，豈惟衮衣爲然也？冠冕之制，古者以采藻爲旒，前後邃延延，冕上覆也；玄表纁裏，後世則用龍鱗錦表，綴玉爲七星，旁施犀屏，金絲網之，屬又外作翠旒，使碧鳳御之。古者以旒數爲降殺，極於十二而止；後世則或增爲二十四焉。使歙儒舉以爲言，則羣起搤其吭矣。不觀其會通，而遽斥人以曲說，豈亦可哉？然則將安從之？曰：章服當準有虞氏之制，古之人有是言也。宜以禮官爲正。

嘉靖中，上諭張孚敬曰：兹者光澤王奏請冠服之式，以便遵服，朕已允其言。今思其製當以燕弁爲準，親王用九䙆，世子郡王用八䙆，郡王長子用七䙆，俱去簪與五玉，後山皆一扇爲之，分畫爲四；服用青身青緣，前後方龍補各一，身用素地，邊用雲，帶用青，衣緑，裏履用皂，白襪；其補子郡王以上許綵粧，郡王長子止許織金爲之。未知可否？卿其詳看來聞。張孚敬回奏云：臣謹按國朝定制，天子冕冠十二旒，皮弁十二縫，皆象十二月也。今燕弁十二縫，正如其數。又親王冕冠九旒，皮弁九縫，今燕弁宜用九䙆；親王世子冕冠八旒，皮弁八縫，今燕冠宜用八䙆；郡王冕冠七旒，皮弁七縫，燕冠亦用七䙆。兹聖諭世子、郡王俱用八䙆，郡王長子用七䙆，竊謂郡王冠冕、皮弁既俱用七旒七縫，今燕冠若同親王世子八䙆，恐燕服之制獨於公服等數不合，或宜用七䙆，庶與冠弁之數相合。其郡王長子或宜殺用六䙆，自鎮國將軍以下，各依原忠靖冠品官之制服之可也。又思燕弁冠服，及忠靖冠服，俱欽定名。今諸王冠服宜更定名，伏乞裁示。上曰：卿同奏具見詳明，夫朝冠公服止於七數，閒常所用反重之，可乎？郡王之冠，仍宜七數，其郡王長子既無冕弁，只可同鎮國將軍之制，可也。惟冠五裻以分等差，一如忠靖之制式；又其名當異於朝廷，庶別天子諸侯也。或名之曰保和、曰寧義。孚敬請用保和。從之。

崇禎庚辰，上傳禮部，令百官燕居皆用世廟所製忠靖冠服。賜閣臣五人一襲，復以二襲下部爲式：上燕弁冠，玄端服，襯以深衣、素帶、玄履。冠用烏紗，上分金線十二瓣，前飾五采五雲各一，後列四山雙玉簪。服卽古玄端制，身用玄邊，緣青，兩肩繡日、月，前蟠圓龍一，後蟠方龍二，邊加龍文八十一，領與兩祛共龍文五九，衽同前後齊，共龍文四九。深衣，黄色，袂圓，祛方，下齊，負繩及踝，十二幅。素帶，衣裏青表緑，緣邊腰圍飾以玉龍九片。玄履，朱緣，紅纓，黄結。襪用白。

考衣服之制，漢天子冠通天冠，服袞龍袍；唐冠翼善冠，服赭黄袍；宋，一、大裘冕，二、袞冕，三、通天冠，絳紗袍，四、履袍，五、衫袍，六、御閲服。洪武中，學士奏：古者五冕，祭天、地、宗社、諸神各有所用，請製之。上曰：五冕禮太繁，祭天、地、宗廟服袞冕，社稷等祀服通天冠，絳紗袍。洪武乙酉，賜各朝臣袍帶，凡二千八百一十三人。禮部奏：淮唐制服色，皆以散官爲準，元制散官職事各從其高者，故服色亦因之，今各官服色，宜依所授散官，與唐制同。

百官衣服，自十月初四日至次年三月初三日，穿紵絲；自三月初四日至四月初三日，穿羅；自四月初四日至九月初三日，穿紗；自九月初四日至十月初三日，穿羅。俱司禮監預題，以中旨行之。

孝宗時，令禮部申禁服色。閣臣請應禁花樣。上諭：若蟒龍、飛魚、斗牛，皆不許用，亦不許私織；間有賜者，或久而損壞，亦自織用，均爲不可。又諭，云：黄、紫、皂是正禁，若柳黄、薑黄等色，皆須禁之。又諭：玄色可禁，至黑、緑，乃人間常服，不必禁；但内人不許用。文職官讀書明理，猶不敢僭，内官不知道理，多僭，要嚴加緝訪。

閣臣王錫爵請傳戴煖耳疏：臣伏見連日雪後風寒異常，百官尚未蒙恩傳戴煖耳。在聖主，或深居煖閣，不知外寒；在微臣，則歴事先朝，頗諳舊典。蓋祖宗二百年來，歲傳煖耳，示體恤於等威之外，乃故事中之特恩。所以百官傳衣不謝，而傳煖耳獨謝。此燔肉、醴酒之類，物微禮重。古人以此窺君心之取舍，驗政事之勤替，不可忽也。大抵人臣有不公不法之罪，寧峻其譴訶之法，不可無故而賤厭。若無故而賤厭，則重道義、識廉恥之人日遠，而讒諂面諛、廝輿牧養之人日近，臣竊懼焉。爲此，不憚瑣屑，具揭上請，伏望皇上少思足寒之傷心，毋覔餼羊而廢禮，臣等幸甚，四方聞之亦幸甚。

宗　室

馬文升保全宗室疏：竊惟親莫親於宗室，法莫嚴於祖訓。宗室奉藩循理，恪遵祖訓者，朝廷親親之恩爲益篤；縱欲敗度，有違祖訓者，朝廷黜罰之典所必加。昔周武王克商之後，以其弟管叔、蔡叔監殷。後二叔挾殷之武庚以叛，流言以傾王室，故周公奉命東征，誅管叔而囚蔡叔，孔子恕之。鄭莊公弟叔段母寵愛之，莊公不早防閑，封之於京，縱彼所爲，候其惡深，舉兵伐之，如克常人，春秋譏之。一則事於宗社，而示天討之，公；一則不預防閑，而虧親親之義，或恕或譏。此天下至公之法，而萬世之所不可易者也。洪惟我太祖高皇帝天生聖武，祛除胡元，奄有中夏，掃一時之陋俗，回百代之醇風，功德之盛，遠符堯、舜，有非後世之所能及，故本枝繁衍，亦非前代之所能比。封建諸王，藩屏王室。藩王之子，封爲郡王。郡王之子，襲封郡王，諸子俱爲鎮國將軍。以漸而降，世爲奉國中尉。藩王府内官設承奉，正副各一員，典寶、典膳、典服各所，正副各一員，内使六名，各門正門副各一員，内使司樂二名，司弓矢二名；外官設長史司，左右長史二員，典簿一員，其餘審理、典膳、奉祀、典寶、紀善、良醫、典儀所，各有正副官二員，伴讀四員，教授一員。内、外各設官，以理一國之政。彼時俱遴選才識老成之人以充其任，而輔導之方甚嚴。王若有過，先責輔導官員，所以各王讀書樂善，保守其國，而稱賢王者甚多；縱欲敗度而被黜罰者間有。自正統年間至今，除秦、晉、蜀、襄、淮、德、吉、徽、崇等府，并新封興、岐等府，内官不缺外，其餘王府内官有缺，不行具奏。有一府止有承奉一員者，甚至全缺不補者。宫門有傳事，多係女人。其他郡王府，亦無火者，往來傳事，俱係外人，凡百出入，尤無禁忌。雖有藩王，其郡王并將軍有係尊屬，或族屬頗疎者，雖知所爲非禮，不敢戒諭；輔導官員不敢諫正，其鎮巡三司官懼其妄奏，欺侮離間，差官勘問，亦不敢具奏。所以肆其所爲，有潛畜異謀而烝淫不道者，有强擡軍民子女而打死人命者，有骨肉相殘而至成仇敵者，有密取外人之子爲嗣者，有呼喚樂妓入府姦用者，甚至宫閫不肅，致生外議。其他將軍潛入富樂院宿倡者，或與市人飲酒賭博者，以致衣食之不足，欠負於人，鞍馬全無，徒步於市，雖有禄米，不能供其浪費矣。及至事發，差官行勘，事多不虚。因違祖訓，事干宗社，有不終其天年者，有幽之高牆者，有削去爵秩者，有革去禄米者。況醜惡之事，傳之中外，聞之天下，又恐史册書之，貽譏後世，誠有玷於朝廷。若使原設輔導外官、内官各得其人，早爲諫正，藩府親王，肯爲戒諭，鎮巡等官預爲具奏，豈有前項之事哉？與其懲治於已敗，而示黜罰之典，莫若保全於未然，以全親親之仁。如蒙乞勅各藩王除本府内官不缺不必具奏，其餘缺少内官、内使者，明白具奏缺内官若干員，内使若干名，仍乞勅司禮監於相應内官内使擇其老成讀書者具奏，照缺給賜前去。以後有缺，具奏除補，互相維持府事。其合用衣服、飲食等項，本府照例關給，使之得所，不許凌辱陷害。其郡王府每府給賜内使二名，專管宫闈事務及關防門禁；其長史、紀善、伴讀、教授，乞勅吏部，今後有缺，務要訪察國子監並在外有學行儒官除授。若藩王所爲未善，長史等官從容諫正。如其不聽，再三匡諫。如再不聽，密切具奏。其郡王所爲不合禮度者，教授、藩王密切戒勉。如再不聽，藩王具奏。情輕者降勅切責；若干宫闈重事，差内官皇親前去體勘，密切處置，不宜露泄於外；若係外事，仍差内官并法司官前去勘問。藩王有過，專罪輔導官員；郡王有過，專罪内使、教授。如此防閑，自無過舉。其藩府輔導官員，亦要逐日請王於書堂内講讀習禮（經史），王子、王孫亦要講讀習禮。若各府將軍有前項所爲者，各府郡王自行禁治。若藩王、郡王府互相容隱，不行禁治，許鎮巡等官將所爲不法之事，會本著實具奏，上請區處。其藩王府選用妾媵，務要具奏，奉有明文，定其名數，不（方）許於本府軍校之家選用，不許過數，亦不許强買民間子女。郡王、將軍使女，俱照會官奏准事例名數，若擅自買用女子及名數過多，或令外人入府者，許鎮巡官參奏，長史、教授降調遠方任用。若樂工縱容女子擅入郡王府，及容留各府將軍在家潛行，及軍民旗校人等敢有與將軍賭博，誆哄財物，及擅入王府教誘爲非者，事發，發邊遠充軍，色長依律問罪，革去管事。保全宗室，莫過於此。臣叨任大臣，每見宗室所爲不善事發，容之則違祖訓，所以不能保全者多，臣竊憫之，故敢冒昧上言。

崇禎八年，禮部左侍郎陳子壯宗才換授非易疏：臣伏覩陛下求賢圖治之盛心，致甄拔乎宗才，明援祖訓，凡郡王子孫有文武才能堪任用者，宗人府具以名聞朝廷考驗，換授官職，其陞轉如常選法，至再至三，必欲見諸舉行。臣待罪禮官二年矣，從府、部、科諸臣參議此事，僉謂三百餘年之曠舉，宜加詳慎。然臣恭承節次之明諭，實非尋常所能測度者。蓋易之象曰：地上有水，比，先王以建萬國，親諸侯；堯典睦九族以平章百姓。人徒見官人以族，一若有親比之迹者，殊不知聖人立賢無方，一平章百姓之心也。聖人之待九族也，與天下士庶同，其親親而賢賢，義有兼該者也。比者，聖諭通行保舉之法，令兩京文職三品以上，於進士、舉、貢、監中各舉堪任知府一人；五品以上，及翰林、科道、撫按、司、道、知府官，於舉、貢、監生、士民中各舉堪任知州、知縣一人，亦何嘗有私於天下之才乎。陛下之意，誠以科目所以舉才，而有不盡於科目者。今乃四出弓旌，廣張羅網，即使諸臣有内舉，猶且不避厥親，而况於天潢之派乎。曩所論臣部，至稱賢才，不外於科目，殊屬偏見者，正此之謂。而當四方多故，人材落落，求所謂疏附後先，奔奏禦侮於宗子維城之中，即拔十得五，詎不勝任而愉快。然而事有未必盡然者三，有不可行者五，請瀝其愚，爲陛下籌之。國家設資格以處常才，而又不純用資格，以待非常之才，蓋不特非常之才不勝常才之多也，亦以非常之事不勝常事之多也。是故文職四品，及在京堂以上官，在外方面五品以上官，有缺員，皆具名以聞；自五品以下，吏部斯得銓註。今進士初任，亦止循其甲第，迨不次擢用，又往往超越常調焉。若非有殊庸異績，及國家異常猝變，未聞拔卒爲將，徒步而至卿相者。濟濟克生，非多於萬邦之黎獻也。將資格可以不論，而非常之才亦可輩出乎？臣竊以爲未必然也。自宗藩四民之業開，其有文才則於文科見，有武才則於武科見，宜已倘謂二科不足以盡才，倍宜致重於二科之中，自不宜因重才而輕二科也。典禮雖大封拜，未嘗朝賀，獨朝賀於策士傳臚之後，致辭天開文運，賢俊登庸，何如其重也。今謂進士豈必賢於舉人，則舉人亦豈必賢於貢、監，貢、監亦豈必賢於齊民。夫然則天下胥爲齊民已矣，又何必辛勤偕計，以縻有司續食乎？而臣部奉功令，所日厲飭於科場文義字句之間，凜乎其不可輕貸者，又何如其重也？然則謂科目之外，遂足以盡才，臣亦以爲未必然也。夫科目之制，本六經、詩、書之文，用濂、雒、關、閩之説，漢人所謂經術，宋人所謂道學，不出乎此。其獲儁者，節義勳伐，於此乎生；其即不獲儁者，於以耗雄心，消餘年，亦不失爲白首窮經之士。此祖宗磨礱一代之善物也。故庸有通科目之義，而不能窮理致用者矣，未有不通科目之義而能窮理致用者也。今宗藩中非將軍則中尉，有食禄之貴，其所以屈首讀書者，爲有科目之資格，可更進更榮耳，使見不屈首讀書，亦得掇拾奇榮以去，誰肯避逸而趨勞乎？而謂將有劉向、李勉、趙汝愚之才，不由屈首讀書而進者，臣亦以爲未必然也。臣謹按洪武三年開科，十七年始頒科舉定制，猶在或行或罷。祖宗之意，未嘗以換授官職與科目出身並著。當是時也，親、郡王、將軍纔四十九位，高皇帝親歷民間，果見有懷才抱德如葉琛、章溢之流，慮有遺逸，異日子孫千億，亦宜有以致詳乎此也，而非必謂已經開科，復有換授之，如此其多途也。故當時任用，則燕、晉、代、遼、寧、谷六王勒兵備虜，兄之子文正然且不效，況今時勢視高皇帝爲何如，換授之議，臣期期知其不可矣。乃至齊、黄諸臣冒鼂錯之禍，我成祖非不心高皇帝之心，而時異勢殊也。嘗駐蹕東平州，謂侍臣曰：漢東平王蒼開國於此，其對明帝曰：爲善最樂。當時諸王泯没，惟蒼有賢名。至今朕嘗以此勵諸王，卿等勿忘斯語。列聖纘承，因是而飭越關奏擾之禁，因是而嚴王親任京官之條目。列聖非不心高皇帝之心，亦時異勢殊也。不特此也，國初親王有每年朝覲之禮，凡遣使至朝廷，不須經繇各衙門，直詣御前，且有守鎮兵，有護衛兵，而又許歲時出城演練者，此大都開創之體制則然；謂換授爲祖訓，將議而行之，如前數者，獨非祖訓乎，亦將議而行之，否也。而臣固有以知其不可矣。高皇帝之時，親王之禄五萬石，緞、絹、鹽、菜之用亦復萬計。不數年，而止給禄米，不給雜用。又不數年，而減爲萬石，又不能給，而代、慶、遼、肅、寧、谷諸王，且歲給五百石。高皇帝令自己出，而前後已如此。夫禄與爵一也，乃禄猶可視物力爲盈虚，爵則名器所繫，一假不可復收。吴王几杖之賜，叔段京鄙之求，又將何所限量乎？當虜入河套，而襄陵王冲秋願率子孫及婿與總兵官從征請也，憲宗皇帝復書曰：朕已命將出師征討矣，玆得王奏，見忠愛之誠，憂時之意。但宗室子孫，名分尊崇，難與總兵官從事。自祖宗以來，藩邦無從兵共討之例。夫從兵共討，與勤兵備虜，幾希矣，而先朝致謹於此。今宗室中忠愛憂時如襄陵者不乏也，而其才能又以文武舉也，假設以此來奏，陛下又何以復之乎？抑亦概許之？否也。而臣固有以知其不可矣。親王之耳目，未免寄之長史。今也，長史考察，不屬之該撫按，而屬之親王。親王以爲賢，長史不得而異同也。長史不得異同，而該撫按又孰從而核實乎？故親王以爲賢，核實賢，則可；如或不然，巡方之參差，多有不便者矣。核實以爲賢，考驗賢，則可；如或不然，館驛之伴送，多有不便者矣。考驗以爲賢，至授職任用也，始終皆賢，則可；如或不然，參劾之瞻顧，考功之連坐，多有不便者矣。而臣已知其不可矣。在外之八省有王府也，在京而六部風憲衙門之多有關於王府也。進士、舉人三年一試，貢士一年一試，將來銓法推陞已不知，何如其衡量矣。文武才能之目，是未可以數計者也。既皇皇而招之，將源源而來，懸人以待缺乎？懸缺以待人乎？抑權宜以處之也？而臣又以知其不可矣。蓋公家之事，總爲公家計萬全，非徒取銷繳於一時也。臣觀大凡見有所未明，學有所不及，有未必然而不碍於行者，則寧姑從而申之，有非甚利於行而猶冀其然者，則無遽難以阻之。今也，有一於是乎？貴臣之議，其何以議之？臣部諸務，經理宗藩是其大端，故有善必揚，有請卽覆者，職掌之宜也。雖臣之愚，視篆三月，名封婚婿，惟恐後時；旌獎卹諡，惟恐缺典；條議恩詔，恤貧矜罪，惟恐不盡。而獨爲此換授一事，私憂過計，反復囁嚅以告同官，欲以入告者屢矣。又恐萬有一分涉離間之嫌，斧鑽不足贖罪。然臣參侍講筵，仰窺睿聽，雖至迂疎無當之論，偶涉忌嫌，尚且傾注不懈。矧茲事件，斟酌遠大，實非輕易，故寧冒昧竭其狂瞽，毋寧晝諾以旁觀，模棱於兩可，欺此心以欺陛下，異日將謂臣在事之久，有所知而不言，言而不盡，猶斧鑽不足贖罪也。臣鄉之先達輔臣梁儲，當武宗皇帝威嚴、同列引避之時代，草秦王牧地一詔，竟以回天而事遂寢。臣每歎息。當日感格之奇，轉成下濟光明之美，況今遇神聖之主乎。事卽少異，所以防微杜漸之意則一。伏惟陛下俯賜採納，允罷前議，藩規銓政所全良多，國家磐石之重於焉永安，祖孫繼述之隆亦爲盡善，臣愚幸甚。如或微誠不足以孚鑒謭識，無當於遠猷，則請勅下五府、大小九卿、翰林、科道等官，各抒共議，以憑裁斷。或俟保舉知府、州、縣之法行之有效，然後推倣其意，以保舉宗才，亦未爲晚。敷衍冗長，有踰限式，更望聖慈寬宥，臣不勝悚切祈懇之至。

僧道

宗伯倪岳疏：該都御史馬文升奏：我朝定制，每府僧道各不過四十名，每州各不過三十名，每縣各不過二十名，今天下一百四十七府，二百七十七州，一千一百四十五縣，共該額設三萬七千九十名。成化十二年，度僧一十萬。成化二十年，度僧二十餘萬。以前各年所度僧道，不下二十萬。共該五十餘萬。以一僧一道一年食米六石論之，共該米三百六十餘萬，可勾京中一年歲用之數。況有不耕而食，不蠶而衣，且又不當本等差役，可謂食之衆而爲之不舒矣。其軍民壯丁私自披剃而隱於寺觀者，不知其幾何。民食不足，府藏之空，職此之由。若不通查僧道之數，以示再度之禁，則遊食之徒何有紀極。伏乞勅下禮部，通查天下並在京寺觀共若干處，僧道共若干名，如果數多，既已關有度牒，難以追奪，明白具奏，不許額外再度僧道。直至額數不足之時，方許各該有司具結，照數起送，關給度牒。敢有無故再言度僧者，許六科十三道官糾劾拏問，等因。前件，本部查得永樂十三年十一月二十七日，節該欽奉太宗皇帝聖旨：今後爲僧道的，府不過數十名，州不過三十名，縣不過二十名，額外不許濫收。續於天順二年五月十五日，節該欽奉英宗皇帝聖旨：今後有願爲僧者，務從有司取勘户内三丁以上，年十五以下，方許出家。如額外有缺，許照正統十四年榜例，保送赴部，考通經典，然後給與度牒。仍定與則例，每十年一次開度，許照缺依期來關。敢有故違，悉發邊衞充軍。又查得成化二年給度過僧道一十三萬二千二百餘名，成化十二年一萬三千三百餘名，成化二十二年二十二萬四千五百餘名。爲因十年一度，兼且各處納銀賑濟等項，多有不查額數，不由有司保送，一概請給，以此額外增添，數將十倍。是以軍民之籍日削，異端之徒日盛，侵奪民食，耗費民財，其爲治道之蠹，莫此爲甚，誠有如都御史馬文升所言者。合無准其所奏，行移兩京僧道録司，并各布政司、直隸府、州、縣，各邊衞有寺觀去處，通查給度過僧道共若干，備造文册，送部存照。以後各年有爲事病故等項追繳度牒者，照名開除，仍將十年一度之例請乞停止。待後各處額數不足之日，方許所在官司照依額内名缺，起送赴部考中，給與度牒。再不許内外衙門指以救荒納粟爲由，奏請給度。庶得不致虧損國體，僧道官亦不敢貪圖僥倖。敢有故違，許科道官糾劾拏問。等因，具題。節該奉聖旨：准册少見繳到，誠恐無知小人止以十年一度爲期，不知已有前項禁例，以致各處僧道行童互相煽誘，輒便預先來京潛住各寺宫觀，設禮僧道官住持，以圖至期可以貪緣請給，一時不免蠶食京師。將來米價日漸湧貴，未必不由於此。查得成化十二年，節有奏准預期出榜禁約，僧道不許來京騷擾事例，理合早爲照例查處，案呈到部。看得天下各處地方災傷數多，民不聊生，盗賊竊發，刼財殺人，在在有之。中間解到賊徒，多有僧人在内，皆因先年給度泛濫所致。及查先該錦衣衛指揮朱驥等奏稱：奉勅巡捕盗賊，今爲盗之人多係各處無藉（籍）僧徒，晝在沿街乞食，夜則相聚刼掠，得贓卽分各行遠遁，雖有巡捕人員，無從追捕等因。奉（奏）行都察院出榜禁約，此爲明驗。况天下僧道額數不過三萬有餘，而成化年間所度已該三十五萬有餘，此非天地別生一種之人，不過出於軍、民、匠籍之家。卽今天下軍衛有司工役衙門，軍多缺伍，匠多缺役，里甲籍册日見凋耗，皆由此等之徒躲重投輕，捨此入彼。若不早爲限量，將恐天下之人皆流而爲僧道之歸，其爲貽患不可勝言。合無本部查照先次奏准事理，及累朝奉有欽依事例，通行天下司、府、州、縣掌印官，督屬查勘原先給度過僧道數目，見在若干，事故等項若干，比於欽定額數有無多少，務照先次奏准事理造册繳報。除額數尚多去處外，果有額數不足去處，許待豐年有收之日，徑自具奏本部，查照成化十二年奏准給度事例，另行奏請定奪施行。仍要通行禁約，各處寺觀僧道行童不許指以請給爲由，預先來京攪擾。各該關津把截去處，嚴加盤詰阻當，仍行錦衣衛、五城巡視監察御史嚴督各兵馬司、僧道録司逐一挨查各處寺觀，不許容留在外僧道行童在内潛住，取具住持人員，不致扶同容隱，結狀繳報。違者坐贓問罪。無度牒之人，發回原籍當差。京城内外官員軍民之家，亦不妄行奏擾者，仍聽科道官指實，參劾問罪。

許容留僧俗混雜，有壞風俗。事發，一體究治。其有内外衙門及僧道人員或假救荒等項爲由，

淨身男子

宗伯沈鯉疏：稽古内官之設，載之周禮，曰内小臣，曰閽人，曰侍（寺）人，曰内豎，雖其職掌不過守王宫中門之禁，掌女宫之戒令，與内外之通令，然必求正人居之，如巷伯之倫是已。降及秦、漢而下，乃以罪人充之。我朝法制高出前代，伏覩大明律一欵，凡官民之家，不得乞養他人之子閹割火者，違者杖一百，流三千里；又條例一欵，先年浄身男子曾經發回，若不候朝廷收取，官司明文起送，私自來京，圖謀進用者，問發邊衛充軍。臣等仰窺祖宗盛心，卽古除肉刑之意，所以重絶人道，預抑姦慝也。至弘治五年，節奉孝宗皇帝聖旨：今後敢有私浄身的，本身並下手之人處斬，全家發邊遠充軍，兩隣及歇家不舉首的問罪；其里老人等仍要時常訪察，但有此等之徒，卽便捉拏送官，如或容隱，一體治罪不饒。欽此。但私浄之禁雖嚴，而報官之路未開，故自宫者旋卽如舊。至萬曆十一年，節奉聖旨：自宫禁例載在會典，皇祖明旨甚嚴，乃無知小民往往犯禁私割，致傷和氣，著都察院便行五城御史及通行各省直撫，按衙門嚴加禁約，自今五年以後，民間有四五子以上，願以一子報官閹割者聽，有司造册送部，候收補之日選用。如有私割的，照例重治；鄰佑不舉的，一併治罪不饒。欽此。但報官之路雖開，起送之例未定，故自來者紛然不已，猶有曾萬壽等輩也。夫以孝皇之明例，皇上之嚴旨，奚啻三

令五申，乃十（三）數年來，有司有造一册送部者乎？有拏一私割照例懲治者乎？法令不行，德澤不布，又何怪此輩之羣聚奏擾乎。伏望勅下臣部嚴行各省直撫按官行令，各州縣以文到之日爲始，以前見在閹割者許令報名到官，查係三十歲以下精壯可用者姑免追究，准其記籍；其衰老不堪者，行令各里族拘收。以後凡情願閹割者，報官查明，果四五子以上，方與記籍，通前類造清册，限半年一次送部，候各監局缺人，聽司禮監奏請，本部通行在外各該衙門查係在册人數，取其官吏里鄰不扶甘結，起送赴部，聽候選用；其册籍無名，及儇巧凶惡潑賴無恥者，不許一概濫送。如有仍前私自閹割，私自來京者，在外撫按有司，在内五城御史，嚴加訪拏，照例問以重罪。如撫按等官不行訪拏，及有司不行造册，違例起送者，聽本部查參，請旨究治。務在必行，無事姑息，庶黎庶免傷殘之苦，而慈惠旁流；宦寺皆端正之人，而隙竇永塞，仁至義盡，萬世無弊矣。再照死者，人之所最重也，今自宫之徒加以死刑而不懼者，内臣之員數太多，富貴太驟，選進太頻，有以惑其心耳。我太祖高皇帝深鑒前代之失，祖訓條章，内府各監局内官俱有定員，各有職掌，一監常職止五員，一局正副止二員，官不過四品，所掌不過洒掃供奉之事。洪武、永樂間，未嘗額外濫設；其太監等官，非歷練老成，雖有聰明才俊，亦不輕授。近年以來，則有不然矣，皇城之内，通名籍者不止萬有餘人；而倉廠場庫，牟利無算，蟒衣、玉帶，濫賞不惜，又不三五年，輒有一選，選輒數千，以故無知小民，貪圖富貴，入骨薰心，奈何欲以死刑禁之乎？臣等更望皇上恪遵祖制，凡監局冗員，非祖宗之舊者，悉爲裁革；一切侵漁科索等弊，悉爲釐正；蟒玉等服，非効勞年久、忠勤不欺者勿輕賜予，仍著爲定例，必十年以外，方行收選一次，務使宮府一體，賞罰有章，規制既定，僥倖不萌，前項無知之徒，將不禁自息，不終爲聖化之累矣。

春明夢餘録卷之四十

禮部二

正士習

宗伯馮琦疏：頃者，皇上納都給事中張問達之言，正李贄惑世誣民之罪，盡焚其所著書，其于崇正闢邪，甚盛舉也。臣竊惟春秋大一統，統者，統于一也。統于聖真，則百家諸子無敢抗焉；統于王制，則卿大夫士庶無敢異焉。國家以經術取士，自五經、四書、性鑑、正史而外，不列于學宫，不用以課士。而經書傳註，又以宋儒所訂者爲準。蓋卽古人罷黜百家，獨遵孔氏之旨，此所謂聖真，此所謂王制也。自人文向盛，士習寖漓，始而厭薄平常，稍趨纖靡；纖靡不已，漸騖新奇；新奇不已，漸趨詭僻。始猶附諸子以立幟，今且尊二氏以操戈，背棄孔孟，非毁程朱，惟南華、西竺之語是宗是競。以實爲空，以空爲實，以名教爲桎梏，以紀綱爲贅疣，以放言恣論爲神奇，以蕩棄行檢、掃滅是非廉恥爲廣大。取佛經言心、言性略相近者竄入於聖言，取聖言有空字無字者强同於禪教，嗟乎，聖經如此解乎？士子制義，以聖人口氣傳聖人之神耳，聖人之世，曾有此語意否乎？夫學宮所列至詳，童而習之，白首未必能窮，世間寧有經史不能讀，而於經史之外博極羣書之理。棄本業之精髓，拾異教之殘膏，譬如以中華之音，雜魋結之語。語道既爲踳駁，論文又不成章。世道潰于狂瀾，經學幾爲榛莽。部科交列其弊，明旨申飭再三，而竟未能廓然一大變。其習者，何也？解書或用註疏，或不用註疏，則趨向不一也；掄文或正體而取平典，或憐才而收奇俊，則鑒裁不一也；同是違制，而或參，或不參，則法令不一也；同是被參，而或以爲當處，或以爲可以無處，則議論不一也。士有不一之趨向，取士乃有不一之鑒裁，而又以不一之議論，行不一之法令。政體且有二三，士習何由歸一？卽如燒毀異説，去年奉有明旨，督學而下，何曾禁止一處，燒毀一書。等經學于弁髦，得詔書而掛壁。如此，卽朝廷之上三令五申，亦復何益？臣請一取裁于聖人之言，與天子之制，而定爲畫一之法。士子授受，當先明經術，講書行文，以遵守宋儒傳註爲主；二三場以淹貫性鑑、正史爲主。其有決裂聖言，背違王制，一切坊間新説，皆令地方官雜燒之。各該提學官員仍具文報部，要見黜過險詖邪妄之士幾人，焚過離經叛道之書幾部。兩京各省鄉試録，及中式墨卷，亦以聖言、王制爲準。違聖言則參，不違則否；背王制則參，不背則否。官司評隲，送科覆閱，各以虛心平心，從公從實，互相參較；不得遠近異法，輕重異處，致有後言。伏乞天語叮嚀，敕下部院，斷在必行。行之三年，而士習不歸雅，則臣等與天下督學官員均受其咎。乃臣等猶有説焉，自古世道升降之會，往往以士大夫好尚爲徵。世之治也，高明之士盡以其才識用之脩政立事，主于爲國，其議論必典實平確，而天下靡然從之；世之衰也，盡以其才識用之談玄課虛，主于自爲，其議論必奇僻空曠，而天下亦靡然從之。自古有僊、佛之世，聖學必不明，世運必不盛。卽能真詣其極，亦與國家無益。何況襲咳唾之餘，以自蓋其名利之跡者乎？夫道術之名久矣，自西晉以來，於吾道之内自分兩岐，又其後則取釋氏之精藴而陰附于吾道之内，又其後則尊釋氏之名法而顯出于吾道之外。非聖主執中建極，揭皎日于中天，士大夫一德同風，挽頹波于砥柱，悠悠世道，臣等未知所届也。得旨：祖宗維世立教，尊尚孔子，明經取士，表章宋儒。近來學者，不但非毁宋儒，漸至詆譏孔子，掃滅是非，蕩棄行檢，復安得忠孝節義之士爲朝廷用。祇緣主司誤以憐才爲心，曲收好奇新進，以致如此。新進未成之才，只宜裁正待舉，豈得輒加取録，以誤天下。覽卿等奏，深于世教有裨。還，開列條款來，務期必行。僊、佛原是異類，宜在山林獨脩，有等好尚的，任解官自便去，勿與儒術並進，以混人心。

行人高攀龍疏：臣惟自古治天下者，未有不以教化爲先務。而教化之汙隆，則學術之邪正爲之。是以聖帝明王，必務表章正學，使天下曉然知所趨，截然有所守，而後上無異教，下無異習，道德一，風俗同，賢才出，而治化昌矣。臣見四川僉事張世則一本，大略自謂讀大學古本而有悟，知程、朱誤人之甚。謂朱熹之學專務尚博，不能誠意，成宋一代之風俗，議論多而成功少，天下卒于委靡而不振。于是以所著大學初義上獻，欲施行天下，一改章句之舊。臣惟自昔儒者説經，不能無異同，而是非不容有乖謬，是非謬，則萬事謬矣。以程、朱大賢，謂其學不能誠意，謂其教曰誤人之甚，是耶？非耶？議之于私家，猶爲一人偏詖，而于聖賢無損；嗚之于大廷，則遂足以亂天下之觀聽，而於世教有害。臣有不容己于言者矣。夫自孟子没，而孔子之學無傳，千有四百年而始有宋儒周惇頤、程顥、程頤、張載、朱熹得其正傳，而絶學復續，學者始知所從入之途，其功罔極矣。然是五賢者，生于宋，而宋不能用其學之萬一，前則章惇、蔡京之徒斥之爲姦黨，後則韓侂胄之徒斥之爲僞學，貶逐禁錮，以迄于亡。恭惟我太祖天縱神聖，作民君師，首立太學，拜許存仁爲祭酒以司教化。存仁爲先儒許謙之孫，謙承朱熹正學。而存仁承上命以爲教，一宗朱氏之學，令學者非五經四書不讀，非濂、洛、關、閩之學不講，而天下翕然向風矣。我成祖益章而大之，命儒臣輯五經四書大全，傳註一以濂、洛、關、閩爲主。自漢儒以下，取其同而删其異，别以諸儒之書，類爲性理全書，同頒布天下。永樂二年，饒州儒士朱友季詣闕獻所著書，專詆毁周、程、張、朱之學。上覽而怒曰：此儒之賊也。特遣行人押友季還饒州，令有司聲罪杖遣，悉焚其所著書，曰：毋誤後人。于是邪説屏息，吾道中天矣。迨今二百餘年以來，庠序所教，制科所取，一稟于是，真儒如薛瑄、胡居仁、吴與弼、陳真晟、曹端、羅倫、莊杲、章懋、張元禎、陳茂烈、蔡清、陳獻章、王守仁諸人，彬彬盛矣。至一代之風俗，上有紀綱，下重名節。當變故之秋，率多仗義死節之士；值權姦之際，不乏敢言直諫之臣。賢士大夫之公評，士庶之清議，是非井然；有不當于人心，羣起而議。其後至于今，上下相維，非祖宗教育之明驗與。不意今日乃有如世則肆然欲變祖宗表章之至意，率天下而盡背之也。夫程、朱之學，其始終條理之全，下學上達之妙，固未易言語形容，然其大要則不出涵養須用敬，進學在致知二語，此非程、朱之教也，孔子之教也，故窮理卽博文之謂也，居敬卽約禮之謂也；非孔子之教也，堯舜之教也，故博文卽惟精之謂也，約禮卽惟一之謂也。二者合一並進，而主敬爲本。故理日明瑩，則心日静虚動直，而初非溺于詞章；心益定静，則理益資深逢源，而初不流于空寂，此聖學所以允執其中也。至大學一書，程子所揭爲初學入德之門；而章句之作，則朱子所爲一生竭盡精力之筆。後人學未造其域，豈容輕議。況古書皆有簡錯，古本安可盡信。世則之言，誠意是矣，豈諸儒獨不教人誠意乎？誠者，聖人之本，學之所以成始成終。功先格致，正所以誠正也。意有不誠，心有不正，卽非所以爲格致也。若夫溺于記誦，徇外忘本，此俗學所以爲陋，豈大學格致之教哉！夫孔子之道，至程、朱而闡明殆盡。學孔子而必由程、朱，正如入室而必由户。善學者默而識之，心逸日休。況今天下不患無論説，而患無躬行，就聖賢已明之道，誠心而力行，則事半而功倍矣，何必嘵嘵焉必務自私用智，欲伸其一己之説爲也。世則又以宋之不振歸咎于諸儒之學，噫，是何言也！人主不能用其道，雖以孔子之聖，生于魯，而不能救魯之衰微，何疑于諸儒宋之亡也。由前而言，則壞于新法；由後而言，則壞于和議。今不咎王安石、吕惠卿、蔡京、章惇、黄潛善、汪伯彦、秦檜、韓侂胄之徒，而咎諸儒之學，何心哉？夫所謂議論多而成功少者，非言者之罪，而用言者之罪也。自古芻蕘獻説，工瞽陳規，其議論不至多，然而上之人善于用，中則片言可折，而盈廷可廢。天下見事功之寔，而不見議論之虚。上之人漫無可否，則人持所見，而邪正雜陳，徒滋耳目之煩，無補經綸之寔耳。豈以人人緘默而後爲盛世乎？世則又謂本朝持衡國是者無決斷之勇，分猷庶職者有模棱之風，庠序無真才實學之士，朝廷鮮寔心任事之臣。此信有之，正不學之故也，奈何反以咎程、朱之學也？抑臣有深憂焉，自世廟以前，雖有訓詁詞章之習，而天下多寔學；自穆廟以來，率多玲瓏虛幻之談，而獘不知所終。笑宋儒之拙，而規矩繩墨脱落無存，以頓悟爲工，而巧變圓融，不可方物。故今高明之士，半已爲佛、老之徒，然猶知儒之爲尊，必藉假儒文釋援。釋入儒者，內有秉彝之良，外有惟皇之制也。而其隱衷真志，則皆借孔孟爲文飾，與程、朱爲讎敵矣。故今日對病之藥，正在扶植程、朱之學，深嚴二氏之防，而後孔、孟之學明。使世則之言一昌，天下之棄其讎敵也，不啻芻狗焉。陛下皇建有極，端本化人，身體孔、孟之微言，首崇程、朱之正學，必親經書以窮理，必收放心以居敬，朝乾夕惕，省察克治，體二祖之意，振正學于陵夷廢墜之餘，明詔中外，非四書、五經不讀，而不得浸淫于佛、老之説；非濂、洛、關、閩之學不講，而不得淆亂以新奇之談。學無分門，士無異習，人心貞一，教化大同，如是而人才不出，政治不隆者，從古以來未之有也。

貢　舉

朱文公熹于光宗時著升貢議。曰：古學校選舉之法始于鄉黨，而達于國都，教之以德行、道藝，而興其賢者、能者。蓋居之者無異處，官之者無異路，取之者無異術，故士有定志而無外慕，蚤夜孜孜，惟懼乎德業之不脩，夫子所謂：言寡尤，行寡悔，而禄在其中；孟子所謂：脩天爵而人爵從之者也。今學校所教，既不本于德行，而所謂藝者，又皆無用之空言。其又弊，則所謂空言者，又皆怪妄無稽，而適以敗壞學者之心術。治經者不復讀經之本文與先儒之傳註，但取近年科舉中選之文，諷誦摹倣，轉相祖述。以治經爲經學之賊，以作文爲文字之妖也。是以人才日衰，風俗日下。朝廷郡國有一疑事嘗試，則公卿、大夫、官人、百吏相顧眙愕而不知所從，亦可以知其爲教之得失矣。議者不原本其所自尚，猶以程試文字之不工爲大患，豈不謬哉！古大學之教，先于致知、格物，而考較之法，又以九年知類通達，强立不反爲大成。蓋天下之理，皆學者所當知。而理之載于經者，固各有官，而不苟相混也。況今樂亡禮缺，二戴所記已非正經，而治經者又類舍其所難，而趨其所易，僅窺其一，而不及其餘，於天下之事，宜有不能盡通其理者矣。若諸子之學，同出於聖人，各有所長，而不能無所短，其長者固不可以不學，而所短者亦豈可不精擇爲趨舍哉。至于諸史，該古今興亡治亂得失之變，而禮樂制度，天文、地理、刑法、兵制之屬在焉，皆當世所須而不可闕者。一旦欲盡通其理，勢固有所不能。惟合所當讀之書，分年而課試之，使天下之士，各以三年而通其三四之一，則亦宜若無甚難者。今欲諸經各立家法，主注疏，而討論諸儒先之説附焉。以易、詩、書爲一科，子、午年試之；周禮、儀禮及二戴禮爲一科，卯年試之；春秋三傳爲一科，酉年試之，皆兼大學、中庸、論語、孟子；論則分諸子爲四科，分年附焉；策主諸史，時務傅焉，將士無不通之經，無不習之史，德成材達，而可爲當世之用。若學校之師，必遵仁宗之制，選士之實有道德可爲師表者爲學官，而久其任，使講明道術。而裁減解額舍選謬濫之恩，獨使爲之師者考察其德行之實以聞，而命之官，則大學之教不虛，而懷利干禄之流自無所爲而至矣。文公此語，可爲百世法。

崇禎六年癸酉二月初三日諭。祖制設科取士，專爲致治求賢。近來士習日偷，舉貢失常，真才鮮少，理道不張，由督學、教諭、訓導各官董率乖方，培養無術，盡失舊制初意，以致朝廷不獲收用人之效。朕思士子讀書進身，乃人才根原，必宜首重德行，幼學壯行。如生平果係孝悌廉讓，自然做官時不貪不欺，盡忠竭節，何必專工文藝。據會典及提學敕書，内敦尚行誼，以勵頽俗，不專論文優劣，開載甚明，近來通不遵行。至小學諸書，乃州、縣各有社學，原欲養蒙育德，敷教儲才，近來全不講論興舉。其士子自童時入塾，以迨應試登科，只以富貴温飽爲志，竟不知立身修行、忠君愛國之大道。如此教化不行，士風、吏治安得不日趨卑下。朕惟祖宗朝求才用賢，原不盡拘科目；至考試文義，正欲因言徵人，亦非專尚浮詞，務華遺寔。今欲祇遵祖制，起敝還醇，童生必先入學，遇試先查德行。自儒童以及鄉會，須有寔蹟，方許入場。異日敗行，考官挨論。又教官爲士子師長，化導最親，舊制甚重，近皆以衰庸充數，教術全廢，此尤士風不正之源。今設法興起，着吏、禮二部同都察院及該科詳議，明確其奏。至海内之大，豈無潛修碩德、純孝鴻才、清志剛方、實堪大用者？更宜特拔一二，以示風勸。至于科道，不必專出，考選館員，應令先歷推知，并着酌議來行。

宗伯黄汝良疏：竊惟臣等頃所條奏文體欵項，不過科場之防維，時文之針砭耳。兹恭捧綸音，臣等闡繹再四，仰見我皇上端本澄源，至意洞晰古今，有非臣等愚陋所及，敢一對揚而敷陳之。按周官以鄉三物教萬民，而賓興之。先六德，曰智、仁、聖、義、中、和；次六行，曰孝、友、睦、婣、任、恤；次乃及六藝，曰禮、樂、射、御、書、數。可見德行在六藝之先也。

孔門以四科程及門高弟（第），首曰德行，次乃及言語、政事、文學，可見德行居四科之首也。比及漢、唐、宋，以制策、詩賦、經義取士，雖寖非古初，然而賢良方正、經明行修之舉，未嘗不相輔而行。我國家因時變通，設科試士，程以制義，分爲三場。然高皇帝時首重德行，意尤拳切，如大誥有頒明倫，有堂禮賢，有館孝廉，有舉天理行事，有敕學宮，有卧碑、鄉約，有聖訓褒節義之福壽，黜失節之危素，至處士有行誼如陶安、王禕、章溢、陳遇等時加徵辟。列聖相承，率循斯軌，所以三百年來士貴名節，人重清修；即應試之文，多醇正典雅，無非道德所發揮，卽文章亦德行也。乃邇來習尚陵夷，風俗靡敝，行誼既乖，文章亦舛，禮、義、廉、恥，俱嗤爲贅談，背公營私，相沿爲故事。攘官則不勝其衆，任事則鮮有其人，甚至以紳佩而祝闒衕，以衣冠而降盗賊，世道人心，敗壞至此，極矣。宜聖心穆然有德行之思也。竊謂取士固宜先德行，而尤貴在豫養。方今士習久錮，驟挽爲難，則惟有豫養一法耳。董仲舒有言：不素養士，而欲求賢，譬猶不琢玉而求文采也。在易之蒙曰：山下出泉，蒙，君子以果行育德。伊訓列三風十愆，以儆有位，而總其要曰：具訓于蒙士。蓋豫養于蒙，則教易入而德成，以之脩身，則自可以果行育德；以之入仕，自可免三風十愆，所謂少成若天性，習慣成自然者也。古之教者，家有塾，黨有庠，州有序，國有學，順序漸進，無非先勗以六德、六行，而後及六藝。故曰：行有餘力，則以學文。今之教者自少至長，自長至壯，所學習者皆呫嗶文藝之事，所經營者皆富貴温飽之圖，一切登第爲官，竟不知德行爲何物，無怪其四維不張，而百事決裂也。合無敕下臣部，劄行各省直學臣，刊爲條教，頒下府、縣，塾師俱籍名于官，有能以孝經、小學教育童蒙，俾之入孝出悌，幾幾小子有造者，塾師榮以衣巾；其子弟敗類而不戒戢者，塾師有罰。教官有能以規矩準繩，表率子衿，俾之飭躬勵行，斌斌成人有德者，教官註以上考。其生童入試，須令州、縣教官各取保結無過犯，方准進場；有敗倫而失簡舉者，教官與州、縣官有罰。至于提學一官，尤爲宣上率下機要，必于文字外加意作興。其諸生，行誼著聞，文雖平，加以優等；素行薄劣，文雖工，黜革示懲。實能奉行敕書者，查覆紀録；如彰癉不明，勸懲無法，提學官有罰。乃若舉、貢、生、儒，及山林隱逸，有篤學不倦，秉誼由衷，砥礪潛脩，志行邁衆者，府、縣官核實申之督學，督學核實申之撫按，撫按核實上之朝廷，朝廷覈實而旌表加焉。其尤殊高等者，特加徵召，如洪武中陶安等、天順中吴與弼等故事。果稱得人，舉主紀録；否則舉主亦與其罰。至于廟堂廣勵有位，尤當以德行爲先。大抵進廉而黜貪，抑競而奬恬，貴名節，重清議，如孔門四科，即言語、政事、文學猶其後耳。如此，則父兄子弟所朂勵者無非德行之事，耳目見聞所榮羡者無非德行之人，士風庶可挽僞而還醇，世道庶可反邪而歸正，夙習可祛，而太平可幾矣。

弘治中，王鏊制科議：國家設科取士之法，其可謂正矣，密矣。先之經義，以觀窮理之學；次則論表，以觀其博古之學；終之策問，以觀其時務之學。士誠窮理也，博古也，識時務也，當復何求？然行之百五十年，宜得其人，超軼前代，卒未聞有如古之豪傑者出于其間，而文詞終有愧于古。雖人才高下係于時，然亦科目之制爲之也。夫科目之設，天下之士羣趨而奔向之，上意所向，風俗隨之，人才之高下，士風之醇漓，率由是出。三代取士之法，吾未暇論。唐、宋以來，科有明經，有進士。明經，即今經義之謂也；進士，則兼以詩賦。當時，二科並行，而進士得人爲盛，名臣、將相皆是焉出。則明經雖近正，而士之拙者則爲之，謂之學究；詩賦雖近于浮豔，而士之高明者多向之，謂之進士。詩賦雖浮豔，然必博觀泛取，出入經史、百家，蓋非詩賦之得人，而博古之爲益于治也。至宋王安石爲相，黜詩賦，崇經學，科場以經義論策取士，可謂一掃歷代之陋也。然士專一經，白首莫究，其餘經史，付之度外，謂非己事。其學誠專，其識日陋，其才日下，蓋不過當時明經一科耳。後安石言：初意驅學究爲進士，不意驅進士爲學究。蓋安石亦自悔之矣。今科場雖兼策論，而百年之間，主司所重，惟在經義；士子所習，亦惟經義，以爲經義既通，則策論可無俟乎習矣。近來，頗尚策論，而士習既成，亦難猝變。夫古之通經者，通其義焉耳。今也，割裂裝綴，穿鑿支離，以希合主司之求，窮年畢力，莫有底止；偶得科目，棄如弁髦，始欲從事于學，而精力竭矣，不能復有進矣。人才之不如古，其實由此也。然則進士之科，可無易乎？曰：科不俟易也。經義取士，其學正矣，其義精矣。所恨者，其途稍狹，不能盡天下之才耳。愚欲于進士之外，別立一科，如前代制科之類，必兼通諸經，博洽子、史、詞、賦，乃得預焉。有官無官，皆得應之，其甲授翰林，次科道，次部屬，而有官者則遞陞焉。如此，天下之士皆將舊志于學，雖有官者，亦翹翹然有興起之心，無復專經之陋矣。或曰：今士之一經俱不能精，如餘經何？曰：制科以待非常之士也。以科目收天下士，以制科收非常之才，如此，而後天下無遺才。故曰：科不俟易也。

謝鐸科舉議：周子曰：天下，勢而已矣。勢之至，雖聖人亦莫如之何。故由忠而質，由質而文。聖人非不知忠質之貴，及其至也，亦不得而不文。然文勝至于滅質，則本亡矣。于此而不有以迴幹之，通變之，以不失乎先王之意，奚可哉？蓋自先王之政廢，而民無恒產，則無恒心。無恒心，則毀譽之口不勝其愛惡之私，于是鄉舉里選之法不得不變而爲後世科舉之制，此勢也，非得已而爲之者也。善因其勢者，謂之隨時，于是而迴幹通變之，而先王之意存焉。是故，今科舉罷詩賦而先之經義，以觀其窮理之學，則其本立矣；次制、詔、論、判，而終之以策，以觀其經世之學，則其用見矣。窮理以立其本，經世以見諸用，是雖科舉之制，苟于此而盡焉。則古之所謂德行、道藝之教，要亦不出諸此，而其所以成人材，厚風俗，濟世務，而興太平也，亦豈有不及古之歎哉？然考其歸，則所謂窮理、所謂經世者，恒浮談冗説，修之無益于身心，措之無益于國家，甚者口夷齊而身蹻跖，名伊、周而跡斯、鞅，遂使科舉之學，悉爲無用之虚文，暨其得而棄之也。顧乃以吏爲師，以律爲治，視其昔之所習者，曾筌蹄芻狗之不若，噫！是豈朝廷立法之意使然哉？歐陽子曰：三代以上，治出于一，而禮、樂達于天下；三代而下，治出于二，而禮、樂徒然虚文。然則文與道離，而欲據一日之文，以盡收夫有道之士，不亦難矣乎？雖然，静言而庸違者有矣，未有不深于道而文能至焉者，此科舉立法之深意。而今之豪傑，亦未必不由之以出，是其所謂迴幹通變之機，以不失先王之意者乎？不然，一舉而紛更之，吾固未知所以善其後也。

禮科凌義渠正文體疏：皇上深軫生民害政之慮，功令日嚴，士人久沿譸張變幻之風，宿習難醒，必明開條款，著爲章程，如川行之有隄防，方足遏其横奔潰決之勢；如車驅之有軌範，方足正其詭遇獲禽之思，不則泛泛悠悠，卽懲創亦已後矣。謹擇其切要，列爲八條，以候申飭。一曰崇經。孔子删述六經，垂訓萬世，及門之徒，皆心通六藝。漢承秦火之餘，以明經取士，當時大儒若董仲舒、劉向、蕭望之輩，皆兼通數經。我國家雖分經取士，然未嘗不貴其博雅淹通也。蓋天地間名理畢具六經，不惟大事業出其中，節義、文章亦莫能外。今士人本經業多鹵莽，他經尤不寓目，朝夕誦讀，惟是坊肆濫刻，何嘗施用。若能大其精神研經，味道文采蘊籍，必有可觀。從今場中試卷，必全場能博涉經書，融會旨趣者，亟收之；其浮華不根，疎淺無味者，勿録也。二曰依註。傳註爲六經羽翼，當年大儒若二程、朱子、蔡元定、胡安國、陳澔輩，皆精心理解，提要鉤玄，闡前聖之窾奥，惠後學以梯航。聖祖頒之學宮，爲程士法式，諸士體其成言，自足發揮玅義。何乃明棄師説，踏空求奇，曏曲徑而背周行，忽型范而幾躍冶，悖違祖訓，侮棄前修，無怪一入仕途，輒多不軌不物。自今制義，必準傳註。其明爲背謬者，概勿收録。三曰切題。夫有題然後有制義。近日士人，全無體認，漫衍浮夸，掩卷讀之，不知何作。夫無儀的而妄射，雖中，絲毫不爲巧；無根底而敷華，卽炫衆目，總爲妖。服官不顧職業，營私不顧身名，此生心害政之左驗也。自今試卷，必須切題，闡發有全，不相蒙者，雖工弗録。四曰當體。書曰：詞尚體要。制義有體，猶身有五官，雖貴神俊，而位置不可顛越。近日士子藐視矩矱，恣意猖狂，則顛倒甚也。限字有格，而或汎濫浮淫，冗至千餘，則駢枝甚也。或題中虛字，不過助語，而牽纏不已，則支離甚也。又案牘俚言漫入聖賢精語，則猥鄙甚也。至割裂扳扯，恢張高大，非其文義，則荒唐甚矣。皆體要不存，踰閑蕩檢之先證也。自今取士，須準先輩法程，違者不得混收。五曰達詞。孔子曰：辭達而已矣。言貴達意也。易曰：風行水上，渙。天下至文，貴自然也。沈約亦云：文有三易，句易讀，字易解，使事易知。近日有一種不可解、不可讀文字，實多暗澁不通，而躭僻者喜之。試觀唐、虞、三代及漢、唐、宋諸大家曾有此否？卽殷盤、周誥，間近倔聱，説者猶謂出于伏生年老之訛，況其後新莽援之作大誥以欺世。夫新莽之心術不可學，新莽之文曷可學乎？自今爲文，惟取達意爲上，其晦澁不可方物者，必斥不録。六曰讀史。夫名理具六經而行，實載諸列史。苟能廣搜博覽，考古知今，則事變糾紛，自能洞觀其要。故武侯云：才，須學也。士人但知塾師窠塹，自甘蔽塞聰明。卽歷代史書，或難遍觀盡識，而通鑑綱目何可不寓目經心？從今試卷，須遍閱二三場，必其洞晰古今，博雅成章者，方准收録；若外錯虛浮者，縱首場可觀，必勿許録。七曰革僞。夫書有真僞，旨趣自別，有識者何難鑒裁。自經書列史外，諸子百家其可供文畜撮者儘多。近有一種僞書，淺俗猥庸，讀如嚼蠟，所載帝王、周、孔之言，不根經傳。無識之人，津津稱引之，凡以飾詐驚愚，誣民惑衆，其於真正莫大文章反蔑如也。棄周鼎而寶康瓠，擲隋珠而憐魚目，此詐僞得售之象，豈盛世所宜有乎？自今士子，不妨博極羣書，而竄竊謬僞者，必斥。八曰識務。語云：識時務者在乎俊傑。國家以文章取士，正欲於毛穎間覘其經濟。邇來士子全副精神祇寄初場，至於後場，不過臨時輳砌，一切世務，原無講究，主司鮮能留意。真才前場取中，始覓後場；前場偶落，後場卽有董、賈真才，何由物色。士之騖浮華而闇實用，則始進之路然也。自今取士，參酌後場，其有練習彝典，通曉時務，如天文、地理、兵、農、禮、樂、屯鹽、鼓鑄、律令、河渠之類，能舉大議而中機宜者，即前場不中，亦亟收之；若虛謬無當，前場可觀，亦弗録。夫文事必兼武備，斯時猶爲三年之艾。諸士中有能演習武書及百將傳，而能發揮中窾者，猶當急收之，遠而備中樞節鉞之選，近可資郡邑保障之材，在於遴擇者加之意云爾。

明初人才，率得之徵聘。洪武三年，行科舉。詔曰：自洪武三年爲始，特設科舉，以起懷才抱德之士，務在經明行修，博古通今，文質得中，名實相稱。蓋創制之初，原不拘拘以文義取天下士也。六年，罷科舉，令有司察舉，德行爲本，文藝次之，專用薦辟。至十七年，始定科舉制。

洪武三年定：初場止試本經義一道，限五百字以上；四書義一道，限三百字以上。第二場試禮樂論，限三百字以上；詔、誥、表、箋。第三場經、史，時務策一道，限一千字以上。三場後十日面試，騎觀其馳驟便捷，射觀其中數多寡，書觀其筆法端楷，律觀其講解詳説。殿試時務策一千字以上，最後。十七年改定：則初場增經義三，四書義二；次場去箋，而增五判；三場增策四篇；而面試廢矣。

洪武間定應試功令，四書義主朱子集註經義，易主程、朱傳義，書主蔡氏傳及古註疏，詩主朱子集傳，春秋主左氏、公羊、穀梁、胡氏、張洽傳，禮記主古註疏。後以其説不足以盡聖意，乃於永樂中纂四書五經大全，皆令主之。今學者不能博聞，平生未嘗閲大全，況註疏乎？乃每申嚴新説之禁，并出入于大全者皆以爲異説。近日士子愈不務實學，遂自傳註之外一無所知，習書者且不知有註疏；習禮者亦唯知有陳氏集傳，而不知古註疏；習春秋者墨守胡氏，涉獵左傳，之外公羊、穀梁且不閲，而張洽直不知爲何人矣。元人虞集曰：國家傳註各有所主者，將以一道德，同風俗，非欲使專門擅業如近代五經學究之固陋也。聖經深遠，非一人之見可盡，試藝之文，惟其高者取，不必先有主意。若先定主意，則求賢之心狹而差，自此始矣。

薛瑄天順元年會試録序：今皇上膺天命，光復寶祚，紀元之春，適當會試之期，天下士領薦書而至者蓋三千餘人。禮部左侍郎臣幹等以考試官請，上命臣瑄、臣原往蒞其事，同考官臣溥、臣賢、臣泰、臣正、臣佖、臣恂、臣世資、臣節、臣淳、臣鏞監試，御史臣烈、臣鑑暨百執事，罔不夙夜祇承。凡三試，得文之中程式者若干名，并擇其文之尤粹者彙成録。臣竊惟爲治莫先於得賢，養士必本於正學。而正學者，復其固有之性而已。性復，則明體適用，大而負經濟之任，細而釐百司之務，焉往而不得其當哉？故三代小大之學，養士之法，皆以復性爲本，其得賢致治之效蓋可考矣。漢唐以來，正學緒微，養士不本於復性，往往溺於雜學術數，記誦詞章之習，體有不明，用有不周，雖或有傑出之才，亦不過隨所學以就功名而已，其視三代之賢才何如哉？至宋，道學諸君子出，其論養士之法，始皆本於復性。雖其説不得盡行於當時，而實有待於盛世。洪惟天眷皇明，列聖相繼，大建學校，慎選師儒。其養士之法，必以三代、孔、孟、程、朱復性之説爲本，是以九十餘年，薄海内外，文教隆洽，士習粹然，一出於天理民彝之正，而雜學術數、記誦詞章之習剗刮消磨，無復前季之陋。雖曰科目以文章取士，然必根於義理，能發明性之體用者始預選列類，非詞章無本者之可擬也。故其得賢致治之效，足以追隆前古。今諸士子荷朝廷正學教養之恩，既以有本之文，得在選列，行見對於大廷，益當以明體適用自勵，隨所器使，以忠乎國，以愛乎民，以贊助皇明重熙累洽之治於無窮。俾正學得賢之效，有光於前，有垂於後，顧不偉歟。三百年試録，以此爲第一，而文清學問，備見於此。

恩例

恩詔各從其類，上慈闈徽號，則有封贈父母恩；立東宮，則有廕子入監恩；災異修省，則有蠲逋、減刑恩；登極，則大赦矣。立中宮，及東宮出閣，皆無恩例。若建大工，平大賊，誅大姦，亦有詔，皆以類行。惟蠲逋、減刑，每詔有之。

洪武至宣德六十八年間，登極，立東宮、中宮，及上慈闈尊號、徽號詔，皆無文武官封贈、廕子、試署實授恩例。英宗登極詔，始令署部都督僉事、都指揮、署都指揮僉事、指揮實授。景泰登極詔，始令在京文官及在外方面官一考無贓犯者，照洪熙、宣德年例與誥勅。景泰三年，立懷獻太子詔，始令署郎中、員外郎、主事、試中書實授；又與土木死事諸臣誥勅、封贈，廕子入監，不願入監者聽。天順復辟詔，始令内外文武署職、試職、因功陞授者與實授。天順八年，兩宮徽號詔，始封兩京文武七品以上官父母，署職、試職實授。成化二十三年，上慈闈尊號詔，兩京文武官七品至四品，先封三品以上，與誥命。泰陵登極詔，内外文官署職、試職實授；內外武官天順八年正月以前功陞試職、署職，遇例實授；該世襲者子孫仍襲；其未實授，及以後功陞試職、署職，實授。弘治五年，立東宮詔，文武官試職、署職年半以上者實授，不及年半者扣至實授。弘治十一年，清寧宮災詔，兩京文武署職、試職理刑者實授，歷任未及一考者與誥勅，其誥勅准給未領、因事降調，非貪淫酷刑者仍給與。弘治十八年，上兩宮尊號詔，文武官署職、試職實授；兩京七品以上文官未及一考與誥勅，父母已封者服色許與子同。世宗登極詔，正德十四年文武官員人等，因諫止巡遊，跪門責打，降級、改降爲民、充軍者，該部具奏，起取復職，酌量陞用；杖斃者，追贈，諭祭，仍廕子入監讀書；充軍故絶者，一體追贈，諭祭，復養親屬。嘉靖元年，尊號詔，兩京文武未一考者與誥勅；父母已封者服色許與子同；誥勅准給未領，因事降調，非貪淫酷刑者，仍給與。嘉靖九年，大報禮成詔，兩京文官未及一考，無過者給與誥勅。嘉靖十九（二）年，皇子生詔，始令兩京三品上文官例該廕子，未及一考者廕子入監；兩京文官未及一考者，在外七品以上，歷任三年無過者，與誥勅；文官五品以上，武官四品以上，署職、試職者，并試職御史，實授，仍與誥勅。十五年，立東宮（以皇子生）詔，兩京三品上文官廕子；兩京文官未及一考者，在外七品以上官，歷任三年無過者，與誥勅；兩京文武官署職、試職實授，仍與誥勅。十七年，郊廟大禮成詔，兩京文職，並在外五品以上，方面有司四品官，未及一考者，與誥勅；兩京文武官，并新舊武舉官，署職、試職實授，仍與誥敕。十八年，立東宮詔，兩京文武三品上官，與誥勅，廕子。二十四年，宗廟成詔，兩京文官未及一考者，與誥勅；署職、試職，仍與誥勅；願貤封者聽。崇禎登極詔，內、外、文、武俱給誥勅；新科進士許令授官，後卽給封典。

崇禎己卯三月，追崇孝純皇后尊諡爲皇太后，在乾清宮行禮，旋奉神位於孝先殿，有封贈恩典。然歷朝生母多先尊爲皇太后，後加尊諡爲孝某皇后，今先尊爲皇后，而改爲皇太后，以皇太后神主與光宗並列，非禮也。一時禮官將順圖恩典，竟無言之者。

諡法

洪武中諡法。皇后、太子皆二字，諸公、侯及夷王亦二字，親王一字，要皆太祖親定，明明以二字爲重矣。然略無差等，義所未安。太祖豈見不及此，亦知千秋萬歲後必有加增，姑留之待後人。而不私其子，曰荒，曰愍，誥文中皆有貶詞，慎重如此。雖有詔賜諡者，禮部行翰林院定擬請旨，亦立法當如此。自下而上，以示公論，亦未嘗分如何爲一，如何爲二也。永樂中，郡王始二字推之，羣臣大約以二爲常，以一爲特。説者謂親王隆重，如廟諡十六字，歸重只在末一字，以特爲尊。果爾，則以後太子何以又皆二字耶？總之，大聖人作法，後人仍之不敢改，畢竟以多爲貴，所謂一字王、二字王者，亦俗説也。

陸子淵深以貞愈於正，唐室諡文貞者魏徵，宋璟、楊綰庶幾焉，蘇瓌有餘愧矣。宋室諡文正者司馬光，范仲淹庶幾焉，王旦有餘譏矣，矧夏竦乎？卒無文貞，避廟諱也。明諡文貞惟楊士奇，文正則李東陽、謝遷也。諡忠文者李時勉，諡文忠者曹鼐、楊廷和、張孚敬、張居正。國制：一品，美惡兼諡；二品以下，賢者得諡。則易名之典在一品者最多，難更僕也。

謚法兼用美惡，洪武中魯王謚荒，伊王謚厲。後專用美謚。

文臣有謚，自建文朝王禕謚文節始。

詞臣得謚文，亦有不拘者，劉基、王守仁文成，張益文僖，馮京文簡，姚夔文敏，黃孔昭文毅，周忱、唐龍文襄，魏驥文靜，吳訥、楊廉、耿裕文恪，儲巏文懿，葉盛、邵寶、王鴻儒文莊，鄭賜文安，孫應鰲文恭，何喬新文肅，苗衷文康，李奎文通，劉宣文懿，蕭維禎文昭，儀智、何孟春文簡，王道文定，顧憲成文端。

詞臣不謚文者：曾棨、馬愉、孫賢、許彬襄敏，楊鼎莊敏，儀銘忠襄，盛端、明棨簡、王文毅愍，陳文莊靖，朱希周恭靖，許進襄毅。

四品以下官而得謚者：僉都御史楊信民恭惠，少詹事劉鉉文恭，祭酒宋訥文恪，李時勉文忠，陳敬宗文定，鄒守益文莊，太常寺少卿李奎文通，劉儼文介，俱四品。翰林學士朱善文簡，胡廣文穆，吕原文懿，侍讀學士張益文僖，兵部郎中楊繼盛忠愍，長史朱復忠定，張景明恭懿，俱五品。中允徐善述文肅，贊善王汝玉文靖，翰林待制王禕忠文，侍講劉球忠愍，修撰羅倫文毅，舒芬文節，贊善羅洪先文恭，俱六品。御史鍾同恭愍，七品。布政陳選恭愍，憲副毛吉忠襄，周憲節愍，馮傑恪愍，許逵忠節，知府岳正文肅，知縣鄧顒恭毅。

已謚而後改者：王禕文節，李時勉文毅，俱改忠文；張玉忠顯改忠武；孫忠襄靖改恭憲；朱永武襄改武毅；曹鼐文襄改文忠；于謙肅愍改忠肅；石瑤文隱改文介；張治文隱改文毅；殷士濬文通改文莊。已謚追奪者：張居正文忠，吳時來忠恪，李燧恭敏，盛端明榮簡。

王世貞謚法考序：每故事，大臣卒，禮部以謚請，報俞矣，則内閣以二字（者）三，請於上而自擇之，是以具釋義也。洪武之尚爲吳也，諸功臣死事有勞而夭者，皆榮公侯之爵而傳之謚，終高帝世，文臣弗得也；武臣都督弗贈，侯伯弗得也。至建文，而待制王禕得謚文節矣，文臣之有謚，自禕始也。其諸（謚）小臣者，亦自禕始。永樂之制嚴矣，終太宗世，文臣之得者，僅姚恭靖廣孝、胡文穆廣，而恭靖之爵則公也。文臣之有謚，僅文穆一人也。洪熙初，始大合故臣，凡勞於國，誼於清（青）宫，三品而上易名者十餘人，而後文臣之謚廣。然宣、英之代，猶斤斤焉，持其柄而弗輕予。且夫魯王愛子也，秦王次嫡子也，高帝命之曰荒、曰愍，而登之册，曰：不敢以子故而廢天下公，其於宗室諸子王尚有評也。文臣之有榮願也，則瑕弗掩也，文榮之有爵也，文愍之以事也，庶幾寓貶矣。婦人之有謚也，自后妃而外，則死節也。公主之有謚也，自仁宗之悼愛女始也。乳媪之有謚也，自宣宗始也。乳媪之夫之有謚也，亦自宣宗始也。方士之有謚也，自世宗始也。謚而四字，淫矣，而使方士得之，則益淫也。當世宗之季，吾又得二事焉。夏文愍之持秉，則同列皆中謚，及身以罪死，易世而後，牽復所得者中下謚也。繼而嚴氏之持秉，則其子爲市焉，非上所甚注懷者，必賄而後得，不賄不得也；即得之，不腆不上謚也。及身以罪竄削，弗謚也。夫謚者，人主之春秋也，尊則稱天以命之，不尊則與天下共隲之，而奈何爲大臣修怨賈利地也？然則如之何！其必略採唐、宋故事，遇大臣以謚請，有俞旨，則翰林之司纂者爲議而定二謚焉，以授禮科，科詳之，復議而上之閣臣，復衷而取上裁。

凡文臣二品而上，及勛親臣，公必謚，侯、伯之涖軍府，加保、傅，必謚，謚兼美惡；一品以下，自卿佐以迨庶僚，有德行、政術者亦有謚，謚則言官請之，禮部裁之，有美無惡可也。

禮部侍郎郭正域嚴謚典以重公評疏：臣惟議謚最難，而議謚於數十年之前尤難。蓋棺甫定，則輿論方新，而是非有據；墓木已拱，則口碑漸遠，而黑白常淆。故當日與謚易，今日補謚難。得謚，榮也；而補謚，尤榮中之榮，其法不得不主於嚴。當日不與謚易，今日奪謚難。不得謚，辱也；而奪謚，尤辱中之辱，其法不得不主於恕。今臺臣疏應議者七十餘人，科臣疏應補者十五人，臣等參詳各衙門之評品，而符以故老之傳聞，證以累朝之實録，就不肖之中而汰其甚，必大犯清議，有罪可指，無功可贖，而後議奪；就賢者之中而拔其尤，必卓有完名，其心表表，其行錚錚，而後議補。凡應奪者四人：爲許論、黄光昇、吕本、范謙；溢美應改者一人，爲陳瓚；應補者未經題謚則五人，爲伍文定、吴悌、魯穆、楊繼宗、鄒智；已題未給則二人，爲楊源、陳有年。此外，若徐階媚事嚴嵩，人議其諂，田連阡陌，人議其富，而乘時樹立，能收鼎革之人心；胡宗憲結嚴世蕃，而廣貨賄，人議其邪，阿趙文華而傾督撫，人議其險，而計獲渠魁，則除東南之禍本；張瀚俛仰時宰，人議其庸，而未（末）路庶乎知止；余有丁繩矩或踰，人議其蕩，而此中亦無他腸；陸光祖機權時出，人議其姦，而宦蹟目多磊落。以上諸臣，列之當奪當改之科，似太苛刻，臣未敢輕議也。若毛伯温諭服安南，兵不血刃，而或謂其功非己出；張元禎潛心理學，抗疏經幃，而或謂其早不見幾；郭希顔攘臂逆鱗，橫被大戮，而或謂其考察罷官，建言可已；劉臺抗節敢言，殺身遐壤，而或謂其邊功被詰，先發制人。以上諸臣，列之當謚當補之科，似少精覈，臣等未敢輕許也。又如孟秋之孤介，張元忭之恬退，李遷、陳格之清修，事蹟未能臚列，而衆議間有異同，所當留之，以俟異日論定者也。至於臺臣、科臣二疏所未及，本部原册姓名所未載，尚多偉人應謚而未得，亦有匪人不應謚而倖得者，在原議之外，又當從容採擇公論上聞，以補遺漏者也。夫自刑賞之窮而有謚，故謚重。自謚之窮，而有奪謚、補謚，故今日之議尤重。臣等上矢天日，下矢方寸，以看議之職掌，從類奏之公評，期于予者、奪者、改者、補者各無憾於九原之下而已。若夫，予奪相形，忮怨叢集，業已甘心任之，不敢避也。

崇禎十五年，禮部覆科臣張國維議疏：察得原疏請謚，舊例五年一舉，當時已缺至十二年，而今又遲十年矣。自古帝王治天下，惟有賞功罰罪，而謚則賞罰之尤大者也。近日名教不靈，廉恥道喪，不知忠、孝、節、義爲何物，則謚法真勵世磨鈍急務也。除鄒元標忠介、馮從吾恭定、顧憲成端文、王德完莊毅、趙南星忠毅、高攀龍忠憲、楊漣忠烈諸臣，理學事功，忠諫節義，皆一代之最，已經賜謚外，據科臣疏，首言革除諸臣，次言軍功，而於會典所稱，節概、勳猷二語尤至愼焉。大要節概以死忠爲上，如革除中卓敬、鐵鉉、景清、方孝孺諸人不待言矣，近之忤璫如左光斗、周宗建等，抗直如孫承宗、盧象昇等，殉賊如傅宗龍等，指尚不勝屈也；勳猷以軍功爲上，如萬曆中平哱、平播、平倭三大案，文武功多可書，近日之何可綱、曹變蛟以功兼死，尤爲慘烈，指亦不可勝屈也。而有宜申飭者三焉。先臣邱濬謂：謚兼用美惡。王世貞亦曰：高皇帝於子秦王謚愍，魯王謚荒，況臣下乎。竊謂文臣二品以上皆宜謚，勛戚凡在功列，亦宜謚，侯、伯必涖軍府，有功，方許謚。謚皆兼美惡。二品以下，即庶僚，有節烈、勛猷卓然不朽者，亦可謚。不然，官雖貴不謚，則陳乞可清也。唐、宋謚議掌于太常博士，國初令禮部行，翰林院擬奏。今宜先以其議責之太常，臣部與吏、禮、兵各科核定，而閣臣詳加折衷，始取上裁，則事出於公，衆論可服也。五年一舉，雖有近例，然人品邪正，萬目難欺，蓋棺論定，卽可與謚，不宜少待，致有沉埋，則風勵可速也。至發單博訪，聽各衙門開送，固爲詳慎，而彼此稽延，終至躭閣。既有部、科及太常之議，似亦無敢濫狥者。尙有不當，聽科道各官糾舉，誰敢私之？勵世磨鈍，實在此矣。

喪制

明初大喪禮，今所遵者皆仁宗之遺詔，非二祖之遺詔也。太祖則皇太子、親王、世子、郡王，及王妃、世子妃、郡王妃、公主、郡主、內宮人等，俱服斬衰二十七月；臨朝視事，則素服、烏紗帽、黑角帶；在京官員，日朝晡哭臨，至葬畢而止，仍自成服日爲始，服二十七日而除。成祖則宮中自皇太子以下，成服日爲服斬衰，二十七月而除；親王以下如洪武；在京官員朝夕哭臨七日，又朝臨十日，自成服日爲始，服衰服二十七日。凡入朝及衙門視事，用布裹紗帽，重帶素服，腰絰麻鞋；退，服衰服。二十七日之外，素服、烏紗帽、黑角帶；二十七月而除。命婦二十七日而除。聽選辦事等官服衰服，監生、吏、典、僧、道人等素服，以成服日爲始，各二十七日而除。軍民素服，婦人素服，不妝飾，俱二十七日。凡音樂、祭祀，官員、軍民人等並停百日。男女婚嫁，官員停一百日，軍民人等並一月。寺觀各聲鍾三萬杵。禁屠宰四十九日。仁宗則皆二十七日釋服，諸王、世子、郡王，及王妃、郡主以下，並服二十七日而除。朝臨十日者，皆爲七日。在外則哭臨三日之外，更不朝臨。無禁嫁娶，音樂自聞喪日爲始，不鳴鐘鼓。在京禁屠宰十三日。然歷朝皆無嗣皇帝用以日易月之文，唯正統七年皇太后遺誥以日易月，哭臨三日卽止，君臣皆同。故神宗於慈寧喪服素者三年，所以爲至孝。

顧起元喪制論：前代服制，未有定式。我聖祖謂其君牽制文義，優游不斷，於是作孝慈録，立爲定制：子爲父母，庶子爲其母，皆斬衰三年；嫡子、衆子爲庶母，齊衰杖期。大哉王言，自是人子得申其罔極之情，而從來短喪之謬論，與拘儒之曲説，可廢而不談矣。服制圖：子爲繼母，爲慈母，爲養母，皆斬衰三年；爲嫁母、出母，爲父卒繼母改嫁而已從之者，皆齊衰杖期；爲繼父同居，兩無大功之親者，服齊衰不杖期；爲繼父先曾同居，今不同居者、爲繼父雖同居，而兩有大功以上親者，皆齊衰三月。於是以恩服，以義服，以名服，三者，曲到周盡，無毫髮遺憾於人心。此所以明天倫、正人紀、順人情，爲萬世不易之經也。

貽安堂集云：三年之喪，金革無避，蓋魯公伯禽有爲爲之也。而後世臣子多藉口焉，此大謬不然。伯禽，一國之主也，寇在門庭，而宗廟社稷存亡係焉，故權制可從耳。若夫疆埸小警，非關大故，師濟多士，不乏一人，詎可妄援國主墨衰卽戎。故譚司馬綸、楊中丞鎬皆名教之罪人也。何況端揆元宰，儀表百僚，當太平無事之日，而儼然冠裳苫塊時哉，宋劉公珙固辭召命，曰：身在草土之中，國無門庭之寇；而假起復之名，以竊利禄之實。切中奪情之謬矣。愚則以雖寇在門庭，奪情亦謬。宋末九鼎將遷，三靈將改，而謝疊山猶力詆當時起復者，至謂宗社之所以爲邱爲墟，生民之所以爲血爲肉，實由於此。

三年通喪，古制極嚴。自漢文帝命以日易月，而臣下亦因之，如鼂錯父死旬日，而尚以御史大夫調兵食；翟方進後母死三十六日，而復起治丞相事。唐右僕射房元齡、中書侍郎蘇頲、張九齡，宋參知政事寇準，皆奪情起復，此外亦不多。明初，極重此制，以劉基、宋濂、章溢當帷幄風憲之重，於天造草昧之時，而聽其終喪，了不之强。永樂急於事寄，中外臣僚，始有奪情不丁憂者，或有於制中起用，久之漸侈爲得意，恬不爲異。成化中羅公倫有扶植綱常一疏，詞意凜然，所裨於名教甚鉅。

邇年大臣多奪情起復，恬不知怪，得羅一峰一疏，振已淪之名教，覺久昧之良心，此大有關係文字。且卽以綱常二字爲主，而反復發明之，親切確當。若鄒南皐疏則入江陵他事，而大意亦與一峰同。江陵丁外艱，給事中陳三謨、御史曾士楚上疏請留，於是翰林趙定宇用賢、吳復菴中行、部郎沈繼山思孝、艾熙亭穆、進士鄒南皐各抗疏糾論，廷杖黜謫有差。嗟乎！微五君子，舉朝皆無父之人矣。而南皐往視四公，杖畢，乃出袖中疏上之，慷慨赴義，尤不可及云。

崇禎十一年，黃道周糾楊嗣昌不守制疏：臣觀古今治績，其典章法度，雖受於先王，誼不敢改，至於事窮理極，亦時變通，以盡其神，惟綱常所繫，爲臣教忠，爲子教孝，垂萬世憲本於民彝，不可易也。禮三年之喪，君命不過其門，兵革鑿凶，時出戎右，不施於士大夫。宋時武弁如田況、岳飛皆纍乞終制。皇太祖以劉基、宋濂帷幄之任，特聽其奔喪。嗣後雖有奪情，終違物論。嘉靖中年，以北虜孔棘，起楊博於宣大，還翁萬達于本兵。然其時楊博且禫矣，又以夙歷，移近雲中。翁萬達以尚書降左侍郎，棲遲不十日，墨衣視事。世宗心非之，卒罷聞以去，蓋自是非終喪，不稱起復也。張居正以不守制，損其勳名。是後七十年，士夫守法，邊鄙亦無事。天啓末年，袁崇煥冒起於右屯，崔呈秀靦顔於樞府，身膏斧鑕，貽唾西市。今去幾何時，而士大夫蒙面喪心，營推營復。嗟乎！天下無無父之子，亦無不子之臣。衛開方不省其親，管仲至比之猳狗，李定不丁繼母憂，宋世共指爲人梟。今遂有不持兩服坐司馬堂如楊嗣昌者，臣前三月在經筵，見其吉服應召，疑已終制，今乃未然。自嗣昌秉樞，亦垂兩年矣，不知其何時居喪，何人推轂，而顛越至此。自有嗣昌，而海内無行蒙垢貽既其親者，皆擲塊投杖，思攘節鉞之柄。嗟乎！人心之喪，亦遂至此乎？陛下克己省躬，以禮樂忠孝治天下，遇有小小災眚，輒減膳撤樂，素服避殿，以勵羣臣。所以然者，陛下爲天之子也。天有違行，三辰不輯，猶之父母，温凊不寧，則人子爲之引痛，不櫛不沭，不食不寢，以候父母之平復。陛下之減膳撤樂，素服齋居，所以教孝也，又況於爲人臣者。其家父母不幸委棄，而儼衣冠，擁輿從，飛揚暗吒，抗顔僚友之前，此豈人理之所應有也乎？今宣大督臣盧象昇，父殯載途，不視含殮，搥心飲血，以候奔喪，而廷臣動推闊遠難移之人，以緩其事。臣見邸抄，象昇所請附近撫臣權攝其事，於理可通，今又忽有并推在籍守制之旨。夫使守制者可推，則是聞喪者可以不去也。聞喪者可以不去，則是爲子者可以不父，爲臣者可以不子也。陛下以日月拂經，星辰淩犯，煇氣違和，尚下詔求言，引躬克治，明示天下，以君臣父子皆受於天，禮樂政刑之所從出，毫無可替；而人臣以哀毁不祥之身，決裂馳驟，彼此相煽，以玷陛下仁孝之治於天地綱紀之常，是不宜使天下聞見之也。天下人材固自不乏，疆場中外，尚可料理。卽使人材甚乏，疆場甚迫，當旁求中外誠信不貳心之臣而用之。奈何使不忠不孝者連苞引蘖，種其不祥，以櫼天下乎？治天下之道無他，不過正綱紀，審法度，汰濁揚清，舉直錯枉，當於民心而已。民心當，則天心悦；天心悦，則陰陽調，風雨時，雖有戎狄之警，如豺虎逸于原田，田父秉墉而射之矣。不得已，相其要害，耑力注之，使忠臣孝子鼓勵四方，衆志可城也。諸忘君親、營富貴、射生刺飛者，豈有毫末利於朝廷，而建官以餌之耶？凡人遺其親，必不利於君；壞於家，必無成於國。語云：千人所指，無病而死。楊嗣昌在事可二年，張綱溢地之談，款市樂天之説，才智備睹矣。更起一不祥之人與之表裏，指梟指鴟，説夢描風，猶狼狽之獸倚肩俱走，無從施其鞭策，又何益於負重乎？陛下事事欲卓越今古，又以經學範圍縉紳家庭，小小勃稽，尚以法治之，而冒喪斁倫諸臣，獨謂無禁，臣雖至愚，竊以爲不可也。

修撰劉同升綱常大義疏：臣備員侍從，待罪二年，每見皇上至孝永慕，廟祀敬誠，頒行孝經、小學，風勵天下。聖人心思，上同堯、舜。臣仰窺淵源，宣弘教化，竊惟中國所以爲四夷觀望，賴有倫紀以爲之維也，是謂大經。原本大經，變通其制，使綸紀之立，萬世勿墜，是謂大權。權者，權乎其經，未有離經而言權者也。是故孝子有終身之喪，而聖人制三年之禮，非過於情之禮，而不及於情之禮也。縱有弗類，必無毁制而忍於其親，天性然也。臣於楊嗣昌有不忍言而不容不言者，敢昧死爲我皇上陳之。臣官史官也，依阿腆腮以附閣臣，則媿良史，上負聖明，下負所學。日者策試諸臣，簡用嗣昌，良以內外交訌，宵旰焦勞，如人亟欲疾去，雜試諸方，以冀一效，聖明之用心亦甚苦矣。都門喧傳謂嗣昌縗絰在身，姓名不祥，非若軍旅可以凶事行之也。臣所以隱忍未發，意嗣昌亦人子也，良心不没，父死謂何，必且哀痛惻怛，上告君父，辭免綸扉，庶幾善承聖意，曲盡輿情。夫邦政之權，亦非輕於揆地也。辭綸扉而掌邦政，亦可效於時艱也。何乃循例再疏，遽入辦事服緋，安忍叛禮滅親，垂之史册，萬世唾詈；傳之邊徼，四裔竊笑，以謂國家乏人如此，大臣自處如彼，何以彈壓氈裘之長，折服犬羊之心哉？夫人有所不忍，而後能及其所忍；有所不爲，而後可以有爲。臣於嗣昌，以其所忍，覘其所爲，嗣昌之心失而智短也，臣已逆知其後已。何也？成天下之事在乎志，勝天下之任在乎氣，志敗氣餒，鬼神瞯之，必有非恒之災動乎。四體病則爲狂，魄已先奪如此，其人卽欲有所用於天下，而必不能有所用於天下明矣。嗣昌清夜平旦，試一捫心，何以對其父鶴，志氣餒敗，不知何如。卽廷辨飾非，盡昧本心，而清夜平旦，亦必痛心疾首，悔其志之短而心之失也。嗟乎！彼其之子，自忘其父，而臣猶責之，亦不足責之。甚也，且嗣昌自號聞人，豈其見不及此？無奈伎倆已窮，苟且富貴，兼樞部以重綸扉之權，借綸扉爲解樞部之漸，和議非他，票擬繇己，將與方一藻、高起潛數輩結連邊撫，敷同罔功，掩敗爲勝，歲糜金繒，立心如此，何所底極？獨不畏堯、舜在上，共、驩誰欺？而欲以袁崇煥之故智用於此日，不見皇上之處崇煥，不動聲色，而忽奮乾斷乎！曩是皇上切責，而嗣昌不可以爲臣；今又一旦忽易墨縗，而嗣昌不可以爲子。若猶附和黨議，緘口全軀，不惟臣以爲不可，天下後世皆以臣爲不可。臣不及遠引古昔，近如李賢奪情，人望頓失；張居正奪情，身名不終。夫物未有本實先撥，而傾折不隨之者也，豈非志敗氣餒已事之明證哉？國家亦何賴焉！當賢、居正時，抗言而犯其鋒者，先臣羅文毅倫、鄒忠介元標是。二臣者初入班門，直節報主。臣生二臣之鄉，志二臣之學，當言不言，顏面何施。且臣念及先臣應秋，而不禁哽咽沾臆也。先臣起家及第，五載講幄，疏納忠，爭册立，講冠婚。東封議起，力排和戎，後先忤姦輔申時行，趙志皐遂嗾羣小陷以不測，皇考深憐忠直，皇祖特鑒清操，得免身家之危，卒至憂憤而殞。伏遇皇上登極，賜諡文節。臣一介書生，欽蒙皇上特恩，親裁進士第一，寵錫隆盛，感激涕零。父母髮膚，竭盡思報。臣之一家，皇祖所保全之一家也，臣之一身，皇上所生成之一身也，兢兢勵志，惟恐有負知遇，欲尸默充位，義之所不敢出也。瀝血拜疏，冒犯新參，罪無所逃，然生死榮辱皆是致身之地，臣亦遑恤其私也。伏乞皇上廣擇芻蕘，折衷典禮，勒令嗣昌終喪守制，庶幾綸扉不玷，倫紀無斁。

編修趙士春扶名教疏：臣草茅賤儒，世受國恩，蒙皇上拔置上第，授臣史職，二載於兹。感恩自勵，中夜以思，今時事多艱，人情積玩，外敵内寇，餉匱兵單，豈獨一時諸臣才力不堪軀策哉？良由功名之計愈工，而忠孝之性未至故也。樞臣楊嗣昌墨縗涖事，拮據罔效，荷皇上特達之知，簡入綸扉。使嗣昌而猶有人心者，當念代言非金革之比，累朝有糾正之條，聖經賢訓，昭布森嚴，自應力辭新命，矢報中樞。乃讀其勉承恩命一疏，計較於歲月久近之間，絶無有哀痛惻怛之念，遂儼然服緋到任。聖人之言曰：食稻衣錦，于汝安乎？臣于是歎嗣昌之胸無天倫，目無清議，而忍心害理，舛悖一至此也。伏誦聖祖六論，必先父母皇上，初政首闡孝經，在閭巷猶欲教以人倫，豈端揆可先容其掃棄。臣又考之祖訓，國初陞六部尚書正二品，以中書之事分隷之，是今之尚書猶宰相也。景廟之朝于謙，孝廟之朝劉大夏，倚毗親切，未嘗以東閣處之。蓋以六卿之職，展布有餘，名位未嘗不足故也。今卽使嗣昌而果才也，司馬之堂儘堪報効，何况紙上勦撫，無救民生，局中款賞，坐傷國體，業于封疆無補，豈云幾務可參。將來幾務爲重，必反謂封疆可卸，徒以梯榮之計，遂其卸擔之謀，既無以責嗣昌之成功，又無以作滿朝之忠孝，臣所謂不如還樞臣之職，以維名教者此也。然臣於是更有進者，仰窺我皇上軫念時艱，求賢若渴，不得已而破格用人，奪情起復者，實由人才缺少之故。然臣以爲天下未嘗無才，而皆向來大臣不肯實心講求之過。夫無事不講儲才，有事輕言破格，終身之職業，未見他奇，而一日之機緣，已蒙倖進，此豈可謂用人無弊之道哉？臣謬懷管見，不遑詳舉，敢以一二爲皇上陳之：今時事最急無過兵餉，屈指中外，但得數十人而天下之事集矣。督撫者，治兵之人也。得其人，以聽之本兵，則鎮戎道將可次第問也。布政使者，理財之人也。近來視爲監司常缺，而不精求其選，計無誤於此。誠得其人，以聽之司農，則屯鹽、鼓鑄可覈實舉也。凡此數十人者，其始莫若責之大寮之保舉，而又非泛然舉之也，宜倣古周官六計，分其科目而辨論之。如所謂廉而敏者，理財之選；明而決者，治兵之選是也。得其人，而衆皆曰賢，付之中外職掌可也；得其人，而不敢遽信其人，則但置之班行，時賜接見敷奏，明試深觀而熟察之，常使所儲之才多於所供之職，又安用此縗絰之夫宣勞王事。於是明著令甲，永禁奪情，綱常名教，昭然白日，豈非大聖人立法超出尋常萬萬哉？臣所謂亟應講儲才之法以禁奪情者，此也。臣新進孤立，何敢輕瀆宸聽。惟是結髮受書，臣父隆美嘗教以臣祖先臣用賢，當神祖初年，輔臣張居正蔑倫起復，臣祖慷慨建言，爲鄒元標諸臣之倡，幾斃杖下，臘其敗肉，以示子孫。臣愚陋，敢背家學而忘先訓？如今者，坐視樞臣蒙面入直，綱常掃地，而囁嚅不言，是上負堯、舜之主，而下忝所生矣。有臣如此，又安用之？冒昧愚忱，罪無可逭，伏乞聖明垂照焉。

南道御史成勇倫常萬古爲重疏：臣竊惟天地所以不毀者，人爲之維也；人類所以不絶者，禮爲之維也。故記曰：禮也者，猶體也。體不備，君子謂之不成人。聖人作爲禮以教人，使人知所以自别爲禽獸者，禮而已矣。禮莫大于倫，倫莫大于君親，未有不知有君親而可以齒於人類者也。今夫繩樞甕牖之子，匹夫徒步之人，有人焉指之爲無君無親則怫然作色，何也？恐不可齒于人類也。况儼然秉國之軸，四方是維，天子是毗者，而肯認其名乎？臣謂欲避其名，當無其實，苟實之有，而名是避，又從而箝人之口。廟堂卽不議之，草野得而議之；薦紳卽不議之，庶人得而議之；當時卽不議之，後世得而議之。白簡之糾彈可箝，青史之斧鉞可箝乎？臣始謂輔臣楊嗣昌不知有君親之人也，固不敢以忠孝責之。今嗣昌疏中有仁不遺親，義不後君之語，反覆辨論，無非避不忠不孝之名，是嗣昌猶知有君親也，猶可以忠孝之言告。臣不敢勦襲他人之説，但就嗣昌之疏以詰問嗣昌，可乎？嗣昌謂：古之君臣，列國之君臣，可得而避；今之君臣，一統之君臣，無所逃於天地之間。是三年之喪，可行于古，不可行于今也。不知嗣昌所引者何？古所指何？臣所據者何代之經？所遵者何國之典？豈非聖諭所謂另一邪説者。唐、虞、三代未聞有奪情起復之事，固勿論。漢、唐、宋皆一統也，有宋去今未遠，即以宋言之。遵禮經而不起復者，富弼、劉珙也；循故事而起復者，陳宜中、賈似道也。嗣昌將以富弼、劉珙爲忠乎？抑以宜中、似道爲忠乎？嗣昌雖巧文辨慧，必不敢以富弼、劉珙爲非，而以宜中、似道爲是。宜中、似道固無所逃于天地，先得嗣昌之所同，然矣；不知富弼、劉珙當時安所逃乎？信如嗣昌之言，是天下凡爲臣者皆不當終三年之喪，終則爲後君，爲不臣。先聖之詩書可焚，先王之典禮可廢，不舉人類化而爲禽獸不止也。留一嗣昌，而生天下不臣、不子之心，何如去一嗣昌，而樹萬世爲臣、爲子之鵠。嗣昌之妄爲附會而不讓謬，爲飾説而不辭者，豈自以一身之去留係社稷之安危，而爲天下所無乎？將嗣昌之學術天下無耶？嗣昌之經濟天下無耶？嗣昌之品望天下無耶？忠孝之旨不明，無問其學術矣。秉樞兩年，一籌莫展，邊警頻告，流氛披猖，無問其經濟矣。清議不畏，名教不畏，經典之詞不畏，萬世之公是、公非不畏，無問其品望矣。嗟嗟！嗣昌去，則所全者亦大，既盡子道，亦完臣節；不去，則所失者亦大，既爲今日之賊子，而敢於排羣議，必作他日之亂臣，而敢於變舊章。最可異者，嗣昌既不知有親矣，又執猶子之義，事程國祥三十年者，何也？豈非爲其父之同籍乎？讓行讓坐，何此時猶知有親？欲廢朝廷之禮，以伸其私情也政。孟子所謂不能三年之喪，而緦小功之察，放飯流歠，而問無齒決者，此臣之所大惑也。臣極知言一出而禍隨，而不忍嘿嘿者，臣蒙皇上特恩，改置言路，是以言責臣也。君有責于其臣，臣有死于其言。事關綱常倫理者不言，更有可言者乎？此臣寧冒犯天威，以明受禄不誣之誼，不敢承順意旨，以長指鹿爲馬之奸。臣不識忌諱，出語戇直，鼎鑊斧鑕，臣所願甘伏。惟皇上鑒其狂瞽。

武陵聞喪不奔，衣緋到内閣大學士任。六垣例有公揖，比出，遂具公疏糾之。及黃宮詹之疏上，即召對，宮詹言：奪情之事在兵部猶可，在内閣則不可；在一人猶可，又引一不奔喪之陳新甲則不可。上雖責其過激，未始不心折之。武陵乃募人糾之，降六級，調外。劉、趙二太史俱褫職。成寶慈侍御逮至，令拷問主使。後以清獄，遣戍南樞。范質公先生亦以疏救宮詹閒住。一時仰諸君子如山斗焉。然國之元氣，自此斬矣。

呂坤三年之喪解：或問：三年之喪，不三十六個月，止于二十五月而畢，何也？曰：喪者，親始死之日也。十三月，再見親死之日也，謂之小祥，尚在吉凶之界。二十五月，三見親死之日也，謂之大祥。言祥莫大乎是，始棄凶而從吉矣。是月也，有餘哀焉，心怛怛而不忍，情戀戀以增悲。又一月而爲中月，乃行禫祭。禫者，澹澹然平安矣，作樂歡笑如他日然，飲酒食肉如衆人然。蓋自二十五月已屬餘哀，二十六月已無餘哀。先王制禮，雖聖人不敢過也。近世迂儒，有執喪三十六個月者，是不明喪之一字也。或問：不計閏，何也？曰：計閏則短一月，不見三年之喪矣。假如二月十五日親喪，必待又明年二月十五日始經三見親喪之日，若計閏，則正月十五日爲二十五月矣，是短一月，不見親喪之第三日也，故不計閏，非謂以厚爲道也。近世俗吏，有親死于閏二月十五日，不補前月爲計閏；二十五月之後，值閏二月十五日，以不服後月爲計閏者，皆送問治罪，是不明不計閏之旨也。有二十七個月外責餘哀三個月，餘哀之中，起文赴部者，亦送問治罪，是不明二十五月而畢之説也。總之，三年之喪，寔服一年，故曰再期而大祥。嗟夫！古三年之服曰居喪，曰宅憂，不御酒肉，不治生業，廢祭祀，謝交游，詩書不事，學問不談，不見齒，不入室，寢苫枕塊，禮壞樂崩，故七百二十日不爲不久。後世爲素冠白衣，在身而已，百不異常，可謂居喪乎？可謂宅憂乎？雖縗絰終身，可也。顧起元期功之喪論：喪禮之不講甚矣。前輩士大夫如張憲副祥有期之喪，猶若齊衰見客。其後或有期功服者，鮮衣盛飾，無異平時，世俗安之，恬不爲怪。間有守禮者，恐矯俗，猶不敢行也。昔晉人放曠禮法之外，爲儒者所詬。乃其時陳壽居喪，病，使婢丸藥，坐廢不仕。謝安石期功不廢絲竹，人猶非之。視今日當何如哉？余謂士大夫在官有公制，固所不論，至里居遭喪，即功亦宜示稍與常異。如非公事，謁有司不變服，不赴筵會。即赴，亦不聽聲樂，不躬行賀慶禮，不先謁賓客，庶古禮猶幾存什一于千百也。

戒奢

萬曆中，禮部尚書沈鯉疏：近該吏科給事中楊文舉具奏，奉聖旨：近來習尚踰侈，冠服詭異，著都察院出榜禁約，還著緝事衙門並五城御史不時訪拿，該部知道，欽此。欽遵明旨森然，固宜朝令夕改，月異而日不同矣。乃數日以來，察諸衢肆，驗諸士民，綺衣華履之輩尚爾優游，鏤金刻玉之工居然布列，此非法禁之不嚴，亦由禮教之不明耳。蓋帝王之所以整齊天下者，不過禮、刑二端。顧刑惟治之于已然之後，而禮則防之于未然之前。故聖王不遽用刑，而必有禮以先之，所以納民于軌物，止惡于微眇，使之遷善遠罪而不自知也。我國家稽古立法，品式具備，如大明會典諸書，備載官民服色、冠帶、房舍、鞍馬等項，貴賤各有品制，所以辨上下，定民志者嚴矣。奈緣風會久而易流，人心習而多玩，兼之方册所載，申布不常，典制諸書，市肆罕鬻，士生斯世尚有懵然不知者，而況蚩蚩之氓乎？有財者以爲吾力所能爲，有位者以爲吾勢所得用，好異者以矜其奇詭之習，射利者以窮其心思之巧，憲典雖在，而尊信罔聞，則有由矣。及今，若不稍爲申飭，而概以法令繩之，恐無知抵禁，所傷必多，非聖天子前禮後刑之意也。臣等忝居禮官，敬循職掌，仰遵大明律令、洪武禮制諸書及累朝事例，參酌互考，摘其緊關日用者數條，卽以今之違式越制如聖諭所云侈靡詭異之類者附列其下，上塵睿覽，伏望聖明采納，勑下本部刊刻榜文，張掛都邑，勒成書册，傳布天下，然後責成巡城御史、省直撫按嚴加緝訪，俟令下半月，或文到一月之後，敢有仍前僭違，卽係明知故犯，定行依律問罪，財物入官。若工匠技藝造作淫巧、織鏤違禁者，從重究遣，務在著寔舉行，不得虛應故事。夫先有禮以防之，而後有刑以驅之，庶乎陷溺之人心或可挽，奢靡之風俗或可移，不至令之不從，而禁之不止矣。抑臣等又伏思之，物之相效之謂風，民之從好捷于令。頃者，我皇上一御布袍，而百辟景從，萬姓歡呼，轉移之效，亦可睹已。至于輦轂之下，勛戚貴近，勢家大族，亦衆庶之所觀傚，而法行之所自始者。伏望特布綸音，更爲申飭，俾其贊一人以崇儉德，先庶民而會皇極，則都邑之中轉相視效，寖成習俗，當自有不令而從、不禁而止者，而海内亦喁喁向風矣。臣等無任惓惓，懇祈之至，謹題請旨。

崇禎十六年十月十六日内閣揭帖：適奉御批：禁奢靡，止宴樂，前已與先生每面諭，還宜擬旨通飭。朕于冬至、正旦、壽節、端陽、中秋及諸大典禮，陞殿行禮，方許作樂，其餘皆免。朕浣衣、減膳，已有諭旨。今用錫、木、磁器，以示儉約。其金、銀各器，係關典禮者留用，餘貯庫以備賞賚。内外文武諸臣，俱宜省約，專力辦賊。太平之日，照舊。先生每再將先年舊旨參看，議妥來行，欽此。臣等叩頭恭誦，不勝讚服。竊見近日風尚之奢，日甚一日，其僭幾至于無等，其費總出于民間，嚴諭累頒，積習未變，真可痛恨。皇上諄諄戒飭，且特以身先之，至于典禮慶賀之外，暫撤宫懸；衣服澣濯之餘，仍裁玉膳；器用錫、木，居然匏尊、土簋之風；庫貯金刀，預爲行賞酬功之用。恭惟聖祖時亦曾取法木輅，示訓露臺，洗表袱而得金，緝片毯以爲被蓋，深得古帝王菲食卑服之意。而在今日，則裕民足國，節儉爲先，勦寇滅敵，憂勤尤急，誠可以遠光祖德，下悚官方矣。至宴樂一事，尤爲妨廢職業。而京城首善，倍宜力行禁止，并服舍、器用、輿蓋等項，典制甚嚴，尚多侈肆，皆不可不痛加裁抑者。誠辨上下，定民志，一大端，不獨省財節費而已。

天順時，禮部尚書胡濙省冗費議：欽天監曆日五十萬九千七百餘本，省爲十一萬九千五百餘本；太醫院藥材九萬八千一百餘斤，省爲五萬五千四百餘斤；光禄寺糖蜜果品減舊數三之二，其添造腌臘鷄、鵝、猪、羊二萬七千隻，子鵝二千隻，酥油四千斤，盡行革罷；厨役六千四百餘名，揀選老疾者悉皆放回；湖廣、江西等處薦新茶芽七千五百餘斤，省爲四千斤。上允之。風俗儉樸，必自朝廷始，此端本之道也。

劉玉懲奢説：一飯百金，一衣千金，一居萬金，上之風之，下之從之，俗焉有不靡乎？犬馬穀食，奴隸肉食，倡優玉食，食焉有不匱乎？庖者海陸，織者文縠，匠者篆刻，用焉有不費乎？緇黃不炊而食，游惰不耕而食，商賈不儲而食，工以藝，兵以力，士以志，公卿大夫以能，大率農一而供十人，天下焉有不窮乎？嫁者累車，葬者殫家，貧富相企而日有加，愚不肖相傾而日蹈于邪習，焉有不陷乎？嗚呼！弊也甚矣。上之人必躬節儉，而後民風可移；嚴制度，而後民志可定；去奇衺，禁淫汰，而後民用可足；省末作，驅遊民，而後民力可完。民力完，民用足，民志定，民風移，而後禮樂興，刑罰措。禮樂興，刑罰措，而後萬物阜，天下安。

潘塤前輩風範紀：塤爲諸生時，將郡博吳先生命，往見鄉先憲副行素韋公。斌，字彥質。先見其二子，元，哻，季，勉。通刺。公出，面西南，塤拜，致郡博之意，公唯唯覆數語而入。命其子延坐，啜以茶。塤他日爲給事中，歸謁行太僕貫初顧公。達，字存道。公時年七十有六，聞塤至，衣冠扶杖出。塤再拜，問起居。公引之上坐，三讓。塤遜避至再，曰：老先生有三可尊，何不虛此坐以勸後進，使知長少之序。公瞿然以杖戳地，曰：老夫今日乃得聞此語，坐，吾不敢復讓。翼日，之清江浦，見河陰令雙槐張公。素，字元卿。乃先謁倉曹同年戴君。冠，字仲鶡。倉曹曰：子往見雙槐先生乎？幸爲冠先容。塤晨往，值公盥櫛，侍于次，而倉曹至，公乃出，衣冠甚古。與倉曹脩禮，既轉而南向。塤拜，公立受，扶而起，塤則再拜，公嘖嘖有勸勉語。倉曹退，塤復侍坐。頃之，奚奴拂几案，出殽簌各二器，酒三行，飯二盂，禮甚簡。及塤避喧湖西，公時八十七壽，不遠三十里，駕小舟過訪，言笑竟日，飯則飯，飲則飲，薄暮始歸。暇日，數貽以詩，自署雙槐老素，其風味意態，近世所未有也。夫三公皆鄉先生，杜門肥遯，同一高致。行素未嘗與人輕接，貫初、雙槐尤索居離羣，意更瀟散。見行素，則少長截然，凛若師傅；見貫初，遲十五年，已煩遜避，增感慨，其時可知矣；見雙槐，則超出流俗，偃然以前輩自居，以子弟勗後進。夫三公之行不同，同一持風範，勵風節。若行素之嚴而正，貫初之通而介，雙槐之簡易而直，皆可敬而仰者也，非某之所能及也。或曰：見行素，埧少也賤，是不然，使公居今日，接見少年輩，能復如前日否耶？

拜禮

劉三吾禮儀定式序言：拜禮，先稽首四拜，後叩首一拜，爲見君上之禮。拜止于四，爲見東宮、各親王禮。見父母同四拜禮。見親戚、官長止二拜禮。

古人作揖，口中唱之，故謂之唱喏。至今而廢，當時謂之啞揖。

吕坤南禮辯：國朝尚左，天下皆尚左。或曰南人尚右，非也。南人並行偶坐，何嘗尚右哉？惟是作揖一事，讓人于右，居己于左，曰行南禮。南人亦不自察其所從來耳。蓋宗廟朝廷之禮，尊南面者也，非以尊我也。南面之東爲左，西爲右，今文武之立班是已。及其轉身而拜，亦東爲左，西爲右，何嘗不左重哉？自北面者視之，則東爲右，西爲左。不知尊有所在，蓋論南面者之左右，非論北面者之左右，所拜在南面之人，非右班拜左班之人也。至于賓入主人之門，非朝非廟，無南面可尊，主人讓賓，自以東爲左，安得以無所尊之客位，而行有所尊之揖拜哉？且非阼階、西階，古人設兩階之初意也。居己于左，而居客于右，南禮之誤也無疑矣。若曰南禮尚右，則不差，揖拜則差，行、坐二者，必居一非矣。或曰：古人尚右，今人尚左，孰是？曰：古人是。天道自中極而左旋起，向右也；地道自西北而東南，高在右也；神道坐西東向，尊在右也；人道右手用事，權在右，故行步右足先發，而左足次之，起拜左足先屈，而右足先伸：八卦之位，乾在右，古今簡册之序，往爲右。古人重右，因其自然，順其當然也。今人重左，高者抑之，下者舉之也。論理勢，則重右是耳。

呂坤婦人拜辯：拜，屈也，折節以示屈，不敢直躬之謂也。男子以伏興爲拜，婦人以屈膝爲拜，斷斷乎無兩説矣。考之古禮，男子再拜，婦人四拜，謂之夾拜。蓋男子鞠躬，婦人立屈膝；男子拜，婦人又立屈膝；男子再鞠躬拜，婦人又兩立屈膝，是謂丈夫兩拜，婦人四拜也。今制，太子與妃初見帝后，太子四起拜，妃八立拜。惟是致詞，妃亦同跪。其興也，太子俯伏。皇太后、皇后慶節，命婦朝賀，先立四拜，引班首至殿上，内贊跪，外贊皆跪，丹墀諸命婦皆跪，致詞稱賀。畢，不贊俯伏，直贊興，復位，立四拜而禮畢。今南方扮戲，子婦上父母壽，子俯伏，婦人雖跪而不俯伏，猶有古人之遺意焉。蓋婦人興伏爲拜，起于武后臨朝衮冕郊天，俯伏拜興，而行天子之禮，後世用之。今士大夫庶人親迎，夫婦拜天地，拜舅姑，尚有婦人同夫拜興拜興之事，而邱瓊山家禮儀節父母醮女尚有拜興之文，皆謬也。故珠冠之制，俯首不得爲，不俯伏，無墜髻落冠之憂，故不嫌于重耳。每問中常侍，宫人見后妃當以何爲禮？曰：宫人遇后妃，則叩首而行；遇朝賀，亦只立拜。相沿謂叩頭爲小禮，立拜爲大禮耳。春秋傳云三肅使者，蓋婦人以立拜爲肅拜，故周禮九拜之法有肅拜。註曰：婦人之拜也。近世婦人簡書加一端字，則非古矣。又曰：斂袵萬福，則不經矣。婦人喪禮亦有稽顙之文，蓋叩頭之及地者。余非謂婦不叩頭，但伏興爲拜則不可耳。且拜無奇數，或再，或四，或八，或十二。其奠獻，跪而俯伏，非拜也，故贊者不列于拜數。今臣子謝恩，禮稱五拜三叩頭，載在會典，禮臣殊失本意矣。蓋四拜四叩頭耳。四拜畢，不贊拜，何以叩頭。其實第五拜爲一叩，再加三爲四叩耳。或曰：拜，爲兩手齊下，惟男子爲然。曰：非也，婦人立拜，不兩手齊下乎？今鄉俗以立拜爲輕，以叩頭爲重，故婢奚見主人，不敢立拜，正是叩頭，則知叩頭固重，立拜非輕也。簡而便，故輕之耳。

肩輿

宋南渡以前，士大夫皆不用轎。如荆公、伊川皆云：不以人代畜。朝士皆乘馬，或有老疾，朝廷特賜，猶力辭。南渡後則通行轎矣。明初，雖公侯不得乘轎，兼不設馬凳；文職四品京堂開棍乘馬用凳；五品光禄、太僕寺丞，翰林院五品、六品官、宫坊官亦用凳，其餘皆用交床。按唐制步輿之制，三品以上及刺史有疾暫乘，不得舍驛，宰相、三公、師保、令僕諸司長官，及致仕官疾病，許乘襜，如漢魏載輿。宋政和七年，詔非品官之家，不許乘煖轎。武臣任主兵，差遣緣邊安撫官，走馬承受，並不得乘轎。

萬曆中，四品官以下俱用兩人肩輿，稍顯者，或用四人帷轎，然置棍于後，示不敢也。後至魏忠賢執政，以御史林一翥從輿，上責内使，遂嚴禁焉。至崇禎初，給事傅櫆以請，上不允。御史郁成治遂請自御史驄馬之外，餘不能雇馬者，用竹小兜。上以其欺，詰責，謫之。

薦新芽茶

汪應軫疏：節該禮部題爲前事，奉欽依這芽茶解納供應，都只照舊例行，不必紛更。此誠陛下愛恤民財之盛心，憲章舊制之美意，臣下所當順奉而遵守者也。但照舊之旨，二説可通；彼此意見，各有所執。禮部則以爲解納自有原額，如六安茶芽，三百斤正數之外不可加者，此其舊例也；光禄寺則以爲供應有常規，如歲用六安茶約餘四百七斤，故三百斤正數不得不加者，此亦舊例也。照解納之舊，則不足供應；照供應之舊，則有傷解納。若不申明，終無定守。臣等各該巡視監收，思得惟正之供，固不可擅增，備（畢）獻之物，尤不可暫缺。六安茶芽歲額三百斤，此多取毫釐，即爲因公科歛，雖該部審據解吏聞報三百袋，袋多四兩有餘，亦非勘合正數。且無批文查銷，以後或輕或重，焉知誰公誰私？不若通融議處，立爲定規，每歲六安茶止收三百斤正數。其耗餘加增，一概不許濫取。本寺供應，取足薦新并日進月進御用之數。至于醬房所進，内閣所用，盡其所有。不足，則于常州府等處芽茶擇以供給。蓋茶取于細，其味略同，何必拘執，以致煩難。部寺前後所論，正欲出入有經。如此裁省，庶有司可守原額，以照解納數；該署可因便宜，以照供應之舊，而不必紛更矣。見解納六安州并常州府等處芽茶，正數之外，尚有多餘之數，欲給領回，則有盤費之勞，欲令變賣，則有侵欺之弊。況既名上供，難以退出；原有封袋，難以拆除。合無收貯該署，作正公用，或准下年該解之數。

今後各處芽茶，俱照原額解納，每斤裝成一袋，每袋贏餘二兩，以補絹袋紙包之數，永爲遵守，一體通行。

外蕃

嘉靖十三年，禮部題使臣出入疏：據提督會同館主事張鏊呈，據朝鮮國使臣蘇洗讓等呈前事，竊照本國粗識禮義，至誠事大，朝廷待遇，有同内服。凡本國使臣到京，自行出入，不見防範，迤至于今，敬謹彌篤，别無違異。近年以來，始加拘禁，鎖閉館門。遇有稟奉公幹，只許通事一二員刻期出入，著令館夫帶牌管押，有礙舊式。查得成化六年二月間，本國陪臣權咸等赴京時分，禮部發到榜文，該奉聖旨：會同館安歇，一應朝貢四夷使客出入，舊有禁例，今後不許無故往來街市，該衙門知道，欽此。本月十一日，武都督到會同館宣諭聖旨，因通行禁鎖，將朝鮮使臣并禁，令後依舊出入，卽令撤去榜文。又該弘治十三年五月間，有會同館安歇女直早哈殺死一般夷人，兵部奉聖旨備由出榜，曉諭朝貢夷人，著令在館，不許出入，并本國一體防禁。禮部主事劉綱陳言奏本，查得先該本部見行事例，朝鮮素守禮義，敬事朝廷，比與他夷不同，進貢人員事例，出入原無防禁。近該兵部等衙門會議禁約，將前項事例一概革去，以致提督官員嚴加拘禁，不得出入，合無仍照前項舊例，朝鮮人員令其自行貨賣，深爲便益。奉聖旨：是。欽此。本國使臣出入自由，無有防禁。在嘉靖初年，主客孫郎中無緣拘禁，不許出入。至嘉靖四年八月，内有陪臣鄭允謙等前赴京師，將前項節奉欽依事理告，要照舊自行出人，蒙部准告。查照舊例，許令自行出入，已經本館移文知會。去後，有提督陳主事執己不遵，迫束愈嚴，久莫申省，貽此因循遠人慕義之望，殊用觖然。所以區區陳瀆不能自默者，豈是意在買賣，以圖復舊哉？其拘閉與否，亦非有他虧益，秖以一視之仁，罔有内外，使之觀游無間，光瞻禮儀，考質文物，薰炙遷化，大有開益，此實敦懷柔之至德，奬事大之藎誠，俾我遐服，永荷寵靈，綿歷萬世，與之匹休爾。在先，本國使臣人等入貢到京，常飭下人務令循度，猶恐或有非違，十分畏謹，卽自禁制嚴密，比前尤甚。在館防閑，有似囚縶，非惟有違舊行之規，恐非累朝優待之意。伏乞照依舊例，許自出入，以示聖朝優容之典，不勝幸甚。等因。查得朝鮮國使臣素守禮義，節年慶賀到京，本部查照舊例，待遇以禮，於國子監等處聽令謁拜，於一應貨賣聽其自便。近年以來，止因遠方夷使跟隨人役多生事端，該管官員始行一概約束加嚴。而使臣頗嫺禮義，委與他處夷使不同，朝廷自來待遇以禮，出入不防，具有舊例。所據蘇洗讓等具呈前事，相應議處。其呈稱欲觀游無間，光瞻禮儀，考質文物，薰炙遷化，固見其仰慕上國之誠。但遠人言服既殊，易罹國禁，亦須曲爲之處，合候命下，每五日一次，許令該國正使及書狀官人等出館，于附近市衢觀游，本部仍劄付空閑通事一員陪侍出入，以示禮待防衛之意；其隨從人仍行照前拘禁，不許擅自出入，庶幾不拂遠人之情，不廢上國之法矣。

禮部尚書夏言進使琉球録疏：祠祭清吏司案呈，奉本部送禮科抄出吏科等衙門左給事中等官陳侃等題：切念臣等奉命往琉球國封王，行禮既畢，因待風坐三閱月而後行，無所事事，因得訪其山川、風俗、人物、起居之詳，杜譔數言，遂成一録。録之意大略有二：臣等初被命時，禮部查封琉球國舊案，因曾遭回禄之變，燒燬無存，其頒賜儀物等項，請查于内府各監局而後明，福建布政司亦已年久，卷案爲風雨毁傷，其造船并過海事宜，皆訪于耆民之家得之，至于交際禮儀，無從詢問，特令人至前使臣家詢其所以，亦各彫喪而不知。後海道往來，皆賴夷人爲之，用其禮儀曲折，臣等臨事斟酌，期於不辱而已。因恐後之奉使者亦如今日，故著爲此録，使之有徵。又嘗念國家大一統之治，必有信史以載内外之事。如大明一統志者，中載琉球之事，所云落漈者，水移下不回也，舟漂落，百無一回。臣等嘗懼乎此，逕過不遇是險，自以爲大幸。至其國而詢之，皆不知有其水，則是無落漈可知矣。又云王所居壁下，多聚髑髏以爲佳。臣等嘗疑於此，意其國王兇悍而不可與言也。至王宮時，遍觀壁下，亦皆累石。國王循循雅飭若儒生然。在彼數月，雖國人亦不見其相殺，又何嘗以髑髏爲佳哉？是志之所載者，皆訛也。不特志書爲然，杜氏通典、集事淵海、嬴蟲録、星槎勝覽等書，凡載琉球事者，詢之百無一實。若此者何也？蓋琉球不習漢字，原無志書，華人未嘗親至其地，胡自而得其真也。以訛傳訛，遂以爲志，何以信今而傳後？故集羣書而訂正之，兼以夷語、夷字并附於後，實不足以上塵睿覽，但念海外之事，知之者寡，一得之愚，或可以備史館之採擇，伏惟陛下恕其狂僭，下之禮部詳議施行。等因。奉聖旨：禮部看了來説。看得琉球國遠在海濱，華人鮮至其地，是故國俗土風知之者寡。今按一統志等書所記事本傳聞，殊載未盡者。據給事中陳侃等親歷其地，目擊其事，山川風俗之殊，往來聞見，悉出實録，因採輯事跡，撰述成書。既以正載籍之所未盡，且俾後之奉使者有所考見，足見各官留心使職，誠可嘉尚，似應俯從所請，合無候命下之日，本部將所進使琉球録付之史館，以備他日史館採集。

崇禎五年十月，朝鮮國王李倧禮重繼序疏：臣祖昭敬王諸子中，長曰臨海君珒，廢疾不得立，歿，且無嗣；次曰光海君琿，是爲廢人；次曰定遠君琈，卽臣之父也。光海父子既以罪廢，則宗祀之托合歸臣父，而不幸先逝。臣以昭敬王長孫，承昭敬王妃之命，入紹祖統，而請於朝廷，得完封典，感戴皇恩，銘骨難忘。顧惟臣既受命皇上，忝有王號，則所生父母合有應行典禮，而緣疆場多事，未卽據例奏請，稱謂有缺，殊稱不加，人子至情，豈敢一日自安。臣竊考古禮，旁支入繼，謂之爲人後；以孫繼祖，謂之爲祖後。爲人後，則重在人後，故不敢顧其私；孫爲祖後，則父雖早卒，而得列於正統之序，此乃生人之大倫，天地之常經也。凡人有祖，然後有父；有父，然後有孫。如曰受國於祖，而不禰其禰，以祖當禰，則名實各異，倫序不明，何以爲國？謹查成化十一年，臣先祖康靖王以其本生考懷簡王爲世子早卒，遣陪臣金礩具奏請封，憲宗皇帝嘉其誠孝，降勅褒美，頒賜誥命，東土之人至今榮之。况臣有所後祖，而無所後父，尊父承祖，乃所以尊其祖也。名正而言順，事當而理正。情理俱伸，恩義兩全，專在此矣。臣叨守藩服，效蔑涓埃，而又望推恩之典，臣之愧懼，於此實多。而仰恃天地父母之仁，輒敢專差煩籲，伏乞聖明命下該部，通查舊例，參考禮典，寵賜爵謚；臣母具氏，並賜誥命，以廣孝思，以序天倫，兹實皇朝之寵典，而小邦臣民之至幸也。

附高麗統系

嘉靖八年，朝鮮國陪臣吏曹參、判柳溥等呈言：本國祖考，不係李仁任之後，而皇明祖訓及大明會典所載俱屬仁任，已於永樂及正德間奏請改正，俱蒙俞允，迄今尚未行。今幸重修會典，乞爲改正。禮部以請，上許之，詔開送史館纂輯。據所陳建國始末，言旦初名成桂，其先本國全州人。二十八世祖翰，仕新羅爲司空。羅亡，翰六世孫兢休入高麗。十三世孫安社仕元，爲南京五千户所達魯花赤，世襲其職。元季兵興，安社曾孫與男成桂避地東遷。至元辛丑，當高麗恭愍王之十年，有紅巾賊二十萬衆入境，成桂領兵勦賊有功，授武班職事。恭愍無嗣，陰畜寵臣辛旽之子禑爲己子。晚多躁暴，爲嬖臣洪倫等所弑。權臣李仁任車裂倫等於市，立禑爲嗣。其子昌爲世子。禑於六年擢成桂爲門下侍中。禑遣將犯遼東，成桂爲副將，行至鴨緑江，與諸將議，不宜得罪於上國。禑懼，遜位於昌。以洪武二十二年宣諭，以僞姓見黜，而復王氏之裔定昌君瑶主國事，仁任罪竄於外。既王瑶又不義，國人憤怨，乃共廢瑶，推立成桂。成桂請命於高皇帝，乃命成桂爲王，國號朝鮮，改名旦，云云。

考其國史，當元盛時，其元孝王者，已遷居江華島，元無如之何，但責其不登陸而已。竟臣服於元，而終不登陸。至其子順孝王親迎王，主以元服，同輩入國，觀者駭愕。時從行宗宰不開剃，王責之。至其子忠烈王，則宰相至下僚無不開剃，唯禁内學館不剃。左承旨朴桓呼執事官諭之，於是學生皆剃。

春明夢餘録卷之四十一

禮部三

貢院

貢院，在城東南隅，元禮部舊基也。永樂乙未，改爲貢院，制甚偪隘。嘉靖中，議改創西北隙地，又有言東方人文所會，宜因其址而充拓之，卒未果。至萬曆二年，始命工部重建，因故址拓旁近地益之，徑廣百六十丈。外爲崇墉施棘，徼道前入，左、右、中各樹坊，名左曰虞門，右曰周俊，中曰天下文明。坊内重門二，左、右各有廳以備譏察。次曰龍門。踰龍門，直甬道爲明遠樓，四隅各有樓相望，以爲瞭望。東、西號舍七十區，區七十間，易舊制板屋以瓦甓，可以避風雨，防火燭。北中爲至公堂，堂七楹。其東爲監試廳，又東爲彌封、受卷、供給三所，其西爲對讀、謄録二所。又後爲燕喜堂，三楹，東、西室凡十六楹，諸書（胥）吏工匠居之。其後爲會經堂。堂東、西經房相屬，凡二十有三楹，同考者居之。

元大都會試，仁宗始于皇慶四年（延祐二年）二月（十一月甲辰）。當日詔曰：其以皇慶三年八月，天下郡縣與其賢者、能者，充賦（貢）有司。明年二月，會試京師，中選者，朕將親策焉。初試論賦，後以經學爲主。至于充賦之説，始于漢。漢辟公孫弘以充賦。

李世弼金登科記：道散而有六經，六經散而有子史。子史之是非，取證于六經，六經之折中，必本諸道。道也者，通治之路，天下之理具焉，二帝、三王所傳是已。三代而上，道見于事業，而不在于文章；三代而下，道寓于文章，而不純于事業。故鄉舉里選，取人之事業也；射策較藝，取人之文章也。兩漢以經術取士，六朝以薦舉得人，莫不稽舉于經傳子史焉。隋合南北，始有科舉。自是盛于唐，增于宋，迄于金。又合遼、宋之法而潤色之，卒不以六藝爲致治之成法。進士之目名，以鄉貢進士者，本周之鄉舉之遺意也；試之以賦義策論者，本漢射策之遺法也。金天會改元，始設科舉，有詞賦，有經義，有同進士，有同三傳，有同學究，凡五等。詞賦于東、西兩京，或蔚、朔、平、顯等州，或涼庭試，試期不限定月日，試處亦不限定府、州。詞賦之初，以經傳子史内出題，次又令逐年改一經；亦許注内出題，以書、詩、易、禮、春秋爲次，蓋循遼舊也。至天眷三年，析津府試。迨及海陵天德三年，親試于兩京。貞元二年，遷都于燕，自後止試于析津府，收遼、宋之後。正隆二年，以五經、三史正文内出題。明昌二年，改令五經子史内出題，仍與本傳，此詞賦之大略也。經義之初，詔試真定府，所放號七十二賢榜。迨及蔚州、析津，令易、書、禮、春秋專治一經内出題，蓋循宋舊也。天德三年罷，此經義之大略也。天眷三年，令大河已（以）南，別開舉場，謂之南選。貞元二年，遷都于燕，遂合南、北，通試于燕。正隆二年，令每二年一次開闢，立定程限月日，更不擇日，以定爲例。府試初分六路，次九路，後十路，此限定月日分格也。天德二年，詔舉人鄉、府、省、御四試中第。明昌三年，罷去御試，止三試中第。府試五人取一名合試，依大定間例，不過五百人。後以舉人漸多，會試四人取一名，得者常不下八九百人。御試取奏旨，此限定場數、人數格也。自天眷二年，析津放第，于廣陽門西一僧寺門上唱名，至遷都後，命宣陽門上唱名，後爲定例，此唱名之格也。明昌初，五舉終場人直赴御試，不中者别作恩榜，賜同進士出身；會元御試不中者，令榜末安插；府元被黜者，許來舉直赴部。初貞佑三年，終場人年五十以上者，便行該恩，此該恩之格也。大定三年，孟宗獻四元登第，特授奉直大夫；第二、第三人授儒林郎；餘皆從仕郎，後不得爲例。明昌間，以及第者多，第一甲取五六人，狀元授一十一官，第三人授九官，餘皆授三官，此授官之法也。進士第一任丞、簿、軍、防、判，第二任縣令，此除受之格也。近披閲金國登科[録，授]顯官，陞相位及各卿士大夫，間見迭出，代不乏人，所以翼贊百年，如大定、明昌五十餘載，朝野閑暇，時和歲豐，則輔相佐佑，所益居多。科舉亦無負于國家矣。是知科舉豈徒習其言説，誦其句讀，擿章繪句而已哉？篆刻雕蟲而已哉？固將率性脩道，以人文化，成天下，上則安富尊榮，下則孝悌忠信，而建萬世之長策。科舉之功，不其大乎！國家所以籍古重道者，以六經載道，所以重科舉也；後世所以重科舉者，以維持六經，能傳帝王之道也。科舉之功，不其大乎！庚子歲季秋朔日，東原李世弼序。

明初以六科取士，經明行脩爲一科，工習文詞爲一科，通曉四書爲一科，人品俊秀爲一科，言有條理爲一科，曉達治道爲一科，六科備者爲上，以次而降。至洪武十七年，始定鄉試在子、卯、午、酉年秋八月，會試在辰、丑、未、戌年春二月。初制，五經義限五百字以上；四書義限三百字以上；論亦如之；策惟務直述，不尚文藻，限一千字以上。其高麗、安南、占城等國，如有經明行脩之士，各就本國鄉試，許貢赴京師會試，不拘額數選取。

明制，主試官初時不拘現任、家居。洪武中，取元逸老沈夢麟、滕克恭典試。事竣，不願授官，放還。又如正統丙辰，進士陶希文以親老耳病告歸，至天順乙卯，成化辛卯，浙江、河南聘典鄉試。皇甫録明紀略曰：楊少師以服闋主浙江鄉試，王陽明爲刑部主事，病痊北上，爲山東聘主鄉試。至于各省典試分遣京官，始于萬曆乙酉，非舊制也。

明制，會試，或待詔，或典籍，或編脩、紀善，不論官，甚有兩京主試官尊于會試者。宣德癸丑，始令少保黄淮與少詹事王直主之，淮又久致仕，以謝恩至京。至弘治庚戌，命大學士徐溥，己未，命大學士李東陽，然未用貳相者。自天啓壬戌，始有何宗彦、朱國祚，後皆因之。會試主考，舊用翰林出身者，如丁丑張至發以刑部侍郎入闈，庚辰薛國觀、蔡國用皆以外官入闈者，至同考十二人，内編脩魯元寵、胡守恒、劉正宗、粱北陽、李景濂、薛所藴，皆由知推選授。

初會試同考官從禮部推選，翰林院官、京官、教官皆得爲之。至景泰中，禮部尚書胡濙言：翰林院及春坊以文藝爲職業，宜專其事，京官由科第有學行者宜兼取以充，教官不得充，請著爲令。自是教官無得分考會試者矣。

永樂十六年，始定宮坊官主兩京試。舊例，各省及順天主考不賜宴，獨南畿二主考辭朝賜宴于闕東松林，相傳云洪武舊制也。

舉子所作之文曰墨卷，主司改竄刻録曰程文。陸游與王樵秀才書曰：間偶見程文一二可愛者，往往遭塗抹訾詆，令人氣湧如山。則知前無墨卷之説，概曰程文耳。

萬曆乙酉，有創爲程文，不得全用己作，須存舉子本質潤色之。後乙丑會試，二主司憚于自作遂欲三場俱用墨卷。丁卯鄉試因之，頗取譏姍。

禮部侍郎夏言當嘉靖壬戌會試，條陳科場事宜，内一欵：應試之士，于風簷寸晷之中，欲實録其文可爲程式者，蓋絶無間有，所以試録文字多出主司之手。而兩京會試，皆館閣儒臣所爲，足爲海内矜式。近令録士子本文，不必考官自作，所以各省試録文理紕繆，體裁龐雜。今次會試，若士子之文縱有可録，仍令考官重加裁正，以示模範。

天順間，浙江温州府永嘉縣教諭雍懋言：朝廷每三年開科取士，考官出題多摘裂牽綴，舉人作文亦少純寔典雅。比者浙江鄉試，春秋摘一十六股配作一題，頭緒太多，及所鏤程文乃太簡畧而不純寔，且春秋爲經，屬詞比事，變例無窮，考官出題，往往棄經任傳，甚至參以己意，名雖搭題，寔則射覆。遂使素抱實學者，一時認題與考官相左，即被斥出。乞勅自後考官出題，舉子作文，一惟明文是遵，有不悛者罪之。英宗善其言，命禮部議行。

嘉靖時，御史閻人銓言：今時文體詭異已極，乞申飭天下，力崇古朴。其要在先責督學憲臣，次責場屋考校等官。世宗報曰：自後遇鄉試，禮部必磨勘試録，與各生公據，有仍前離經叛道、詭辭邪説者，則治監臨考校官之罪，黜其中式者爲民。

鄉試解額。洪武三年定，省直名數：應天八十人，山東、山西、陝西、北平、浙江、福建、湖廣、江西皆四十人，廣東、廣西各二十五人。若人才多處或不及者，不拘額數。洪武十七年三月，令舉人不拘額數，從寔充貢。洪熙元年，定取士額，南京國子監并南直隸共八十名，北國子監并北直隸共五十名，江西五十名，浙江、福建各四十五名，湖廣、廣東各四十名，河南、四川各三十五名，陝西、山西各三十名，廣西二十名，雲南、交趾各十名，貴州願仕者就試湖廣。宣德二年，令貴州就試雲南。宣德四年，令雲南鄉試增五名。宣德七年，令順天取八十名。正統二年，令開科不拘額數。正統五年，復定取士額，順天府仍八十名，應天府一百名，浙江、福建皆六十名，江西六十五名，河南、廣東各五十名，湖廣五十五名，山東四十名，廣西三十名，雲南二十名。正統六年，順天鄉試增二十名。景泰元年，開科不拘額數。景泰四年，復定取士額，南、北直隸各增三十五名，浙江、江西、福建、河南、湖廣、山東各增三十名，廣東、四川、陝西、山西、廣西各增二十五名，雲南增十名。成化三年，雲南復增十名。成化十年，雲南復增五名。弘治七年，雲、貴解額共增五名。嘉靖十六年，令雲、貴分科試士，雲南四十名，貴州二十五名。嘉靖十九年，湖廣鄉試增五名。嘉靖二十五年，貴州鄉試增五名。隆慶五年，兩京各增十五名，以恩貢集太學者衆也。萬曆元年，雲南增五名。萬曆二十二年，順天增二十名，亦以選貢集太學也。萬曆四十三年，概增天下解額。天啓元年，順天增二十名，應天增十名，以登極及恩貢集太學也；其餘各省增三名。是年，山西中宗生二名，江西一名，河南一名，陝西一名，山東中四氏學二名，遼生一名，皆不在額内。

會試額數，洪、永多至四百七十餘人，少則三十人，宣宗定省直試額百，南士十六，北士十四。正統七年，加爲一百五十人。景泰五年，三百五十人。弘治十五年，加至四百人。嘉靖、隆慶以首科皆四百人。萬曆二年，張文忠居正題定三百人。至後，如萬曆癸丑，崇禎辛未，皆四百人。

兩畿中額一百三十五名，其五名原爲雜流而設，如成化元年，章元應以留守左衛軍餘中第八十七名；四年，謝宗德以内江吏人中第四十二名；十年，王鏞以犧牲所軍餘中第二十三名；十三年，李用文以武學生中第九名；十六年，喬衍以武學生中第二十四名；二十二年，陳玉以浙江舍人中第十七名，楊俊以江陰衛軍中第八十五名；弘治五年，劉麟以武學生中第十五名，齊貴以營繕所匠中第九十一名；十一年，史良佐以醫生中第八十五名；十四年，陳沂以醫生中第四十八名，劉鏞以羽林右衛舍餘中第七十一名，劉弼以錦衣衛舍餘中第七十七名；十七年，柴虞以驍騎右衛總旗中第八十九名。崇禎壬午順天鄉試，奉旨中武生五人，及揭榜，乃以冒籍滋議，致累主考吴江姚現聞先生希孟，蓋忌者借以攻姚也。

洪武辛亥，高麗國人入試者三，金濤三甲第五，其國之延安人也，授山東邱縣丞，歸爲其國相。景泰五年甲戌，進士黎庸，交趾清威人，阮勤，多翌人，勤仕至工部左侍郎。天順四年庚辰，阮文英，慈山人，何廣，扶寧人，成化五年己丑，王京，嘉靖二年癸未，陳儒，俱交趾人。儒仕至右都御史。

曹鼐，寧晉人，以貢士爲學官，上書願得一劇職自效，改泰和典史，以解糧至京與試，中宣德癸丑科第二，廷試復第一。先是，洪武榜眼吴言信乃抄鈔局副使也，正統壬戌進士鄭温乃松陵驛驛丞也。

明初，應天解元黄文忠以作全場題五經二十三篇領解。天啓甲子，崇禎甲戌，福建顔茂猷獨作五經得雋。而甲子鄉場則外簾止謄其四書三篇、易經四篇以入，房考祁彪佳取之。既放榜，始知爲五經也。甲戌會試，則知貢舉林釬上疏題明，上許俱謄，于是五經房同考俱有批語，文震孟以易經收之。及殿試，僅在二甲第二，而禮部刻會試録，上特命題名于會元李青之前，亦異典也。

洪武辛亥，狀元授員外郎，及第出身俱授主事，同出身授縣丞，會元亦授縣丞。金濤係高麗人，在三甲第五名，後歸國爲相。

永樂丙戌，賜林環等及第，取副榜舉人廷試之，擢周翰等三人進學翰林，餘除學官。乙未，始詔天下舉人會試北京。考官梁潛拆卷，得第一名曰陳循，其鄉人也，避嫌，故改置第二，而擢林文秸。既又以秸字難識，定洪英第一。第五王翺者，鹽山人也，上喜得畿輔士，以布衣召見，賜酒食。既廷試，復擢陳循第一，賜宴于後軍都督府。

成化丁未，尹直主考，試録序稱宣德丁未，大學士楊士奇議會試取士分南北卷，北四南六。既而以百乘除，各退五爲中數。是年，以言者，又各退二以益中數云。

科場變異

科場變異。洪武丁丑，言者謂考官劉三吾所取南士多，北士少，有私，遂罷陳䢿等五十一名，俱不刻登科録，而改試中韓克忠等六十人〔一〕。永樂己丑，以考試官侍講鄒緝等出孟子、尚書題誤，覆取下第舉人熊（胡）概、金庠等十餘人。弘治己未，言者論學士程敏政鬻題，遂預行場中，程不得閱文，舉人唐寅、徐經俱黜。嘉靖甲辰，言者論狥私不公，進士翟汝孝、翟汝儉、彭謙、焦清等，並考試官江汝璧等，俱逮問。萬曆丙辰，會元沈同和以懷挾事露，并第六人趙鳴陽送法司治罪，荷校禮部門一月，謫戍，會試録遂除名，無元。是科，武狀元亦以贋卷被黜。己未，會元莊際昌殿試卷有誤字，人譏其膠黐不辨，遂以進士回籍。

洪武辛亥有進士，永樂癸未無進士，天順癸未亦然。永樂初卽位，天順南省火，皆以明年甲申會試。永樂己丑北征，又明年殿試，故有辛卯進士。正德庚辰南巡，明年，嘉靖自興邸入卽位，故有辛巳進士，又明年癸未，遂有進士。

張鳳翼有會試移期議，謂會試期太祖定于二月，蓋謂金陵南北之中，地在大江之南，得春爲先，故定于二月，取春之中。今建都北京，遠三千里，宜移在三月。其利有五：一在覲吏後，從舟可省僱費；二便于雲、貴士子；三減衣裘，防閑甚易；四謄録無呵凍之苦；五歸家無閘河運舟之阻。

會試原無搜檢官。嘉靖己未，御史建言，欲厲其禁。尚書吳山持不可，曰：彼已歌鹿鳴而來矣。隆慶二年，復有言者，始設。昔舒元輿于唐元和中舉進士，見有司鈎較苛切，既試尚書，雖水、炭、脂、炬、飡具，皆人自將，吏一唱名乃得入，列棘圍席坐廡下，因上書言：古貢士未有輕于此者，且宰相、公卿由此出，夫宰相、公卿非賢不在選，而有司以隸人待之，誠非所以下賢意；羅棘遮截，疑其作奸，又非所以求忠直也；詩賦微藝，斷離經傳，非所以觀人文化成也。臣恐賢者遠辱，自引去，而不肖爲陛下用也。今貢珠玉、金貝，有司承以棐笥皮幣，何輕賢者重金玉耶？此書激昂，有士氣。

嘉靖中，給事中胡叔廉、鄭大同建言科場事宜，謂監試御史不過防範于外，故内簾之弊無從糾察，而散卷等官始得以狥私公送，今内簾亦設監察一員。

遼東原附山東科舉，嘉靖十三年，因過海風濤，改附順天。萬曆三十七年，增額五人，其寄户中試者，不許圖便遷徙，違者治罪。宋陸游老學菴記，本朝進士初亦如唐制兼采時望，真廟時始建糊名法；又國初舉人對策，皆先寫策題，其後策題寖多，舉人甚以爲苦，慶曆初，賈文元奏罷之。

舊制殿試在三月初三日，狀元率進士上表謝恩在初六日。成化八年，以悼恭太子發引，改殿試于十五日。又舊制殿試畢，次日讀卷，又次日放榜。弘治三年，閣臣劉吉等言時日迫促，閲卷未精，再展一日，第四日放榜。頒曆舊在十一月朔，成化十五年，是日值冬至，命改于十月朔日，後皆因之。

國家至公至重之典，無如設科取士。先朝大臣罔敢干之者，干之自翟鑾始。翟二子登第，被參。上曰：鑾既爲輔臣，二子雖有軾、轍之才，亦不宜並進。于是二子並黜。

唐人知貢舉詩有云：梧桐葉落井亭陰，鎖閉朱門試院深。常念昔年辛苦地，不將今日負前心。人不肯負心，自不將國家大典爲行私之具，不將風簷苦搆爲五色之迷。

春明夢餘録卷之四十二

兵部一

兵部，在闕東宗人府後，西向。設尚書、侍郎，掌天下武衛官軍選授、簡練，若鎮戍、厩牧、傳郵、輿皂之政令。其屬，初曰司馬，曰職方，曰駕部，曰庫部。後改司馬爲武選，駕部爲車駕，庫部爲武庫，職方仍舊名，俱稱清吏司。

武選掌武官選陞、襲替、功賞之事，以世官、流官定武職，以襲替、優給厚武功，以首功四、戰功二等辨武功，以減革、通革嚴冒濫。凡歲六選。官二等：曰舊官，曰新官。凡推陞勳臣，若武舉、薦舉、會舉以二人請；凡將材，三歲武舉，六歲會舉，歲薦舉，皆籍而用之。以考選比試達才而程力，以効功課將帥，以遞降練卒徒，以貼黄正圖狀，以誥勅徵初績，以褒卹勵死戰，以優養恩故絶，以引類登選簿，以殺降、失陷、避敵、激變肅軍機，以典刑、敗倫、行刼、退陣斷世禄，以寄禄馭恩倖，以覆訊糾捕緝，以誥勅辨冒僞，正土官、夷官。

車駕掌輿輦、車乘、守衛、廄牧、郵傳之事。凡大朝賀、大禮儀，陳鹵簿大駕，常朝設陛，辨其物數而序次之。凡侍衛、殿陛全直，常朝番直。凡守衛、親軍衛，晝前、後、左、右四行，而日夜巡警之，皆有圍伍，定其多寡，第其番之上下。慈宮、中宮之鹵簿，東宮儀仗、侍衛屬焉。凡馬政，受牧官籍，而程其登耗、闌逸之數，以營牧節芻秣，以印俵防欺冒，以色齒覈抵諼，以糧馬征南夷，以茶馬通西番，以市馬縻東夷，以足軍實，令京營、邊鎮毋乏馬。凡傳郵，曰驛，曰遞運所，在京師曰會同館，皆以符驗關券行之。以黃馬、快船致貢獻而練水軍。

職方掌地圖、軍政、城隍、鎮戍、簡練、征討之事。凡諸邊腹疆界、地里、遠近、險易，三歲一報，官軍車騎之數亦如之，而辨其阨塞守禦之令。凡軍制，内外相維，自五府、司衛所以達夷官，各統其官軍及部落，聽征調、守衛、朝貢、保塞之職，而武官不得輒下符行軍。凡城隍，以時浚築閲視。凡鎮戍，以時飭屯，防扼險要。凡將校，程其勤逸，稽其什伍存逸、騎械精頓之數，教以坐作進退、疾徐疏數之節，金鼓麾旗之號。凡將材，籍武舉、會舉、歲薦之士而簡用之。凡有征討，請命將出師，移所司以懸賞罰，調兵食，紀功過。軍有功，按御史紀核移武選陞賞。以堡塞障邊徼，以烽堠傳聲息，以清勾、驗補、收垛、問發、冒濫、除豁核册籍，以存恤優初役，以壯快簡鄉民，以關津詰奸盜。武庫掌戎器、符勘、尺籍、武學、薪隸之事。凡戎器，守衛邊鎮有征行，准諸司移工部請給，火器請内府。凡使人出邊關，必驗勘合。凡制勅調兵，必比勘合。勘合皆出内府。凡尺籍，衛、所上缺伍圖册，府、縣上軍户文册，下諸省司按勾，衛所即去府縣近，不得輒相移。凡清軍，以限捕、紀録、開伍、結除、停勾嚴稽其冒漏，而寬其恩復。凡武學，教武職功官及子弟未嗣官者，籍其功能，歲終檢奏，六年一會舉。應文武舉者聽。怠不率教者，罰黜有差。凡皂隸，直衙、柴薪二等，辨官品而多寡其數，並僱役。

兵制

兵制之善，莫過於周。周禮所載，以萬有二千五百人爲軍。王國六軍，大國三軍，次國二軍，小國一軍。軍皆命卿。二千五百人爲師，師帥皆中大夫。五百人爲旅，旅帥皆下大夫。百人爲卒，卒長皆上士。二十五人爲兩，兩司馬皆中士。五人爲伍，伍各有長。其令賦，則以其地與民而制之，司徒會萬民之卒伍而致之。其在六鄉，五家爲比，五比爲閭，四閭爲族，五族爲黨，五黨爲州，五州爲鄉。族師以時屬民，而校登其夫家之衆寡，及其六畜車輦。五家爲比，十家爲聯；五人爲伍，十人爲聯。若作民而師田、行役，則合其卒伍，簡其兵器，以鼓鐸旗物帥而至，掌其治令。其在六遂亦如之。遂人掌邦野，造縣鄙形體之法。五家爲鄰，五鄰爲里，四里爲酇，五酇爲鄙，五鄙爲縣，五縣爲遂，皆有地域溝樹之（使）。以歲時稽其人民，簡其兵器，而教之稼穡以疆（彊）予任之，有發以下劑致之。其大師田，前期，鄉師出法於州里，簡其鼓鐸、旗物、兵器，修其卒伍。及期，司徒之大旗致衆庶而陳之，以旗物辨鄉邑，而治其政令、刑禁，巡其前後之屯，而戮其犯命者。遂人亦各帥其所治之民，而以遂大旗致之，不用命者誅之。此先王因農而定賦，因賦以制軍，不出比、閭、族、黨、鄰、里、酇、鄙、州、鄉、縣、遂之民，而伍、兩、卒、旅之軍師畜焉。使其恩足相恤，義足相救，静足相保，動足相死之道也。

前漢刑法志：殷、周以兵定天下矣。天下既定，戢藏干戈，教以文德，而猶立司馬之官，設六軍之衆，因井田而制軍賦。地方一里爲井，井十爲通，通十爲成，成方十里；成十爲終，終十爲同，同方百里；同十爲封，封十爲畿，畿方千里。有税有賦，税以足食，賦以足兵。四井爲邑，四邑爲邱。邱，十六井也，有戎馬一匹，牛三頭。四邱爲甸。甸，六十四井也，有戎馬四匹，兵車一乘，牛十二頭，甲士三人，卒七十二人，干戈備具，是謂乘馬之法。一同百里，提封萬井，除山川沈斥、城池邑居、園囿術路三千六百井，定出賦六千四百井，戎馬四百匹，兵車百乘，此卿大夫采地之大者也，是謂百乘之家。一封三百一十六里，提封十萬井，定出賦六萬四千井，戎馬四千匹，兵車千乘，此諸侯之大者也，是謂千乘之國。天子畿方千里，提封百萬井，定出賦六十四萬井，戎馬四萬匹，兵車萬乘，故稱萬乘之主。

王降而霸，齊桓用管仲，倣先王之制，作内政以寄軍令，三分其國爲二十一鄉。五家爲軌，軌有長；十軌爲里，里有司；四里爲連，連有長；十連爲鄉，鄉有良人。以爲軍令，則五人爲伍，軌長帥之；十伍爲里，里五十人爲小戎，里有司帥之；四里爲連，連二百人爲卒，連長帥之；十連爲鄉，鄉二千人爲旅，鄉良人帥之；五鄉一帥，合之萬人爲一軍，五鄉之帥帥之；公將其一，國子將五鄉焉，高子將五鄉焉，而軍令以行。故高、國退而修鄉，鄉退而修連，連退而修里，里退而修伍，伍退而修家，蓋寓政於令，猶之乎寓軍於農，得自然之勢焉。

漢之兵制，莫詳於京師南、北軍之屯，雖東、西兩京，沿革不常。然皆居重馭輕，而内外自足以相制，兵制之善者也。蓋是時兵、農未分，南、北兩軍實調諸民，猶古者井田之遺意。南軍以衛宮城，而乃調之於郡國；北軍以護京城，而乃調之於三輔。蓋三輔在内，而近有閭里親戚之愛，以之護京師，而無心腹之憂；郡國在外，而遠人無覬倖非常之望，以之衛宮城，則無肘腋之變，亦如師氏帥四隸守王門。王宮朝在野外，則守内列，殆謂是歟。至武帝更太尉爲大司馬、大將軍，以中尉、材官出擊南越，恐京師無重兵而生變，於是分北軍爲八校，以中壘領之，置七校尉。後又取中尉屬官所謂中壘者進爲校尉，爲八校。又恐北軍之權太重，故於光禄勳增羽林、期門之兵，此南、北相制之意，頗亦稱善，然其間漸多更張矣。蓋異時南、北軍皆郡國番上。自武帝用兵，習置八校，大抵以習知胡越人充之，則募兵始。此期門、羽林皆世家爲之，則長從始此，自是始有養兵之費，而兵制壞矣。

唐太宗貞觀十年，更號統軍爲折衝都尉，别將爲果毅都尉，諸府總曰折衝府。凡天下十道，置府六百三十四，皆有名號。而關中二百六十有一，皆以隸諸衛。凡府三等：兵千二百人爲下以三百人爲團，團有校尉。五十人爲隊，隊有正；十人爲火，火有長。史稱其居處、教養、畜財、持事、動作、休息皆有節目。自居無事時，耕於野；其番上者，宿衛京師而已。若四方有事，則命將以出；事解，輒罷兵，散於府，將歸於朝。故士不失業，而將帥無握兵之權。所以防微杜漸，絕禍亂之萌，此唐初所以盛，由兵寓於農也。至開元中，承平日久，府兵法壞，張說、李林甫始募長征兵，謂之彍騎，卒啓方鎮跋扈之禍。李泌謂其兵不土著，又無宗族，不自重惜，忘身徇利，禍亂遂生，下陵上替，不可救止。歐陽修唐史謂置兵所以止亂，及其弊也，適足以爲亂。又其甚也，至困天下，以養亂而遂至於亡焉。此唐室後來之禍，皆原於輕變府兵之法，而兵、農爲二也。

宋神宗嘗謂輔臣曰：藝祖養兵止二十萬，京師十餘萬，諸道十餘萬。使京師之兵，足以制諸道，則無外亂；合諸道之兵，足以當京師，則無内變。内外相制，無偏重之患。觀神宗斯言，宋初兵制未嘗不善。然其所以至於冗費不可支者，豈盡由於契丹、元昊之邊患哉？觀係經緯云：兵一而已矣，今内外之兵百餘萬，而別爲三四，又離爲六七。別爲三四，禁兵也，廂兵也，民兵也，蕃兵也；離爲六七者，謂之兵而不知兵者也。給漕輓者皆兵也，服工事者皆兵也，繕防河者皆兵也，典誰何者皆兵也，衛陵寢者皆兵也，給國馬者皆兵也，疲老而坐食者皆兵也。前世之兵，未有猥多於今者也；前世制兵之害，未有甚於今日者也。吁！宋朝兵制亦可以鑒矣。

稽古兵制，莫善於周，莫不善於宋矣。能鑒宋而法周者，其明初之制乎？當洪武初重兵屯京師，以遠田三畝易城外民田一畝爲屯田，不足，又移各衛以就田，真所謂養兵百萬，不費百姓一粒米，誠千古之善法也。其後，將不在五府，而用流官；兵不在屯丁，而行召募。舊制蕩然矣。嗚呼！俛仰今古，寓兵於農則治，税民養兵則亂。自周而後，如出一轍，有國者能無鑒哉！

明制：設都督府五，都指揮使司二十一，留守司二，衛百九十一，守禦、屯田、羣牧千户所二百十有一，宣慰、招慰、安撫長官九十五，番夷都司、衛、所百有七，各統其軍及部落，聽巡捕、軍器、漕運、京操、守備、征調、朝貢、保塞之政令。大都五千六百人爲衛，千一百二十人爲所，百十有二人爲百户。所設總旗二名，小旗十名，大小聯比以成軍。國大師，則詔文大臣總督、提督、參贊軍務，而總兵官佩將印領之。既旋，上所佩印於朝，將歸第，軍回衛所聽調，而武官不得輒下符行軍。其軍師簡練三營軍，曰五軍營，曰神樞營，司旗纛，曰神機營，習火器。神樞馬隊，神機步隊，五軍兼之，而統以文、武大臣。十二衛番上宿，衛皇城四門，領銅符，分信地，以爲守衛，而嚴上直、折伍、頂替之律。錦衣衛主禁庭鹵簿、儀仗之事，旗手司主旗纛、金鼓之令。諸衛皆統軍卒，而錦衣衛獨領校尉、力士，蓋周之虎賁也。諸軍皆正卒，而府軍獨僉幼軍，卽漢之六郡良家子也。諸衛官皆世，獨錦衣不世，以使能。大都京師約宿軍三十餘萬，畿内約二十餘萬，盡諸邊之兵不過此，括諸省之兵不當此也。

明初之兵，有從征，有歸附，有謫發著籍。從征者，諸將所素將之兵，平定其地，因留成者也。歸附者，勝國及諸僭僞者所部兵，舉部歸義者也。後乃謫發諸罪隸爲兵。而制衛所兵，所在有閑曠田，分軍立屯堡，令且守，約以十分爲率，七分守城，三分屯耕。有警，則朝發夕至，視古屯營法爲近。屯法，每軍約受田三十六畝，歲收子粒十有八石，入月糧歲十有二石，閏加一石，餘六石上倉。餘丁所受納以差次降。其番上宿衛給由役，其口糧於倉内給支。其牛具、農器總於屯曹，細糧子粒登於户部。其時邊腹之間，屯田棊列，將歸於衛，士安於伍，實不費民間一錢也。

騰驤四衛舊稱禁軍，正德中隸中官，詭冒依附爲奸欺，不可詰。嘉靖初，兵部尚書李承勛言：宫府一體，請改選論覈隸本部如旗手等衛，許之。而内臣言：四衛禁軍隸兵部不便，往歲如彰義門破敵，如東市勦曹賊，皆四衛功。以直内，故號召易集也。倘外隸，卒有急難，召非便。承勛言：往歲之事，正以兵權歸閹人致亂，彰義門之戰，由太監王振；東市之賊，即太監曹吉祥也。國家軍政有統，豈當秉之内臣，云易驅集哉？詔如議行。

兵部議民壯疏云：伏覩我朝舊制，自京師以及天下設置衛所，編充軍伍，幾至百萬。今州縣百姓供給糧餉，計天下田租之入，大半供軍，專爲防奸禦侮。軍以衛民，民以供軍，未聞衛所之外復有民兵之設也。自正統十四年軍伍消耗，邊患警急，始議召集壯勇以自護衛，蓋一時權宜之計。事寧之後，即當罷革，以示休息，修明軍政，以復舊規。而年復一年，因循未改，至於給事中孫孺建議選民壯以振天威，本部依擬通行天下，照里編僉，民兵之害，遂流至今。言者屢欲查革，而本部因襲憚改，終不能救。今御史楊璵目擊其弊，反覆論列民之疾痛，如切其身，且引宋人議於陜西，點議勇數萬以禦元昊，司馬光力阻其議，以爲於民有世世之害，於事無分毫之益，其説尤爲明鑒。楊琠所言，切於時政得失，軍民利病。臣等不敢忽處，合無本部通行各處巡撫、巡按官會同三司等官查勘，但係弘治七年給事中孫𦤛奏准新設民壯，通行革罷，不許再行勾擾。其正統十四年以後，弘治七年以前，原設機兵、民壯，及山西、陜西等處原設備禦各邊民壯，俱照舊存留。其餘腹裏設有衛所去處，照例將守城軍餘，及輪操下班官軍操練防禦，至於州縣衙門合用兵快，亦依楊琠所擬，不必編僉。惟令查訪驍勇精壯、平素慣習捕盜之人，不拘名數，收充應捕快手名目，除免本身差徭外，再免本户二丁幫貼衣食。本户無丁，許免別户人丁幫貼。俱聽本州、縣掌印官提督操演，緝捕盜賊，不許官司私役擾害。中間應有奬勵、優恤等項事宜，本部議擬未盡者，悉聽巡撫、巡按、三司官從宜施行，不必拘泥。本部原擬惟在人得實用，事無紛擾，盡除煩苛，與民休息。

初制，飭武之道，惟重世官；養材之方，惟練應襲。故令官舍隨營操備，無所謂武舉也。天順八年，始開武舉，然所取甚少。初，止取二名、七名，至十五名、三十餘名。及嘉靖間，此途漸重，於是世胄徒爲虛器，而功臣之澤斬矣。

兵備一官，設於弘治間。馬文升爲本兵，慮武職不修，故增一臬員以敕（教）之。時閣臣劉健力以爲不可行。後奏設九江兵備，都給事夏祚復疏論不可。然馬持之甚堅，遂通行增設。後將驕兵惰，目無督撫，何有於兵道？亦徒設矣。

兵部，所以將將者也。先朝慎重其選，無事之時，宜揀大臣知兵者列於本兵，以備總督、巡撫之用。而四司不宜輕畀，必於内外博選沈毅通敏之士，多儲司中，令人習練兵事，或用之重地兵巡，或即用爲本部侍郎。精其選，久其任，必有爲國家辦大事者出乎其間矣。昔杜牧序武子書曰：兵者，刑也；刑者，政事也。爲夫子之徒，實仲由、冉有之事也。不知自何代分爲二道，縉紳之士不敢言兵。豈知自古主兵者，必聖賢才能，多聞博識之士，乃能有功。議於廊廟之上，兵形（刑）已成，然後付之於將耳。此誠知本之論也。

九邊

明初，設遼東、宣府、大同、延綏四鎮，繼設寧夏、甘肅、薊州三鎮。鎮守皆武職大臣，提督皆文職大臣。又以山西鎮巡統馭偏頭三關，陝西鎮巡統馭固原，亦稱二鎮，遂爲九邊。弘治間，設總制於固原，聯屬陝西諸鎮。嘉靖間，設總督於偏關，聯屬山西諸鎮。總鎮一方者曰鎮守，獨守一路者曰分守，獨守一城、一堡者曰守備，有與主將同處一城者曰協守，又有備倭、提督、提調、巡視等名。其官掛印專制者曰總兵，次曰副總兵，曰參將，曰遊擊將軍，舊制，俱於公、侯、伯、都督、都指揮等官内推舉充任。

遼鎮

遼鎮，古幽、營二州。舜分冀北醫無閭之地爲幽州，即今廣寧之地；分青東北爲營州，即今遼陽之地。東至鴨緑江，西至山海關，一千四百六十里；南至旅順海口，北至開元城，一千七十里。元季時，爲平章劉益、高家奴分據。洪武初，奉表來歸。四年，置定遼衛。八年，改爲遼東都司。十年，革所屬州縣，設衛二十五。永樂七年，於開元、遼陽復設安樂、自在二州，以處内附之人。原額兵九萬九千八百七十五員名，隆慶增九萬四千六百九十三員名，萬曆除逃故八萬一千九百九十四員名，崇禎時主兵如萬曆之數，而新募及援旅無定數。

薊鎮

薊州，以三屯營居中，爲本邊重鎮。東至山海關三百五十里，西至黄花鎮四百五十里。明太祖於古會州地設大寧都司營屯等衛，外山連緜，與遼東、宣府東西並列爲外邊。命魏國公徐達於内西自古北口，東至山海關，增修關隘爲内邊。永樂初，因兀良哈三衛部落内附，乃徙大寧都司於保定，置營屯等衛於順天，以大寧全地與之，後止守内邊。人謂外邊山勢連亘千里，山外諸江環遶，爲天設之險。原額兵七萬八千六百二十一員名，隆慶增十萬七千八百一十三員名，萬曆九萬九千二百四十六員名，崇禎一十二萬七千七百一十八員名。

宣府

宣府，漢上谷地。明初常忠武克元之上都，設開平衛守之，置八驛：東則凉亭、沈阿、賽峯、黄厓四驛，接大寧古北口；西則桓州、威虜、明安、隰寧四驛，接獨石。後棄大寧，而興和亦廢，開平失援難守。宣德中，乃徙衛於獨石，棄地蓋三百里。宣府山川糾紛，地險而狹，號稱易守。原額兵一十二萬六千三百九十五員名，隆慶增一十五萬一千四百五十二員名，萬曆七萬九千三百員名，崇禎八萬一百二十八員名。

大同

大同，古雲中地。東至枳兒嶺，西至平虜城，川原平衍。初設大同府，分封代王。外分東、中、西三路；北設二邊，拱衛鎮城，皆稱要害。況平虜城西連老營堡，與偏關近，河套中住牧之裔，纔出套便涉其境，故稱重地。原額兵五萬四千一百五十四員名，隆慶增一十三萬五千七百七十八員名，萬曆八萬三千八百員名，崇禎七萬六千五百二十六員名。

山西

明初惟置大同鎮，所以屏蔽山西。嘉、隆以後，豐州三受降城既入板升，東勝、河套又歸吉囊，故偏頭、寧武、雁門三關稱重鎮焉。原額兵二萬七千五百四十七員名，隆慶增四萬七千一百八十一員名，萬曆五萬七千六百一十一員名，崇禎五萬三千五百二十三員名。

榆林

榆林，舊治在綏德衛，棄米脂、魚河等處於外幾三百里，故外警時聞。成化九年，都御史余子俊建議徙鎮榆林堡，襟喉既據，內地遂安。但其地逼近河套，雖有邊牆，然東自清水營，西至定邊營，實爲衝要。原額兵四萬九千二百五十員名，隆慶增八萬一百九十六員名，萬曆五萬一千六百一十一員名，崇禎四萬五千一百四十員名。

寧夏

寧夏，亦朔方河西之地，卽古夏州也。南北僅百里，東西二百餘里。明初立寧夏府。洪武五年，廢之，徙其民於陝西。九年，復設寧夏等五衛於上郡，東南距河，西北抵賀蘭山，蓋四塞之地。内有漢、唐二渠，引水灌田，足稱富庶，亦陝之樂土也。所隸賀蘭山後，外患時聞，而花馬池、鹽川東西三百里，地勢平漫，興武營、靈州一帶又河套侵犯必由之路。原額兵三萬七百八十一員名，隆慶增七萬一千六百九十三員名，萬曆三萬七千八百三十七員名，崇禎二萬五千一百六十七員名。

甘肅

甘肅，一線之路，孤懸千五百里，西控西域，南隔羌、戎，北遮亦不剌、瓦剌二家虜。洪武九年，設甘州等五衛于張掖，設肅州衛于酒泉，設西寧衛于湟州，又設鎮番、莊浪二衛，又于金城設蘭州衛，皆置將屯兵拒守。西番種類不一，洮河、西寧一帶附近番族，以茶馬羈縻，其餘遠番，止令通貢上達。元人之後爲亦不剌所據。哈密諸番衛本中國屏藩，爲吐魯番所破。原額兵莊浪一萬八千五十六員名，西寧衛八千五百員名，涼州衛一萬八百五十八員名，鎮番衛四千九員名，永昌衛八百三十二員名，甘州衛三萬三千八百九十四員名，山丹衛八千五百八十二員名，肅州衛一萬一千二百六十七員名。崇禎全鎮兵四萬五百四十八員名。

固原鎮

固原，開城縣地也。成化以前，河套未盛，但以陝西巡撫、總兵提鎮此邊。自弘治十四年火篩入掠之後，遂爲衝要。十五年，兵部議奏設總制于固原，推用户部尚書秦紘以副都御史駐劄此城，于是始改立州衛，以固、靖、甘、蘭四衛隸之。嘉靖十八年，因主事許論議，以總制移鎮花馬池，仍以陝西巡撫、總兵提鎮此邊。額兵二萬八千八百三十員名，隆慶增七萬一千九百一十八員名，萬曆五萬五千二百員名，崇禎五萬九千八百三十員名。

河套

余按西北之邊，自大同、偏關，以及寧、固，無處不苦河套，增戍糜餉，國家物力大耗于此矣。按明太祖命李文忠西略豐州，遂卽勝州城東勝，以統套内一十二縣，故正統以前猶守之。正統以後，都督王順遮築榆林城于上郡，僅足蔽延安、綏德而已。套内之朔方、河西，盡捐以畀吉囊父子。兼嚴嵩計殺曾銑、夏言，後遂無敢議復套者。李傑備邊疏云：漢元朔中，取河南内地，因河爲固。唐張仁愿築受降三城，渡河而軍，雖有寇盗，關隴不摇。今也，受降既廢，内地亦虚，自撤藩籬，任其出入。由是延綏以至寧夏千餘里之間，無非受敵之處，雖口屯戍相望，然彼聚而攻，我散而守，欲以制勝，不亦難乎。爲今之計，縱未能北循受降，據賊心腹，亦須乘其空虛，遣兵搜刮，按漢遺規，阻河而守，雖極勞費于一時，終獲安寧于悠久。議者必曰自宋以來，兹地久曠，懸隔内郡，應援實難。然元朔之前，此地不曠乎？何以能立郡也？漢唐以來，不皆守此乎？何以不陷于賊也？此誠要害之地，其可失乎？

安南

安南，本古南交地，秦象郡，漢交趾、九真、日南三郡，治嬴婁。吳改九德、武平、新昌，宋改宋平，徙龍編。梁安南鎮南都護。五代之亂，推丁部爲帥，宋封其子璉交阯郡王。後黎桓、李公蘊、陳日照相繼篡立，又五世爲黎季犛所篡。永樂四年，遣總兵張輔、沭（沐）晟平之。輔上交趾地圖，建交阯布政司，領府十七、州五，屬州四十一，縣一百五十七。六年，交趾復叛。英國張輔復平交趾。十三年四月，輔以征夷將軍鎮守交趾。十五年，召還。輔經營交趾前後凡十年。十六年，黎利叛。宣德二年，黎利復叛，遣兵討之。利懼，奉表乞立陳氏後，朝廷許之，因罷郡縣。使當時仍命英國世守之如沭（沐）英之例，則交趾可長爲中國有也。已而，利篡陳自立。嘉靖六年，其參督莫登庸乘黎之亂，弑黎廬自立，僭國號曰大越，改元明德。子方瀛嗣，改元大正，且侵内地。十八年，遣兵討之。登庸表降請罪，愿歸侵地。于是朝廷赦登庸罪，署子方瀛安南都統使，遂罷兵。然其專擅自若，遂使二十二府、州士民復淪于異域。

江防

新江營設水操軍以萬計，而都御史督之。蓋自永樂遷都後，迨今未之有改。事有專制，所轄畿輔諸郡，上自九江，下抵蘇、松、通、泰，凡地方緩急，寇盜、鹽徒隸之，蓋以留都根本重地，江淮東南財賦所出，誠重倚之，故先設巡江都御史，繼以提督操江兼領之。嘉靖壬子、癸丑間，倭犯海上，凡蘇、松、淮、揚皆爲寇穴，操江臣南北奔走爲疲，勢難周遍，于是朝議加應天、鳳陽兩撫臣提督軍務，與操江臣畫地而守。圌山以下屬江南撫臣，三江會口以下屬江北撫臣，操江臣專督瓜鎮以上江。又用言者調福、浙兵，增募江、靖兩縣耆民，凡七千有奇，增軍餉五萬餘金。後十餘年，乃盡遣客兵歸之故鄉，僅留江、靖耆民兵八百分守圌山、三江會口，遊兵儀真四營，餉亦如其數損之。此則沿革之大致也。

海防

總制胡宗憲曰：防海之制，謂之海防則必宜防之于海，猶江防者必防之于江，此定論也。國初，沿海每衛各造大青及風尖八漿等船一百餘隻出海，指揮統率官軍更番出洋哨守，海上諸島皆有烽墩，可爲停泊。其後弛出洋之令，列舡近港，自浙東定海，浙西乍浦，蘇州于吴淞江口及劉家河。夫乍浦之地，海灘淺闊，無山嶴避風之處，前月把總周易等所領戰舡被賊燒燬，僅遺十餘隻，近又報爲颶風擊碎，不若海中洋山殿前奝集反可泊舡也。吴淞江口及劉家河出海紓迴，又非泊舡處所。議者欲分番乍浦之舡以守海上洋山；蘇松之舡以守馬蹟；定海之舡以守大衢，則三山品峙，哨守相聯，可扼來寇。而又其外陳錢諸島，尤爲賊衝三路之要。兵部原題副總兵俞大猷統領戰舡，駐劄海上防賊，截殺則如陳錢乃其所當屯泊。而提督軍門及海道等官，每于風汛時月相參巡察。有警，則我大舡火器衝截入，使不得越各島，則彼毒無施，釁孽不作，而外地安堵。

海上入寇，隨風所之。東北風猛，則由薩摩或五島至大小琉球，而仍視風之變遷，北多則犯廣東，東多則犯福建。若正東風猛，則必由五島歷天堂官渡水，而視風之變遷，東北多，則至烏沙門分䑸，或過韭山海閘門而犯温州，或由舟山之南而犯定海，犯象山、奉化，犯昌國，犯台州；正東風多，則至李西嶴壁下陳錢分䑸，或由洋山之南而犯臨觀，犯錢塘，或由洋山之北而犯青村、南匯，犯太倉，或過南沙而入大江。若在大洋而風歘東南也，則犯淮揚、登萊。若在五島開洋，而南風方猛，則趨遼陽，越天津。大抵倭船之來，恒在清明之後。前乎此，風候不常，難準定；清明後，方多東北風，且積久不變。過五月，風自南來，不利于行矣。重陽後，風亦有自東北來者，過十日，風自西北來，變非所利。故防海者以三、四、五月爲大汛，九、十月爲小汛。

緬　酋

天啓六年正月，雲南巡撫閔洪學報緬酋阿瓦攻車里疏：看得阿瓦、車里之釁，起于萬曆四十四年。阿瓦欲得車里之女召烏囚，而車里予以贋者，以生兵端。方其被兵，曾未一字告急，不獨不請救于天朝，亦且未求援于隣壤。瓦兵一至，棄塞而奔，致泥首受縛。蓋車里在嘉靖間兵敗于緬，而以小車里應漢，載在滇志，所從來遠矣。夫緬當車里，在國初並六慰之一，而我所稱羈縻之酋也。輙因挾女細故，敢于擅兵憑凌，似不容不興問罪之師。但緬提古巢穴去滇八千里，而車里亦在三千里徼外，非若麓川之切近永勝者。昔年麓川之役，用兵二十萬，用餉千萬，兵連十年。則今日之事，以彼例此，難易更未易言，此不能不煩廟議熟商。然竟置度外，付之不問，則緬之勢日熾一日，滇之患日逼一日，將來亦有不可知者。請誦言之。在洪武初，天兵所指，四裔不遠萬里遣使通貢，相率賓服，各假名號以示羈縻，自宣撫以及安撫、長官、巡檢，小者不可勝數，其大者爲三宣、六慰。今三宣無恙，而六慰安在哉？以六慰言，其一緬甸宣慰司，卽緬也；其一車里宣慰司；又一曰八百；一曰木邦；一曰孟養；一曰老撾。爾時地醜力齊，各自雄長，或互相仇殺，時勝時負，時滅時起，仗犬牙以相制也。卽嘉靖初，緬甸爲孟養所滅，其酋莽犯歲舉族皆死，惟莽瑞體兄弟數人走免。入洞吾，因篡洞吾，借其兵力復仇，日漸强大，四面吞併，拓地九萬里，遂成尾大不掉之勢。以嘉靖末年滅八百，以萬曆八年擄孟養酋思，今以十八年逐思遠，遂滅孟養；以萬曆十年擄木邦酋罕拔；以三十二年擄罕榼，遂滅木邦；以嘉靖間破老撾之境，掌撾已失東偏，惟西偏僅存，未服屬緬，然亦久不通中國。是昔分之而六者，今合之而一，而緬安得不大也？六慰既盡，勢將及于三宣。又如孟良、孟定、耿馬、蠻莫、猛卯、猛緬、猛猛、威遠、鎮康、孟璉諸夷，環處我疆徼之外，爲我藩籬，尚不下以數十。緬兵一臨，無不從風而靡，非其向化不堅，寔其勢力不敵也。爲今之計，即未能輕開緬釁，亟宜聯絡諸夷。諸夷分之則涣而弱，合之則聚而强。我未聯之，則威劫于緬，心摇摇如懸旌；我能聯之，則諸夷喜于有所歸附，莫不協心併力以拒緬。昔緬滅木邦而不能有也，以思禮食其地；滅蠻莫而亦不能有也，以思線食其地。所用仍天朝原頒印信，緬滅之而不有之，非心不欲，鞭不及也。今緬擄車里之酋，未遽能有其地，必將更置其酋長，立所愛者去之，而車里之人未心帖也。諸夷之勢既聯，則車里之釁亦有可乘，或不難相機而取事也。臣等已屬僉事郭慶年專經理其事，以本官曾備兵金騰，深得夷心，頗諳緬中情形，合以全副精神收拾諸蠻，而一面以文告諭緬，責其退兵還地，隨宜處置，俟機宜另疏外，謹先據實具聞。

雲南

明制，雲南布政司治于昆明城，曰雲南府。凡二十郡，左右分晝，左曰迤東，右曰迤西。界以大江，東北曰金沙，西南曰蘭（瀾）滄。金沙自北入東海，蘭（瀾）滄自南入南海，幅員不翅萬里。官軍從大將軍南下，及五方之人，或以戍，或以徙，或以僑寓不歸，是曰漢人。其生夷地曰夷人。夷有二種：居黑水之裏曰爨，居黑水之表曰僰。爨屬郡縣，僰屬羈縻。總計夷、漢，漢人三之，夷人七之。又分計兩夷：僰人三之，爨人七之。各府、州、縣土官至多，官巡檢、典史、主簿，皆世襲，加銜至知縣、知州、指揮，權在有司。居平衣食租税，卒有疆場之事，則發魚書，令帥其部曲以從，然皆夷種編氓也，州可出兵四百人，縣可二百人。其地南控交阯，北接吐蕃，西擁諸甸，東以曲靖爲門户，與蜀、黔錯壤，麗江瓶角，松番、烏蠻與雲益如犬牙然。自永昌出塞，南際大海，諸蠻自相雄長。明太祖惡其數叛，賜之刀、曩、斧、罕四姓。今惟斧姓無存，其他相仍未替。至土、流並設之法，自漢世已然。天寶後守長不法，恣肆誅求，遂起割據僭竊之禍。觀張喬斬奸猾長吏九十餘人，而三十六部盡降；諸葛孔明用其豪傑，而財賦足以給軍國；史萬歲受明珠，而隨服隨叛；梁毗一金不取，而酋長咸歸；李知古以重賦戮尸，張虔陀以淫虐被殺，鮮于仲通褊急而喪師，杜元穎高傲而致亂，然則御夷之道，顧不甚簡易乎。

貴州

貴州開省在永樂十一年。田氏就擒，以思南三宣慰司地方改設六府，每府所屬不過三四長官司，每長官司人民不過一、二百户，官多民少。其地山峭地瘦，夷情猾詐，分隸川、湖、雲南，壤地聯絡，衝胸掣肘。自泗城北窺永寧，芒部南擾畢節，西播外突，普凱内横，交譏搆亂，喜禍佳兵，每一梗阻，滇南中斷。朝廷遣將征討，多藉土司之力。土司貪財好殺，但分疆界，不顧婚姻，惟敬官府，利賞賜，巵酒寸臠，驅之卽往。我利其自相戕賊，可以破散陰黨。彼從命屠戮時，似不識人，既事畢，解媾結好如故，而水西爲最。

閩省海賊

給事中何楷疏：臣家居海濱，頗悉近事。自袁進、李忠初發難，而後寇禍相繼者二十餘年，惟進與忠及芝龍三人就撫。進、忠用之于遼東，竟没没無聞焉。芝龍建功海上，漸躋副將矣。諸賊不謂其以功得官，但知其起家亡命，而今日富貴烜赫如斯也，競欲以芝龍爲榜樣，謬謂非做賊必無以博官，則皆撫之一字爲之囮耳。請著爲令，自今以後，但遇海賊發，專以剿滅爲主，敢有言招撫者殺，死無赦。如是而從賊者無更生之望，庶乎有所畏而自止也。猶未也，二十年以前之賊，未有如今日之多也。初亦謂渠魁斯得，則清晏可期耳，而政不其然。進、忠之後，有楊禄、楊策。禄、策之後，又有芝龍。芝龍之後，有李芝奇。芝奇之後，有鍾斌。而斌之後，又有劉香也。驅逐未幾，旋復啃聚，如焚燹火，乍赤乍白。卽使今日劉香就斃，遂以爲可狃乎？臣未敢保一年無事矣。若小賊不剪，則大賊不止。當其爲小賊，剪之則易；當其爲大賊，而殲之則難。請嚴勅三省沿海副將、遊、守、把等官，乘今賊勢衰時，常出海巡哨，有發必擒，毋俾遺種。如一年之内，守、把獲賊不以數十計，副、參、遊獲賊不以過百計，卽以不稱職罷斥。如是，庶小賊不致滋蔓而爲大賊，于以肅清海甸，庶有幾乎。雖然，墟賊窟要焉。賊窟爲何，臺灣是也。臺灣在彭湖島外，水路距漳泉約兩日夜，其地廣衍高腴，可比一大縣，中國版圖所不載。初窮民至其處，不過規漁獵之利已耳。其後見内地兵威不及，往往聚而爲盜。近則紅夷築城其中，與奸民私相互市，夷、盗合爲一夥，屹然成大聚落矣。若此，地不墟，則海上之禍終無時而已。墟之術，非可干戈從事，惟嚴闌出接濟之禁，巡哨捕獲者，功如擒賊之例，卽以其貨物充賞。夷人無所得利，賊徒無所搶掠，倘出而肆犯，則以武臨之，勢必將棄此地而去。賊窟既墟，然後海氛可靖也。

崇禎十三年，吏科都給事中王家彦疏：嘗觀海内地勢，自江南以北，沃野千里，不溝不洫，因嘆閩省海壖地如巾帨，民耕無所，且沙礫相薄，耕亦弗收，加以年荒賦急，窮民緣是走海如鶩，長子孫于唐市，指窟穴于臺灣，横海鴟張，如先年周三、李魁奇、鍾斌等，其最毒者也。崇禎五年，劇賊劉香復徑逼五虎門，掠閩安鎮，幾揺省會計。自漳之福滸至省，不知歷幾寨、幾遊，而中左居漳、泉兩府之間，爲全省之門户，繇來爲賊所從入之逕，扼抗宜嚴。今幸數載小康，而流氛未殲，到處震驚。且山箐嘯聚者，亦復時撲時起。吸浪之鯨，伺隙易動；綢繆之策，不可不講。請以歷來祖制約略言之：國初有衛所軍，無别兵；有指揮，千百户，無别將。無論戍（戌）陵皆軍，卽烽火小埕，南曰浯嶼、銅山五水寨之舟師，無非軍也，而統于各衛之指揮，謂之衛總。至嘉靖四十二年，撫臣譚綸、總兵戚繼光題復舊制，每寨設福哨、烏槳等號船四十餘隻于五寨中，分三哨屯大洋賊舡必經之處，其餘各寨附近緊要港澳，則分哨以防内侵，又于道里適均海洋定爲兩寨會哨之地，北抵浙之金盤，南抵廣之柘林，聯絡呼應，戈船相望。萬曆二十四年，撫臣金學曾委分守張鼎思、都司鄧鍾躬閲信地，復請添設嵛山、海壇、湄州、浯銅、元鍾、礵山、臺山、彭湖諸遊于一寨之中，以一遊翼之，錯綜迭出，雖支洋窮澳，無不搜焉。自昇平日久，而額軍、額船頓失舊制，指揮、千百户等官足不踰城市，會哨之法遂杳然矣。至因而選民兵，募客兵，編鄉兵，又聯漁兵，業與軍而五矣。昔之爲軍者一，而可以殺賊，今之爲兵者五，而籍愈虚，賊愈熾，談海事者，所以長嘆息也。按舊額而復之，依分哨、會哨法而核之，籍民兵而簡練之，鼓鄉兵而勿以官兵擾之，復徵沿海四十二澳漁兵之曉事者，厚其犒餉，偵賊所在，照各邊例以爲海上耳目而頓制之，皆今日不俟再計而決者也。至巡司之與衛所並建，當日江夏侯周德興念環海疎節闊目，乃于中所隙處設四十五寨城，射手百名，以資邏警。弘治十四年，按臣陸偁始裁三分之一，而寨兵益寥寥矣。夫以四十五司、四千五百之射手棊布于寨與遊之間，懸軍插羽，聲勢俱猛。今寨既鞠爲茂草，巡司官無專職，延挨年日，三二弓兵，勾攝他事，以爲生涯，餼廩之意已無存矣。爲今之計，莫若以本寨原餉，仍募土民以充射手之數，專令教師肄習弓矢之外，不許妄行勾攝，恣爲侵漁。卒然遇警，賊少，則率此以應；賊多，則糾合各寨，將所轄一方之水陸等兵共堵擊焉。撫按巡臨，則令其與衛所軍兵嚴行較藝，以爲巡司之勸懲。如此，則官無虛設，兵皆實用，無地無殺賊之人矣。戚繼光之平倭也，鷄鳴蓐食，殲厥無遺，故至今倭猶惕息其餘威，以犯華不利爲戒。今賊且生生不已矣，猶可留撫之一字，以爲海上之傳燈乎？自賊飽而陽以撫愚我，我將飽而陰以撫酬賊，于是旗鼓雖設，壁壘雖嚴，而賊之去來動静，未有不先通于將者。兵乘賊至，則引下風以避之；賊去則尾其後以送之。抽矢扣輪，以發虛聲；遮襲商艇，以當捕擊，海波尚得有晏時乎？惟曉然示以渠魁法在必殲，以斷行間之觀望，則將無利于賊金粟，馬羊之擅去，而後陷陣死綏之志堅矣。

給事中傅元初論開洋禁疏：臣竊見中國之財，天産地毛，悉以供西北邊之用，出不復返。兼今軍需孔棘，徒求之田畝，加派編户，此亦計之無如何也。然利害有宜剖晰，時勢有宜變通。有閉之乃釀隱禍，而開之足杜姦萌者，則如閩中洋禁，曾奉明旨。然臣閩人也，謹查先臣何喬遠曾有疏議，謹詳其概，則又有未始不可採行者，臣請得按論之。萬曆年間，開洋市于漳州府海澄縣之月港，一年得稅二萬有餘兩，以充閩中兵餉。至于末年，海上久安，武備廢弛，遂致盜賊刼掠，兼以紅毛番時來倡奪船貨，官府以聞，朝廷遂絶開洋之稅。然語云：海者，閩人之田。海濱民衆，生理無路，兼以飢饉薦臻，窮民往往入海從盜，嘯聚亡命。海禁一嚴，無所得食，則轉掠海濱。海濱男婦，束手受刃，子女銀物，盡爲所有，爲害尤酷。近雖鄭芝龍就撫之後，屢立戰功，保護地方，海上頗見寧靜，而歷稽往事，自王直作亂以至于今，海上故不能一日無盜，特有甚不甚耳。海濱之民，惟利是視，走死地如鶩，往往至島外區脱之地曰臺灣者，與紅毛番爲市。紅毛業據之以爲窟穴。自臺灣兩日夜可至漳、泉内港。而吕宋佛郎機之夷，見我禁海，亦時時私至雞籠、淡水之地，與奸民闌出者市貨，其地一日可至臺灣。官府即知之而不能禁，禁之而不能絶，徒使沿海將領奸民坐享洋利。有禁洋之名，未能盡禁洋之實，此皆臣鄉之大可憂者。即當事者譚海上事，亦未能詳悉以生利彌害之計告于我皇上。臣知而不言，誼所不敢出也。蓋海外之夷，有大西洋，有東洋。大西洋則暹羅、東（柬）埔諸國，道其國，産蘇木、胡椒、犀角、象牙諸貨物，是皆中國所需。而東洋則吕宋，其夷佛郎機也。其國有銀山，夷人鑄作銀錢獨盛。中國人若往販大西洋，則以其産物相抵；若販吕宋，則單得其銀錢。是兩夷者，皆好中國綾緞、雜繒，其土不蠶，惟藉中國之絲，到彼能織精好叚疋，服之以爲華好。是以中國湖絲百斤值銀百兩，若至彼，得價二倍。而江西磁器，福建糖品、果品諸物，皆所嗜好。佛郎機之夷，則我人百工技藝有挾一技以往者，雖徒手無不得食，民爭趨之。永樂間，先後招徠東、西二洋入貢之夷，恭謹信順，與北虜狡悍不同。至若紅毛番一種，其夷名加留巴，與佛郎機爭利不相得，曩雖經撫臣大創，初未嘗我怨，一心通市，據在臺灣。自明禁絶之，而利乃盡歸于姦民矣。夫利歸于姦民，而使公家歲失二萬餘金之餉，猶可言也；利歸于姦民，而使沿海將領不肖有司因以爲奇貨，掩耳盗鈴，利權在下，將來且有不可言者。竊謂洋税不開，則有此害。若洋税一開，除軍器、硫磺、焰硝、違禁之物不許販賣外，聽閩人以其土物往他，如浙、直絲客，江南陶人，各趨之者，當莫可勝計，卽可復萬曆初年二萬餘金之餉以餉兵，或有云可至五六萬，而卽可省原額之兵餉，以解部助邊，一利也；沿海貧民多資以爲生計，不至飢寒困窮，聚而爲盗，二利也；沿海將領等官不得因緣爲奸利，而接濟勾引之禍可杜，三利也。倘以此言可採，則今日開洋之議洋税給引，或仍于海澄縣之月港，或開于同安縣之中左所，出有定引，歸有定澳，不許竄匿他泊，卽使漳、泉兩府海防官監督稽查，而該道爲之考覈，歲報其餉于撫臣。有出二萬餘之外者，具册報部以憑支用。臣鄉弁鄭芝龍，屢立奇功，既受延世之賞，仍責以海上捕盗賊，詰奸細，使人與船無恙，計年量，加陞賞。其麾下士卒，向聞係芝龍散金以養之，故所向有功。今其麾下之餉，或可就此酌給，無責令久出財力爲公家幹事之理，是又一利也。竊考有宋之季，市舶司實置在泉州，載在舊制可考。其時郡守諸臣，有爲海舶祈風之詩，此亦前事之可據者。廣東香山澳亦見有税額，閩、廣一體耳。此非臣一人之言，實閩省之公言也。伏乞勅下閩省撫按，查洋禁果否盡閉？開洋果否無害有利？廣詢漳、泉士民，著爲一定之規，庶奸利可杜，兵餉可裕矣。

浙省海寇

御史林棟隆疏：惟國家財賦，浙、直幾半，寰宇京邊，轉輸仰給東南。乃今之東南，固非昔之東南。北征刻急，旱潦頻仍，伍愁脱巾，民思瞋目，然而外患不作，則内變既易，調停刼殺罔聞，則荒政不難料理。兹者閩省劉香老以百船萬衆，乘風突犯沿海一帶，殘燬甚慘。向來海寇不過刼掠過商，今突入内地，而昌國、石蒲二城。且居然水陸夾攻，總哨被殺，戰船爲灰，海邊無復有居民。所幸北風大作，虜搶以去，而温州復受辛螫，并將束手荼毒，有不忍言者矣。夫臣鄉寧波，固兩浙之門户，而蘇、松與浙，又信宿可通。臣今奉旨按吴，脣齒之邦，隱憂均切，則爲今防禦要着，莫要勦夷矣。寧波衛所軍除挽運外，悉充摻守。後因水兵出洋，則撤摻守，軍以貼駕。東征告急，又撤貼駕之粮以助遼。從此軍無養贍。法不得復爲差役，任彼他營，而沿海所各弁包賣名粮，聞賊鋒壓境，而城守無人。臣以爲宜督流軍海防官嚴查，各軍歸伍摻守，不時訓練。夫有兵以外禦，有軍以内守，此切近之着也。浙之金盤、松海、石蒲、昌國、舟山等處，舟所入者，無慮有數十處，賊禦之溟海，爲力稍易，一任其闌入，則勢不可支矣。宜于要害山土高築銃臺，置巨砲，瞭有賊舟，點準冲擊。以上擊下，而從空凌發，賊自難防。或即以貼駕之軍，投以解遼之餉，使之防守，或可無登岸攻擾之憂矣。嚴禁通番接濟，庸人能言，無奈奸徒有造舟集貨，每多漏網，而奸胥又陽爲之主，捕官多居以爲奇，納其貨而縱其人，間亦有之。至于斥鹵窮民，以海爲生。定海關榷税原有定額，近乃薪、米、魚、蝦，纖悉屬征，加三、加五，視爲故常。縱大猾而病商民，無論猾者，闌出無忌，而小民生計日蹙，無可控訴，相率從賊，此理甚明。然則禁奸恤民，安可不加之意也。往者，王直、徐海輩憑借海窟普陀叢林爲之招。自嘉靖平寇以來，業已火其廬，徙像于招寳。當時以爲得策，邇年梵宫禪室，霞起雲連，遠邇男婦，扶挈頂禮，積米如山，聚金若谷。故近日大盗公然入寺燒香，僧衆鳴鐘路接，恬不爲怪。而僧寺又各立門户，競鼠牙訟，官府以爲愚夫愚婦。立赤幟，召寇兵，而賫盗粮，莫此爲甚。勢或不能盡燬，則定海之招寳山原有觀音寺刹，宜徼福者就此進香，如嘉靖年間故事，不許徑達普陀，止許本寺山上僧數十人焚修其中，一應净室，悉行驅遣。布施錢粮，宜爲借守，量給寺僧，餘充官餉。相地以爲銃臺，逢信而嚴城守。該地方參將留意稽察，豈迂計哉。祖宗朝寸板不許下海，今未能也。沙船者，自蘇、松出劉家河，或繇通州、海門直抵定海，茫茫白波，無處盤詰，有貨則客，或戰或守，而勝勢我可嘗操矣。

唐順之海上事宜：國初，防海規畫至爲精密。百年以來，海烽久熄，人情怠玩，因而隳廢。國初，海島便近去處，皆設水寨，以據險伺敵。後來，將士憚于過海，水寨之名雖在，而皆自海島（移置海岸）。近時海賊據以爲巢者，皆是國初水寨故處。向使我常據之，賊安得而巢之？今宜查出國初水寨所在，一一脩復，及查沿海衛所原設出哨海船額數，係軍三民七成造者，照舊徵價，貼助打造福船之用。國初，沿海建設衛所，聯絡險要，今軍伍空缺，有一衛不滿千餘，一所不滿百餘者，宜備查缺額之故而補足之。其運粮、班操等項，原因海上無事，撥借衛所（別用）者，可悉還之原衛所，自爲守。衛所之兵嘗足，則他兵亦可不用。國初，沿海衛所皆有屯田，今埋没過半。而圖册故在，宜按圖照册儘數查出，辦納屯粮。及金塘、玉環諸山，膏腴幾萬頃，皆是古來居民置鄉之處，今可開墾爲屯田，設所以戍守，一以據險，一以因粮。國初，浙江、福建、廣東三省設三市舶司。在浙江省者，專爲日本（入）貢，帶有貨物，許其交易。在廣東省者，則因西洋番艘集，許其交易而抽分之。若福建省，既不通貢，又不通舶，而國初設立市舶之意，漫不可考矣。舶之爲利也譬之礦，然封閉礦洞，驅斥礦徒，是爲上策；度不能閉，則國收其利權而自操之，是爲中策；不閉不收，利孔洩漏，以資奸萌，嘯聚其人，斯無策矣。今海賊據峿嶼、南嶴諸島，公然擅番舶之利，而中土之民交通接濟，殺之而不能止，則利權之在也。宜備查國初設立市舶之意，毋（毋）洩利孔，使奸人得乘其便。

流賊

闖賊李自成，陝西米脂縣雙泉堡人，鄉中號爲闖踏户，因負本鄉艾同知應甲之債，逼勒爲寇。其家有族衆數十口，于己巳年投入苗眉、左掛。一時並起者，則有八大王張獻忠、曹操羅汝才等，發難秦中。後闖竄入西川，窮去苗地。戊寅，赤身逃回，奔往楚山，時獻、曹等九股俱在房、竹山中，闖求附獻、曹。獻忠不許，且欲加以鞭扑。又在竹谿欲謀殺闖，闖乃遁去。庚辰，獻、曹奔蜀，大兵西追。闖又招集亡命百餘人，潛渡入豫，計取雒陽。獻、曹破襄陽，尋亦向豫，與闖合股。辛巳六月，闖、獻勢不相容，曹亦與獻不合，于是獻忠仍奔鄖西，闖、曹從東南而下。嗣後，秦、保之兵一敗于襄陽，再敗于火燒店，而闖之聲勢始大。維時督臣丁啓睿分勦獻忠，追至洵陽，獻大敗，僅帶百餘人折回東走，求附革左。革左忌，不與合。獻忠懼，因詐死，潛匿深山，以避勦。迨督臣星馳援豫，而賊勢已自燎原矣。幸汴城一守，郾城一戰，賊衆折傷過半，方欲窮遁。適秦兵又敗于襄城，賊得資其甲馬、火炮，乘勢復破歸德，圍汴梁，不意我師水波敗績，汴城水渰，而蕲、黄之寇爲禁兵殺敗，又復來與闖合。時爲賊目者，則有：革里眼賀一龍、老回回馬守應、争世王賀錦、治世王劉希堯、胡闖藺養成諸賊，俱願爲闖偏將。惟老回回則各居一部，然一切軍事亦聽令于闖。回、革勢雖畏闖，情實厚曹，闖甚忌焉。闖所親信者，河南寶豐舉人牛金星。及其破襄陽，下荆州，闖令回賊守夷陵州，以犯豐（澧）、常，革賊走德安，以窺黄麻。革在黄陂，阻水不能前，行止收得左鎮殘兵八百而囘。及其歸也，革先見曹，闖益恨之。癸未三月初七日，設酒以邀曹、革，曹疑而不來，革酒後爲闖所縛。初八日五鼓，卽統兵薄曹營，曹賊無備，亦被闖所殺。其下頭目俱分與各僞將。回賊授僞永輔營英武將軍，與以四十八兩金印。回嫌少不受，乃自長宜渡江，截得川船客銀十三萬。闖索之，止與三萬四千兩，闖怒。及回在澧，聞曹、革之變。闖屢調帶兵囘襄，回畏而不來。獻賊遂乘機取武昌、黄州。闖移書與獻，欲其附己。獻亦卑辭以答，求其彼此照應。時楚、豫被流毒，城多不守。賊渡漢，長驅至荆，見所在並無一兵，乃撥人城守。先守荆、襄，再守承德，漸及汝南。其守兵以豫人之差弱者充之，多不能對壘，而我從未有以一兵進一步以圖恢復者。賊設僞官于荆州，不過防禦使、府尹、州牧、縣令四等，黨與尚少。至癸未元旦，欽天監博士楊承（永）裕，山東招遠人，投闖，自薦通曉天文、地理，賊甚信之，更爲設六政府，建侍郎、郎中、從事等官，逼挾陷營之紳衿分任其事，一切示諭、批發俱出承（永）裕之手，授承（永）裕爲僞禮政府侍郎。其各府、州、縣，又增設府同、理刑、州判、縣佐等官，俱質其父、母、妻、子，使之受事。始僭稱僞號，改僞元。甲申正月，攻潼關，秦督孫傳庭敗績。二月初八日，太原陷，巡撫蔡懋德死之。二十二日，寧武陷，總兵周遇吉戰死。三月初一日，大同逆鎮迎降，巡撫衛景瑗不屈死，道臣朱家仕與妻投井死。十一日，至宣府，監視內臣杜勳、總兵王承印（胤）開門降賊，巡撫朱之馮死之。十二日，至昌平，監視內臣申之秀率衆開門降，杜勳隨之至京。十六日，守城內監曹化淳、王德化等縱勳而上，飲于樓。十八日，外城陷。十九日，門開，賊入。

兵部王瓊云：盜賊初起則易滅，勢已滋蔓則難圖，此必然之理也。正德間，江西桃源、華林諸處頑民恃險爲盜，有司專務姑息招撫，遂至釀成大患，殺死方面官，剽掠郡縣，朝廷命都御史陳金治之，調廣西狼兵，始得撲滅。後賊復起，命都御史俞諫，同巡撫都御史任漢處置，或剿或撫，議持兩端，久而益熾，卒之遠調保定達兵，及遼東邊兵往征，始克平定。江西用兵，前後連五六年，勞費無算，此勢已滋蔓難圖之明驗也。厥後徐九齡賊起，兵部議奏：乘其勢未猖獗，急督捕之。不數月擒斬盡絕，此盜賊初起易滅之效也。然欲所向除患未然，非素假之以權，則亦不能成功。我太祖高皇帝親經百戰，深知兵機不可牽制遲緩，所以律條明載，若遇草賊生發，許乘機調兵襲捕，雖非統屬，亦許互相策應；及申報軍情互相隱匿，不速奏聞，因而失誤軍機，坐以斬罪，皆謹始之法也。自徐九齡後，本部申明隱蔽之禁，假借便宜之權，江西賊盜權素得所託，而能速致成功如此哉？兵遂得止息。及寧藩叛逆，不待天兵下臨，江西之兵自能平之，而禍不遠延，豈非申明律禁，兵權素得所託，而能速致成功如此哉？

葉廷秀弭盗議：天下之事，未有不始于微，而成于著者。在昔黄巢不過一鹽徒，張角不過一妖僧耳，方其伏莽鼠息，擒之一隸卒之能，而此輩厚結軍民，上下蒙蔽，不難畜虎養癰，迨其號召羽翼，嗔目語難，以至調軍遣帥，靡費金錢，糜爛黎赤，儼然爲中原一勁敵，卒難剪滅，則初縱者之過也，而已不可問矣。夫當盗賊蜂起之日，而議保甲互結，猶驚蛇打草；議僉富爲兵，猶撥本治標；即議編鄉民爲兵驟行之，則兒戲畫虎，而安得緩急之恃哉？請言治盗之弊，則莫若以縱盗之實，而行撫盗之名。盗未獲而兵先驕，兵先貪而盗且餌，逗留悸怯，將與卒同心擄掠妄殺，兵與盗同害，此皆撫盗之説誤之也。先臣劉誠意曰：教天下之作亂者，其招安之説乎？遂使天下之義士喪氣，勇士裂眥，貪夫悍客，攘臂效尤，曰：不幸落魄，猶以亡命邀利禄，盗何畏而不長哉？故曰：教天下之作亂者，招安之説也。宋臣歐陽修言于其君曰：近日盗賊縱横，若不早圖，恐貽後悔，遂上禦盗四事。中選捕盗之官，與明賞罰之法，誠爲今日切務。惟在聖明嚴敕撫鎮，一意勦滅，懸賞在前，軍法在後。勿以隣國爲壑，而暫報蕩平；勿以觀望爲智，而僥倖解散。務期渠魁盡剪，而後稍寬脅從，風聲震迅，一方歛靖，即四方之戒，數世之創可矣。抑盗賊生發，必有其故，則察吏不可不嚴也。州、縣守令果賢，而子弟視民，催科不擾，且屬民而讀法，抑五申而三令，何至青天白日忍見赤子之弄兵潢池也？然渤海朝歌，古今難之，但察吏之官，動色告誡，遇縱盗殃民者，不時白簡。如包孝肅言：一應盗賊，不以多少遠近，須捕捉净盡，免成後害。或少涉弛慢，並乞重行朝典。是亦防川于未潰，防火于未燃之急着也。

崇禎二年，兵科馬思理疏，略云：川陝、曹濮、靈宿間，無處不報流賊，其刼殺屠掠之慘不減于外裔。今漫漫又經歲月矣。語云：星星不滅，將成燎原。昔山東鼠竊狗偷，竟移秦祚，可爲殷鑒。夫民窮爲盜，兵逃亦爲盜，尚未及滿百耳，不及時勦除，遂蟻聚以千萬計矣。夫盜至滿萬，豈易爲敵哉？臣愚以爲勦盜在勦于初起。我皇上誠急，勅兵部查盗起地方，酌量立限，或三月，或五月，能如限勦除者卽優，不次之擢，其有再違經年者，定置之法。彼知死于法，毋寧死于賊，有不爲皇上捕賊安民，臣不信也。

崇禎十一年，少詹黄道周疏：近日諸臣治流賊者，大意在撫。凡撫賊之法，須令斬捕自贖，得渠魁者與一裨將，得小酋者與一隊主，使行間自效。或先其一股，使探諸股要領，所在因而肢解之。還收其衆，統以元戎，使就屯牧，以實塞下。不宜泛泛以收爲名，以留爲寔。倘復無策，令擇散地，一入鄖陽山中，終爲腹心之疾。

内　禍

崇禎八年，給事中何楷諫内操疏：臣愚不識忌諱，指斥輔臣，荷蒙聖恩，僅從薄鐫，感激鴻私，誼難終默。憶臣先年爲臣父營塟地，頗讀塟書，有云：木華于春，栗芽于室；又云：銅山東頹，靈鐘西應，此喻骨肉一氣之互相感也。臣心未甚謂然，于今始信。當先帝時，魏忠賢用事，營建慶陵，苟圖就緒，旋致寶頂海墁滲漏閃裂，皇上赫然震怒，論誅。内外經手諸臣，爰乃再用役書，重興畚锸，聞者慢然，皆以震動玄宮爲慮。曾幾何時，而今春遂有皇陵破熌之變。此感彼應，理非偶然。因思孔子葺母于防，遇雨復修，泣然出涕，豈非以體魄所藏，神靈攸寓，貴在安静，不利動摇者乎？從來災異變怪，史不絶書，未聞震驚頻在陵寢，以皇上憂勤思治，仁孝動天，惠迪召祥，豈宜有此。昔漢世遼東高園便殿火，董仲舒以爲應在貴臣。孝宣帝杜陵園東闕災，劉向以爲應在内臣。臣不能遠探精祲，未敢牽文比附，獨于先後諸臣所共指陳其不便，而似與今日之災變大相關切者，則無如内操一事。猶記天啓四年，臣應貢入京，于廷試日，忽聞霹靂之聲旋繞不止。一時同輩驚仆欲絶，初共訝爲不雨而雷，已乃知是内操砲響。草茅忠愛咸私謂至尊在上，方將鐘鼓怡神，黈纊養耳，且左有太廟，右有社稷，豈堪終歲連朝，受此驚撼，徒以分居微賤，莫敢訟言。然當時抗章自不乏人，如憲臣楊漣、儒臣蔡毅中、科臣劉懋等，非不援引利害，有脊有倫，無如忠賢廣樹爪牙，窺竊神器，意實有爲，而莫之聽也。在易有之：離爲火，爲甲胄，爲戈兵。春秋傳曰：兵，猶火也，不戢將焚。自内庭弄兵之後，果未幾而王恭廠災矣，未幾而朝天宫又災矣，兵能召火，此其明徵。今日之事，意者亦天心仁愛，九廟有靈，姑藉此以示當改絃易轍之意乎？臣又聞古軍禮之制也，出國則前刃，入國則後刃，毖之也。是以律文不許向太廟及宫殿射箭、放彈、投磚石，亦猶防微之道也。臣繙閲會典，於内操事例，從無開載。第聞萬曆十二年爲聖母謁陵扈駕計，始選兵三千操演内庭，維時言者紛紛。至十三年三月，内蒙神宗皇帝聖諭：内操原有祖制，向緣扈從南北郊及皇陵恭祖，以嚴内外之分，但演教稍知進退而已。而言官不知，妄引非倫，亦是職分之責，姑都且不究。今已停止，欽此。天下咸頌神祖從諫如轉圜，而爲萬世聖子神孫慮至深遠也。神祖罷之，忠賢復之，沿習至今，將成永制。臣願皇上斥忠賢之謬，以神祖爲法，責成京營四衛精嚴操練，以壯皇靈，盡撤内操，用清禁地，則不貲之費可省，意外之虞可免，策之上也。如慮守衛單薄，即將内操餼賞選募勇士，以寔四衛，亦其次也。萬不獲已，果謂内兵堪用，或出之于四衛，或屬之于京營，一體訓練，另隊操演，駕出則從，毋使戈矛挺于蕭牆，火砲伏于肘腋，又其次也。詩云：噲噲其正，噦噦其冥，君子攸寧。皇上誠過聽臣言而賜採納焉，于以安祖宗之靈，迓玄穹之貺，消沴氣而享萬年，端必由此矣。

給事中吴麟徵請罷内臣監視疏：臣于前月二十九日陪祀山陵回，伏讀邸報，分遣内臣兼理户、兵、工三部，及監視宣府、大同、山西之命，三復流涕，中夜興嗟。今何時乎，關門未靖，流寇狂行，主憂臣勞，未獲一效，皇上之有斯命，豈得已乎？責之司農而不應，責之司馬而不應，責之司空而不應，國家隆禮重禄以養士，何爲乎爲人臣者靦顔在位，無國士之報，以致焦煩聖明，不得已而有斯命，甚矣！諸臣之過也。豈獨三部與邊鎮諸臣恥之，凡百執事，無不恥之。夫内臣之禍，前史載之詳矣。曩者逆魏之患，皇上已目擊而正誅之矣。近事昭然，寧忘大戒。臣竊揣聖明之意，哀民生之日蹙，憫四方之多艱，待旦不昧，而不得其術，則曰：且使之姑試之云爾；且以愧在廷諸臣之不敬共乃職者云爾；策中官之新氣，振外臣之情衰，始可以救時事之萬一云爾。然輾轉思之，各邊瘡痍，轉輸不給，一旦内臣銜命而出，奔走供億，保無重費歟？六卿爲皇上股肱，閫臣爲皇上干城，以下屬吏，皆皇上親自拔擢，分職宣理，內臣出而與之絜權，比位退遜則失正名之誼，抗争則乏和衷之雅，體統之間，各以王命相臨，保無水火歟？雖然，此猶其外者、小者，非臣所亟。臣所亟者，祖宗立法之心，與皇上法祖之意也。高皇帝正位二年，卽定內侍諸司職守，勑內官毋與外事，諸司毋與內官監文移來往，嚴立刑罰，勒爲永制，且諄諄于戒未然，防將來，省小忠小信。夫內臣，皆臣子也，高皇帝念之如此其深，而别之如此其至，豈以其職在宫禁，不必奉承德意乎？誠恐內外之防不嚴，冰霜之漸日見，且無以堅諸司任事之思也。肅皇帝首嚴百官通內侍之禁，惟鎮守一事，羣臣屢言未報，後盡革之，而人心大快。度世祖之初意，未嘗不謂內侍服勤左右，其用意忠藎，于厚任必不敢負，迨熟審之而撤去恐晚，莫若行所無事之爲得也。由太祖言之，有未然之防；由世祖言之，有已然之戒。皇上之心，猶之二祖之心也，未然、已然之間，獨無有惕然大慮，急圖舊典之率循者乎？且國家官制，大小相維，內外相察，歷代建制，推爲莫及。是以歷聖相承，臣工戮力，或有不及之歎，而無莫制之憂。今兵、食重權，天下所賴，僅此幾事，盡令內臣節制。且但聞內臣爲監察之人，而不聞監察內臣之人。卽使幸而得當，庶事必舉，臣之所憂尤有大者，往時丑寅間之人心，大可見矣。夫人臣通聖賢一經，束脩砥礪，明主再三選擇，進而用之，苟非大愚不肖，孰肯自甘菲薄？惟在上鼓舞激勸，以生其廉恥之心。設此命一行，而望風趨指，巧者借以逃責，卑者承以徼寵，交結之門開，而忠貞之路塞，尤非皇上所以策厲臣下之淵思也。臣一介書生，謬邀知遇，新進寡昧，言語非職，但念少習誦讀，今始拜獻，苟畏罪不發，無以自容高厚。伏願皇上酌列祖之訓，採盈廷之言，立止初命，安輯羣情，臣雖伏斧鑕，亦所甘心矣。

崇禎十七年，兵部主事金鉉請撤宣、雲監視疏：痛自逆賊破秦以來，山西、河南、畿南風鶴未萌，而官民俱已奔潰。即有一二仗節不屈之士，乃疎于防範，復爲逆民所圖，如撫臣徐標者，又不足爲國家之翰蔽。今真定之間警報少緩，而代州已陷，賊風正逼大同，賊哨且至宣府。臣于初五日聞報，方寸驚惶，竊謂天下大勢，自茲去矣。蓋逆賊欲犯京師，誠慮宣、雲號稱雄鎮，其中勁旅難與爭鋒，是以欲先取宣、雲，然後與畿南賊兵合股並力，以逼王畿，無所更爲顧忌。設謀誠狡，爲憂實深。正在徬徨，適有人自宣府來京，就而問之，深幸其大有可恃。蓋大同一聞賊報，代藩即散財發粟，鼓勵兵民，兼之撫臣衛景瑗亦能協力固守，有屹然不動之志。而宣府撫臣朱之馮夙秉忠清之操，兼有遠略，殊得士民之和。合城士紳富户不下二白人，分有信地，每人各募勇士乘城，措給資糧，亦不取給民資，人人願効死勿去。此自逆賊破秦之後，數月以來，數十名城所未有者。賊萬一來攻，必可以老其師，挫其鋭。倘有勤王之師，乘閒而謀之，則賊可殲，而京師之干城，端在此矣。惟是一切守禦方略料理已定，忽有欽遣内臣至彼，未免以己意多所更張，上下官民，反致擾亂。又聞内臣帶有隨從人役不下四五百人，此四五百者，難保其人人守法唯謹，無毫忽敢擾民間。且内臣之節制，又不知果能嚴肅否也？若從此人心一涣，大勢將不可知。宣、雲不守，臣恐有不忍言者。臣世居京師，性命身家，視皇上宗社安危與共，是以昧死陳言。非敢沽諫内遣之名，亦非敢爲躍冶之舉，萬望皇上收回成命，將宣、大監視内臣卽刻罷遣；立勑兩鎮撫諸臣，嘉其忠義，責以經略終始，秉安貞之誠，與民固守；仍出奇設伏，以屈賊鋒，再調勁兵一枝，聲言合助，以資其犄角之勢，則京師可恃以無恐矣。尤望皇上因此兩鎮，以例其餘。倘有督兵重臣之處，果能精戰守之圖，則所遣監視可次第而罷，以一其事權，天下事尚可爲也。

給事中孫承澤請撤城守監視疏：邇日狡賊自蒲州過河，分頭四犯，山西全省陷没，西路聲息不通，蓋十餘日矣。京師喧傳賊破大同，馳至宣府，城中士民惶惶，撫臣朱之馮方集衆登城死守，監視内臣杜勳同總兵王承印（胤）出城迎賊，之馮力不能止，退守一隅，俄頃滿城皆賊，之馮猶自放一砲擊賊，旋爲賊執，恨而碎割之。長安所傳皆同。之馮少年正骨，素以忠孝自矢，其臨難不苟，見危授命，可必其然。而杜勳奉命監視之人，卽爲開門迎賊之人，使手不握重兵，總兵結爲腹心，卽有叛志，之馮自能執而殺之。然而不能也，則監視之不可恃，而深爲害也，不獨杜勳一人可虞矣。伏乞皇上毅然振怒，將杜勳弟姪名下内官在京者駢誅之示儆，亟加之馮官爵，録其後人，以爲效死者之勸。現今京營捕營内臣，亟宜撤回，還其兵柄于總協大臣，集各勳戚諸臣于城頭，分布信地，我皇上身自爲將，居中調度。閣臣范景文、憲臣李邦華，老成歷練，曉暢兵事。而景文守通州，守南都，尤著明效。望皇上令之日侍左右，諮其籌畫，使京營將領劄營城外，多設砲火，使賊不敢近城；飛促督臣王永吉、鎮臣唐通入援京師。商民見皇上如此振作，自然人心帖定，勇者出力，富者出財，重地可保無虞。吃緊尤在速撤城上内臣，賊勢已逼，立刻決斷施行，宗社幸甚，百萬生靈幸甚。疏上，不報。越二日，上傳：

宣府監視内臣杜勳罵賊殉難，忠烈可嘉，贈司禮太監，廕弟侄一人與做錦衣衛堂上官，仍立祠宣府，有司春秋致祭。其把牌死事人員，另查明議，卹該衙門知道。

兵部報縋賊疏：臣接京營巡視御史王章手扎，内云：王、曹諸監視，昨夜將賊杜勳等暗用繩繫上城，不知何故。人心洶洶，變在旦夕，等語。臣聞之心碎髮豎。賊勢洶湧，如此危急，臣累次至城閾，欲覘城上守禦情形，輒爲監視阻抑，已經面奏。今突縋賊渠上城，不知曾否奏知？恐有奸宄。人心洶洶，變起非常。乞立賜推問，以杜隱奸，宗社幸甚。

儲邊才

李康惠承勛疏：取邊任之才與内地異，邊將之選與文臣異，副參以下又與大將異。大抵文臣之用于邊者，當取其深沉有寔材者爲上，警敏識兵勢者次之，而小廉曲謹、避謗遠嫌者非其人也。其好名刻薄之徒不可用，用之必壞邊事。大將惟責持重有謀，能節制偏裨，而不專于勇；副、參、守備但有地方之責者，固當選其勇，然非廉則地方受害；遊擊、中軍、千總之類，是爲軍鋒，必以勇力爲主，而不可責備。宜行各邊總制、巡撫，會同巡按御史，將見任副、參以下，從公開註某人材器，堪任何官、何地，分別優劣，具奏黜陟。仍于屬内體訪，果有材堪將領者，坐名保舉推用；若大將内有不稱任者，在京從科道，在外從巡按御史，指寔劾奏罷斥。然邊方之事，征戰固在將領，戎務所寄，寔在文臣。近來臣僚之選，皆重内輕外，而于外之中，又重腹裏而輕各邊。在邊有聲望者，不久多改内地，欣然以爲陞秩；或稍遲，則人必慢易之矣。古稱天下安危，其重在邊。而臣又以爲邊地安危，其重在文臣。嘗身歷陜西，查得各邊倉糧，被官攢通，同姦徒虚出，通關侵盗者，動以千萬計。時管糧兵備憲臣，多考察才力不及者，或老弱不振者調除，不惟不能禁下人作弊，亦有身親爲之者。豈惟是哉，甚則身爲巡撫，亦復效尤。邊備奈之何其不大壞也？

崇禎十五年給事李清疏：臣聞帝王義克威勝，不廢征討，以安華夷，要在慎擇將帥而已。然自古難言之矣。以臨敵制勝，當險決機，獨兵事變化萬端，智勇所發，恒出意表。按圖索驥，談何容易。惟是求之有方，儲之有素，庶幾鄧林所植，喬木必繁；歐冶所鎔，干將必就，則豫備之法貴善耳。我皇上拊髀思將，不異千金買骨之殷勤。又數年前，曾詔取先臣高拱儲邊才疏，嘉其言之可采。乃今虜寇之患猶未盪，自督、撫、兵備，皇皇乏才，不能不感拱言切當，而惜未嘗詳確施行也。拱之言曰：兵係專家之學，宜豫養以待用。法當自兵部始，以有智謀才力者選充之。如遇邊方兵備缺，即以兵部司屬補；遇邊方巡撫缺，即以邊方兵備補；遇總督缺，即以巡撫補。又添設侍郎二員，協理部事，或遇邊關缺總督，不煩假借那移，即以其人往，而與總督共候尚書之缺。此其言之最簡切者矣。乃邇年以來，添設未嘗不備員，樞屬未始不重選，一臨邊方推用，何竟寂寞。豈拱言獨見旨于聖明，而廷臣多自號良醫，不録古方爲可用？抑雖用，而調製增減，縱以己意變更，是猶三年之艾不蓄，而希七年之病立瘳也。臣謂外之邊才散于推知等官，内之邊才散于京卿等衙門，而總以兵部爲聚藪。誠于推知，内搜樞曹，則或因捍虜擢，或因禦寇擢，又或因脩城隍、練兵寔著有成效者擢，要使樞曹數十員，果富于儲，是則邊方兵備之才，于此一大聚矣。誠于京卿內覓佐樞，則或從現任拔，或從棄廢拔，又或從內遷之藩、臬、郡守確有强幹者拔，要使侍郎數員咸精於擇，是則邊方督撫之才，又於此一大聚矣。伏乞皇上明詔羣臣，精選銓除，寔註薦舉之人，大書屏座。異日有功必同賞，有罪必同罸，則樞曹得人，何憂邊方兵備乏人；兼之添設侍郎，及邊方兵備得人，又何憂邊方督撫乏人。故兵部真邊才之耑門，而京卿則僅邊才之一途也。今者，除禮部一席專取詞林外，若吏、户，若刑、工，俱於京卿內除用，而猶疊奉明旨，必才堪節鉞，方陞京堂，蓋恨不人人廉、李、韓、白，廣搜邊才于夾袋，而奈何以兵部之耑門，反蒙虎皮于羊質，則又安取乎兵而名之也。臣見邇年行取知推，其識膽兼優、表表封疆者，多置之臺省；又或暫寄兵部，旋移授臺省。則是爲人擇官，非爲官擇人也。獨奈何不爲樞曹計，收攘夷平寇之功乎？甚至巧借知兵以梯榮顯，既膺節鉞，思避險阻，則借彈射，托事端，洋洋翔去。而其最貪鄙無賴者，又不憚以身名殉富貴。一旦封疆事誤，戮身敗名，六韜、三略之誇談，徒供五刑三就之罪案，天下事尚忍言哉？臣願皇上特勅吏、兵二部，及今合志殫慮，以聚才樞部。如謂樞部異日出歷巖疆，有躬親鋒鏑之苦，而樞曹又與臺省體統殊異，則宜再酌高拱未盡之言，爲特示優厚之典，錦衣世廕，非係督撫敵愾奇功，無以他途畀。凡行取卓異諸臣，其選入樞曹者，一應在京體貌，同詞臣、臺省，而陞遷又視他部獨優，行見皇上意嚮所重，即爲功名，使天下才智之士，咸鼓舞奔走於樞部。如是而後，有邊方督撫及兵道員缺，猶歎乏才補用，是必吏部陽借其名，而陰違其寔；又必吏部始用於此，而潛移于彼。向何以鑽營，茲何以規避，皇上但一按籍詰問，均無辭以逃罪矣。故夫臨渴掘井，遇寒求靏，皆難實收邊才之效。而惟儲於兵部，卽取于兵部，總不若力行高拱之言爲善也。伏惟皇上鑒納施行。

重將權

韓尚書邦奇曰：今議者皆曰任將，考其説，皆壞將之道也。古之任將者，築壇推轂，君命不受，故將得以行其志。今豈無將，特不用耳。所謂用者，非與之官也，盡其用也。今將之在軍，叱喝而如（奴）隸視者十餘輩，奴顔婢氣，一人欠謹，而譏斥至矣。漢、唐以來，邊將非一人，上下幾千年，考之載籍，何曾遣一使至軍查勘哉？此明白而易見者。我祖宗朝亦罕有之。近者每一交鋒，卽遣一使，而使者又不曉國體軍機，務在羅織其罪，必去之以自尊崇，安有才難之惜。使爲將者惴惴焉，手足無措，避罪之不暇，安能自奮揚哉？至於人才剥落，臨時無措，則出之囹圄之中，譬之傷弓之鳥，見矢而驚，寧能飲啄于洲渚之中哉？卽使子牙遇此時，彼惟卒釣于渭濱耳，强而付之將，亦莫如之何也已。

當今禦邊之法，較之前代爲疎，爲不耑。昔漢高帝當匈奴强盛之時，又以冒頓之梟雄，是以備之者甚詳，雲中、上谷、北地、朔方、遼東西、北平、（漁陽、金城、上郡皆止各一太守，專兵、專錢穀、專）刑、專舉辟，且久任，但責以地方不失中，小勝小負俱不計，賞罰亦不加，是以邊臣得盡力盡謀。今一總兵，而不與以賞罰之權，監之以巡撫、巡按、守巡、郎中，一有勝負，則府通判、衞經歷皆得監制之。唐朝以一監軍，而軍功不成，况監軍數輩者乎？今之巡撫，甚爲無謂，既無調兵之權，又無臨陣之責，一切戰伐進退俱不干預，若何而受彼之賞，受彼之罪哉？今當倣漢、唐之制而行，各邊巡撫皆去之，其巡按不必預邊事，管糧官聽總兵官節制，府、州、縣官俱聽總兵節制，如巡撫之體。小小勝負，不必行勘，但令地方無事耳。國家之制，止是來則備之，去則守境而不追。所以監之巡撫，察之巡按，錢糧、刑名皆不得預，舉辟潛移于巡撫，止是防邊將之肆也。在今時，則當變而通之。况此各官之設，起自近代，亦非太祖、成祖之法也。

外紀云：古今得御邊將之法，莫如宋太祖。彼時一巡檢使亦不輕易置，體勢崇重，人莫得危短。每入朝，必命坐，賜宴洽，欵語甚寵；軍市租悉畀之，令得回易，免所過征税，他賜賚稱是；事不中覆，聽便宜制軍。此數者，皆御將之要也，而宋祖皆得之。其中最喫緊在事不從中覆。唐末之取敗，全在每事稟承于上，以中使傳宣密旨而後戰，故功百無一就。宋末亦如此。明季以本兵覆邊事，其掣肘更甚。蓋書生不知兵，而又强執意見，争不必争之權，故邊事至不可爲。乃至以宰相行邊，而中樞復欲可否之。孫高陽所以曰：臣待罪政地，今居邊徼，當以可否質之上，而中樞反欲安坐而可否之，臣不能任也。

武舉

劉忠宣大夏疏：武舉之設，將以延攬英雄，廣儲將帥，招徠韜畧之士，收拾跅弛之才。蓋以古今治天下之具，惟文、武二道，天之生才以供世用，惟文、武二藝。凡國家求相于文，求將于武，亦惟文、武二科。我朝設文舉以求士，誠足以備一代之彝典，而其網羅之周密，自閥閱以及草澤，不以遠而遺，不以賤而棄，故得人以備任使；其用武臣也，甄别軍功之大小，以爲陞擢之階級，内或陟督府之崇班，外或膺邊方之重寄，或處以方面之長貳，或列于行伍之師帥，世享簪纓，家足餼廩，奬勵武臣，作興士氣，意甚善矣。但求采止于武弁一途，凡授鉞推轂，非出于貴寵之子弟，卽拔自行伍之粗材。近歲雖有保舉將材之例，但據其見有官職之人而推薦之。其間往往狥名而不責實，挽强引重者目爲勇敢，談説縱横者號爲謀畧，及委以重兵，臨大敵，僨事者多，而成功者少。蓋求將之意雖勞，而選將之路太狹也。宋臣范仲淹有言：議者不知取將之無術，但云當今之無將。今日之弊，殆亦坐此。且天之賦人以材，拙于文者或優于武，〔亦〕不以遠而嗇，不以賤而限，如穰苴生于寒微，吴起用于羈旅，樂毅出于疎賤，黥布雜于輿臺，衞青辱于人奴，去病辱于假子，若當時非有知之者爲之汲引，豈能自致通顯，建功于世，而垂稱于後耶？今四海之大，生聚之繁，寧無若斯者在于側陋之間乎！夫武以用將爲先，亦猶文以求相爲先。孫武曰：將者，人之司命，國家安危之主也。司馬曰：將不能設，無以應卒。昔唐知求將之爲重視進士科，而增置武舉，遂得郭子儀，卒成再造之功。宋知求將之爲重視制科，而詳定武舉，遂得高志寧、令孤挺，卒能制元昊之背叛，破智高之猖獗。蓋異人傑士，感奮而興，飲氣挾行，以赴功名之會。此前代故事有足徵也。宋臣蘇洵言于仁宗曰：文有制科，武有武舉，陛下欲得將相于此乎？取之十人之中，豈無一二？此名儒之格言，爲足徵也。兹者，適當武舉再開之時，臣等見得法制未備，禮儀未隆，上未足以承陛下旁求之心，下不足以副豪傑登進之望。宋臣富弼請置武舉，嘗曰：法度齷齪，未能致超羣之士。臣等切與之異世而同懷也。蓋事既當重，則品式宜加詳備，恩禮宜從優厚。今欲依倣唐、宋故事，參酌會、殿二試事例，少加損益，每遇文舉鄉試之年，亦將武舉預期行移兩京、各省，令其轉行曉諭。如有究極韜畧，精通武藝者，或隱于山林，或育于學校，或羈于戎卒，或係于仕籍，許各赴所在官司投報，禮送赴試。果可取者，禮送兵部。會萃數月，請于次年四月開科。初較騎射，人發九矢，中三矢以上爲合式；二較其步射，亦發九矢，中三矢以上者爲合式；三試策二道，論一道，優者列職論官，以示崇異。其非全材，黜之以候後舉。此制一定，庶法式昭宣，足以備彝憲；禮遇崇重，足以激人心。凡海内智勇之士，莫不仗劍而起，各集其術，期以効用于世。是驅天下之英雄，而入于吾之彀中。陛下屈羣策而用之，何懾之不可敵，何侮之不可禦？雖鞭笞四夷，仲威萬里，將無不如吾意者。又何假拊髀而嘆，思借才于異代也哉？

朱鑑請設京衛武學疏：臣稽諸典籍，成周以射御賓興，已有用武取士之意。漢以兵法召募，遂有用武取士之名。唐有軍謀宏遠、能諳孫吳之科，故初舉而得裴端復，再舉而得郭子儀，此武舉得人之驗也。漢有博士之官，宋有武學之設，故程顥學問淵源而召判武學，陳瑩中學術醇正而擢爲博士，此武學官制之備也。臣伏見皇上嗣位以來，屢勑五軍都督府，及在外各都司、衛、所，有推舉武職之條，有比試軍職之例，卽成周、漢、唐武舉之科也。今公、侯、伯已設教官，訓其子孫，都指揮以下等官又設訓導教誨，卽漢、唐、宋武學博士之制也。至于各都司、衛、所，莫不有學，實皇上深謀遠慮，作養武職之盛意。然外而衛所，雖蒙設學，未見考試其成功；内而京師，雖已訓教，未蒙設立武學。蓋學制之設未備，則教法之條不立；武舉之科未啓，則得人之效未著。況一應公文，難以行移，訓導未知，隸何管屬。伏乞勅該部計議，在京亦合開設武學，頒降印信，立學規之典，興武舉之科，議官制，定員名，訪保學問淵源者以總其綱，學術醇正者以分其目，自公、侯、伯、都督以下等官應襲兒男，及敦敏英俊幼官，趂其年少，不妨操備，選送武學，習讀歷代臣鑑等書，講明武經、孫吳等法。每年一小比，三年一大比。如此，有弓馬慣熟，兵法精通，智謀宏遠，文武雙全者，量加陞賞，録名聽用；一長可取者，亦與録名。再比二次、三次，不中者黜退，別項差用。非應襲兒男，自願入學習舉業者，聽其考試，照例出身。及照今選年老不能記誦官員，合無俱與幼官一處，會同聽講用兵方略，并武經等書，然後回齋習讀。則講解歸一，勸課有方，亦無時過後學之患，而大小武職皆得人矣。仍行各處都、布、按三司，衛、所、府、州、縣文、武學校一體訓教，著令提督學校僉事，并監察御史等官，照依考試。如式者，具其名實奏聞，以備取用。其不中者，亦如之。如此，則建武學，教之于未用之初，立武舉，試之于將用之際，殆見學制以備，教法以立，武舉以設，而公、侯、伯等官之子孫他日必無驕奢悮事之失，將來俱得實才，爲國之用矣。

左御史光斗請增畿南武學疏：竊惟順天設有武學，督以專官，與文學等，祖制良有深意。即薊、密與永平、保定、河間等處，每歲申議武生六七十名寄學，其能武與否，皆不可知，而相沿已久。惟真、順、廣、大四府，則虛無人焉。八郡之内，偏枯若此，殊不可解。豈近邊重武，腹裏重文。非上靳而不與，則士薄而不爲耳，今時不爲不岌矣。臣待罪學政，倣會典及欽約，申諭諸生習射，兼使其子弟習之，一時儒童彬彬，家弧矢而人決拾，除文理平通者收入庠序外，其餘不勝收，亦不忍棄且恐有終不能文者矣。臣之初心，實欲合有用之文，爲有用之武。而復棄有用之武，轉趨無用之文，殊甚惜之。在北四府，則有武生之名而無其實；在南四府，則有武生之實而靳其名。此士紳所以不平而鳴，道府所以比例而請也。近據景州、棗强、武邑、衡水報稱擒禦妖賊，多係生童，已檄行分别奬賞外，激發人心，全在此舉。合無比照順、永、保、河事例，每遇考試，臣親試之。儒童能中五矢以上，准收試；七矢以上者，准給武生衣巾復其身，卽附入儒學内。學不必另設，官不必另添。其能文者，徑送縣試。武科年分，卽就此中起送。既不能文，又不能武者，黜之。其永平、河間、保定、薊、密等處武生，容臣于巡行時嚴加甄别，務使文成其爲文，武成其爲武，庶幾名實各相副，而彼此競相勸。行之二三年，安知無岳武穆奮起于諸生，郭子儀崛興于武舉也哉。

軍職貼黄

彭襄毅澤曰：舊例京外衛所軍職帖黄文册，每年一造，送部查考。又軍職賢否，在外聽撫按，在京親軍等衛聽科道并本部主事等官，府屬衛所從本府堂上官，各訪實填註考語，揭帖送部，以憑斟酌推用。夫錦衣衛官，近侍之職，尤須得人。近楊玉、錢寧輩招權納賄，蠹政害人，蓋緣册籍莫稽優劣，而去留不由廷議也。今不嚴稽精簡，弊必復滋。乞命該衛將所屬審取各父祖從軍、陞襲來歷，開具帖黄文册，如例造送，仍行掌印官將各官賢否，從公查註送部，以備襲替，推用有所查據。

唐樞云：武官貼黄一節，不可不慎。法立正黄，又立小黄，藏之秘府，三年一清理得矣。但查黄不虔，歸黄致紊，續黄苟率，遂使原黄無憑，老黄堆湧，或以調改失祖黄，或以虚應行揭黄，或據堂稿選簿准替廢對黄，或乘奸賄爲盗黄，或欲掯詎報無黄。蓋君子之澤，五世而斬，理所宜有。霍兀崖清黄議似繁滋，若從簡當，須平時會查的確，復設副簿，題其綱要，亦藏秘府稽核。又舊説五櫃混貯，不便檢閲，當更之以厨。增黄冗雜，當疊粘有法，庶一檢而得。

軍官比試

梁端肅材疏：查得洪武二十七年，令子弟未及二十歲者襲職，至年二十乃比試。年及者，卽與試，不中，襲職署事，食半俸。二年後再比試；中者，食全俸；仍不中者，降充軍。是我皇祖于軍職雖行世襲之制，實寓考選之典。故後之有功者可以陞授，而不才者可以汰減，萬世不易之法也。永樂初，令洪武三十一年至三十五年奉天征討獲功陞職者爲新官，子孫年十六出幼襲替，免比試；三十一年以前者爲舊官，子弟年十五出幼襲替，俱比試。永樂元年以後，獲功出幼比試與舊官同。永樂六年，令比試一次不中者發開平，再試不中者發交阯，三試不中者烟瘴地面，俱充軍，别選子弟襲職。永樂十年，復舊制，再比不中仍令食半俸，三試不中者發充軍。正統年間，比試違限，係無力者，三年以上住俸二年半，二年以上住俸一年，一年以上住俸半年。弘治六年，令比試不中者，悉照永樂十年例施行。十二年，令武職自來不曾比試者，子孫襲職，俱住俸三年，欽此。該兵部題奉欽依，准令新官比試。而臣等公同再議，別無異詞，亦作養將材之盛舉也。

軍屯

葉春及疏：國初置衞四百九十一，所三百一十一，以軍計之約三百一十餘萬。而是時口之登籍者六千五十四萬，則是二十人乃一人爲兵也。况乎守城者三，屯田者七，二八、一九、四六、中半之法，因地異焉，不耕者少矣。天下屯田八十九萬九千餘頃，官民田八百四十九萬餘。以八十九萬九千餘田，分麗三百一十餘萬之軍，人得二十九畝。八百四十九萬餘田，六千五十四萬人，羣聚而耕之，比之軍之所耕，乃其半耳。則是軍之力盡南畝，而民反不逮也。三百一十萬餘之軍，歲食粮三千七百二十二萬餘石。屯田二十畝，除正糧，納餘糧六石。八十九萬九千餘頃，通得餘糧二千七百萬石，則是軍之食軍自給之，邊儲之所運，軍需之所徵，供于民者無幾也。軍多爲農，故雖額設數百萬，而不見其冗；食出于軍，故雖歲費數千萬，而不見其匱。城者，較藝於三操；田者，講武于隙月。內外相維，彼此互發，兵戎奮，倉廩實，故雖師興數十萬，而不見其難，且有待于他用也。至于今日，軍之存者八十四萬餘，四之一爾；糧之存者三百七十七萬餘，七之一爾。夫兵與食，相爲贏縮者也。兵冗則食匱。軍既少矣，而糧不見其有餘。食匱則兵冗。糧既少矣，而軍愈見其不足。豈非脱籍者衆，在籍者又坐食乎？未墾者衆，已墾者又糜於坐食乎？三者相須，縮則俱縮乎？置八十餘萬坐食之人，以蠹三百餘萬僅存之粟，故今日之食，誠病其寡；兵雖不逮于昔，亦祇見其爲多也。且以七一之糧，而食四一之軍，必不能給，是以漕粟鹽引悉取諸民。一旦有急，坐食之人，圜視而不能戰，復驅民兵當之。無事，既浚膏血以奉軍之生，有事，又塗肝腦以代軍之死，此法之所以益弊，而民之所以重困也。臣愚謂宜修國家之制，復兵食之舊。有田則不患無兵，有兵則不患無食，有兵食則不患無用，而何待其他。蓋人四方無擇，而田萬古不移，或侵于蒿萊，或奪于豪右，可以往牒求也。今誠未得軍以耕之，明疆畔，給器具，授之貧民，責其六石之入，而無月糧之費，此與軍之所耕何損，合一人之入以募一兵，百萬之師可指顧得也。屯田憲臣但督子粒，不履田畝，所謂舍其根而求其苗者矣。至于清軍，丁盡户絶者，固當結罷；易名變籍者，則當究原在伍籍行核補伍俟報，雖萬里之遥，亦一二年可返也，奈何獨付之文墨間哉？况乎官以清軍爲名，何所不問，隱占縱放之弊，老弱傭倩之姦，侵削逃亡之罪，實在空缺之數，行部所至，可不稽乎？胡專彼而遺此也？軍伍既充，然後守城者城，屯田者屯，豈患乎食之不給？乃若有司抑配，必遣壯丁；既犯明刑，不宜肆赦；豪富之家，寧没其産，以廣屯樹；教練之法，必如會典；騎射、弓弩、鎗刀之試，各有式程；官不操練，具問如律。庶乎環列衞所，皆投石超距之士，一旦遇敵，勇氣自倍，亦何待驅不教之民，以蹈必死之地哉？

驛遞

兵部尚書張本疏：驛馬之設，本以報軍機重務。今在外凡有符驗官司，及鎮守官，每以常事泛濫給驛，皆宜禁止。請今年終，各具一歲給驛起數，及所幹事務，所差人員，造册奏聞，以憑稽考。從之。德州民奏：本州路當衝要，每遇運物官船經過，例給夫丁。而督者多不守法，威逼有司，以一索十，以十索百；前者未行，後者踵至；本處丁夫不敷，有司無計，或執商販、行旅補足其數。督運者中路逼取其資，無資至解衣以縱者。有爲所逼迫不勝而赴水死者。在船軍士，本用操舟，乃得袖手而坐。所載私貨，多于官物，沿途發賣，率以爲常。乞勅所司禁約。奏下兵部。兵部奏請：自今運物船馬、快船，俱令掌船者每船預置木牌一，大書本船軍夫數目、姓名；有急運應增者，上水不過七人。所司給與印信帖子，大書所增，貼于牌上，以牌竪于船頭，行過，有司如牌所增給之。下水不給。如違者，許被害之人及有司指實以聞。仍遣內官不時沿路搜檢私載物貨，究治其罪，庶使知警。從之。

春明夢餘録卷之四十三

兵部二

輿圖考

周禮：職方氏掌天下之圖，以掌天下之地，辨其邦國、都、鄙、四夷、八蠻、七閩、九貉、五戎、六狄之人民，與其財用、九穀、六畜之數要，周知其利害。掌天下之地圖，而隸于司馬，何也？謹之也。戰國策：士每言窺周室，則可以按圖籍爭天下。漢大將軍王鳳亦云：太史公書有地形阸塞，不宜在諸侯王。然則古人圖志，雖司徒營之，即藏之司馬，秘不必見，所以弭姦而防患也。蕭何入秦，獨收圖書。自漢掌之，司空浸以泄露。當時如淮南諸王，皆按輿地圖謀變。以此知古人之慮遠矣。

凡用兵制勝，以識形勢爲先。然有天下之形勢，有一方之形勢，有戰陣間之形勢。得之則成，失之則敗，成敗之爲利害，有不可勝計者矣。今之儒者，鮮或談兵。要之，錢穀、甲兵，皆吾人分内事，何可以不講也？且如唐安禄山，既犯東京，眷留不去，李泌、郭子儀皆請先取范陽，以覆其巢穴，此真識形勢者也。肅宗急于收復，不從其策，河北之地，由此失之，終唐之世而不能復。黄巢横行入廣，高駢請分兵守郴、循、梧、昭、桂、永數州之險，自將由大庾度嶺擊之，此真識形勢者也。使從其言，巢直罝中兔爾，而當國曾莫之省。巢果覆出爲惡，遂致滔天。然則形勢之所繫，豈小哉？

京城北九十里昌平州，州東北九十里黄花鎮。自鎮歷白馬、陳家、吊馬等峪關口四十八而古北口，又一十四關口至峨嵋寨，中歷黄松峪、將軍石凡五口而薊州東岸峪，自關以東，歷寬峪等關凡十口而遵化縣之馬蘭峪，乃歷沙皮、羅文、松青、龍井兒、潘家口、團亭寨關口三十一而喜峰口，又七十口而遷安縣之青山口，又十二口而冷口，又三口而劉家口，又四口而盧龍縣之桃林口，又四口而昌黎縣之界嶺，又箭桿等六口而撫寧縣之義院口，又石門等五口而董家口，歷大毛山、小青山等十口而山海關。

明初，于古會州之地設大寧都司，爲外藩籬；又收山海關、喜峰口、古北口、黄花鎮、潮河川一帶爲内藩籬。永樂中，遷都北平，掣回大寧，以其地委朶顔、福餘、泰寧三衛，而以内藩籬爲界。

大寧既棄，則開平、興和不容于不失。宣德中，移守獨石，勢然也。

興和在萬全都司野狐嶺之外，乃陰山之脊，元之中都地。宜耕牧，居民亦盛。宣德間，棄守龍門，西人踰野狐嶺，過宣府。又開平去獨石、馬營三四百里。宣德間，棄守獨石，遂失桓州、興州、興安、宜興肥要邊地。開平四日程則有玻璃谷諸要地，興和四日程則有哈剌罕之險。哈剌罕卽五雲關。關内諸山乃陰山之脊，澗壑天塹，能守玻璃谷以衛開平，戍五雲關以固興和。

大興耕牧，則萬全勢重，京師益壯。紫荆關，易州西南保定界；倒馬關、龍泉關、并井陘故關，皆真定界，此通燕山前後東西路。偏頭、寧武、雁門三關，乃通南北之路，爲大同、太原所達。

廢東勝，則大同、寧夏不爲援；廢大寧，則遼東、宣府不爲援。以榆林援大同、寧夏，則偏頭關、花馬池等處所以孤弱；以朵顔三衛代大寧，則喜峰、古北口、黄花鎮等處所以單薄。

九邊初設遼東、宣府、大同、延綏，復設寧夏、甘肅、薊州，皆文、武大臣鎮守提督；又以山西鎮巡控固原，共爲九鎮。弘治間，設總制於固原，嘉靖間，設專督於三關，權任差異，而邊防則九。

都金陵者，守淮以防外庭，守武昌、九江以蔽上游。守淮之勢，東固淮安、泗州，自丹陽而揚州，而淮安，而泗州，乃全淮之右臂也；西固鳳陽、壽州，自采石而和州，而鳳陽，而壽州，乃全淮之左臂也。東無淮安，雖得泗州，而不爲用；西無鳳陽，雖得合肥，而不爲用。上游之勢，沅、湘諸水，合洞庭之波，而輸之江，則武昌爲之都會，固湖廣省所以蔽九江；江西諸水與鄱陽之浸匯於湓口，則九江爲之都會，固九江所以接武昌而蔽金陵。若用於天下，則徐、邳、臨清，淮安之應也；洛陽、鈞、鄭，鳳陽之應也；荆州，武昌之應也；而襄陽，又荆州之應也。固荆州，可以開蜀道；固襄陽，可以控川陜；固臨清，可以通燕、冀；固洛陽，可以制潼關。其西南，守江西以運百粤；其東南，守浙江以治閩、吴，皆金陵之門庭帑藏爾。

欲聯屬南北，以制天下，于揚州、臨清、徐州置重臣鎮之。其聯屬徐、臨而執其中，則濟寧爲之要轄；其聯屬徐、揚而執其中，則淮安爲之要轄。臨爲梁、冀、青、兖之會；揚爲江、淮、汴、海之交；徐爲梁、冀、青、兖、江、淮、汴、海之限。金陵十衛，陳列江北，浦子口五衛、和陽、龍虎、應天、横海、武德直當龍江下關，處東西之中；江淮衛設江浦縣，瀋陽右衛設和州，以防上游；英武衛設紅心驛，飛雄（熊）衛設池河驛，廣武衛設朱龍橋，鳳陽、滁州之中，以防北衝。儀真之東，鎮江之北，有揚州重鎮，不爲慮也。

甘州，古張掖郡；肅州，古酒泉郡，極西北重鎮，北倚合黎山；山丹界甘肅之中。焉支山，在山丹東南五十里，祁連山，在酒泉、張掖南，連亘一帶。古匈奴失此地，嘗曰：亡我祁連，使我六畜不蕃；亡我焉支，使我婦女無姿。本朝設行都司于甘州，以肅州爲都司門庭。肅州城西六十里爲嘉峪關，乃羌胡要塗。關外卽沙州衛，古三危山在焉。有羈縻六鎮。古燉煌地，土番所居，西北有鎮夷所，尤孤危。其地雖險，溥于鹽利，外所垂涎。

紫荆、倒馬大關在北，龍泉、故關小，在南。龍泉把總，成化二年設，原係倒馬提調。故關參將，嘉靖二十二年設，則並制龍泉，而龍泉不屬倒馬。蓋往年敵犯紫荆、倒馬，故龍泉爲急；後每犯山西，則故關爲重，故設故關參將住劄真定，當二關之中。若警在五臺、繁峙，赴龍泉；警在太原、榆次，赴故關。又西可援廣昌，南可趨順德諸路。

寧武處三關之中，當内外之要衝，爲東西之援應，實陽方、温嶺、神池、義井之門户，外接八角堡，内維岢嵐。一守備、一千户居之。自偏頭徂雁門似落莫。

套人渡河而東，焦家坪、娘娘灘、羊圈子等處爲衝，其要在偏頭關。

三受降城，唐所築，禦敵于河外。中城南直朔方，西城南直靈武，東城南直榆林，三疊相距各四百餘里。

花馬池，極要地。成化前，外患在河西，敵據套，而河東爲敵衝，花馬池居其中。都憲徐公廷璋、楊公一清、王公瓊新舊城控禦得宜。花馬池西至興武營一百二十里，又西至橫城堡一百四十里，一漫沙漠寇路，拆牆頗易入靈、韋，掠環、慶，犯平、固，則清水營、鐵柱泉、小塩池一帶爲捷徑。又自大壩、廣武渡河而下，至靈、韋亦易。

蘭州重地，行都司，八鎮自此出。宋張叔夜以天都山爲守界，我朝守在定火城，今亦棄去，止就河外作金城關，關外卽倚山，較前易守。

榆林地乏耕牧，所藉河套。自套失，弘治、正德間，數千里膏腴盡爲敵有，榆林由是失所養。榆林無險可據，左右大同、寧夏，勢非所及。雖設迤左烽墩五十六，迤右烽墩九十二，而軍食兩艱。諸邊鎮，榆林最忠義，每懷復套之憤。究之，志以時移，漸委無事。

固原西北二百里海納都城，控鳴沙州路東；北三百里葫蘆峽城，控靈韋州路。

宋种世衡城清澗。成化九年，余子俊城榆林，去清澗外二百餘里，是爲大鎮。東起黃甫川，西至定邊營，長亘一千二百里，橫絶河套之口內，復塹山湮谷以爲夾道，地利亦多。

大河三門之上有小河，可通延綏，應運糧草，各貯水次，泝流儹發爲便。且順帶解塩數十萬充淮課，國利亦賴之。天順間，户書楊公鼎曾疏議，不及行。

延綏邊西抵三山、饒陽界，與固原相接。榆林鎮戍，而延綏警備綏。

議處宣府者，補長峪城、鎮遠城之募軍，益浮圖峪、插箭嶺之防守，留茂山衛京操以益紫荆，築李信屯界堡，以固兩鎮。

大同地勢平衍無據，且增套警，而腹裏間道，直衝京輔。其鎮西衛，朔州諸路四衝，保德、岢嵐、河曲，及太原、平陽甚易，議者欲于三岔路口、八柳樹堡嚴戍之。若三關緊要，己巳之變，徵調七千餘。又河南、山西歲運掛籌，屯糧逋負，給馬疲斃。昔許襄毅裁占役，禁掊尅，恤調遣，有益邊務。

甘肅鎮，自蘭州起至嘉峪關幾二千里，一綫綿延，歲縻邊費，止欲絶隔羌、胡、戎，以息其爭。其謂斷匈奴右臂，非説之盡，乃是宇宙一體之心，而今無知之者。

四川天下絶險，龍川（州）、松蕃（潘）鎮其北，播州諸夷列其南，天全、黎州當其西，瞿塘守其東，江山四塞，關峽孤開，可守一當百。吐蕃西控烏思藏等處，風俗樸魯，慈教大行，法令嚴飭，行人所安，非若北達（韃）烏合之衆，殘侵無紀。況以重險臨之，爲力又易。南隣芒部、東川、烏蒙、烏撒諸蠻、獠，要皆腹裏几上肉。行都司六衛，截制民夷，可以安業。而西之雅、威、茂、灌，南之崇、慶、瀘、嘉、馬、叙，北之疊溪、綿、漢、彭、石，重重邊護，深藏三窟。所慮奸宄内作，地饒貯實，不能施速定之術。國初從階、文、陰平道入成都，取明昇，蓋以計破之，苟非瞿塘東守之堅，事未易成也。

川之形勢，北有劍門，不足恃，而慮在松蕃（潘）。松蕃（潘）以孤城介生蕃之域，乃待食于龍川（州），懸命千里之外。設爲羌、戎所截，則疊溪以南如建瓴而下，直抵茂州。西有黎州，不足恃，而慮在維州。維州在保縣外，無百里乃爲董卜韓胡所據，是切近之災。且復有自靈關一道可抵雅州，自草坡一道可抵汶川縣，自泄里壩一道可抵灌縣，自清溪口一道可抵崇慶州。

雲南領十四府、八軍民府、州，惟雲南、大理、臨安、鶴慶、楚雄嵌居中腹，地頗饒沃，餘俱瘠壤警區。大抵一省夷居十之六七，百蠻雜處，土酋割據，惟黔寧遺法，沐氏世守，較廣西、貴州省土官差有定志。而西有瀾滄衛，聯屬永寧、麗江，以控吐蕃；南有金齒、騰衝，以持諸甸；東有元江、臨安，以扼交趾；北有曲靖，以臨烏蠻。各先得其所處，惟尋甸、武定防戍稍疎。木邦、孟密性習叵測，元江、景東土酋稱桀，老撾、車里姻好安南，阿迷、羅台瘴癘微梗，廣南、富州界臨左江，不可不加之意也。

雲南自貴州烏撒衛入曲靖霑益州爲通衢。烏撒衛實居四川烏撤府之地。又自貴州普安州入曲靖。又有廣南府一路，出廣西安隆、上林、泗城，今英國禁不由。又有武定一路，從金沙江出四川建昌衛，今亦莽塞。

自涪陵由達州取西鄉路入子午谷，至長安纔三日，楊貴妃生荔枝馳道也。

襄東夔北入漢，始署爲金州，險阻平曠之交也。西安商（商）州與襄陽上津縣，止隔金州鵲嶺。地網在秦州，吳璘制以拒金，因平爲險。

北邊自墩（敦）煌起，至遼東一萬一千五百餘里，地勢平易，又界以山，便于水泉，便于望瞭，部曲相保，可爲屯田。

甘州可屯，次涼州。其莊浪、西寧俱可屯。

陝西鞏昌入階州、文縣，進青川所、江油縣，至彰明縣、綿州，達成都。

六詔乃西南夷，雲南全省之地。夷語謂王爲詔，其都在大理、麗江、蒙化、及四川行都司建昌之地。六詔俱姓蒙氏，凡名嗣代，各頂父名下一字。蒙舍詔在蒙化府，浪穹詔在大理浪穹縣，鄧（邆）賧詔在大理鄧川州，施浪詔在浪穹縣，麼些（些）詔在麗江府，蒙嶲詔在建昌衛。六詔惟蒙舍居南。蒙舍至皮羅閣始彊盛，滅五詔而王，總名南詔，遷大理，名大和城。子閣羅鳳用段儉魏爲相，獲唐西瀘令鄭回而尊之。至其孫異牟尋，創立法度，修議禮樂，設三公、九爽、三託諸府之官以分其任。回勸尋歸唐。蒙氏歷年二百五十，而鄭氏、趙氏、楊氏迭興，皆不久。至石晉天福間，段氏始立。元世祖得南詔，降段爲總管。迄明朝，尚爲鎮撫不絕。

黎州安撫司爲巴蜀西門，外有卬崍、飛越、清溪之險以臨吐蕃；內復藏雅州之雕門、始陽、靈關以蔽腹裏，重重要隘，出險據險。唐韋臯城此，成征西之功。

貴州省，古夷地。明初，分隸湖廣、廣西、雲南。永樂中，設流以控制土官，乃川、楚、滇、桂之衢。大路三：自鎮遠、偏橋、興隆、清平、平越、新添、龍里至省，而威清、平壩、普定、安莊、安南爲中路；自省而威清、平壩、安順、鎮寧、永寧州、普安爲西路；自省而劄佐、龍場、谷里、水西、奢香、金雞、閣鴉、歸化、畢節、周泥、黑章、瓦甸、烏撒爲北路。小分路：自省南五十里爲程番；自平越而南六十里爲都勻；自鎮遠而東北爲思州，爲銅仁；自鎮遠而北爲石阡，爲思南；自鎮遠而西北爲黃平；自畢節而赤水、普市爲永寧衛；由普安西亦資孔驛達雲南、曲靖、平夷衛；由烏撒西倘塘驛達雲南、曲靖、霑益州；由程番南達廣西泗城州；由都匀南獨山、豐寧達廣西丹州；由思州東達湖廣沅州；由思南東達四川酉陽，西達四川播州，北達四川涪州；由黄平達四川草塘、白泥、容山；由永寧衛北達四川瀘州；由永寧州南達廣西泗城州；由省北抵寨、養龍達四川播州。其各小路，不能悉載。

黎平門户全貴。鎮遠都會水陸。貴州省城統括諸衛。

廣西五屯所，居荔浦、斷藤、府江、藤縣之中，當斷藤峽右臂，及白石寨、十二磯、濛江口之衝，爲諸猺（瑶）要道。其間山泉佳秀，獸木豐麗，田沙衍沃，足以裕其居而遏其患。洪武間立所，近增置城堡，集獞（壯）兵而守之，借其力以爲用，亦一隅雄鎮。

廣西猺（瑶）、獞（壯）、獠（仡佬）、蠻雜生蕃類，然微各有别。猺（瑶）多姓槃氏。初，靖（静）江南丹之地，人呼爲獞（壯），今桂之荔浦、修仁、永福且多，而忻城、荔波、天河、永順、永定之興安、義寧、古田，融州之融水、懷遠有之，猜忌輕生，狢蹠善奔，能忍飢。獞（壯）初居慶遠尤厲。其慶遠、思恩，分生熟二種，以入編籍爲熟獠（仡佬），無酋長版籍，惟推勇者爲郎火，餘自稱火蠻。有撫水蠻，出慶遠，酋多蒙姓；有西原蠻，出廣容之南，邕桂之西，酋多甯姓；有廣原蠻，出邕州西南。今羈縻州峒多古蠻地。

南安在西，贛州在東。贛州東南爲汀州，汀州東南爲漳州。贛州南爲惠州界，龍南縣山峒接惠州三浰寨。安遠縣東過登頭嶺，卽汀州府武平縣；安遠縣南過打鼓嶺皆惠州。由峒南安縣南二十五里過梅嶺爲南雄；南安西過横水、桶岡、聶都山爲桂陽州、夆人、溪峒連接。郴州、桂陽州都臺總轄。

瓊州居浮海中，週二千餘里。中有黎母山，絶峻五峯，諸蠻盤據，號黎人。最中者爲生黎，不與州人交。其外爲熟黎，雜耕州地，原姓黎，後多姓王及符。熟黎之産，今半爲湖廣、福建奸民亡命。又南、恩、藤、梧、高、化征夫利其土，占居之，各稱峒酋。成化來副使徐棐，有犁庭之計，漸就編差。弘治末符南蛇之亂，連都震驚。其小醜漫突，無時而息。故欲拔其根株，可編甲食土，或遷置高、雷、湖廣奠籍之，亦可。

天全六番無險，而險在雅州。故禁門、紫石二關，以雅州所戍之。

巴蜀地居極高，而烏蒙特甚。烏蒙南臨六詔，東控諸蠻，故畢備諸種，羅羅彝、土獠、蠻、夷人悉聚。

青州城，中實外陷，惟女牆出土，而城捋平地，蓋因地勢之舊也，不患于攻。紹興城勾踐所築，堅緻，不易攻。蔚州城如盂形，不能攻。

儀真舊設臨江諸閘，復新設攔江閘於江口，引湖水以濟諸閘，且便停船瓜洲。近設瓜口閘于西江觜，諸壩之利也，亦攔江遺意。瓜洲舊有通江閘，後尋廢。瓜口既設，似與儀真不異，關通江與十壩並發，不亦可乎？裏河運船十年一造，江南船五年一造，以往回越壩耳。

貴州偏橋、清浪、銅鼓、五開四衛，及黎平、中潮、龍里、新化、亮寨、新化屯五所，俱隸湖廣，據上游也。雲南霑益所隸貴州，開行道也。四川黄平所隸貴州，厚夷防也。河南汝寧所隸鳳陽，守中都也。河南磁州所隸山西，扼壺關也。山西廣昌所隸萬全，嚴紫荆也。山西平定所隸後軍，謹外應也。浙江嘉興所隸蘇州，運海防也。潼關衛隸中軍，系親戍也。山西蒲州所隸潼關衛，援關戍也。

嘉靖十五年，以四川川南道地曠，分眉、邛、雅三州、八縣，建昌行都司六衛，天全招討、黎州安撫二司爲上川南道，兵備駐邛州。州近省，黎州至省八百餘里，建昌至省一千五百餘里，似遠而疎控制。

舟山七十四嶴，山繞圍，不能進。蘆花嶴在口傍，故被盜。

府江八百里，自梧達桂，中度灘瀧三百六十，至平樂稍平，以藩省節鎮，夾於梧、桂兩端，而兵憲署嵌平樂。兩岸猺、獞嘯集，去城不數里，輒禦人而魚肉之。堡寨沿江，爲毒不息，三府而北，惟全州爲樂土。

四川馬湖、叙州二府，逼臨蠻獠，華與夷雜。瀘州不雜夷，實殷。夷警，成都以省藩重鎮控制西番，而崇慶、雅州亦難安堵。重慶南接夜郎，西通牂牁，俗有夏邑，蠻夷雜處。夏爲中夏人，邑爲廪君後，蠻爲盤瓠後，夷爲白虎種。順慶閬無外防。保寧、夔州險據在我。其地沃民殷，諸府皆然，當是海内樂土。馬湖、叙州畧次之。

湖廣省南匯交、廣、滇、貴諸水於洞庭，而受之於前；北引漢、沔諸水，而固之於後；西承川、蜀諸水，而折而過焉；東有武昌縣樊山承之，而爲大回，釣臺横之，而爲小回，水法縈洄，而山奔不歇，故有不可居終之説。大率楚、廣俗悍而易動，雜夷種蔓而寡束，雜之以四方來者，東南人以覓利至，西北人以避地至，實能容之，其地氣固然也。

蘄、黃北倚五關，前憑大江，占淮壖之上腴，連雲夢之巨藪，古豪傑有取焉，然非宅中圖外之地。其水要不如武昌，其險要不如襄陽，其路要不如荊州。東漫廬、安，則退無歸束；中阻江湖，則江西不爲用。肘腋之勝，殊非所以成大。此陳友諒所以得筭之少也。

永州、寶慶，正據五嶺之背。嶺南羣山四固，故瘴爲獨盛；兩府嶺擁如案，後曠諸湖，故無瘴。永州之背，衡嶽爲扆，故炎氣較盛。若郴州，窪在一隅，負之以衡水，障之以九疑，夾之以袁、吉，欲其不爲瘴，不可得矣。

諸省惟雲南諸夷雜聚之地，其爲中華人惟各衛所戍夫耳。百夷種曰僰人、爨人，各有二種，卽黑羅羅、白羅羅，麽些、禿老、峜門、蒲人、和泥蠻、土獠、羅舞、羅落、撒摩、都摩、察儂人、沙人、山後人、哀牢人、哦昌蠻、懈蠻、魁羅蠻、慱尋蠻、色目、瀾河、尋丁蠻、栗蓼峜。

廣西及高、廉等府，山嵐蔚薈，蒸氣成瘴，如坐甑中。頃間，裘、扇兩用，晴、雨疊更。春爲青草瘴，夏爲黃梅瘴，夏秋之間爲新水瘴，中秋爲黃茅瘴，霜降後始無恙。炎方陰閉陽洩，故治者不宜發表，麻黃金沸散、青龍白虎湯不可用，只宜溫中正氣，亦或投以薑。附沈存中七棗湯，用烏頭七移七泡，亦此意。平時調攝平胃散、正氣散，節食寡欲，戒多七情。

南方蠱毒有數種，蛇毒、蜥蜴毒、蜣螂毒。草毒，食之變亂元氣，心腸絞痛，或吐逆不定，面目青黃，十指俱黑。驗蠱法：吐於水，沉而不浮；含黑豆，豆脹爛脱皮，嚼之不腥；嚼白礬，味甘，皆是。治蠱法：飲白水牛血爲效，王氏博濟方、歸魂散、必用方、雄硃丸皆可。

斷藤峽，卽大藤峽。韓都憲雍平賊，改今名。甲藤絶流蔓生，韓斷之，周六百餘里。下口潯州府西北境，上口接柳州府勒馬峽，兩崖壁立，叢樾蔽天，中流奔匯，瑶壯哨聚，行者患之。近設有上隆州，以控上口；五屯所以控下口。風氣天成，舉動猶昨。陳都憲金處行旅，魚塩瓦器以給之，數年盗息。復改永通峽，然恐非事體，今復不能守於其終。議者謂摘其酋，而授之職以居之，税商以充厩廪，或爲可久處。興安六峒，賓州八寨，亦須此意。

廉州人作閩語，福寧人作四明語，海上相距不遠，風氣相關。

杭之西湖，高據上流，陳同甫駭爲可灌，上書宋孝宗。

福州城外海洲名河口，居十九姓，交往琉球，全諳其國姓。

贛州龍南界惠州興寧，微瘴微癲。惠之長樂、龍川、興寧界贛，林深山嶆，寒少暑多。其俗巾縞純素，爲羣豈有所爲以鎮之程，番俗亦然。

閩中有流民佘（畬）種，潘、藍、吕三姓。舊爲一祖所分，不入編户。凡荒崖棄地居之，耕獵以自食，不供賦役。椎髻跣足，各統於酋長。酋長名老人，具網巾長服，諸府游處不常。

松蕃（潘）地極寒，不産五穀。惟青稞一種，如麥粒，炒而磨酥，和以食，或以熬茶。又有芫根，白莖青葉，煮爲菜。

莊浪土官魯經忠勇，馭下嚴静，部曲以萬計，其下甚感而服。其子孫雖幼，有調卽用命。本朝混一河隴，勝國遺姓魯、趙、汪三氏，趙、汪今微，惟魯賢，盛至此。

無襄陽，則荆州不足以用武；無漢中，則巴、蜀不能以存險；無關中，則河南不能以豫居；無巴蜀，則吴、楚不得以奠枕。

廣西府江，卽灕江，發源興平（安）縣海陽山，經桂林、平樂，至梧州。左江源峩利州，經太平、南寧之合江鎭，二江合，是爲鬱江。又黔江源牂牁界，經柳州、象州，至潯州與鬱江合，是爲潯江。至梧州與府江合。東注封川縣、德慶州、肇慶府，至番禺縣入海。三江爲經，其餘諸水各附焉。是梧州乃兩廣輪輻，八桂門户，水陸要衝，民夷總節。開設三堂自成化元年始，其設鎭守、總兵永樂間始，總制、都御史景泰三年始。

沔湖，廣八百六十里，袤五百四十里，爲江漢諸水所匯，豬於太白湖，洩於沌口，設河泊所三十六以課魚。成化、弘治以來，漢淤江溢，湖水渟注，積滓所澄，洲沙漸起，佃民估客日集，因攘爲業，由是湖平強半。今省所爲二十一水患日盛，夏秋之交，沱潛溢道，車木堤、排沙頭、班家灣等處利害切要，且繕功未至，百年後將莫知誰何？

雲南二大水俱源吐蕃；一金沙江，自西北來，經麗江、鶴慶、武定，東北出四川馬湖；一瀾滄江，自西北來，經麗江、大理、蒙化、臨安、車里，東南入海，地勢中卭然也。其滇池西洱海，撫遷湖、瀘沽河、石地河、魯窟海子，俱周廣三五百里，山脉局厄然也。

梧州開總憲府，初意重廣西。其廣東，山海警事漸生，則兩廣之備，不得兼而遥制。又僱募打手自梧州始，其初行頗可應用，後漸流玩局，成虚器矣。

贛榆外有神山。海州外青峯山有一所十八村。登、萊外浮島，其比如櫛。沙門島，渡遼者必泊舟。長山島，四十餘里，多産鹿。田横島，可居千餘人。唐島，唐太宗征遼駐蹕。石臼島，金主宋高營寨。古鎭島，有巡司。薛島，武陽侯故居。不能悉紀。故自淮海渡山東者，只島内行，不放大洋。

山東泉獨多，爲其地高擁下流。而河南土疏，水勢所控，遂成伏流，至山東乃出。

山東平度州東南境有南、北新河，元時所開，以避海運放洋之險。其水源發高密，至膠州分流爲南、北新河。自膠州入新河，二百四十里至萊州之海倉口入海，自淹北新河店置閘，以達安東，止八十里。河通海，歲久盡塞。近王副使獻、方御史遠宜力主開復，并於馬家濠鑿山麓通海，人溺便安，不遂，此議不可終已也。

海運憚文登南之成山，登州北之沙門，此兩險多磧。又成山突出，當東陽之衝；沙門旋扼，處北洋之腹，宜無靖勢。新河一開，可避兩險。不爾，則古濰水及沽尤河稍致力，皆可免於兩險。

辰州當夷蠻咽喉，西（北）際施州，南際靖州，東（西）際永順、保靖，乃五溪所出：能溪、明溪、西溪、武溪、辰溪。惟東爲常德，古武陵、桃源之境。由是而五溪注之洞庭，故洞庭諸溪洞之庭除也。

海匱，乃荆州北險，築横堤引水作三海，綿亘數百里；又爲八匱，蓄、泄水勢。今盡占爲民田，非惟失荆州之險，其地十年六七澇，苦於無所瀉豬。

金、衢、徽諸水入江，至嚴州一峽口，諸山水若齊發，嚴州輙罹水患，至盈五丈餘。

太湖介蘇、常、湖三府之中，北納荆溪、百瀆，南納霅溪七十二漊。荆溪、百瀆上受金、溧、常、廣諸水。東壩既立，宣、徽、應天之水皆出大江。霅溪七十二漊港口日淤，苕川勢洊嘉興，分以東洩。湖之所瀦，自吳江長橋出，合龐山湖以南入海爲松江；自大姚分支過淀山湖以東入海爲東江；自鮎魚口北，經蘇郡之婁門，東北入海爲婁江。又有胥口、白洋灣、鮎魚口三支流。惟吳江長橋築，而茭生沙壅，松江之勢緩；惟大石、趙屯等浦淤，而淀山水阻，東江之勢緩；惟七浦、塩鐵等塘滯，而陽城水阻，婁江之勢緩。近來三支流盛瀉白茅港，北入於大江，以達海，而白茅港遂致淤淺。

震澤注海三江：松江一流已久爲淤；上海之南蹌浦口卽吳淞江；嘉定之劉家港卽婁江。常熟之白茅港，乃震澤餘流向北注之揚子江者。水勢東南爲順，今盛流白茅港，漸济於北，則長橋所爲害，其明驗也。故陽城、昆承流壅，復浚吳淞江南北兩岸定安諸浦，間道北注劉家、白茅二港。又大黃浦流壅，傍浚范家浜，間道注蹌口，皆引水北流，以順其勢。而三吳勢占，水利日盛，莫知於何底止也。

保寧漢江，客舟可直遡漢中，再上徽州。徽州以上，止通浮筏。保寧又一水自西北來，至巴州，可通舟。下渠縣，歷入大江。

夔江平。近重慶，有險。上叙江，又平。近馬湖，又有險。

江勢至京口頗下，丹陽一帶運河每患淺，練湖高據，欲厚所瀦而時洩之，可濟緩急。

瓊州東畔水道，文昌之舖前、清瀾，會同之調懶，樂會之傳敖，萬州之運塘，南山之李村，崖州之臨川，諸港不可泊舟。其西畔水道，澄邁之東水，臨高之博浦，儋之洋浦，昌化之烏泥，感恩之抱羅，崖州之保平，諸港有灣汊，俱可泊舟。

黄河自蘭州入中國，五千餘里至開封界，不爲患。決溢惟開封、大名居多。二府地夷斥。孟津而下，無山岡束隘，且土疏善崩。又下流所受已多，旁無渟瀦，而河身易淤，冬、春止丈許，其湍駛不能遏，固勢也。古黄河周定王五年徙砭礫，始失故道。漢而下，徙決無常。漢武帝時，已通淮、泗。宋太宗時，始入淮。自是南北交注。今河水全達淮入海。一道自開封蘭陽縣趙皮寨口東南流，由杞縣、睢州、寧陵、歸德、夏邑、宿州，下符離橋，出宿遷縣小河口，至清河縣入淮，乃嘉靖七年新開趙皮寨口，今盛流。一道自趙皮寨口至寧陵縣，南入渦河，經亳州、蒙城、懷遠縣，出荆山口之西，開趙皮寨口，今由焉。一道自儀封縣北折，經黄陵岡、蔡家口、縷水堤入梁靖口，出徐州小浮橋，下清河縣入淮。其梁靖之行自宋初，今流漸微。梁靖以上至儀封北，乃黄河東行舊道，此三流之南，又正統十三年，徙開封西北滎澤縣孫家渡口入汴河，至壽州入淮。弘治二年塞三流之北。又新開榆林集口，經虞城縣、碭山縣四口，衝出蕭縣，出小浮橋，今塞。又正統四年，決曹縣、單縣，直衝沛縣，出飛雲橋，今塞。又嘉靖九年，決單縣東北流，衝出穀亭運河，今塞。又弘治二年，決荆隆黄陵岡口，經曹州、濮州，出張秋運河，今塞。

自祁連合黎北，張掖河諸水俱北注亦集乃河。而西總入硤口，穿沙磧，繞出爲黑水，放於南海。禹導弱水，不言其所極，有黑水爲續耳。

居延海、青海、烏海皆在磧石、西傾、岷山岡脊之西、之北，大勢既不能東，復爲山阜所扼，不得直趨以南，遂成大瀦。

海潮應月，浙、廣、福等處潮俱有信。瓊州潮半月東流，半月西流，其大小應長短星，不隨月。

岳州西境慈利縣，諸蠻門户，今立九谿等二衛四所，及桑植安撫，領美坪等十八峒。

過江運道之徑，自常州西得勝新河或孟瀆出江，入泰興白塔河，出揚州灣頭鎮，省瓜洲搬壩之費。若江洋畏警，暫分掣鎮江、儀真，通州軍截守，漕艎無慮也。

海運三道。初，元伯顔建議自上海劉家港入海，經揚州海門黄連沙頭、萬里長灘開洋，沿山嶴而行，抵塩城縣，歷西海州東海縣、密州、膠州，放靈山洋，投東北路，多淺沙，行月餘抵成山，計水程至楊村馬頭一萬三千三百五十里。至元二十九年，朱清等陳便道：自劉家港開洋，至撑脚沙轉沙觜，至三沙洋子江過匾擔沙大洪，又過萬里長灘、血沙放大洋、清水洋、黑水洋至成山，過劉島至芝罘、沙門二島，放萊州大洋，抵界河口，其道差徑。至正十三年，千户殷明畧又開新道：劉家港入海至崇明州三沙放洋，向東行入黑水大洋，取成山，轉西至劉家島、登州、沙島門，於萊州大洋入界河口，舟行風信，有時自浙西至京師不旬日，比二道尤便。

通惠河，元郭守敬議開。引昌平白浮村神山泉，過雙塔、榆河，引一畝、玉泉諸水進都城，繞至通州，置閘以宣節之。後漸淤廢。嘉靖間，御史吳仲議修築，立五閘。閘置剥船六十，每米一担，減陸輓費銀四分五釐，歲省漕價十萬餘兩。

明初安插降人於雲南、廣、福等處，有事則調用。

江南東海之防，守在崇明、吳松江口，而要在蘇州。故崇明、吳松江設所，而蘇州重鎮設三衛。江北、淮南海防，守在泰州、通州、興化、塩城，而要在揚州、高郵、淮安。故泰州、通州、興化、塩城各設所，而惟揚州、高郵、淮安設衛。淮安當大瀆通海，爲重鎮，設三衛。淮北海防，患在東海，守在海州，而要在邳州。故東海、海州設所，而邳州設衛。

左、右二江之中，設奉議、馴象、南丹三衛，以斷其運。奉議居貴縣，爲潯州西徼；馴象居横州，爲南寧東徼；南丹居賓州，爲柳州南徼。

松蕃（潘）遊擊一員，領松蕃遊兵一千，住劄龍州上下，江油縣漢關墩往來。又遊擊一員，領疊茂遊兵一千，駐劄疊溪，往來鎮平、歸化等堡，及抵茂州，疏通道路。松蕃、威、茂各專設兵備。安綿兵備轄安縣、綿州、石泉、江油縣。龍州一帶總兵官守松蕃（潘），控制諸路。左參將協守松蕃（潘）東路，自小河以下，直抵南路茂州土地嶺地方。右參將協守松蕃（潘）南路，分管威、茂、疊，北至永鎮，南至保縣堡，并茅迭六關，駐劄茂州。

太原周七百餘里，無山。太原北至代州三百里，代州又北三十里始入山過雁門。雁門山厚四十五里，偏頭、雁門、寧武三關，乃通此山之隔也。偏頭至雁門三百五十里，至寧武一百四十里。雁門、寧武，一山兩口。雁門山中，三關十八隘口。代州過山至大同三百六十里，大同東南爲蔚州，東爲渾源州，正南爲應州，西南爲朔州，朔州西南一百四十里爲偏頭關。大同以西，偏頭關以北，皆鹵地。總督雁門駐劄代州，所以防其入。總制宣大駐劄朔州，所以便其運。

廬州舒城北峽關，入蘄、黄，巢縣東關、西關爲江淮要路。山由岷、蜀來，至此始斷，開一峽口。舒城又有龍卧、石索二山寨，險要。

滁州西通廬、鳳，有二關：一清流，大關要路；又北，小馬鞍關。

弘治間，巡撫童軒疏議捐棄疊溪，自松蕃（潘）高屯堡迤南，茂州鎮西鎮迤北，移疊溪千户所於高屯，茂州衛守戍宿於鎮西橋，餘所輪戍放回，歲省兵糧七萬餘。

廣州府清遠設兵備，遏西北山寇；東莞設兵備，當東南海警；清遠之北爲英德，其西爲連州，連州北與西逼邇臨武、江華，及懷集、賀縣深山，桀徒所集，故連州設守備都指揮，又布列巡司。東莞當虎頭門之正衝，東連惠州山海，而大鵬、鹿步切隣警地，故大鵬有所。又自墳南岡營有守備指揮。

韶州北境樂昌、仁化北界桂楊、郴州，林深俗梗，故湖廣設兵備於郴陽，廣東設兵備於清遠，夾立兩鎮。東南翁源界惠州，事頗緩，列黄岡、桂山丫二巡司及六關隘。

潮州府饒平之柘林澳，惠來之梅林，海寇巢穴。程鄉員子嶺通江福，大埔諸隘通上杭、永定，饒平黄岡通詔安。政和峒谷險邃，且猺獞滿前，編户殊少。海上五嶴，諸番過東之崫。

肇慶西，恩平、陽江會處鹿圍、黄竹橋乃高、廉、雷、瓊要衝。

封川之羅傍，營西三十里，峒民下城，地衍田腴，天險四設，議者謂宜移兵署巡司控之。

高、廉處置營屯甚密，然猺峒驕肆，要是孽子孤臣，法玩情疏耳。廉雖以生珠之地氣鍾於物，且南海、北梧，西交、東高，又四民爲俗，係全廣輕重，以兵憲鎮靈山，必有可運制之者。

雷州直出海中，有圍洲周廣七十餘里，内有八村，專業採珠。

下海大船，倭國禁嚴，不敢造，皆仰給中國。地方造者，饒安（平）之梅林，漳（潮）州之海陽。

榆林餉道出魚河堡。榆林命脉，一魚河持之。

吐魯番，自肅州外，西寧而南，至雲南西北之境，皆其地。洪武初，立爲烏思藏都司，衛所、宣慰、宣撫司凡三十三，以羈縻之。歲通朝貢。有警，遣西僧諭之，卽已。其岷州、洮州、河州在陝西境者，舊亦吐蕃地，今久内屬。惟差南，近四川松蕃（潘），地險而易生梗。

甘肅以西，番夷相界，北亦不刺阿彌禿竄居西海，乃西寧西境西寧衛地方，番帳凡千餘，一十三大族。番人漸以南徙，中國茶馬之利大爲減失。

疊州生吐番，界四川松蕃（潘）、陝西洮州之中，且東接陝西岷州，其地山多層疊，番夷出没，爲患不細。洪武十五年，指揮馬曅以三萬卒擒獲其酋失剌谷五千餘衆，全師以歸，要渠三面受敵，勢不能應，故取之甚易。今復爲番族，有其地。自後周置州，歷隋、唐、宋、元，皆爲中國郡縣，宜不可終棄。但今林密道塞，内犯少息，可姑置之。

雲南所轄夷民，率僰、羅二種。僰人與漢人雜居，充役公府；羅羅性多疑，深居山寨，人得給害之。

雲南通貴州商道：東路白水、平夷，亦資孔一帶，如分水嶺、炒鐵溝、龍井舖、小哨兒等處；西路南寧、松林、炎方、霑益州一帶，如老雅林、桐居堉、石灰窑、梭羅灣等處，夷羅不時出没，搶掠商貨。又貴州倚蘭寨等處賊徒，互相勾引，官兵勢難禁捕，各驅本地夷守護，稱其厩廩，費出於商，而官爲取發，兩全之道也。舊曾有議，興輟不時，并官費口糧，及令夷自索商保路錢，皆非善計。

江淮之形合，則表裏之勢成。壽春、合肥之守堅，則南北限，而江、淮互爲蔽。故魏得壽春、合肥，而吳不敢窺。後出廣陵，吳乃可以爲擒。東晉至陳，彭城、盱眙、江東、廬、壽皆入南境。及陳宣帝盡以歸周，而陳亡。

貴州宣慰家水西，所轄長官司四十八，每司鋭卒數千。

雲南惟麗江富饒。

温州東南、福寧南南紀嶴海盜巢穴，至冬，俱歸泊。又宫前嶴、上馬溪、曲溪口，俱漳州對出，雙嶼港在定海外，一潮可到。

定海一潮下舟山，起陸八十里至沈家口出港，十里許至烏家口出蓮花洋，半潮至普陀。

自安吉獨松關陸路至杭城，元大軍取宋路。

自杭由長興之金竺關入南都爲捷徑。

終南山産山花、火頭根、僊人掌、黄精、百合、山柰、山蘗、芋頭可食。竹山、房縣一帶出蜂蜜、花椒、木耳。又金州以南生紅花。皆自然之利，可隨取。

川路壩底堡，左隣白草、龍藏、獨坪、三溪、青岡坡、甘松、第坡、野猪坪等寨，右隣青片、板舍、白若羅、打鼓、巴地、赤土、神村、永楉、曹磨、蒿坪等寨，近何總兵所開。

滇池出郡甸至松花壩下盤龍江，今壩築挽其水，沿山散流七十餘里，能灌田數萬畝。其餘流繞碧雞山西南而出。

硐橋在硐門外，以鐵索爲橋。

黄河濟具名横脱，乃羊皮也。繫於兩腋之間，以手划渡大江。濟具名浮環，如帶匣，斜負肩側，可游。

褒城縣北卽連雲棧，棧南口爲褒谷，北口爲斜谷，谷中水名黑龍江。縣北八里過雞頭關，十里陟七盤嶺入棧谷，北口爲寶雞縣，中歷鳳縣。褒城縣南一百二十里過松梁關，二百七十里過米倉關，俱巴縣界。饒風關在西鄉、石泉之間，大散關、武休關、陳倉、和尚原俱在鳳縣。宋紹興中，金破鳳縣和尚原，進攻畧陽僊人關。

沔縣東北通秦嶺，西南控川、蜀。金牛峽，縣西一百七十里。陳倉古道，縣西二十五里。漢中前控六路之師，後據兩蜀之粟，左通荆襄之財，右出秦隴之馬。

城固縣南木曹關，可通西鄉及通江。蕭何守漢中，修城固北通關山道，由盩厔、鄠縣入關中。

盩厔小道，老子青牛所過，令尹喜授經之地。

自商州、商南、藍田、咸寧、武功、長安、鄠縣、扶風、岐山一帶山，俱謂之終南。

駱谷，自盩厔東南三十里，有道入洋縣。北三十里爲灙谷南口。曰灙北口，曰駱，實一谷也。中距八十四盤，唐德、僖幸興元由此。

金州爲秦頭楚尾。

征蠻法：全剿不如殲魁，明捕不如暗執。征戎法：避鋭不避歸，殺衆不殺降。

峨眉抵鎮西新開路，自峨嵋縣至箭坪公館、金口堡、玀猓公館，入水路至嘉定，自嘉定至板房堡、一碗水堡、龍溪溝堡、木坪公館、麻溝堡、舒快公館、小菩薩堡，不一百五六十里至鎮西。大相公嶺、邛郲山俱在榮經縣，爲黎、雅之隔山，高甚，又險隘。相公嶺山接瓦屋。相公嶺，縣西百里。瓦屋山，縣南百二十里。邛郲山，縣東四十里。由相公嶺渡河入建昌，瘴毒且盛，猝猓鐵口生番時發。自來有峨眉抵鎮西別由之路，洪武初，景川侯議復，尋廢。嘉靖間，各兵備議復，亦尋廢。

鄱湖口殊曠，贛、瑞、閩、廣之盜所出没。如登陸，則池之建德，徽之祁門，可以四達。兩邑宜於設戍。今沿湖建巡司十有四，雖足譏捕，而寇盜每時發。

營陣

史記於韓信世家中，其平生陣法，如囊沙背水，木罌渡軍，拔趙幟立漢赤幟諸事，一一詳載，無有遺者。蓋古來用兵，未有如信之神異莫測者。太史公委曲如此，蓋重之也。戰國時，惟孫臏斬龐涓一事，差可與信比肩，餘皆不逮也。

兵家時日之法，子、丑、寅、卯、辰、巳、午、未、申、酉、戌、亥爲支，甲、乙、丙、丁、戊、己、庚、辛、壬、癸爲干，干支所以配時日而用之也。五行：金、木、水、火、土是也。金旺在巳、午、未、申、酉，木旺在亥、子、丑、寅、卯，水旺在申、酉、戌、亥、子，火旺在寅、卯、辰、巳、午，土旺在申、酉、戌、亥。孤虚之法，以一畫爲孤，無畫爲虚，二畫爲實，以六十甲子日定東、南、西、北四方，然後占其孤、虚、實而向背之，即知吉凶矣。又如周武王犯歲以伐商，魏太祖以甲子日破慕容，用師之道，有太史以占天時。太史之執同律之類是也。

史記註六甲孤虚法，甲子旬戌、亥爲孤，辰、巳爲虚。後五甲倣此。如今人以甲子旬無戌、亥爲空亡，是以空亡爲孤也。辰、巳與戌、亥對，辰、巳爲孤虚。

金仁山曰：兵家用日時方位法，支卽十二枝，干卽十幹。十甲如木之有幹，十二時如木之有枝。唐李靖用兵，精風角。孤虚、空亡也。虚、空亡對宫。歲孤虚，太歲後二辰爲孤，前四辰爲虚。日孤虚，正月以子、丑爲孤，午、未爲虚。旬孤虚，如甲子旬，則戌、亥爲孤，午、未爲虚，餘倣此。王相，占算家所謂吉、凶、臧、否、平，王、相、休、囚、死。又五行十二宫生旺八卦，冬至坎王震相，立春震王巽相之類，皆是總言，以之屬二字，其用非一。兵家八門遁甲，逐時分開，休生傷閉，景死驚方，立太乙局，逐日分主客勝負。又出城布陣，逐時占斗柄天角所指之方。又如六壬遁甲，以支加支，范蠡以占歲、占兵，此皆其屬也。

趙悳曰：戰陣之法，背孤擊虚則吉。史記律書以十干十二支配五音十二律，而序云：六律爲萬事根本，其於兵機尤所重。故云：望敵知吉凶，聞聲效勝負。此雖以律言，而不外乎十干十二支，是皆兵書所尚也。

兵之制，始於軒轅，其道貴一。曰：一者，階於道，幾於神，故謂握奇，蓋言一也。以天、地、風、雲爲四正，龍、虎、鳥、蛇爲四奇。正以出兵，立老營以爲家；奇以禦敵，設陣勢以爲戰。風后，軒轅之臣，乃司兵，故謂風后。握奇經：正者所常居，握而運之，其惟所餘之奇，奇隨時應用，零出而不二，故謂餘音。

陣之爲八，謂因井田以制，非也。握奇之握，謂九開方，而將居中，增一陣非也。八八成行，則陣六十四，何得言八？奇無不握，流行於六十四陣中，不以九握其八也。故四爲正，四爲奇，以是而爲八，蓋并言其用。正以言體用，即遇敵以出戰。天有衝，本圓，而立爲方；地有軸，本方，而運爲圓。天地各前後衝，所以駐之，爲出隊之具；風雲附於天地，所以挾而助天地之爲變衝。重列各四，前後之衝各四，風接居四維，圓之所爲圓也；軸單列各三，前後之衝各三，雲接居四角，方之所爲方也。圓之所設，以禦方；方之所設，以禦圓，此皆言其體。於是遇敵設戰用無定形，而龍而虎，而鳥而蛇，各以時出，虛實以爲二壘，動静以爲措宜，化裁以爲戰勝。

陣勢雖八，不得分而視之。天惟主衝，而無陰不能行；地自成軸，而無陽不能配。風雲之附，藉於天，於地，言有所起也；而天與地無其附，則未足以成全用。於是而四奇所由生，皆四正之宗嫡。千變萬化，不脱本母。故古之奇兵，兵在陣内；求奇兵於陣外，則形露必潰。大將明賞罰爲首事，欲明賞罰，必由好惡之公。學問最難處是公好惡，此處未消磨，不可以言大將。遊軍選鋭先出，遊軍定兩端先鋒，策先鋒，所以爲陣。始陣訖，遊軍從後躡敵殿後，策殿後，所以當敵。遇，或驚其左，或驚其右，所以助跳盪，聽音望麾，獨往獨來，力不可輕，故當正陣三分之一。

正、奇一物，營、陣一事。營爲居生，陣爲戰作。居而爲正，戰而爲奇。正以守其常，奇以應其變。神而明之，化而裁之。不以動静有無有所息。戰無正形，形隨時而立，然而未嘗無一定之體；居無奇設，設無時可襲，然而未嘗無必守之法。故神明而化裁，流行於動静有無之間，以正合，以奇勝，兩相爲用，故爲一物。以必然者視正，任意者名奇，又非正奇之實。世復有以遊軍作奇，則遠之甚矣。

止則爲營，出則爲陣，皆以言其體，所謂正也。因其所遇以爲，出則隨人、隨地、隨敵、隨時，變化無常，是謂奇。

八陣之正，可圖可言。奇不可豫言、豫圖。廣都，土壘，魚腹，石磧，一也，如人立家，各任其基局。其惟天衝，其惟地軸，其惟附天之風，其惟附地之雲，則兩端、中央、前後之所生，以之爲自固，爲可守。其惟龍飛，其惟虎翼，其惟蛇蟠、鳥翔，皆由是出。以之爲設局，爲應敵，輕重之權鎮於中外，剛柔之節列於陰陽，取舍之宜生於方面，以之而訂虛實，等主賓，量進止，隨在以爲用，然後爲奇，則是合戰之陣。

陣之行次，先右，兵尚陰道。先虞候，兵尚探。先角聲，兵尚一耳，必於角。兵尚木，求其生。先馬軍，兵尚速。右而前，前而中，中而後，後而左。凡中，不使離乎中。兵尚主，主尚權。

李筌言曰：兵猶水，水因地以制形，兵因敵以制勝，能與敵變化取勝謂之神。庸將以教習之法爲戰敵之陣，不亦謬乎！宋人有不然其説。蓋筌能言其意，所以輕迹古法，云：善用兵者，教正不教奇。

古萬二千五百人爲軍，合用三軍、二軍，有成算。後世兵無一定之數，各隨多寡可爲陣。必以若干成隊，若干成軍，則拘矣。惟平時練意，不可不備。

古名將李廣、竇嬰、祭遵、李勣等皆極廉約，不私財，故蓄惠不倦，愛士，能得其用，這是世人命根。此處得，則我之根培，於御人，得則人之根益培，根根相培，造化日盛。

校士，先結伍法。左傳云：先偏後伍。司馬法：五人爲伍。尉繚子有束伍令。漢制，定尺籍伍符。左傳：鄭子元請爲左右二拒，以中軍奉公爲魚麗之陣，先偏後伍，伍承彌縫，以敗王師。偏，車乘也。先車而後伍，以伍乘車之隙，而彌縫其缺漏。穰苴以五人爲一伍。尉繚子：五人爲伍，共一符，收於將令之所。亡伍而得伍，當之；得伍而不亡，有賞；亡伍不得伍，身死家殘。漢制尺籍伍符：尺籍，書斬首之功於尺板；伍符，伍伍相承。

李靖六花陣，本諸葛八陣而變。後世謂八陣以九宫爲法，六花陣以七軍爲法。大陣包小陣，大營包小營，隅落、鈎連、曲折、相對，是八陣。制外畫之方，内環之圓，是六花法。方是立局，圓是結伍。此説非也，變是變其形局，其爲正，其爲奇，其制營，其結伍，其周意，爲鈎連，其委情，爲曲折，一也，而未嘗變也。

曹操兵法，戰騎居前，陷騎居中，遊騎居後，前、後、中爲三覆。不言兩廂軍，何也？舍藏變化，曹術所寓，四頭八尾，散合正奇不定。當其轉戰，徹，遊騎而前；退，戰騎而後，而化分陷騎以爲用。故兵法須識意不識勢，識勢不識形，在神其妙。

兵形五變，方、圓、曲、直、鋭，因地而爲之者也。李勣：兵法有牝、牡、方、圓、伏，因人而生之者也。

范蠡兵法，先用陽，後用陰，盡敵陽節，盈吾陰節，以奪之。其曰：設右爲牝，益左爲牡，早晏以順天道，蓋深於計者也。

田單爲燕所圍，命一人假爲神，師拜而祠之。神言：燕可破。遂出火牛，大破燕。此以天官時日爲我用，不用於天官時日者也。

趙盾帥師伐秦，交綏而退。司馬法：逐奔不遠，縱綏不及。蓋我軍既有節制，彼衆亦正行伍，豈可輕合。

光武收銅馬、鐵脛、五旛、大彤、尤來、大鎗時，按行賊營。賊曰：蕭王推赤心，置人腹。這是兵家本錢。

太公云：分不分，爲縻軍；聚不聚，爲孤旅。散合無常形，要須識辨。

孫子曰：可勝者，攻也；不可勝者，守也。皆以敵言之也。敵有間則攻，不以我强弱爲攻守。其自治，則當先爲待矣。

兵法以伍爲要，小列之爲五人，大列之二十五人，參列之七十五人，又五參其數得三百七十五人。其卒三百人爲正，六十人爲奇。奇之於正，如五而一。蓋重本也。兵之要，不虚内以役外，重末以輕本。

洞當勝中黄，中黄勝龍驤，龍驤勝鳥翔，鳥翔勝折衝，折衝勝握機，握機勝虎翼，虎翼勝衡陣，衡陣勝洞當，言得用奇之道也。用奇之道，惟先自識爲難。吾見定，知彼知己，彼誠中黄也，而吾能誠洞當也，則勝；彼非中黄也，而吾之洞當敝，過時而用，近似而用，士不精而用，藝不備而用也，則不惟不勝，而累。而以責陣法不驗，可乎哉？

十二辰陣，成都碁盤，市江田植芋法，九曲燈，詳整周匝，總是布陣一理，雖一一備，具簡以御煩，堅以待滲。若堅而不簡，令人難守；煩而有滲，令人易窺。

李靖陣，裴緒陣，穰苴陣，彌牟魚復陣，會得分數，明只一法。李筌、楊師晉獨以天、地、風、雲、龍、虎、鳥、蛇均列而爲八，後世異之。若真會得，已爲名識。

安營九法，九地十八避，隨形隨時警備，只一心生於警備之心，無形無法，踈密生於時，非守前人故套。

蓋凡老營立，可守可攻，如人之有家，否則是遊夫路旅。

裴緒新令，數尚十，只從五法起。每部前後曲，總是兩其伍。百人曰隊，二隊曰官，二官曰曲，二曲曰部。部以前、後曲相次，曲以左、右官相當，官以前、後隊相隨。隊百人爲列，列十人爲對，對則伍也。隊分爲團，團合爲隊，團則十之伍也。方、圓、牝、牡、衝方、罘罝、車輪、雁行，陣雖八，皆自方爲變，已爲知要，後尾常山，楊奇備伏，且以應權。

陣方以備曠，圓以御險，偃月之情，險之所生。偃月，爲圓之半。圓，當用而半。所補於圓者，地也。

虎鈐四陣，即四奇而言之，不言以正合也。飛鶚爲衝，重霞爲細，長虹爲扼，八卦爲周。以飛鶚當灣，以重霞當直，以長虹當突，以八卦當圍，隨變化生形於敵者。陣不可踈，踈難應；不可密，密難用。首欲捷，翼欲輕，腹欲實，尾欲正。捷，不可使過；輕，不可使凌；實，不可使不應；正，不可使不知變。此虎鈐之法也。

李靖以正兵爲應敵之陣。諸葛擒孟獲，馬隆討樹機能，藥師平突厥，皆爲正兵以勝。又言：兵以前向爲正，後却爲奇。又以兵少地遥而用正。乃知其正兵之陣，因行遠，深入敵境，即其所布之行陣以應敵，不待更作轉發而變化，因生其間者耳。蓋惟專倚車用，且戰且前。奇即是正，正即是奇。

教武之功，愈習而愈無窮；教武之器，更述而更不盡。種種安排，只三官不謬，五教不亂，是簡易包括。教須以寡傳衆，以暇寓忙。當事三令五申。又曰：閲以成家，校以習意，悠而優之，使自得之。

品武，孫、吴爲名家，然兩家不同局。若詳戰事，孫誠精；吴論意在威國，以運於用。而以兵爲緒餘，其無王心，則同。

用衆，必素有練，以不教民戰，爲棄民。近世乃不得已而興召募，此非用衆正法。兵專重選將，將得而練成。將選雖重才賢，尤貴習久與士卒相便近，易於轉擢突臨，新卒恐非所以爲選也。

樂毅不下齊兩城。不下云者，知七十餘城之皆下之也。不以德威自服，而待勤於兵刀。曾曰：下之乎？此毅兵法之善也。開彌廣之路，長容善之風，其爲道光，而賢智托心，蓋意兼天下者也。

太史公謂田單兵法，始如處女，敵人開户，守之慎而難也；後如脱兔，敵不及距，發之決而勇也。當家無慮濟濟，獨於單發之。單不專於技擊，筴深而功易施也。

李廣軍行，無部伍行陣，就善水草屯舍止人，人自便，不擊刁斗以自衛，幕府省約文書籍事，此深得古兵法，故敵屢犯而不爲害。其遠斥堠，疏於近而密於外，有所以當其處者，若程不識謹嚴，同出機軸，特宏狹藴露，可以見才力淺深，其受成顯拜，係諸遇而已，君子不道也。

文中子有言，强國戰兵，伯國戰智，王國戰義，帝國戰德，皇國戰無爲。言戰而至無爲，則戰法無所施，不得已而受命焉。知其所從事，不可苟也。斯意，劉誠意蓋知之。曰：善戰者省敵。湯武之所以無敵，以我之敵敵敵。

司馬法誠是周家兵典，節節不忘所本，殺人安人，以戰止戰，王者不得已之意，盎然具見。雖嚴位用衆，篇專發明，治兵應敵，總不脱這意。後世有謂出於穰苴，穰苴豈能見到於此？

聖人神武而不殺，性立而弛張。時仁義具武士，慣家手熟，不免横刺之慘，積以成見，發之而不自由。所以强兵有制，卽其所有事堅，束之使不得擅施，犯者必罹重刑。練既成，雖非性出，習與性成。故曰：小人而和於君子，勉意以事上，豈其性哉？接物而變已者也。

春明夢餘録卷之四十四

刑部一

刑部，在皇城之西，與都察院、大理寺並列，而爲三法司。設尚書、侍郎，掌天下刑名、徒隸、勾覆、關禁之政令。置十三清吏司如户曹，主兩京、十三省之奏當。凡宗室、勳戚、官吏、軍民麗于法者，詰其辭，察其情僞，傅律例而比其罪之重輕。律例所不及者，上下附以請。凡兩畿、十三省歲讞，其死罪刑平之。凡詔獄，必傅例請上裁。凡應減者，下就輕；應加者，上就重，重不得至死。凡律例，有殊旨、别勅、詔例、榜例，非經請議著令者，不得引爲比。凡死刑，卽決及秋決，並三覆奏，涖戮於市。凡贖罪，視罪輕重爲差，斬、絞、雜犯從末減者，聽收贖。凡簿録，俘、囚、配没，給賜官、私奴婢，必籍知之。凡籍産，不得及其先墳塋。凡贓罸，計估易銀，歲杪類入内府。凡獄成，移大理寺讞平焉。凡訴冤，家内皆自下而上，急者擊登聞鼓。凡重囚，京師歲霜降會五府、九卿、科道共慮之以請，情真者決，矜疑者戍邊，有詞者調所司再問，比律者監候。五歲，請旨遣官出京府，兩京、十三省審録，減釋寃濫者。凡夏月録囚，免笞刑，減徒、流而下刑，辨重刑。凡提牢，月更主事一人，葺囹圄，固械繫，而時其飲食，有病醫藥之。凡官有過，紀録之。兩京歲杪，請勅湔除紀過。凡大祭祀，止刑。凡四方有獄，受命而往，成之。以名例攝律條，以以、准、皆、各、其、及、卽、若括律詞義，以五服參情法，以墨涅識賊盗。宗人不卽市，宮人不卽獄，悼耄癃殘不卽訊。

周禮秋官：大司寇掌建邦之三典，以佐王刑邦國，一曰刑新國用輕典，二曰刑平國用中典，三曰刑亂國用重典。視國俗爲重輕，制御世之權，不顯之於法，此其大綱。以五刑糾萬民：一曰野刑，上農功而糾其力作，爲野治也；二曰軍刑，上順命而糾其失守，爲軍律也；三曰鄉刑，鄉首善上德而糾孝，孝，德之元也；四曰官刑，上功能而糾職，職，官之守也；五曰國刑，上愿而糾暴，國，兆民所聚，風易澆難淳，故糾暴民歸之愿，爲紀法守也，亦不顯之法。彼司刑之所司者法也，非制法者也。而刑莫先於罷民。罷民者，民惰於教，不昬作勞，如疲癃者然。是淫、酗之所生，敖、狠之所始，民俗所以日偷而不可反也。其害人也泰，而固未麗於刑也，故刑之則已重，不刑則亂俗而傷化，故寘諸圜土，而收教之。日夜施九職工事焉而役之，用其力以强其罷，書其罪於方版，著之背，以恥其心，而冀其改，則教道存焉耳。蓋環而教之也。故圜土，非其獄之謂也。能改者，復之，三年不齒；其不能改而出圜土者，殺。則止惡於萌，坊（防）俗於忽，王教之爲俗化，慮至遠也。

小司寇聽萬民之獄訟，用情而訊之，至旬，乃弊。以五聲聽訟，求其情：一曰辭聽，謂辭枝、辭淫若直也；二曰色聽，謂色怖、色怍若定也；三曰氣聽，謂氣懾、氣喘若氣壯也；四曰耳聽；五曰目聽，謂視聽直則端，不直則眊惑失常也。其制五刑也，必原父子之親，立君臣之義以權之；意論輕重之量，慎測深淺之宜以別之；悉其聰明，致其忠愛以盡之。猶恐其未也，必三刺、三宥、三赦以求其衷。三刺者：一訊之羣臣，再訊之羣吏，三訊之萬民，所謂疑獄汜與衆共之者也。衆疑，赦之矣，卽辠麗於罰；衆所宥，雖上刑下服，舉與衆宥之；所刺，卽下刑上服，舉與衆刺之也。不顯之於法，惟用中于民，故曰：國人刑殺之也。猶未也，司刺者又得以不識、過失、遺忘而宥之，幼弱、老旄、惷愚而赦之。至國有大獄，又得以親、故、賢、能、功、貴、勤、賓八辟焉。麗邦法以議之，則其所求諸刑者，爲已悉矣。乃歲孟春，士師以木鐸徇於朝，以邦之五禁書懸之象魏，浹日而後斂，以（左）右刑罰：一曰宫禁，二曰官禁，三曰國禁，四曰野禁，五曰軍禁。國有事，則又爲五戒以先後之：一曰誓，用之於軍旅；二曰誥，用之於會同；三曰禁，用之於田役；四曰糾，用之於國中；五曰憲，用之於都鄙。斯曷非欲法令著揭，無使罪麗於民，欲民協中懷德，而鄉無麗於法也哉？

刑官在朝者謂之士師，在六鄉謂之鄉士，在六遂謂之遂士，在各縣遂謂之縣士，各掌其民之數。夫謂之士者，理官也。士居四民之先，而列五爵之一。列官分職，不皆謂之士，而理官獨謂之士者，蓋以此官民命所係，天討所寓，國家所以得失民心，皆在於此，故非明理義，備道德，通經學者不可以居之。自虞廷以皋陶爲士，而周人自秋官卿以下皆以士名，蓋示後世使知刑官之重，而不可雜以他流也。

刑法之名，雖非王道所先，然讞議刑名，不通律法，不可以從政。先王之教，禮、律並設，出乎禮，則入乎律。故明習法令，亦所以佐禮教之不及也。宋人設刑法科以試諸吏，選人任子，亦試以出官，非無見也。

自古哲后惇臣，曷嘗不以刑辟爲天典重用之哉？典著欽恤，誥表敬明。記稱論量慎測，必卽於天倫，此其意至精。故咎繇元德，群聖宗焉。以作士制百姓於刑之中，用期於無刑。司寇蘇公，敬由獄，周公作立政，訓王諄，復紀之，誠重獄也。重獄，重天民也。自教之衰，寔以五刑，爲癉惡之具，靡知爲倫叙當卽也。於是乎哀矜勿喜之意忘，甚且愉快喜之，豈謂天德哉？又何以敬刑弼德，司天民命也？先漢時，攄忠守法清議之臣，猶能本經術，明常教，以決事，而張廷尉令天下無冤，唐徐司刑，身視鴻毛，法視泰山，以其死衛生民之命，卽古今難之矣。

三代而後，稱嚴刑者，曰秦，曰隋。漢高入關，約法三章：殺人者死，傷人及盜抵罪。餘，悉除去秦法。民大悦。隋煬帝淫刑以逞，行轘裂、梟首之刑，天下潰叛。唐祖入關，除苛政，約法十二條，已又班新格五十三條，惟吏受贓、詐冒、盜府庫物罪不原，餘悉除去隋法物。已又詔裴寂等更撰律令，本前代法故爲書：一曰名例，二曰禁衛，三曰職制，四曰户婚，五曰厩庫，六曰擅興，七曰賊盜，八曰鬭訟，九曰詐僞，十曰雜律，十一曰捕亡，十二曰斷獄，一以漢九章爲守。律家以爲集大成焉。

唐末迄五代，刑罰峻深，視人命如牲牢，而國祚日促。周世宗用范質議，律條猥繁，輕重失衷，詳定之曰刑統，行焉。宋祖卽位，與天下更始，尤注意刑辟，哀矜無辜。嘗讀虞書，喟然嘆曰：堯舜之世，四凶之罪，止於投竄，何近代法網之密耶？故自開寶來犯大辟，非情理深重者，多得貸死。懲五代牧守皆武人，多率意用法，擅殺生，著令諸州所決大辟，奏當上，咸委刑官詳覆。吏坐深文故入，終（身）屏斥不復，甚者流故（放），由是吏皆持平，法網晏寬。宋以忠厚立國，立石太廟，戒子孫勿殺大臣，勿殺上書言事人，勿殺柴氏子孫。其石封鐍甚固，每一帝卽位，赴廟受戒誓，手啓，而仍親錮之。歷代相沿，不敢渝。故當時名臣項背相望，號稱小三代。

元世祖定天下之刑，笞、杖、徒、流、絞五等。笞、杖罪既定，曰：天饒他一下，地饒他一下，我饒他一下。自是合笞五十，止笞四十七；合杖一百十，止杖一百七。天下死囚，審讞已定，亦不加刑，皆老死於囹圄。自後惟秦王伯顏出，天下因始一加刑。故七、八十年之中，老稚不曾覩斬戮。及見一死人頭，輒相驚駭。可謂勝殘去殺，黎元在海涵春育之中矣。

世祖謂宰臣曰：朕或怒有罪者，使汝殺，汝勿殺，必遲回一二日乃覆奏。斯言也，雖古仁君，何以過之？自後繼體之君，惟刑之恤。凡郡國有疑獄，必遣官覆讞而從輕。死罪審録，無寃者，亦必待報然後加刑。而大德間王約復上言：國朝之制，笞杖十減爲七，今之杖一百者，宜止九十七，不當又加十也。此其君臣之間，唯知輕典之爲尚。百年之間，天下乂寧，亦豈偶然而致哉。

大明律令

明太祖洪武元年，定大明令百四十五條，頒天下。制曰：朕惟律令者，治天下之法也。令以教之於先，律以齊之於後。古者律令至簡，後世漸以繁多，甚至有不能通其義者，何以使人知法意而不犯哉？人既難知，是啓吏之姦，而陷民於法，朕甚憫之。今所定律令，芟繁就簡，使之歸一；直言其事，庶幾人人易知而難犯。書曰：刑期於無刑。天下果能遵令，而不蹈於律，刑措之效，亦不難致。兹命頒行四方，惟爾臣庶體予至意。

洪武六年，命中書省詳定律法。諭之曰：凡立法貴簡當，使人易曉。若條緒繁多，或一事而兩端，可輕可重，奸貪吏得因緣爲奸，則所爲禁殘暴者，反以賊良善也。卿等宜盡心參究。凡刑名條目，逐日上，朕親酌議焉。律成，宋學士濂具表言：皇上登大寶而來，保乂臣民，孳孳弗怠，訓迪群工，諄復千言，惟恐有犯，慈愛仁厚之意溢於詞表，是大舜惟刑之恤之義也。矜閔愚民陷於罪戾，法司奏讞，惻然弗寧，多所寬貸，是神禹見辜而泣之心也。惟貪墨吏承踵元弊，乃不得已假峻法以繩之。是以臨御以來，屢詔大臣更定新律，至五、六易弗倦。兹特勅臣刑部尚書劉惟謙等會衆律重修，以協厥中。近代比例之繁，姦吏可資以出入者，咸革。臣以洪武六年冬十有一月受詔，明年二月書成，篇目一準唐舊。自名例以至斷獄十九篇中，采用已頒舊律二百二十八條，舊令改律三十六條，因事制律三十一條，掇唐律補遺百二十三條，合六百有六條，爲三十卷。每一編成，輒繕寫上。上揭之西廡壁端，親御翰墨，爲之裁定。聖慮淵深，稽天揆人，成百代之憲，具易書之奥，好生之德，洽於民心。俾日月所照，霜露所墜，有血氣者莫不改過遷善，臻雍熙之治，何其盛哉！詔頒行已定，設六部，復更定，以吏、户、禮、兵、刑、工爲六類，析篇目爲十九，約條爲四百六十，析户婚爲户役、婚姻，分鬭訟爲鬭毆、訴訟，分厩庫爲厩牧、隸兵、倉庫、隸户，分職制爲公式，改屬吏受贓隸刑。凡刑之名五：曰笞、曰杖，曰徒，曰流，曰死。死二等，流三等，徒、杖、笞各五等。死刑至重者曰凌遲，徒、流重者曰遷徙，曰充軍。凡憝惡之戮十：曰謀反，曰大逆，曰謀叛，曰惡逆，曰不道，曰大不敬，曰不孝，曰不睦，曰不義，曰内亂。凡貪墨之贓六：曰監守盗，曰常人盗，曰竊盗，曰枉法，曰不枉法，曰坐贓。名雖沿唐，而因時定制，緣情制典，自有法律來所未有。洪武三十年，詔刊大明律。將大誥内條目附其中。御製序言：朕有天下，倣古爲治。明禮以導民，定律以繩頑，刊著爲令，行之已久。然而，犯者猶衆。故於聽政之暇，作大誥，昭示民間，使知趨吉避凶之道。古之人謂刑爲祥刑，豈非欲民並生於天地間哉？然法在有司，民不周知，故命刑官取大誥條目，撮其要略，附載於律。凡榜文禁約悉除之，除謀逆，并律誥該載外，其雜犯大小之罪，悉依贖罪之例論斷。今編次成書，刊布中外，令天下知所遵守。刑期無刑，庶稱朕恤刑之意。

律制

凡刑，五服以定之，九族以齊之，六親以別之，五刑以用之，七具以差之，十惡以誅之，六贓以等之，八議以貸之，五則以贖之。斬衰三年，齊衰（三年），杖期，不杖期大功，小功，緦麻，是謂五服。自高祖至於玄孫，上治旁治，是謂九族。妻爲夫族服，妾爲家長族服，出嫁女爲本宗服，爲外親服，爲妻親服，爲三父、八母服，是謂六親。笞、杖、徒、流、死：笞刑五，一十至五十；杖刑五，六十至百；徒刑五，一年至三年；流刑三，二千里至三千里；死刑二，絞、斬，是謂五刑。笞、杖、訊杖、枷、杻、鐵索、鐐，是謂七具。謀反、謀大逆、謀叛、惡逆、不道、大不敬、不孝、不睦、不義、內亂，是謂十惡。監守自盜贓、盜贓、竊盜贓、枉法贓、不枉法贓、坐贓，是謂六贓。議親、議故、議功、議賢、議能、議勤、議貴、議賓，是謂八議。應工贖、輸囚糧贖、輸灰贖、輸瓶贖、輸水及炭贖，是謂五贖。

律意

凡犯死罪，非常赦所不原，而祖父母、父母老無養者，得奏聞，取上裁；犯徒、流者，得贖，存留養親，教民孝也。凡同居，若大功以上，及外祖父母、外孫、妻之父母、女婿、若孫之婦、夫之兄弟、及兄弟妻有罪，得相爲容隱；奴婢、工人爲家長隱者，皆弗論；泄其事致罪人，匿者亦不坐，教民睦也。民七十以上，十五以下，及廢疾，犯流以下，得贖；八十以上，十歲以下，及老疾，犯殺人當死者，奏聞，取上裁；盜及傷人者得贖，餘皆勿論；九十以上，七歲以下，雖有死罪，不刑，教民養老、慈幼，矜不成人也。犯罪未發而自首者，免其罪；輕罪發覺，因首重罪者，免其重罪，與民悔也。犯罪時未老疾，事發時老疾者，以老疾論；犯罪時幼小，事發時長大，以幼小論，從民可哀憐也。二罪俱發，論其重者；若一罪已決，餘罪後發者等，勿論重者，并計前罪以充後數，示民輕省也。其本應罪重，而犯時不知者，以輕論；其本應輕者，聽從本法，憫民疑也，罪得減等。二死、三流，同歸一減，開民生也。

敖英曰：至矣哉！我朝之律，可謂情與法並行而不悖者也。如十惡不原，法也；八議末減，情也。干名犯義者，法也；得相容隱者，情也。自首免罪者，情也；猶追贓証者，法也。罪有加者，法也；有減者，情也。有從重者，法也；有免科者，情也。凡法之所在而不姑息者，義之盡也；凡情之所在而必體恤之者，蓋仁之至也。此我朝所以忠厚垂統，而社稷靈長，終必賴之。

葉良佩曰：讀國家之憲章，至法令，未嘗不廢書而嘆也。曰：深哉仁乎！雖使舜、皋陶復生，其無以易之矣。夫象刑之不可復也，猶江河之不可挽而登諸山也。是故聖人之治天下，必緣時以定制，鏡古以修今，要在於垂諸後紹，俾不可易，斯已矣。國家之法，雖本於李唐之十一篇，然或芟繁定舛，因事續置，大抵比舊增多什二三，而祥德美意，殆未易以言語殫述也。姑舉其大者：如以笞、杖、徒、流、絞斬定爲五刑，而鈦趾、蠶室之制，一切剗除；以六曹分爲類目，而擅興事、廄庫等篇，悉爲裁定；代背箠以臀杖，而數無過百；易黥面以刺臂，而法止賊盗；他如見知嚴於逃叛，故縱深於捕亡，收孥、連坐之條獨於反逆、大不道者當之。凡兹皆法之至善者也。至夫圜土之制，嫌於太重，則貸之以輸作；嘉石之制，嫌於太輕，則罰之以荷校；盗官藏，受贓枉法，罪皆死，又嫌於太重，則著爲雜死之命；而聽其贖鍰與輸焉；出杖、徒一轉而入大辟，嫌於太疎，則定議著爲徙邊、戍邊、永戍之令，不與同中國。凡兹皆損益於累朝，而令之至善者也。其有冥頑不軌之民，或情罪弗麗於法者，復許所司比議，奏決以行，曲而不苛，平而難犯，蓋肉刑雖亡而厥威，故在象刑，無事於復，而欽恤之意，未嘗不行乎其間也。噫！澤深遠矣，雖舜、皐之爲法，其何以加於此哉？或曰：刑以期於無刑也，自國家迄於今，兹幾何世矣。桁楊之囚，溢於户外，而獄訟不爲之少衰，豈所謂不犯之法乎？曰：此非法之過也，用法者不得其人之罪也。今之用法者，有三蒙，有二厲，而其原則始於好惡之未明於上焉耳。何謂三蒙？闇於推鞫者，其情謾；昧於法意者，其刑舛；疵於官反貨内來者，其寃滯。何爲二厲？徼公廉之譽，則以深刻爲能；任喜怒之情，則以巧詆爲用。何爲好惡之未明？大吏之深刻巧詆者既以能名而闇昧，愞弱之流亦復循資積勞以躐高位，苟爲若是，夫安所憚而不厲、不蒙？此吏道一大癥也。統兹六患，將惟兹獄速訟之不暇，而又何衰之可圖？故曰：有治人，無治法。嗚呼！如有作於上者，得兹六患之説而變通之，則國家無刑之效，庶幾其可冀矣。

邱濬疏：臣按唐、虞、三代以來，俱用肉刑。至漢文帝，始廢肉刑，用笞。其原蓋權輿虞刑之鞭朴也。除死罪外，自墨、劓以下，率以笞代之。然未爲笞令，所箠之具無常物，所箠之處無定在。景帝定箠令，箠之制，始用竹；受箠之處，專在臀。魏、晉、南北朝，其君臣仁暴不同，其俗尚厚薄不一，其所用刑各有不同。隋文帝始定爲今之五刑。凡前代考訊之具，若夫挾捧、束杖、車輻、鞵（韄）底之類，盡除不用。唐、宋因之，制爲刑具，各有等第。本朝於大明律卷首作爲横圖，以紀獄具。笞，大頭徑二分七釐，小頭徑一分七釐；訊杖，大頭徑四分五釐，小頭三分五釐。以上皆以荆爲之，長俱三尺五寸。枷以乾木爲之，長五尺五寸，頭闊一尺五寸，死罪重二十五斤，徒、流、杖罪以下有差。手杻長一尺六寸，厚一寸。鐵索長一丈。鐐重二斤。凡爲笞、杖，皆削去節目，用官降較勘如式，然後用之，不許筋、膠諸物裝釘。應決者，用小頭，臀受，其大小厚薄視唐略等，比宋則尤爲輕焉。祖宗好生之心，雖爲惡之罪人，惟恐或有所傷，而爲之薄刑也如此。是以仁恩厚德，浹於民心，百年於兹。近年以來，乃有等酷虐之吏，恣爲刑具，如夾棍、腦箍、烙鐵之類，名數不一，非獨有以違祖宗之法，實有以傷天地之和。伏乞聖明，申明舊制，凡内外有因襲承用者，悉令棄毁。然禁之必自内始，敢有仍前故用，卽以所制者加之。庶使太祖皇帝慎罰之意，恤刑之仁，所以著於律文者，萬世之下，恒如一日，所恢皇仁於九有，綿國祚於萬年者，端在於斯。

馬文升疏：臣伏覩大明律一欵：凡國家律令，參酌事情輕重，定立罪名，頒行天下，永爲遵守。百司官吏，務要熟讀，講明律意，剖決事務。每遇年終，在内從都察院，在外從分巡御史、提刑按察司官，按治去處考校。若不能講解，不曉律意者，初犯罰俸錢一月；再犯笞杖四十，附過；三犯於本衙門遞降叙用，欽此。欽遵外，竊惟國家大事莫先於刑獄。刑獄所重，莫先於人命。蓋以死者不可復生，斷者不可復續。一女含冤，三年不雨；匹夫結怨，六月飛霜。以其冤抑之氣，有以傷天地之和，召水旱之災。自古帝王莫不慎之。故舜典有欽恤之言，周書有敬慎之戒；下至漢、唐，法家多取專門；趙宋刑官，設科取士，皆所以慎刑獄，而重民命也。仰惟我太祖高皇帝膺天眷命，奄有萬方，臨御之初，屢詔大臣更定魏律至於五六，爲之弗倦，以求至當。復命刑官重會衆律，親御宸翰，爲之裁定，務協厥中，而於人命尤致意焉。是以，當時司刑官員多所用心，而於律意務爲講明。奏讞之際，少有失平，陰陽以和，風雨以時，而天下無冤民焉。近年以來，兩京法司官員，或由進士初除寺正、寺副、評事、主事，或由知州行人就陞員外郎、郎中，而御史亦多知縣所除，到任之後，未經問刑，就便斷獄公差，所以律條多不熟讀，而律意亦未講明。所問囚人，不過移情就律，將就發落。且笞、杖、徒、流縱有所枉，爲害未大；至於人命，一有所冤，關係非輕。且如强盗窩主，重在造意。若窩藏强盗，而不造意，亦難問擬斬罪。又如官吏懷挾私讐，故勘平人，因而致死，重在懷挾私讐。若因事到官，但有笞罪，雖勘致死，亦止可問擬因公毆人致死。徒罪又如故殺、鬬毆殺人，若兩人相争，互相毆打，毆死一人，則名鬬毆殺人；一人未曾動手，一人打彼致命去處，有意致死，則名故殺。此等律意，人多忽畧。有將强盗窩主未曾造意同謀，止是分贜，及官吏因公事毆人致死，本無私讐，故勘情由，而俱問斬罪者；有本係鬬毆，而問擬故殺斬罪者；有本係故殺，而却擬鬬毆殺人絞罪者；甚至謀殺、故殺，無屍簡驗，而問擬斬罪，輙取情真，罪當奏請處決者；或本因與人妻妾通奸，其夫別項身死，而問擬本婦因奸同謀，殺死親夫，凌遲處死，奸夫斬罪者；其他以非爲是，以重作輕者，非一查得。數年之間，各都、布、按三司等衙門呈詳死罪重囚，本院并刑部詳擬明白，大理寺復詳合律，該科覆奏處決，幸蒙憲宗皇帝慈愛仁厚，不忍殺人，止令監着。恭遇皇上嗣登寶位，重念刑獄，屢下明詔：强盗無贓、仗，人命無屍檢驗者，具奏定奪。其節年原監該決，重囚近日辯理寬宥者亦多，若使當時就令處決，則含寃而死者，不知幾人矣？其所傷和召災者，果誰之咎歟？法司尚然，則其餘府、州、縣、衛所囚犯枉抑而死者，又不知其幾何矣？此皆原問官員律學未講，律意未明之故也。况府、州、縣官員多有不曉刑名，不知律意者。遇有刑名事務，多有不能剖決問理，而惟聽於主文之人。蓋由巡按御史、按察司官按治去處，不行考校之故也。伏乞勅兩京法司堂上官督令所屬官，天下都、布、按三司督令斷事、理問，及浙江等按察司官，并各府推官，各要將大明律條熟讀講解，深明其意，不許似前忽畧，置而不講。其問囚之時，參錯訊勒，務在得其真情，方纔取招。議罪之時，尤須原情定擬，不許輕易，致有寃抑。獄成之後，難以辨明。及通行天下大小衙門，并兩京部屬官吏，各置大明律一本，朝夕熟讀，用心講解，務曉其意。仍通行各處巡按御史、按察司、分司官按治去處，遵依大明律内事理，從公考校。若有不能講解，不曉律意者，依律施行。當奏請并降用者，徑自具奏發落。仍乞勅吏部行移法司，將撥去進士，就令與見任官員一同問刑。以後該選之時，兩京法司有缺，先儘各衙門問刑進士除授；如果法司無缺，方令除授别部等衙門，是亦前代刑官設科取士之意也。庶使人精法律，而刑鮮濫施之獘，獄無寃抑，而世底刑措之美，原係講明律意，以重人命、事理。未敢擅便，謹題請旨。

刑部尚書何喬新疏：伏覩律欵言，駡祖父母、父母，及妻妾駡夫祖父母、父母者，並絞。註云：須親告乃坐。又欵言：祖父母、父母誣告子孫，告子孫婦者，各勿論。竊詳律意，蓋謂父子、祖孫天性也，子孫、子孫婦悖戾，至於毀駡，逆天性甚矣，故坐絞。然恐他人詆誣成罪，故曰須親告乃坐。謂他人雖告，不坐也。邇刑官遇祖父母、父母告子孫，及子孫婦駡者，不問虛實，輒坐，是親告卽坐矣。使親告而卽坐，律又何有誣告子孫之文乎？凡愛憎之偏，人情多有。有因後妻之譖，而憎前妻之子若婦者；有溺愛幼子，而惡其長子者；有欲奪孫之資産歸其子者；有憎其子孫，遂及其子孫婦者。使親告卽坐，雖恭順如薛包，孝友如王祥，父母一有言，將不免於死，豈不痛哉。請自今勅中外官，須鞫實乃坐；其誣告者，自依律擬斷。伏覩計贓科罪律四百六十餘條，是律也。律正，法當一定而不易。以鈔計贓者，例也。例輔律，當隨時而無常。國初制律時，每銀一兩，直鈔一貫，今八十貫矣。是國初常人盜銀八十兩而絞，今一兩而絞也。初監守盜銀四十兩而斬，今五錢而斬也，非律意矣。請自今估計鈔貫，以銀一兩直錢千文，鈔四十貫爲準，庶輕重爲衷。又律：官非法決撻人至死者，黜爲民。謂肆虐殘忍，於虛怯處横加考掠也云耳。鞭作官刑，自古有之。若因公決打，死而輒黜，非法意，宜貸。律威逼人致死，謂諸色人或逼取田園，或强索財物，致愚弱卑賤呼號無告而自盡也云耳。其愚夫、愚婦，或忿争醉詬，或語言抵觸，輕生無賴，而問擬威逼，非律意，宜寬。各省編伍，律名有衛分，近不分南北，多發西北邊，蓋以西北邊近虜，欲伍實也。然罪犯而至斬絞，必皆姦頑梗化，輕生易死之人，往往隨至而逃，仍復爲惡。雖有但逃便殺之條，然逃者接踵，終不知警。況中有原係虜種，諳知邊情，慣習夷語，脱後逃入虜中，啓釁擾邊，如漢衛律，宋張元，可爲永鑑。宜西北人編發兩廣、雲貴，江南人編發江北衛分，如律便。

孫承宗律例集解序：律之詁，曰矩，曰率。律者，天子與天下共以爲矩而率之也。樂有律，師出有律。師之律不爽進止，而主容民；樂之律不爽損益，而主相生；刑之律不爽輕重，而主容如師，主生如樂。三者一不得其平，而統于天地之和，故謂之律。然律，求所以生之，而用律者，求所以殺之。故古之知律者省刑，而今之知律者不失罪耳。太祖重念民命，詔定律令凡六，經聖裁爲四百六十條。而列聖相承，復有條例，以補律之所不及。蓋至世宗之乙卯，漸積爲三百八十五條。我皇上欽恤庶獄，命刑臣重加酌議，其仍者半，删定者半。凡殊旨、别旨、詔例、榜議，非經議請著令者，不得引比。然律文沿晉、唐之舊，愚者既懵不知守，而奸者且依法舞文。邱文莊濬議令儒臣通法意者爲解，而陳御史察等如其解成書，於是一代之大法，字析句分，不獨令天下曉然知法意難犯，而實令士大夫深念民命，無進慱斷棺之利，退抱仰屋之憂也。蓋自古國家之運，莫不與法爲存亡。故皋匿則民勝法，皋窮則法勝民。民勝法，國亂；法勝民，國殘。是以，願治者相與共率爲矩，如樂之鐸，如師之符，而不敢以意用。然今天下郡縣之於律患不明，而朝廷之於律患不守。不明者，監司直指，間有駁正；其不守者，上既用意以屈法，而下且屈法以奉意。嘗怪漢廷尉釋之號知法，而曰：當是時，天子殺之則已。豈以天子而可獨失律乎？唐權善才，法不得死，高宗欲殺之；王本立，法在必死，高宗欲原之。狄仁傑兩執法以争，而兩得其法。雖以高宗之主，終不敢以意與，而況治朝乎？高皇帝當律成，而曰：非但一代當遵，雖萬世當守也。豈非聖子神孫所當共以爲矩而率之與？又嘗恭讀序律之言，曰：明禮以導民，定律以繩頑。夫禮之所去，刑之所取。失禮則入刑，而明刑以輔禮。乃賈生有曰：禮防於未然之前，法禁於已然之後。嗟乎！安得輕徭薄賦以導民於禮，而無輕試法乎？然而，不得已也。終願明律者，無失其相容、相生之意，爲朝廷守之爾。

論令

按唐有律，律之外又有令、格、式。宋初因之。至神宗更其目，曰勑、令、格、式。所謂勑者，兼唐之律也。洪武元年，卽爲大明令，頒行天下，蓋與漢高祖初入關約法三章、唐高祖入京師約法十二條同一意也。至六年，始命刑部尚書劉惟謙等造律文，又有洪武禮制、諸司職掌之作，與夫大誥三編及大誥武臣等書，凡唐、宋所謂律、令、格、式，與其編勑，皆在是也。但不用唐、宋之舊名爾。夫律者，刑之法也；令者，法之意也。法具，則意寓於其中。方草創之初，未暇詳其曲折，故明示以其意之所在，令是也。平定之後，既已備其制度，故詳載其法之所存，律是也。伏讀太祖訓誥之辭，有曰：子孫做皇帝時，止守律與大誥，而不及令。而諸司職掌於刑部都官科下具載死罪止載律與大誥中所條者可見也。是誥與律乃朝廷所當世守，法司所當遵行者也。事有律不載，而具於令者，據其文而援以爲證，用以請之於上，可也。此又明法者之所當知。

洪武五年十二月，禮部尚書陶凱等奏言：古者國有典法，定著爲令，有違於令者，則加以律，故令與律相爲表裏。漢有令甲、令乙。後世守法之人，有曰法者，高祖之法也。今律已行，而令未備，宜及時定令，使有所遵守。又考漢、唐、宋皆有典要，宋會要逐日記載時政，分門別類，以憑稽考。今起居注記言、記事，藏之金匱，是爲實録。凡各衙門欽録，及奏事簿記載時政可以立法，垂之後世者，宜依倣會要，編類成書，使後之議事者有所考焉。上從之。次年，遂命纂日歷，復纂皇明寶訓。惟大明令未見復修，所行乃洪武元年修者。

論誥

霍韜疏：洪武教民榜文，一民間子弟十八歲者，或十三歲者，此時欲心未動，良心未喪，早令講讀三編、三誥，誠以先入之言爲定，使知避凶趨吉，日後皆稱賢人君子，爲良善之民，免貽父母憂慮，亦且不犯刑憲，永保身家。臣謹按教民榜文，及御製大誥等書，皆聖祖訓勅天下，拳拳至意。天下臣民皆得熟讀敬守，真可以寡過矣。今則非直百姓不見此書，雖學校生儒見此書者亦鮮也。伏願勅下禮部，將聖制各書各刻一本，頒各布政司翻刻，頒布學校、里閭、社學，實嘉惠臣民，至幸。

洪武

詔言：頃因戡亂，以軍律用刑，殊乖平允。自今務從中典，重刑須秋後，無非時決，傷天和。祖訓云：以後子孫做皇帝時，止守律與大誥，並不許用黥、刺、剕、劓、閹割之刑。云何？蓋嗣君宮內生長，人情善惡未能周知，恐一時所施不當，誤傷善良。臣下敢有奏用此刑者，文武羣臣卽時劾奏，將犯人淩遲，全家處死。

令曰：凡特旨臨時處決，罪名不著爲律令者，大小衙門不得引比爲例。若輒引比律，致令罪有輕重者，以故入人罪論。

上讀老子書，至民不畏死，柰何以死懼之，惻然感懷。命焚錦衣衛非法獄具，悉以所繫囚送部臺審理。而論刑部論囚，諸武臣並親審，餘引奏。詣承天門外，命刑人持訟理幡出，欲自理者聽入訴；諸無罪當釋者，持平政幡，宣德意遣之。其在重辟，府、部、院、六科、通政司、詹事府雜聽之，審録其冤狀以聞。刑尚書劉濟言：諸司刑牘動千萬言，類泛濫，失本實，盍禁之？上曰：虛詞失實，浮文亂真。自今有以繁文出入人罪者，罪無赦。命刑科會諸司議獄牘式，示中外。

諭刑尚書周禎（湞）曰：刑以輔治，唐虞所不免。觀舜命皋陶之辭，始曰：明刑，終期於無刑。皋陶告舜，亦曰：與其殺不辜，寧失不經。當時君臣，莫不以恤刑爲重，而民亦自不犯，所以能致雍熙之治。朕常觀此，深有所契。卿當體之。

命中書省詳定律令。諭曰：律有連坐之條，謂侵損傷人者衆。吾以爲罰弗及嗣，忠厚之至也。自今民有犯者，毋連坐。

十七年，建三法司，名其所曰貫城。勑云：貫索七（九）星，如貫珠環而成象，名天牢。中虛則刑平，官無邪私；中有星卽刑繁；有星而明，有貴人無罪而獄。今法天道，置法司，爾法司官各勵乃心，慎乃事，法天道行之，如貫索星之中虛，庶不負肇建之意。

上與侍臣論待臣之禮。劉基曰：古者公卿有罪，盤水加劍，請詣密室自裁，未嘗鄙辱之。詹同侍坐，因取大戴禮及賈誼疏以進。且云：古者刑不上大夫，所以勵廉恥，而君臣之恩義兩盡。上深然之。

工部尚書王肅坐法當笞。上曰：六卿之職，不宜以細故加辱。命以俸折贖，著爲令。

上諭刑部：凡論囚當原情，毋刻深。蓋人命至重，常存平恕之心，猶恐失之，況深文乎？昨民有子犯法，父行賄求免者，有司欲并論。朕以父子至親，子論死，而父救之，情也。故但論其子，而赦父。自今凡論獄，必詳讞覆奏而後論，毋重傷人。

中書參政傅瓛言：應天府有滯獄當斷決者。上曰：淹滯幾時矣？曰：逾半歲。上惕然曰：京師而有滯獄，郡縣受枉者多矣。有司得人，以時決遣，安有此弊？瓛頓首曰：臣等不能統率庶寮，是臣罪也。上曰：吾非不愛其民，而民尚爾幽抑。近且如此，遠者何由能知？自今獄囚審鞫明白，須依時決遣，毋使淹滯。贛州民有止宿逃囚者，初不知其囚。刑部逮問，坐之罪。上曰：刑者，聖人設防於天下耳，深文重法，仁者不爲，故凡斷獄，貴得其情。緣情而論罪，則刑當而民服。彼不知其爲囚，舍宿者，人情之常也，何爲罪之？如汝議，行路之人將無止宿矣。遂命釋之。

諭羣臣曰：讀書所以窮理，守法所以持身。故吏之稱循良者，不在於威嚴，在於奉法循理而已。卿等既讀書，於律亦不可不諳。

民有告富人謀反者，命御史臺臣、刑部勘問，皆不實。臺臣言：告者，事在赦前，宜編戍遠方；刑部言：當抵罪。上以問秦裕伯。對曰：元時，凡告謀反不實者，罪止杖一百，以開來告之路。上曰：不然，姦徒若不抵罪，天下善人爲所誣多矣。自今凡告謀反不實者，抵罪。有司著爲令。

論元政。曰：元時條格煩冗，吏貪緣出入爲姦，所以貽害。且以七殺言之，謀殺，故殺，鬬毆殺，既皆死罪，何用如此分析？但誤殺有可議者，要之，與戲殺、過失殺亦不大相遠。今立法正欲矯其舊弊，大概不過簡嚴。簡則無出入之弊，嚴則民知畏而不敢輕犯。勑刑官：自今凡雜犯死罪者，免死，輸作終身；徒、流罪，限年輸作；官吏受贓，及雜犯私罪當罷職役者，謫鳳陽屯種；民犯流罪者，鳳陽輸作一年，然後屯種。

人有誣山西之民從故元四大王爲寇者，捕獲至京。上曰：刑罰所以威惡，施之必當其罪，則刑不濫，而人心服。彼四大王以元之遺孽，竄匿山谷，聚逋逃以爲民患。山西之民邊其巢穴者，往往被驅掠迫脅爲盜，皆出於不得已，豈真爲盜者哉？古人云：得其情，則哀矜勿喜，此之類也。今民相捕獲，將延蔓不已，是助之立黨，而激之爲亂也。其釋之。

十五年正月，諭刑官曰：方春萬物發生，而無知之民乃有犯法至死者。雖有決不待時之律，然於朕心有所不忍。其犯大辟者，減死論。

命天下諸司刑獄皆屬刑部、都察院詳議平允，又送大理審覆，然後決之。其直隸諸府、州刑獄，自今亦準此令。

諭都督府曰：前遣囚往充遼東驛卒，今天氣尚寒，恐道途凍餒，此輩本宥之以全其生，若不免死，是徒宥耳。且令就濟寧暫住，待春暖遣行。

二十三年，通政司茹瑺引奏，潮州府學生陳質言：其父戍（戍）大寧，已死，今有司取質補伍。自念從幼至今，荷蒙國恩教育，願賜卒業，以圖上報。上謂兵部尚書沈溍曰：國家得一卒易，得一材難。此生既有志於學，可削其兵籍，遣歸進學。

天策衛卒吳英父得罪繫獄，英詣闕陳情，願没入爲官奴，贖父罪。上諭英曰：汝之情固有可矜，但汝平時何不勸諫汝父，使不犯法，今罪不可貸。然念汝愛父之至，特曲法宥之。

二十八年，刑部奏：律與條例不同者，宜更定，俾所司遵守。上曰：法令者，防民之具，輔治之術耳，有經有權。律者，常經也；條例，一時之權宜也。朕御天下將三十年，命有司定律久矣，何用更定。

嘗行郊壇，皇太子從，指道旁荆楚，曰：古用此爲扑刑，取能去風，雖傷不害。蓋德念至於如此。

建　文

明太祖嘗以律授皇太孫，曰：此酌古準今，協禮制，宜人情，其熟玩以復。太孫捧之，退居數日，成誦。問曰：汝熟其文矣，能解其義乎？曰：解。因問名例之義。對曰：名者，聖人所以勵世磨鈍也，故生人大倫，名義爲重。維持風俗，必先名教。以名義、名教爲例，庶幾刑罰之中，不失德義之意。曰：然此書首列一刑圖，次列八禮圖者，重禮也。但愚民無知，如於本條上卽注：寬恤之令，必易犯法。故以廣大好生之旨，總列名例律中。善用法者，會其意可也。太孫曰：名例律中，某條尚覺嚴而不恕，請稍改之，可乎？曰：試率爾意改來看。因更定五條。明日，呈稿。帝喜曰：甚善！因跪而請曰：明刑所以弼教，凡與五倫相涉者，宜皆屈法以申恩。今律中所定，期於盡法，而不必於原情，竊所未安。曰：凡所未安者，汝悉改之。遂遍攷禮經，參之歷朝刑法志，改定七十三條。帝覽竟，大喜，曰：吾當亂世，刑不得不重；汝當平世，刑不得不輕。所謂刑罰，世輕、世重也。如後用刑，皆宜遵此。

常州陳理以子弒父，送太孫處分。太孫從容詳審，竟脱之。理父原抱病經年，誤服一藥而斃。繼母素憎其子，因力證成之。無以自解。太孫條其情而讞之，帝未之信也。拘隣里、婢僕及原醫訊之，乃知父向患火症，庸醫誤認爲寒，藥中潛投附子。主人不知，故服之而暴卒耳。帝驚曰，有是哉？刑不可不慎也！太孫不獨仁，而且明，朕無憂矣。

邏者獲强盜七人，命送太孫審理。太孫一見，卽疑首盜非真。訊之，果係主人之子，偶出庄上，而佃客皆盜也。是夜，正謀劫商舟，遂强之同行。歸欲首明，而先被獲。帝覆審，盡得其情，釋之。問太孫曰：爾何以知其非盜？對曰：周禮聽獄，色聽爲先。尚書亦稱惟貌有稽攸。見其人雙眸炯炯，視聽端詳，定非盜也。帝因嘆曰：決獄者不可不讀書。

建文帝卽位，諭刑官曰：大明律，皇祖所親定，大意雖準唐律，亦遍攷歷朝刑法志，參酌而成。朕先年受命細閱今律，校前代律往往加重。蓋刑亂國用重典，非百世通行之法也。朕當時改定七十三條，皇祖已命施行。然罪可疑、情可矜者，何止此也？律設大法，禮順人情。齊民以刑，不若以禮。其傳諭天下有司：務崇禮教，赦疑獄；嘉與萬方，共享和平之福。

永樂

元年，大理寺卿薛巖（嵒）等奏：各布政司上所部具獄，凡死罪百餘人，請分遣御史臨決。上從之。顧謂都御史陳瑛等曰：人命至重，既絶，不可復續。夫治獄，得情尤難，鞭扑箠楚之下，罪人成於鍛鍊者，往往有之。今百餘人之中，豈能必其皆無寃枉？爾分遣御史，宜具書慎刑之意授之，使論決之際，詳探其情，非其情者，卽與辨釋。必揆之以理，理不可生，然後刑之，則彼雖死，無所恨矣。

二年四月，諭法司曰：天氣向熱，獄囚淹久，必病；病無所仰給，必死；輕罪而死，與枉殺何異。今令五府、六部、六科協助爾等，盡數日疏決。凡死罪成者，俟秋處決；輕罪卽決遣；有連引待辨，未能決者，皆令出獄聽候。御奉天門録囚，多所矜宥。囚已皆出午門，尚慮有枉抑者，復召錦衣衛指揮陳遠、鴻臚寺少卿郁旃等謂曰：囚皆久困於獄，而乍至朕前。久困，則雖枉而不求辨，初至朕前，則畏威而不敢言。有此二者，則刑罪豈能皆當。爾等更以朕言從容審之，果其有辭，卽來白。

刑官引奏：浙西人告人誹謗罪。及追至面對，皆未嘗相識，告者當抵罪。上諭之曰：此譬之蛇蝎，不可暫留。留則復毒人，其速誅之。卽日棄市。

八年，新進士王彥自陳：臣家與奸惡外親有連，今聞朝廷已下本貫籍没臣家。臣雖中進士，寔罪人，應就繫。上諭三法司曰：學至於中進士，亦成材矣。成材勿棄。其有罪，能自陳，可矜，併其家宥之。

法司奏冒支官糧者，上怒，命戮之。刑科覆奏。上曰：此朕一時之怒，過矣。其依律。自今犯死罪，皆五覆奏，著爲令。

洪熙

大理寺論囚，上惻然曰：人命至重。帝王以愛人爲德，卿等職理刑輔德，宜贊朕志，毋俾含寃地下，傷天地之和。命府、部、通政司、六科同法司於奉天門會審。已，特召大學士士奇、榮、幼孜等至榻前，論比年法司之濫，擬大逆不道，往往出於羅織。先帝爲之切戒。故事死刑五覆奏，而法司壹不以措意。今審決重囚，卿三人同往，慮朞審克。必中閣學士同審録，始於此。

元年詔：朕恭承大統，爲天下生民之主。惟我皇祖、皇考愛民之仁，祗率不怠，旦夕思念，人命甚重，哀矜庶獄，惓惓在懷。夫刑，以禁暴止邪，導民於善，豈專務誅殺哉？故律令之制，善善長而惡惡短。罰之輕重，咸適厥中。顧執法之吏不能持平，有虚飾其情，傅致死罪。而比附謬妄，尤甚枉人。朕甚憫之。夫五刑之條，莫甚大辟。大辟之施，身首異處，斯已極矣。自今有犯罪，律該凌遲者，依律科決，其餘死罪，止於斬絞。法司並不許牽合，傅會昧情，以致寃濫。若朕一時過於嫉惡，律外用籍没、凌遲之刑，法司再三執奏。三奏不允，至於五奏。五奏不允，同三公及大臣執奏，必允乃已。永爲定制。文武諸司，自今亦不許恣肆暴酷，於法外用鞭背等刑，以傷人命，尤不許用宫刑絶人嗣續。有自宫者，以不孝論。且人之爲非，固有父子不相爲謀者。虞舜爲君，罰弗及嗣。文王之世，罪人不孥。自今惟犯謀反、大逆者依律連坐，其餘有犯，止坐本身，毋得一概處以連坐之法。古之盛世，恒采民言，用資戒警。今兇險之徒，往往摭拾，誣爲誹謗；法吏刻深，鍛鍊成獄。刑之失中，民則無措。今後但有告誹謗者，一切勿治。爾中外文武羣臣，宜端乃志，悉乃心，畏天愛人，務崇寬恕，庶有以佐朕父母斯民之治。或有違者，必罪不貸。敷告天下，咸使聞知。

諭侍臣曰：方孝孺輩，皆忠臣也，宜從寬典。明日，御札付禮部尚書吕震曰：建文奸臣，其正犯已悉受顯戮，家屬初發教坊司、錦衣衛、浣衣局并習匠，及功臣家爲奴。今有存者，既經大赦，可宥爲民，給還田土。凡前爲言事失當，謫充軍者，并宥之。

宣德

八年，勑三法司。言：朕體上帝好生之心，惟刑是恤。今爾等覆詳天下重獄，而犯者遠在千萬里外，需奏當卽決，亦何能無寃抑者乎？人命至重，死不復生。其遣廉能官分詣所在，同三司、巡按御史及府、州、縣官公同詳審。若情犯深重，無寃者，聽從處決；如情可矜疑，及審異不服者，具奏。遣官審録自此始。

又諭：古孟夏斷薄刑，出輕繫；仲夏挺重囚，益其食。所以順時令，而重民命也。我祖宗時，遇隆寒盛暑，命法司審囚繫。卿等皆先朝舊臣，親所聞見。今嚮暑，宜量情罪區别。

又諭：朕夜來觀周書立政篇，有云：式敬爾繇獄，以長我王國。此深有意味。蓋能敬慎用刑，不致枉濫，則仁恩浹洽，足以培固國本，福祚豈不靈長。

宣德四年，吏部奏：第二甲進士王懋應授從七品官，其兄嘗爲御史，以誤決死囚抵罪，懋乃極刑家屬，當罷不録。上曰：士勤苦學問，始登一第，棄之可惜。朕記憶皇祖時一進士以極刑家當罷，念其成材之難，特命吏部録用，此故事也。其以懋爲州判官。

刑部奏決重囚，上命公、侯、伯、都督、尚書、都御史同審覆。諭之曰：古者斷獄必訊於三公、九卿，所以合至公，重民命。卿等往同審覆，毋至枉死。太師英國公張輔等覆審還奏，訴枉五十六人。上命法司重與勘寔。又勵之曰：殺不辜者，縱免人責，難逃鬼誅，不可不慎。

七年，都御史顧佐言：觀政進士宜照永樂年例，於刑部、都察院理刑者，與御史、郎中、主事分理，諳練政務。從之。

各省、府、州、縣民有擊登聞，訴獄枉者。上不欲兼庶獄，勑藩臬官，言：朕荷天命嗣洪業，孜孜夙夜，惟保民之爲務。比者田里小民爲官吏及勢豪侵損淩虐，不能自存，訴於郡縣，又不能直。淹禁歲月，寃抑駢死，以致赴闕徑訴，殞身不恤。詞訟之繁，故由於此。夫理訟之道，必得其情。枉者直之，犯者罪之。所以戢横暴，而安良善也。今無理者肆虐，被害者歸怨，卽設方岳風憲，焉攸用乎？今已命都察院榜諭越訴者。爾等宜去惡衛善，鋤強扶弱，毋忽毋怠。

正統

正統十二年，差刑部、大理寺官，各賜以勑，往南、北直隸及十三布政司，會同巡按御史、三司官審録死罪。可矜、可疑，及事無證佐可結正者，具奏處置：徒、流以下，減等發落。若御史別有公務，督同所在有司審録。原問官故入等罪，俱不追究。從大學士商輅之請也。

天順

天順三年，論：人命至重，死者不可復生。自天順三年爲始，每至霜降後，但有應決重囚，三法司奏請，會多官從寔審録，庶不寃枉。永爲定例。

論法司曰：春陽肇序，萬物咸新，在京文、武官除贓罪外，諸紀録悉與湔除，命奉公守法。錦衣衛按弋陽王敗倫，事虚。上因悟錦衣衛按獄之枉。召輔臣賢，諭之。賢對曰：誠如聖諭。因言：錦衣衛武人粗豪，又國爪牙，卽法司明知其枉，内憚之，不敢辨。乞特旨諭法司，許有枉者辨理，毋畏勢避嫌。於是上召法司，臨諴如賢指，人人悦服。

景泰

初，官吏故勘平人致死者，論死不宥。給事中于泰言：其意本非故殺，宜在所宥。由是坐故勘者，悉得貸罪。景泰中，監察御史左鼎等言：小民無知犯法，可以情而貸。若官吏以學術發身，以法律從事，操威福之柄，豈可懷私受賄，巧文深詆，殺無罪人？原其情，與故殺何異？先朝屢有恩宥，皆不及此，豈列聖之仁，明有所不逮？誠以法者，天下之公，不可以私意妄有所輕重也。章下，刑部尚書俞士悦等言：御史言是。自後，故勘者，宜論死，不宥。從之。

御史苗穟言：臣見府、州、縣、衛所問刑官不問罪之輕重，一概監禁。有一年不決者，有半年不理者。乞通移文在外問刑衙門，今後真犯死罪監禁外，其餘輕重罪囚，不許久禁。照舊例：大事五日，小事三日。不與決斷者，聽受禁之人赴巡撫、巡按等官伸告，則囚犯亦不致淹禁，而囹圄空虚矣。詔從之。

成　化

巡按南直隸都御史王恕言：我太祖高皇帝酌歷代律條，定爲大明律，凡四百六十條，頒示天下。而名例律有云：律令該載不盡，若斷罪無正律，比附應加應減，擬罪名以上。近刊行大明律後，有會定見行律百有八條，不知從何年會定？如兵律多支廩給，刑律罵制使及本管長官條，皆輕重失倫，不可行。法官諳刑名者，必不依此。而流傳四方，有誤筮仕入官之十，非細故也。乞追板焚毁。旨下：言會定律，紕謬可焚。諸依此律出入人罪者，以故論。

弘　治

二年，勑法司。言：朕惟刑者，民命所關。刑獄清，則人心服，而天道順。一夫含寃，致傷和氣，災沴不免焉。邇者，京城雨水爲災，南京有風雷雨之異，朕甚懼焉。得非刑獄冤濫致然乎？情僞微曖，未易遽察。問刑者各據原辭，審録者多拘成案。人命或鬬毆誤殺，而檢勘者以爲謀故；盜賊或搶奪、拒捕，而巡獲者以爲強刼；中間有事出，緝訪者務鍛鍊以成之。此冤濫之所由也。今特命爾三法司堂官詳加審録，凡人命無屍可檢，若屍朽難辨者；盜賊追無贓仗，或有贓非真者；或情法不相當；或情罪可矜疑；或累訴稱冤而不伏；或久俟證佐而未獲，具情節奏讞。審問之際，尤須詳察色辭，旁詢知證。毋避嫌疑，毋任好惡，毋視權要爲輕重，務得實情，以全民命。原問官故入，及巡捕人妄挐，宥勿治。爾其悉心殫慮明斷，而以恕行之。庶稱朕好生之意。并勅天下諸司，詳録重刑。

三年諭：曩因災異，勅諸司審録重刑，諸情可矜疑，及有辭者，勿拘成案，平反之。原問官亦原，勿究。欲廣仁恩，而全民命也，今數十百人矣。當兹春和，天地大生，朕思與其寬之於終，曷若謹之於始。兩京三法司及天下大小問刑衙門，務存心仁恕，持法公平，審訊辨色，詳審情罪。大惡當懲者，毋務姑息以長奸；小過可宥者，毋事苛刻以啓怨。其無憑證驗，情節難明者，尤當加意推究，毋踵訛以失出入，庶不悖古人欽恤之意。復歲以天炎暑，命法司録輕重囚，毋淹。

刑部奏：律、條歷代相承，損益無幾；勅、令則世自爲格。宋人勅重於律，斷獄以勅。勅中所無，方用律。昔賢病之。國初，刑用重典，取上裁，榜文紛紛下。洪武末，定大明律，刑官始得據依爲擬議，輕重畫一。後又申明大誥諸有罪減等。累朝遵用，而法外遺奸。列聖時，推移損益之，而有例。例非律所該，而實不大違遠於律，特用輔律，非以破律也。而中外巧法吏，或借以文飾私怒，多引例便己意，而律寖格不用。於是命部尚書白昂、都御史閔珪，會九卿查議條陳，定奪畫一，其餘冗瑣並革。昂等條上，命覆詳。更上。已，上覆摘條例中疑者六條，命覆議。已，乃布行。

嘉靖

元年，詔諸司問刑，一依弘治中欽定條例輔律行，後新增例革不用。於是刑部尚書喻茂堅以修省疏言：自弘治中考定條例而來，今五十年，世變風移，宜思通變以宜民。乞命各衙門將歷年題准刑名事例，情法適中，經久可行者，條具咨送。臣等會九卿，通再申明會議，除簡切易曉，引用無差者照舊遵行外，其間有例意本明，而罪狀未合，妄自摘引；或事有專指，而引用他條，及妄自牽合；或擬議已詳，而語意未明，該載未盡；或處斷已當，而事體未盡，偏滯難行，嘗經各衙門申明者，各併爲一條，以便遵守。其有雖經申明，而擬議未詳；或未經申明，而引用易差；與一切姦弊條例未悉者，亦行斟酌損益，因事推廣，務求文義簡切，情罪適均，曉然於易知、易行，開陳具奏。旨：如議行。久之，書成，列上旨刊布，仍申今後問刑官任情妄引，故入降黜之命。

萬曆

二年三月，巡捕營獲大盜朱國臣等十人，下法司，具服。而朱國臣曰：我等擒，京師清矣。且吾語若凡訊獄，不可不慎。如石駙馬街周皇親之殺，我也，而坐使女蕭荷花凌遲，家人斬，豈不甚寃？臨刑不覺爲之揮淚。李皇親朝房人亦我殺，其婢與僕棄首飾於道，而坐拾遺人以死，又一寃也。今吾不言，誰復爲鳴之者。於是法司追問所治荷花獄者，而免侍郎翁大立爲民，謫郎中徐一忠於外。

三年，議准各審録官量地遠近，嚴立程限，分爲四等。出京之後，北直隸限三個月，山東、山西、陝西、河南限四個月，江南、江北、浙江、江西、福建、湖廣限五個月，四川、兩廣、雲貴限六個月。入境以辭朝日爲始，復命以出境日爲始，俱先具不違，揭帖送部查攷。如違前限，從重參究。堂上官仍不時體訪，如有不諳刑名，行事乖方者，卽行參究降黜。

崇禎

諭法司：朕法天好生，矜全民命，深念刑獄一道，堪哀甚多。今在京刑部等衙門，已結、未結各案人犯，特命元輔會同清理，業已有緒。其北直、南京及各省一應大小罪囚，着該撫按責成道、府、州、縣各官通行質審，所有軍、徒、杖、笞各罪，應釋放者卽與釋放，應減等者卽與減等；有訊讞未結，拘捏牽累，監禁逾年者，通着速問結；或成招立案，免提註銷，都一一清楚，不許一概溷監。其大辟重罪，雖已奉旨定案，若有情可矜疑，及年久有疾等項，卽一面減擬保候，一面請旨發落。凡追贓人犯，除軍需庫藏、起解京邊錢糧侵欠奸弊，應追不饒，及就中仍聽酌議外，其餘贓罰、罪贖、給主徵遣等項，都着察明寬免，或減半，或全豁，不許仍前羈縶敲比。至於佐貳等官，尤不許擅受詞訟，徑送監鋪，違者拿問治罪。各撫按官須遴委精明道臣、風力推官，分行各府，俱親詣獄監審理疏豁，一應減罪、減贓，都悉心詳酌，分別年分久近，事情輕重，以爲差等，務期一清淹禁，盡滌煩寃。寧失不經，勿入非罪，以稱朕愛民愼罰、刑措圄空至意。爾法司還察，照道里遠近，分立限期，與各撫按官去，如有奉行不實，玩視虚應者，察出，從重究治。其凜奉之，毋忽。

十五年二月，清獄詔：刑獄所繫甚重，法貴一成。朕每加意詳愼，有批駁，以期允當。乃法官不能仰體，不肯執持，始多失之輕縱，繼輒務爲深文，疑揣游移，率歸緩閣。或因犯人孤獨無控，竟置罔聞，不讞不提，經時累月；或因追贓未了，証犯不齊，淹繫牽纏，剖脱無日。又有一等，事理已明，訊局可結，乃胥役故爲抑勒，借端生枝，仍行拖累，以致獄案叢積，貫索幾盈，釀沴干和，深可警痛。玆特遣元輔周延儒前去，會同三法司官，將大小一應獄情悉心清理。除事干重大，案已確審，照舊監候外，其餘戍、遣、配、杖等項，俱着詳審招案，依律定罪，請上發落。至於犯証關提未到，贓銀追比未完，亦當酌量事理，或羈或保，不得一概溷監。倘有事係寃抑，情可矜疑，雖在重罪，不妨特疏奏請，候憑裁奪。總期疏淹理滯，據法得情，予以應得之條，留其再生之路，庶幾惟明克允，可望獄簡刑清。縱使寧失不經，猶是矜頑宥過。尚其殫心詳覈，設誠力行，以稱朕好生欽恤至意。

春明夢餘録卷之四十五

刑部二

慎刑

葉良佩曰：夫刑法者，禮之輔也。禮者晅潤而法者震曜，禮者身軀而法者手足，禮者主君而法者弼佐，彼此相須以爲道，蓋闕一不可焉者也。賈生之論，取舍固嘗貴禮而賤刑矣。彼有所激而云爾也，非聖人制作之本意也。彼見嬴秦滅詩書而首法令，其極也，民怨而風衰，而秦遂以亡國，故爲是抑揚之説，欲時君矯而歸諸正爾。乃若聖人之意，其制刑也，正所以輔禮，是故出禮則入於刑。何以明之？夫君令而臣恭，父慈而子孝者，禮也；反是而不恭，不孝，則有刑。吉、凶、賓、軍、嘉，各有儀節，禮也；反是而猖狂自恣，慆慢匪彝則有刑。故曰：刑者，禮之體貳也。聖人之所藉以平治天下之道，蓋莫要於是矣。是果聖人創而爲之乎？則非聖人創之也。昔者皋陶爲理，嘗陳其道於帝舜矣，曰：五禮、五刑，壹皆天之所命也。聖人不過能奉天而勿失爾。子孟子曰：瞽瞍殺人，皋陶執之，舜寧竊負而逃，而不敢以父故貸法。成王謂君陳曰：殷民在辟。予曰辟，爾惟勿辟；予曰宥，爾惟勿宥。由是觀之，則法者雖天子不得以自專。若是者何哉？其意以謂吾之所以爲天下者，以禮而已。若法不行則禮壞，禮壞則民無所措其躬，而天子亦將無以自立矣，夫安得不執而守之乎？臣之於君，猶君之於天也。昔者石奢爲楚王相，其父殺人，奢縱之，而以其身請罪。王赦之。奢曰：不可！不縱父，不孝，賣國法，不忠，乃伏劍死。張釋之爲漢廷尉，人有犯蹕，奏當罰金；有盜高廟玉環，當棄之市。文帝大怒。釋之曰：法者，天子所與，天下公共也。若更重之，是法不信於民也。固諍弗易。夫死者，人情之所甚惡；天子之怒，人情之所甚恐也。乃二子獨若是焉，何哉？所以爲君上守法也。故臣之法，受之於君者也，若不能爲君守法，則失其所以爲臣。君之法受之於天者也，若不能自守其法，則失其所以爲君。誠使君臣各得其職，則法行。法行，則禮立。以禮爲天下，其升而爲大猷也。何有先儒謂律爲八分書，蓋以其輔禮與道而言之也。然則非深於道者，不足以議禮；非深於禮者，不足與議刑。於戲！刑法之敝也久矣，安得深於禮道如舜與皐陶者而與之議刑法哉？

劉球疏：古者人君不親刑獄，而悉付之理官。書所謂：予曰辟，爾惟勿辟；予曰宥，爾惟勿宥，惟厥中。蓋恐徇喜怒有所輕重於其間，以致刑失其中也。近者，法司所上獄狀，有奉勅旨減重爲輕、加輕爲重者，法司既不敢執奏；至於訊囚之際，又多有所觀望，以求希合聖意，是以不能無枉。臣竊以爲一切刑獄宜從法司所擬，設有不當，調問得情，則罪其原問之官。其運磚、納米、贖罪等項例，亦非古法，且使貪者得以倖免，而廉者蒙辜。宜令法司：今後文、武之臣，除犯公罪許贖外，其餘俱依律問擬。則刑賞中而憲典彰矣。

致仕尚書林俊諫廷杖疏：臣待罪海濱，尋中風疾，手足不仁，口眼失位，遂就醫藥，備後事。繼聞有西北之報，漕輓供億，恐煩聖憂。臣受知四朝，敍復起廢者屢屢，竟無能久於其位，以宣有微勞。陛下新政之初，召臣，衰以老矣，又無能久於其位，力乞休致。顧蒙賜勅，給役，給廩，歲時存問。臣疏辭未允，强顔登受。臣今氣息奄奄，安望久居人世者哉？自按察使乞歸，已無起望，附虚壙臣父墓之傍，備納蜕焉。前項致仕恩典，及身葬祭，通乞停免，以爲存歿之安。臣又倣古人遺直遺表之義，僭有獻焉。夫議禮如訟，見各不同，包而容之，德之大也。若粉墨大辨，恐未足以服其心。伏讀明詔，仰見天地之大，日月之明，於斯有悔焉。存恤敍復，日候而久未聞也。昔成湯改過不吝，陛下儷德堯、舜，於湯何有哉？伏望早降温旨，以荅幽明，慰人望。臣又聞古者撻人於朝，與衆辱之而已，非必欲壞爛其體膚而致之死也，亦非所以待士大夫也。成化時，臣及見廷撻三五臣，容厚綿底衣，以重氈叠帊，猶牀褥數月，淤血始消。正德時，逆瑾用事，始啓去衣之端，重非國體所宜。釀有末年諫止南巡撻死之慘，幸遇新詔收卹，士氣始回，不謂又偶有此臣。又見成化、弘治間詔獄諸旨，惟叛逆、妖言、强盗好生打着問，喇虎殺人打着問，其餘常犯送錦衣衛、鎮撫司問。鎮撫奏送法司議罪，中間情重，始有來説之旨。部寺覆奏，始有降調之旨。今一概打問，無復低昂，恐舊典失查，非祖宗仁厚之意。卽此二事，似宜循舊。臣又見去歲以來，舊臣謝遣殆盡，朝宁爲空，伏望聖明留念。既去者禮致，未去者慰留，與數三大臣時加延接。又有碩德重望如羅欽順、王守仁、吕柟、魯鐸輩，乞引自近，以裨聖德，圖聖政。臣舌梗意長，授書難盡，無任懸結，愛願之至。

刑部侍郎吕坤自陳疏：高皇帝之定律也，藁凡七易，當重者，自不從輕。刑部之擬罪也，法欲堅持，寧死諫，不宜阿奉。而臣以不切不果之念，退縮因循，致令無罪、輕罪之人，呑聲飲泣。有臣如此，官守謂何？臣聞三年大旱，爲匹婦之含冤；六月飛霜，因一夫之抱屈。今刑部獄中，含冤、抱屈者不止二人也，不平隱憤，上徹雲霄，鬱結窮愁，散爲氛祲。臣上之不能爲張釋之之執以悟聖心，次之不能爲蚳鼃之去以明己志，回祿煽焰，孽自臣躬。伏望皇上將臣罷斥，責令刑曹以後詔獄一切奉法，不得阿意奉承，以損聖德，以戾天和。臣卽跧伏草莽，所甘心矣。

刑科鍾斗慎刑疏：臣按國家設官，一事止屬一部，而特於用刑一節，有刑部以專理之，而又有都察院同鞫問，大理寺平反。總之，一稟承於律，必使情麗於法，罪協其情而後已。可見祖宗重刑之意，較他事尤爲拳拳曲切。此羣下不得以恩怨爲出入，天子不得以喜怒爲重輕者，良法美意，豈不炳若日星哉？何獨於今刑愈煩，律意愈晦耶？總惟問刑衙門於律意毫不講究，所以一當斷獄，條例茫然；再經旨駁，便爾牽合矣。大半移情就律，何嘗按律定辜。卽不然而中，無確見不敢成招，或先後延挨，或彼此推諉，以致初終異詞，証佐改口，一獄而淹禁數月，傳染漸入瘴鄉。一案而沉滯餘年，磨累幾登鬼録。諸如此類，實可涕零。職非不嚴催因循，終是謬爲牽合。倘有游移附合者，罪勿宥，庶刑得其平，而太和在宇宙間矣。

崇禎三年，御史吴履中朝審疏：近日者復朝審獄囚矣。今日之獄囚，非尋常比，駢首藁項，率皆公卿大臣。淮南子曰：庶女叫天，而雷下擊，景公臺殞。漢書載：建和二年六月乙卯，雷震憲陵寢室，是梁太后聽兄冀枉誅杜喬也。蓋用刑一失其中，則邪氣積蓄，陰陽謬盭，妖孽滋興，不可不慎。古者，人君不親刑獄。而悉付之理官。書所謂：予曰辟，爾惟勿辟；予曰宥，爾惟勿宥，惟厥中。蓋恐喜怒有所輕重於其間，以致刑失其中也。向者見人情玩弛日甚，積習難破，大加懲艾，嘉與更始，誠救寬以嚴，而化枉爲直之妙用。乃法司所上獄狀，一奉嚴旨，不敢執奏，改輕從重，輒經屢更，皇上益以法官所擬，原未蔽罪，若留餘地，以俟駁勘，遂至堅於從重。而訊鞫之際，又多有所觀望，以希合聖意，不能無枉。書曰：與其殺不辜，寧失不經。聖人好生之本心如是也。皇上敬天勤民，同符堯舜，臣下奉法無狀，平反失宜，習慣積獄之苦，至屢煩明旨森切，而無奈其漠然，何也？臣又稽會典載，問刑衙門供招之外，不許妄加參語，謂口供既明，何須蛇足，意念深矣。近者供招多不出囚口，但彫琢爲工，犯人難解，殊非刑名之體。此又以煩文而掩律意。不思獄以得情爲主，律以至中爲法。情溢乎法，法踰乎情，皆非確擬。嘗讀書見成王之命君陳：予曰辟，爾惟勿辟；予曰宥，爾惟勿宥，惟厥中。夫成王君也，不難降志，令臣勿就君以就中。中之爲言，不偏無枉之謂也。況内外法司，當思法律者祖宗之法律，民命者朝廷之民命，而可不明制律之意，體欽恤之仁，任臆强合，以屑越於其間哉！夫一女含寃，三年不雨；匹夫結怨，六月飛霜。其寃抑之氣，有以干天地之和，召水旱之災，關係非渺小也。兹值聖主當陽多男，應索凝祥集慶千古罕儔者，正惟寬仁之性，上符天地。卽不得已而用刑輔治，猶以清繫釋寃，惓惓申諭，諸臣何復妄爲揣摩，不仰體我皇上好生之德哉？伏乞嚴勑問刑衙門，一切讞獄，俱要明律意，不許少爲增減，上干天譴。所當矜疑解網，以施法外之仁。此則刑罰爲生死斷續之關，未必非天心所憫惻，而示皇上以儆懼者也。

南刑部主事曹荃求致治之原疏：竊惟是非者，天下之公事，偏用之，則徼倖者生端，而報復無已；賞罰者，人君之大柄，輕施之，則習視爲固然，而威勸不靈。以今人心懈弛，吏道陵夷之秋，而概以尚德緩刑之説雜陳於座右，臣知其無濟也。然臣在刑言刑，所求於聖明者，惟欲用法之平且當耳。以今觀之，竊有憂焉。皇上所與共理天下者，二三執政也，自錢龍錫以輔臣下獄，而政府畏罪，一味柔隨，卽安危大事，囁嚅莫敢發口矣。所與綜核庶政者，六卿之長也，自易應昌以執法重譴，而士師懼禍，巧用揣摩，卽昭然爰書游移，莫能自主矣。詞臣者，啓沃之資也，自楊世芳、劉必達以閲文拘謹，置之司敗，而主試一席，人皆視爲畏途矣。監司守令者，郡邑之綱紀也，左應選力捍危疆，聲名甚者，偶掛彈章，幾不保身；王忠孝清操自矢，囊無尺縑，禮數稍疎，隨被逮訊。而保障者無必死之志，飲蘖者懷不測之虞矣。諫臣之設，欲其舉賢無隱也，王績燦、吴執御、吴彦方以薦揚縲絏，而言路吞聲，雖有正人端士，不敢入告矣。直言之旌，欲其糾慝不避也，摘發廠衛之許國榮，以鉛斤落職；抵觸閹寺之金鉉，以銃門褫逐；甚而馬思理、高倬諫用中涓，雅有風亮，以漫不相涉之草場，累月繫鞫。而危言賈禍，宵小益肆，其鋒鋩碩士，莫措其手足矣。夫三代之世，坐石垂緌，而民知耻者，罰當其辜也。叔季之時，深文峻誅，而下不辱者，罪浮其實也。煌煌聖世，雷電日赫，而恬不知警，至矯激之士借以爲名高，詭恢之徒因端而飾説，可不爲深省者乎？且皇上今日而欲行法，則内臣之遣尤不可不慎也。何則？内臣不出，則雪、霜、雨、露皆屬君恩；内臣既出，則兵、刑、矯、竊半歸中貴。今者大小臣工，毛髮細過，一經指摘，罸不踰時，而張彝憲鉅萬贓私，悉置不問；邊臣餌虜養交，立就榜掠，而王坤同主欵議，反蒙優詔。然則，内臣有功而無罪，有賞而無罸，有彈駁之權而無斧鉞之凛，將來鴟張，又奚所底止乎？海内元元，誰非赤子？内外人臣，誰非耳目？平則萬物皆安，不平則百職俱隳。臣身在南，雖無言責，而臣職惟刑，實有官守。用是據見敷陳，伏懇聖明察其狂瞽，特昭廣大，既沛好生之仁，復開改過之路，庶執政攸司益詳於明允，卽蒙譴諸臣彌勸乎浩蕩矣。

崇禎十年，中允黄道周慎喜怒疏：臣坐狂瞽，自廢五年，不圖殊恩，又逢再造。去歲秋盡，驚聞邊警，匍匐入都，萬里載途，經冬始到。自謂七尺殘軀，已非臣有，頂踵可効，不敢自存。然自元正見朝以來，依阿淟涊，遂歷春夏，出無一語可報聖明，入無一言可對衾影，還顧往年自請使鮮經理東江之事，俱成囈夢，凄然淚下。緬觀自古忠藎之臣，竭力致身，有懷必盡，未有自欺其心，以欺其君，頑鈍不肖如臣今日者。臣自度血氣已衰，學問不進，利疚威怵，事事創心，怔忡之餘，遂成痼疾。正擬呼籲，乞身自投溝壑，而雨澤未降，雲漢其勤，方陛下宵旰殷憂之時，群臣修省惕厲之日，臣雖無知，安敢自絶。然觀邊圉洊驚，寇攘式内，廉耻道衰，人心盡喪，非有獨立不懼、有貫無貳之臣，必無以灑發夙心，湔除暮氣。而諸臣過自懲艾，苟免朝夕，無敢爲陛下昌明其説者。勿論其他，卽如近者中外齋宿，爲百姓請命，冀下沛澤，以成麥秋，卽釋滯囚，斷庶獄，繪監門之圖，徇烹桑之請，猶未足以上叶元載，下慰蒼生。而五日之内，繫兩尚書，衿紳咋愕，道路嗚咽，未聞有一臣賽敬申一疏者，又安望其戡亂除兇，蠲冤解網，贊浩蕩之恩，成霖雨之業乎？以陛下寬仁優容，言路猶且如此。蓋自三百載十三宗以米，未有士氣不揚，隨風茅靡，至於今日者矣！臣觀天下災祥，繫人主之喜怒；人主喜怒，係天下之安危。古之聖人，喜氣行於臣鄰，則臣鄰興作；怒氣行於邊鄙，則邊鄙廓清。詩曰：君子如祉，亂庶遄已；君子如怒，亂庶遄阻。君子之喜怒，皆以撥亂，故爭於其大，不爭於其細。今大猶不爭，細故是競。朝無一可喜之臣，則臣無一可起之事；邊無一敢怒之氣，則亂終無一遄阻之日。威順反施，貴賤倒置。是以姦昏互煽，叛逆蜂起，四方潰決，漸不可收。亢陽之極，至爲旱災，而大小臣工猶結舌不語，使陛下焦勞於上，百姓輾轉於下，諸臣括囊其間，稍有人心，宜不至此也。臣非言官，默不違道，然受特恩，起自草莽，雖不以言自居，天下猶以言責臣，遠有韓愈陽城之嘲，近有孟軻蚳鼃之諷。自顧愓然，無以自容。其一二高識之士，猶以臣前者開政府諉卸之端，後者堅詞林緘默之路，負恩藏拙，遠媿古人。臣何知言，知有臣之心而已。臣自欺其心，則何以事陛下？惟立賜罷黜，以激素餐之恥，以發感恩之忠，以垂有懷不盡之戒。臣擊壤荷榮，没齒無怨，謹此奏聞。

給事中姜埰宏作人之化疏：臣讀易之賁卦，觀乎人文，以化成天下，而其象曰：君子以明庶政，無敢折獄。自古文章，興獄事不多見。臣聞東南文學之士，彬彬盛美，爰有復社之名，敢云人盡才能。要而論之，闡明經史，銳情講誦。其間卽有二三之士，懷古憂時，慷慨持言，扶進正論，觸犯威嚴者，或亦規勉大義，匡翼明時，非盛世所宜諱也。如以爲分外狂瞽，宋臣范仲淹不自其爲秀才時以天下爲己任乎？乃自罪輔密承衣鉢，事類坑儒，不曰誹謗，卽曰結黨，一事而株連無盡，一人而毛疵必求。嗟乎！罪輔固未之深思耳。夫所貴乎佐理機務者，以其無可誹謗也。事苟害治，縱使緘舌，亂靡有底？孔子曰：天下有道，則庶人不議。此言上下之相應也。上世指佞之草，猶有屈軼。宋時太學諸生，佐闕朝政，假使大臣壅塞專固，嚴猛迫促，民力屈絶。當時小臣不敢直言，而士子代之；士子不敢直言，而文章代之。此亦世道之不幸，而執政者之羞矣。大臣返躬循省，豈盡無過？若空言賈罪，立陷阱機，卒使投止望門，張儉有亡魯之禍；處士橫議，申屠絶梁、碭之踪，抑亦過矣。且罪輔亦知天下之事，士子不留心，誰當留心者？布衣擔簦之時，朱紱簪筆之日，總此人才。國家累世育養，幸有經術湛明之儒，指陳切隱，裨益上理。士苟不攷古今治亂之端，當世得失之故，其人之賢不肖，爲何如也？若慕仁義者號稱多事，忤權姦者輒爲狂生，幾何不輕學校而罷師儒也？不獨此也，學校可輕，始而畏讒口者，繼而諱文事；師儒可罷，始而廢社課者，繼而壞文運，其於皇上，豈弟作人久道化成之治不大傷哉？目今鄉、會兩試，正人文消長之時，伏祈天語申飭，俾天下之士，勿以復社爲危機，維繫國運不小。抑復社之禍，始於周之夔之誣訐張溥也。張溥，一代著述之手，砥礪名行，折衷古今，不幸齎志以殁，天下惜之。昨見臺臣劉熙祚疏，請表章聖學，幸蒙睿鑒，併祈皇上予以易名之典，以重文學之臣。詩曰：古之人無斁，譽髦斯士。臣爲皇上頌之矣。

崇禎十年，中允黃道周求言省刑疏：臣自計此生應死不死，應黜不黜，曲荷生全者再四矣。旁皇彌月，欲求一靖獻不可得，凡懷疏欲上中止者三，非獨謂言非其職，亦深知建言之難也。鬱鬱昏病，沉眩二十餘日，時科臣陳昌文與臣同病，竟死。令臣當日死，則亦死矣，縱有忠言，誰爲白者。臣迂蒙寡特，於中外大計無所復知，所懇懇欲以空言明報者，誠以天下神器爲之有道，簿書刀筆非所以繩削天下之具也。古之聖人，設爲禮樂以治方內，設爲征伐以治方外。禮樂不足以治其內，始有縲絏纓鞶纏於君子；征伐不足以治其外，始有揭竿裂帛縱於小人。周宣王，中主耳，自文王至於宣王，亦二百六十年，而後中興。宣王感旱魃而修行，是爲雲漢之詩。其詩曰：王曰何辜。今之人言宣王側身，憫下之至也。感玁狁、蠻荆而修政，是爲六月江漢之詩。其詩曰：王猷允塞；王心載寧。言宣王憂思謀畧之遠也。宣王內以至仁憂其臣庶，外以至明至武奠其封疆，是以吉甫、召虎之倫皆以儒生躬贊大業，享有太平者四十六年。今陛下則皆見之行事矣，而天下大勢未可頓回，人心未可頓收，裔狄寇攘未可頓服，所當深維其道，講求其故，考證詩書，以鞏其後。齷齪瑣人，安足共圖大計乎？古之聖人，愛人以立體，知人以致用。其所知者不過數人，其所愛者及億萬人。知之道無他，亦曰能愛人安民而已。共工、伯鯀身亮天工，使土水不治，人民不治，雖明神之胄，不保幽、羽之戮。今陛下寬仁弘宥，蓋有身任重寄，七八載罔效，尚擁權藉自若者。夫以風動之時，人心淳固，龍蛇作孽，不足以亂天下，故寬假以九載之績；今生民塗炭，朝不及夕，一夫晨呼，百臂齊奔，而東西悠忽若此，是有道仁人所倚席而廢箸也。臣觀陛下每值天戒，輒避殿省躬，率先群下，此自古聖主所未嘗有。而股肱心膂，竟未有得當以報陛下。間有陰陽、災眚、兵戈之害，則率云是郡邑無狀所致。郡邑州縣，猶之坌土，所應不過百數十里之內，何足以廣召祲氛？漢蕭望之以御史大夫欲應天變，上猶薄之，何況州縣承流象指者。凡天下風化轉移，陰陽若否，皆視當宁之心氣。當宁之心敬，則天下皆敬，静，則天下皆静；當宁之氣和，則天下皆和，平，則天下皆平。當宁之心氣既以敬静和平，而天下猶有不敬静和平者，則二三元老當刻責自厲，奈何使草土臣庶市其怒色乎？積漸以來，國無是非，無枉直。郡邑長官苟且了事，誠可憤痛，然其視聽一繫於上。上急催科，則下急賄賂；上樂鍥覈，則下樂巉險；上喜告訐，則下喜誣賴。今天下巉險誣賴之徒群聚京師，鳥聲獸聲，白晝相呼，縉紳俯首屏息以伺動定，皆曰：是有繇來。孤危之臣，重足而立。幸逢陛下好生，下詔求言，省刑清獄，如清執學臣，俾復原官，中外鼓動，此輩稍稍歛戢。然方求言，而建言者輒斥；方清獄，而下獄者旋聞。臣思自古致治之道，惟此二端。清獄之端，出於惻隱，惻隱爲仁，引而充之，仁一人卽可仁天下。小民雖有納溝之痛，縉紳猶多雉罹之嗟。求言之端，出於是非，是非爲智，引而充之，知一事卽可知萬事。君子猶有畸偏之談，小人豈有虚公之論？今陛下仁智，端竟甚明。而大臣引伸，擴充不力。昔太祖在干戈控攘之中，尚日與劉、宋、章、葉講仁義，究道德，以爲戰勝之術。今公卿卽多暇，而邊事東蠢，流寇西沸，江淮之間，不合如礪。雖張仲、山（吉）甫處此，未遑舍六月而歌清風，奈何與市井細民申勃谿之談，修睚眦之報乎？臣自少迄今五十年，孤踪塞兑，不言人過。然私誦聖賢之言，以爲清忠易許，仁孝難知。故有至道以責至人，忠恕以恕僚友。陛下慈孝，卽風動海宇，豈必令二十年前閭巷養驕無觸乳之犢？陛下敦睦，卽雍孚上下，豈必令二十年前縉紳無傾軋之嫌？且以時事如此，人心如此，輔臣雖甚賢、甚良、甚清、甚彊，寧保天下四海無一蹴舄齒馬之事？目下伏暑將徂，凜秋且至，最要者在安慶厲師措餉，立限務掃英、霍、襄、鄧之賊，勿以若撫若勦，誘之道謀；最急者在寧、錦訓練六師三軍，預爲截伏搗堅之策，勿以若棄若存，復成瓦注；最便者在因士氣方朝，開兵衝州縣，另爲選舉，但約賊平，許以雄職，勿以掣簽分地，長其倖心；最切者在起廢籍批鱗强項之臣，使爲秦、豫、襄、盧諸道監軍，但約賊平，授之節鉞，勿以別户分畦，銷其壯志；又最不可緩者，應詔直言之臣，被訐無證之士，悉以一面解其煩寃。行此五事，使天下凄風苦雨盡爲祥雲，寸短尺長，畢成大慮。諸臣之詬誶，可以不解自融；朝廷之刑威，可以漸措不用。然後以上歌采薇，下誦天保，講律度，明禮樂，與周宣、殷武媲美無窮。臣雖長往，没齒無怨。又臣自未病前，觀五月朔夕，熒惑與日同在鶉首參火之分，三辰皆火也。又以朔夕合火，宜修平火政，稍節威光，使火不爲厲。明春，熒惑在於大火，徘徊氐、房、心、尾之墟，宜慎火器，逖毖戎務。漢臣蓋勳曰：寇在於外，而内陳兵黷，則不武。陛下洞燭歷理，深明天道，握要以御四方，求仁而蘇百族。樽俎之内，勝算自饒，何必使舉朝精神敝於兵餉、刑獄之下乎？臣草野受殊恩，無可報稱，又被病瀕死，思一罄所懷，非敢一毫感憤，輕談時事，惟陛下垂鑒，憫其孤危，惓惓冒昧，乞賜生還，冀遂首邱，臣無任感激之至。

崇禎十一年，給事中孫承澤微臣入告之初疏：臣生長輦轂，世受國恩，蒙皇上親賜策問，援置刑垣，感激無地。今當受事伊始，因思以職掌爲報稱，首先刑獄。蓋治天下之道，惟禮、樂、兵、刑。如刑失其宜，召爲兵端，雖禮、樂之中和，無以布優優之政。故古聖明王，莫不慎重刑獄。或曰折獄致刑，或曰議獄緩死，寬之嚴之，使天下頌好生之德，而惕雷電之威，非取必於姑息也。如服其心，殺之而不怨。書曰：五刑五用哉。言貴當也。邇來人窮物競，易與爲非，往往自扞法網。而大小臣工，或不自毖慎，辜負聖恩，間置一二於法，以明朝廷之憲典，具在乾剛獨攬。天下臣民，誰不感極而惕息哉！臣去年留考在京，見皇上清理之詔一頒，一時得釋者千餘人，路傳巷語，以爲聖朝第一美政。不特此也，出學臣袁繼咸於法，而謗書不能誣人矣；寬刑臣鄭三俊、道臣曾櫻於私寓，而不以一事没其生平矣。卽令堯、舜復起，不能有加。臣仰體皇上之心，必欲仁覆之心也。刑罰，其不得已而用者也。凡司刑諸臣，或拘於文法，輕重不得其所麗，而皇上以大明照之，賜之駁難，以求其當，猶是明法敕罰之仁心也。而諸臣或妄相揣摩，過於疑畏，以是有經歲累旬，不敢卽結者，何以成法之平，而使人自不寃耶？故臣曰：臣子不善用法，以格皇上之仁也。現今圜扉之中，羈縶將滿，其中豈無寃抑？實干天和。伏乞皇上憫此愚蚩，弘開一面，立敕再爲清理。其徒、流各罪，速令遣斷。其人命非下手，姦盜無原贓，務令真僞立分，則所生全又不知凡幾矣。至於逮繫各臣，其事各有本末，其罪各有應得，決宜早，令訊結，勿令有應得之罪，而不卽定其案，致有可矜之情，而反不盡爲解網也，是留獄也，豈我皇上之心哉？如刑得其正，臣竊意章疏朝上，而聖斷夕報可也。卽臣工果有真知灼見爲當，而非以私狥，非以臆決，卽皇上以爲不可，而再三補牘，聖明亦必不以爲瀆聒也。虛公而執者，臣子之道也；威克厥愛者，聖明如天之仁也。寧有成心於其間哉？臣見邇因星變，致勞皇上素衣避殿，實圖修省，則清理刑獄，實弭災之大端也。臣在刑言刑，直據所見，伏惟皇上採酌施行。

崇禎十六年，給事中龔鼎孳請罷詔獄、廷杖疏：臣聞虞廷之命皐陶曰：蠻夷猾夏，寇賊奸宄，汝作士。乃其大要，不過曰：惟明克允，以刑弼教而已。若是夫刑之與教，至相須也。近者恭誦聖諭，以天氣炎蒸，省釋諸獄犯。復於中原被兵之地，特頒赦詔，嘉與維新。赤子投懷，聞者歡動。臣於是舉手加額，曰：大聖人仁覆庶物，亦何周至而惻怛也。卽有虞欽恤，曷以加焉？顧小人之納溝可矜，而君子之雉罹尤痛。其教戒之則，君父之義也；其生全之則，天地之恩也。往臣過南都，士大夫爲臣言：詞臣黄道周蒙恩放還時，下體蹇殘，以杖助履。臣爲凄然淚下。夫道周之清操力學，夙荷主知，使其當日死，則竟死矣，誰復能忍須臾以待聖慈之特注者。又近者建言熊開元、姜埰二纍臣受栩，亦復類是。使其當日死，則又竟死矣，誰復能忍須臾以待大恩之普及者。故臣竊謂扑作教刑，雖盛世所不廢。而當建鼓置旌之下，寧期過慎，以恤群情。語曰：刑不上大夫。蓋將以養其廉恥，使知自惜也。陛下比年來罷告密而人慶更生，清積獄而物無寃滯，惟兹詔獄、廷杖，尚有待乎推慈。夫祖宗之法，累代相沿，敢遽云置而不用？然原其本指，要以待大姦、巨憝、謀逆、僭亂之徒，非獨爲臣子語言狂戇設也。後雖駸駸，失其初意。乃典要所在，必以俟諸不世出之聖人，今亦望陛下謹所以用之而已。昔叔向曰：大臣持禄而不極諫，小臣畏罪而不敢言，此患之大者。唐太宗謂魏徵曰：人臣欲諫，輒懼死亡之禍，與赴鼎鑊、冒白刃亦何異哉？故忠貞之臣，非不欲竭誠者，乃是極難，所以禹拜昌言，良爲此也。夫太宗，中主耳，所言若此，遂以成貞觀之治。矧陛下淵虛仁聖，度越百王者乎？乃諸臣蓄縮苟且，擇便圖安，輒自爲是。頃者，士氣日就茅靡，人心日見頽喪。毋論裂麻還詔事不敢爲，即伏閣犯顔亦云希覯。不肖者樂爲阿比，而賢者并習於斂藏。其始或止存乎懷刑，而其後必盡趨於持禄，波流莫砥，可爲深憂。易俗移風，是在陛下。誠宜曠然遠覽，俾士大夫滌其故心。苟真罪狀難寬，不妨付之司敗，至於榜笞屈辱，實冀蠲除。允若兹，則士之廉恥立；廉恥立，則忠孝生；忠孝生，則智力畢奮，純鉤（鈞）、湛盧亦其不折者可使耳。善乎臣同官陳燕翼之言曰：今日之兵，必非持戟武士也，天下之守道守官却金遠佞者，即陛下之兵。每念斯語，憬焉汗出。鍊鋼繞柔，亦在乎所以養之者矣。臣故願陛下之廣斯至仁也，極乎仁之效，刑措可致，而貞士守道，愚夫慕義，無復詭隨僥倖之謀，世道其底於醇理乎。

崇禎十五年，御史楊仁愿論寬緝事止遣緹騎疏：臣讀勅諭申交結近侍之律，義炳於日，詞烈如霜，中外臣僚孰敢不遵。微臣拜颺之餘，因稽高皇帝設官之初，無所謂緝事衙門者。不法之事，祗於明糾，無陰訐也。後來以肅清輦轂，則有東廠。然如神宗皇帝享國四十八年，合天下臣庶登之春臺，緝事之門鞠爲茂草，而亦未嘗有姦宄之滋，故元氣日培，士氣日張，郅隆之業，曷有過哉。今幸我皇上聰明神聖，即委任緝事，亦無有炫日月之照者，臣復何贅。獨臣待罪南城，所見詞訟，多爲假番，即假稱東廠，則魂魄俱摇，況其真者乎？此由積重之勢然也。所謂積重之勢者，如比較事件，則番役即懸價以買事件，甚至誘人爲姦盜，而賣與番役，則誘者獲利；挾仇忿以首告，而証以惡棍，則挾者逞志。廠臣豈不三令五申禁之，然比較事件，而又欲令其不買事件，是吹薪止沸，必不得之數矣。嗟乎！設阱布罟以待魚鳥，人猶哀之，況餌人以陷禍，擇人而肆噬，惟恐其不爲惡，又惟恐其不即罹吾網羅，揆之皇上泣罪解網之心，豈不傷哉？

臣今冒昧一言，亦恐禍機不測，而臣不暇顧也。伏願皇上先寬東廠事件，而後比較可緩。比較緩，而後買事件與賣事件者亦息。皇上勿急於求，彼亦不必急於得。皇上惟恐其寃累，彼亦惟恐其波及，此自然之理也。如是而積重之勢稍殺，匪惟輦轂蒙樂利之休，內外關通之事，且不期自息矣。抑臣復有請者，如臣子獲罪，國法難貸，皇上勅撫按以檻車送詣闕下，未爲不可。踐土食毛，罔非人臣，春温秋嚴，皆爲聖恩，固安所逃哉。若緹騎一遣，有貲者家門破散，無貲者地方斂餽。衞臣又非不三令五申禁之，然而天威所遣，跋涉遠來，彼自爲長途計，又安能已，如使其罪可贖，則留彼餘財以贖罪；如不可贖，則妻子衣食賴之。自非劇惡，聖明亦豈忍籍没哉！故養無事之福以臻仁壽，防有害之政以維平治，惟我皇上聖德天縱，微臣拭目望之矣。

訟理

洪武朝主事王國用爲李善長訟寃疏：竊見太師善長與陛下同一心，出萬死以得天下，爲勳臣第一。生封公，死封王，男尚公主，親戚皆被寵榮，人臣之分極矣，志願足矣，天下之富貴無以復加矣。若謂其自圖不軌，尚未可知。今謂其欲佐胡惟庸者，揆之事理，大謬不然。人情之愛其子，必甚於愛其兄弟之子；安享萬全之富貴者，豈肯僥倖萬一之富貴哉？雖至病狂，亦不爲矣。善長於惟庸則姪之親耳，於陛下則子之親也，豈肯舍其子而從其侄哉？使善長佐惟庸成事，亦不過勳臣第一而已矣，豈復有加於今日之富貴者乎？且善長不知天命之不可倖求，取天下之百戰而艱危也哉？當元之季，欲爲此者何限，莫不身爲韲粉，世絶宫污，僅保首領者幾人哉？此善長之所熟見也。且人年邁摧頹，精神意慮鼓舞倦矣，偷安苟容，則善長有之，曾謂有血氣之强暴動感其中也哉。又其子事陛下，托骨肉至親，無纖芥之嫌，何苦而忽爲此？凡爲此者，必有深仇急變，大不得已，而後父子之間或至相挾，以求脱禍圖全耳。未有平居安然，都無形跡，而倏起此謀者。此理之所必無也。若謂天象告變，大臣當灾，則殺人以應天象，夫豈上天之意哉？今不幸已失刑，而臣懇惻爲明之，猶願陛下作戒於將來也。天下孰不知，曰：功如李善長，又何如哉？臣恐四方之解體也。事枉寃延，群臣杜口，竟無一人爲陛下言者。臣恐懼愧耻，忘其疎賤，冀陛下萬一感悟。甘就鼎鑊，無恨。疏入，不報。

大學士張孚敬救張延齡疏：臣因張延齡事情不能積誠，上悟聖心，罪當萬死。伏思他人可委之無言，臣受恩深重，惟應死報，皇上視臣有手足之親，託臣有心膂之寄，臣不盡言以明是非，則臣負恩，罪莫贖矣。伏蒙聖諭，謂延齡皇伯考懿親，祇宜守分，乃包藏禍心，謀爲不軌，是何道也？并所奉皇伯母傳諭，録示臣等，作速議處。因法司會問，招詞未成，不敢輕議。十四日，伏蒙發示，會問招擬。臣又覆看得張延齡殺人罪狀已明，誠不可宥。而謀逆之情未明，故以一得之愚上請，非以其真有逆情，尚敢以孝皇帝懿親求皇上宥之也。隨蒙聖諭，責臣以左右大臣必爲我皇祖保天下，以殺逆賊，同姓尚處死，況懿親乎？臣伏讀，戰懼之至。臣伏思皇上欲察延齡逆情真與不真，行法當與不當，請自今日在朝人心觀之也。夫延齡兄弟當孝宗、武宗時，朝士多相交往，臣時雖未久仕，竊嘗聞之。武宗彌留之際，皇上迎繼大統，未至京師，閣臣上託昭聖皇太后懿旨，拿人輒自處斷。彼時威權，内外已震懼矣。迨夫皇上嗣統，閣臣等乃輒敢以皇上考孝宗、母昭聖，凡在朝者靡不翕從。昭聖因自以有擁立之恩，以子皇上爲當然，以致聖母至京，莫知所以接見之禮，皆臣下謬妄之罪，以誤昭聖也。彼時臣初爲進士，未嘗受皇上一命之寄，皇上亦未嘗識臣爲何如人，臣只因見得道理之真，故敢以一人犯天下之怒，幸賴聖明在上裁決，不然臣萬死無益也。今朝士恨臣之心，實未嘗一日肯忘，每欲相時報復，雖昭聖皇太后之心，恐亦未嘗一日忘臣者也。嘗有人以斯言告臣者，臣答之曰：臣子事君，惟盡此心之誠，若夫成敗利鈍，則在乎天而已。臣自誓此心，至死靡他也。今者延齡之事，臣觀内外大小臣工俱默默無言，雖言官亦無敢言孰是孰非者，何也？實皆幸皇上今有此舉，以爲悉由議大禮中來得。皇上誅滅延齡家，俾昭聖皇太后不得善終，以深皇上之過，以爲臣及獻夫陽爲解釋，陰爲佐助，以重臣二人之罪，莫逃於天下後世，其設心如此而已，特聖明偶未察之耳。臣連日伏思，延齡殺人之罪誠不可宥，皇上卽殺之，無得而議其他也。如臣前議以處延齡，或置之南京，不得留住京師，以滋惑仁壽宫之心。臣之愚見，盡忠於皇上者，不過於此。夫亂臣賊子，人人得而討之，況臣爲左右大臣，又受恩深重者乎？設使延齡真有逆謀，而臣得見之真，卽當首倡大義，請加天討而族滅之；又敢爲隱匿之，自甘爲叛逆之黨乎？臣詳招所稱曹祖狀，有曰：天曹拖送六丁、六甲，及天神護伊之説，皆涉妖言。皇上聰明天縱，必能察悉。孟軻氏曰：行一不義，殺一不辜，而得天下，勿爲也。而況謀逆之罪，滅人族類。臣於延齡此項罪狀實見得未真，豈敢妄爲議擬，無所可否，而重爲聖德之累乎？臣又思皇上此等訪據，皆未知出於何人，或彼一時不思干係國家憲典重大，或出一時報復之私，卒難收救，聖明亦必自加察。臣又思前次退休山中，皇上召臣，催勑内云：自卿去後，切軫朕思，聖母嗟問者亦數次矣。臣伏讀流涕哽咽。臣思皇上所以思臣，聖母所以數問臣者，臣之心豈惟皇上鑒之，聖母亦鑒之矣。玆者，天眷聖明，誕生皇嗣，國本綿長，萬加喜慶。或以臣言上聞聖母，亦必欲皇上寬法以處延齡之家者也。誠或不察真情，必欲斷成謀逆之獄，則當如律行法，族滅張氏矣，昭聖皇太后不知何以處之？臣竊恐皇上之心必有所不安，聖母之心亦所不安者矣？臣承聖明，厚恩重託，君臣一體，休戚相同，憂之也深，故言之也切。伏乞聖明鑒察。

萬曆朝趙錦請矜宥張居正疏：臣等連日廷議遼莊王次妃王氏所奏，及湖廣巡撫李江勘報已故大學士張居正并其所犯事情，議定將會。疏上，請退。復相顧追維往事，念不可不一聞於聖主之前。方聖祖肅皇帝時，故大學士嚴嵩特受眷知，首叅幾務，每不能仰體聖祖所倚毗之心，而專怙寵行私，其子世蕃復大爲姦利，於是中外切齒，言者四起，而聖祖方旋悟，放逐，命收捕世蕃。而言者猶忿恨不已，至謂世蕃有謀叛狀，於是正世蕃之罪，而籍其家。時承勘者與撫按諸臣，懼無以上應明詔，重干不測，則虚上所當籍事，而其實不符。則又爲株連影捕，旁搜遠取以足之。聖祖以爲此所籍世蕃之物，而不知其强半出于無辜之民。閭閻之間，至今瘡痍未起，哀怨未平。今日久事明，世蕃實未嘗有叛狀，而徒流毒江西一省之民。論者亦嘗謂其時大臣未有能爲聖祖一言之者。臣等每切恨之。今居正受聖上特達之知，心膂之寄，其際遇實倍於嵩，而復不能仰體聖衷，深圖報稱，以至自干罪戾，臣等亦何能爲之諱。聖上量同覆載，明並日月，今所議勘處事情，亦萬不至如往日世蕃之貽患，亦復何言？而臣等中居正所忌，擯棄退處有年，今幸遇際聖明，復得拔擢至此，原其私心，亦豈得盡無怨恨，爲國家計，又不得復言其私心。居正之家，臣等不敢謂其一無所藏，然比之馮保，萬分不侔。初抄没世蕃，命下倉卒，所得猶僅若此。今居正之罪，遷延日久，卽有微藏，亦多散滅。今人心憤恨，言常過當，而聖意所向，鮮克自持。萬一復有世蕃往日之事，則其所得當不及世蕃萬分之一，而其流毒三楚，更有十倍於江西之民者。臣等又常見嚴嵩敗後，閣臣多顧念後患，不敢復出身爲國家任事。居正自以受皇上深知，不復顧念，而毅然引爲己任。今復過爲懲創，則後之爲閣臣者懼矣。故臣等以爲，欲無阻將來任事之心，則莫若少寬於既往；欲無流毒於全省無罪之民，則莫若曲貸乎一家。況居正身死名敗，生平所蒙爵謚、位號，與其子弟官職，悉從褫奪，亦足以正其罪惡，而垂戒於將來矣。臣等又就其罪而觀之，其過爲操切，壟斷富貴，決敗名教，以致四海怨騰，而國家元氣爲之日消者，種種有之，然實未嘗別有異志。而其受先帝顧托，翊戴皇上於冲齡，夙夜勤勞，中外寧謐，其功亦有不容於盡泯者。倘蒙俯垂體察，特賜哀矜，不忘敝蓋敝帷之義，亦足以增光聖德，曲全國體，其爲關係，豈渺小而已哉？臣等竊恐後之追恨於今，亦猶今之追恨於昔，故不敢不預爲皇上一言，欲乞俯亮臣等區區爲國之心，留神察省。

崇禎三年，都御史易應昌議喬允升罪疏：議得刑部反獄一案，聖明極其加意，臣等無不嘔心。伏念事堯、舜之君，不敢不以祖宗之律者，臣等犬馬之誼，素所自矢也。臣等猶憶失獄之夜，寒更凍燭，徬徨而起，莫知所措。明旨闖城失火，幾成大變，安危呼吸，豈不寒心。天語一提，猶堪骨凛。所幸者，聖明先事綢繆，無所不至，故死賊無端欲逞，人心有恃能安，斯固祖宗之靈，聖明之佑，允升等所以至今餘息者，皆聖明之賜也。然使有律可引，卽不然有例可比，臣等奉旨，何難另議。惟律例無可加重，是以問刑諸臣盡相對閣筆，前疏披瀝，具在御前。皇上言必垂謨，動而爲法。卽如先朝失獄，尚書、侍郎止奪俸。臣等前日猶必援之上請者，曰此肅皇帝成憲也。則今日允升等之徒杖，他日亦必有援爲議者，曰此因邊警而別論，我皇上之成憲也。顧臣等前疏猶恭請天語申飭，後不爲例，誠以祖宗法律爲萬世法程，今日遵律文，正以遵祖宗、遵皇上也。臣伏讀漢史，文帝晝行中橋，有人從橋下走，乘輿馬驚，捕屬廷尉。張釋之奏曰：此人犯蹕，當罰金。上怒，曰：此人親驚吾馬，賴柔和，令他馬，固不敗傷我乎？而廷尉乃當之罰金！釋之曰：法者，天下之公共也。今法如是更重者，是法不信於民。上曰：廷尉言是也。文帝在三代之下，纔稱中主，然此事尤爲千古美談。況臣等恭逢堯、舜之君，敢自遜釋之，以傷皇上平明之理哉？奉旨之三臣，何敢無説而處此？提牢主事敖榮繼初以律應杖而議杖，引例改徒二年，今請加一年爲滿徒三年。尚書喬允升初以律所不議而杖，既引例改徒一年，今請加一年，爲總徒二年，蓋明旨遇警縱囚，自當別論，固輕重有權之意也。侍郎胡世賞本以推遷出署，又以擒夷效力，前引同僚犯公罪不知情者杖八十，更難再議矣。獨臣等叨爲皇上法官，謂以守法爲官，今一加再加，一時以奉命爲恭，皇上異時垂睿憲章，問臣等應執争今何不執争？畢竟無説之辭。仍乞特頒天語，後不爲例。臣等前疏所請，終不敢不爲皇上請者。

主事徐爾一爲熊廷弼訟寃疏：臣竊惟今日恢遼久無成績者，由刑賞不平，人心不服，而最大莫如熊廷弼一案矣。夫廷弼以失陷封疆，至傳首陳屍，籍産追贓，天下幾謂其罪無疑律矣。乃臣按當年疏揭塘報，轉覺罪無一據。謂廷弼不死守右屯，而是時廣寧兵三十萬，糧數百萬，盡入王化貞掌握，廷弼止留援遼兵五千駐右屯，距廣寧四十里耳。化貞方無日不言進戰，言滅敵，而忽同三四萬遼民轉瞬盡潰。當是時，得此五千人不同潰足矣，而弼罪安在？謂廷弼不見事機，乃當其按遼時，已疏策必有事，最後與化貞共事。化貞仗西敵東，而弼云必不可仗；化貞信李永芳内附，而弼云必不可信。無一事不力争，無一言不奇中。而其如當時廷臣方信嚮化貞，轉責廷弼，不能和協。撫臣何也？而弼罪安在？謂廷弼責在經畧，而經畧無其實。如屢疏原派兵馬不與，而部覆又高閣束之，如云名是經畧，便主持由我，則昔以有名無實而指爲擁虚器、抱空名者豈獨一經畧哉？而弼罪安在？！謂廷弼殺戮太嚴，而當時節節潰逃，節節姑容，法紀蕩然，獨廷弼至遼，始鳴鼓集衆，斬逃將三人，曰劉遇節、王捷、王文鼎，貪將一人，曰陳倫，又陸續斬逃兵數百人，而軍心帖服，無敢叛者。豈非事理必當如是耶？而弼罪安在？！臣按唐郭子儀、李光弼之討史思明也，既與九節度之師同潰，自應收拾潰兵，扼河陽橋，勢必不能以河陽一塊土爲尾生之柱，坐受思明桎縛。今計自廣寧而西，僅山海一重門限，廷弼不趨扼，何待？且能全此五千人不散，至大凌河面付化貞，正與慕容垂軍三萬獨全，事正相類。豈得與化貞之獨握兵馬，而誤用西人，誤信永芳，以致潰敗者同日道乎？可謂勞有足矜。當三路初陷時，開、鐵、北關相繼奔潰，兵逃，民逃，將哭，道哭，惟餘遼陽一空城矣。廷弼經理不及一載，俄而迎拒敵兵於横河之上，又於遼陽城下包甎鑿河，列栅埋砲，屹然樹一金湯。令得終竟所施，何至舉榆關以外拱手授人？而其如廷議囂呶，不得使少安其任，何而今俱抹殺不論矣？！又當廣寧再潰時，試問在廷諸臣幾人留眷屬在京？守關諸將幾人敢寓目關外？乃當關者慮姦細混入，閉關三日，衆心洶洶。廷弼至關，盡勒卸刀馬在外，洞開放驗，凡二百八十餘萬人。令當時鎮讋無人，分處無法，致此二百八十餘萬帶刀乘馬蜂擁入關，不知此日關上風聲鶴唳之兵作何景象？在廷不留眷屬諸臣作何鎮定？而今又抹殺不論矣！乃其所由必死，則有故矣。才既籠蓋一時，氣又淩厲一世，人望之辟易，揭辯紛紛，致攖衆怒，是則所由必殺其軀之道耳。然夷考當年，爲廷弼嗚寃闕下，如閣臣韓爌、部臣周嘉謨、科臣惠世揚、臺臣周宗建等，皆濟濟名流也。至督臣朱燮元，亦西南勞臣，聞廷弼按斬，輒嗟吁懊喪數日。臣時爲屬吏，耳聆最真，而聞廷弼被勘被逮時，天日無光，此足觀近臣所主，遠臣所爲主，上干帝天之怒，下灰將士之心矣。今恢遼久無成績，疑正坐此。伏惟立賜昭雪，爲勞臣勸。

崇禎三年，閣臣成基命救立決科道疏：適文書房吕直到閣，捧下刑部等衙門問擬杜齊芳、李長春等二本，蒙諭臣等看過，付會極門發行。臣等恭誦聖旨，嚴責確當，卽欲將齊芳、長春二犯會官取決，臣等不勝悚惶。仰見皇上明作求治，飭法懲欺，二臣自作之孽，夫亦何言。然臣等竊有請焉。按論罪至於大辟，大辟至於決不待時，乃法之至重，而無以復加者也。今二犯此律，未免稍過。夫罪浮於法，則人皆仰覆載之寬，而其罪狀因之愈著；法過其罪，則人皆惕雷霆之震，而其本案反涉可矜。在皇上聖懷特深，有憤於積玩習欺之莫挽而刑亂用重。既係積習，則因仍已非一日，沿重亦非一人。彼二犯獲罪，乃在未經嚴惕時耳。今日布此一番斧鉞，但求皇上少假須臾，再行擬議。蓋祖宗之制，雖其正犯罪無可矜疑者，猶必幾經質審，冉三覆奏，總以事關重辟，不妨過詳慎也。臣等不敢煩言，祇願皇上俯加熟籌，而芻蕘愚悃，倘亦微有可賜鑑納者。謹將原本暫留閣中，恭候皇上明示施行。成公拜疏後，復入會極門長跪至日晡。上意解，各官俱荷遣戍。

崇禎三年，黄道周救閣臣疏：臣執筆九載，未效纖塵，猥以編摩，分光桂海。臣退而感泣，思人臣致身，自一命而上，皆有微勞，足塞瘝曠，而臣獨無有。又流覽古今，有一代主臣，必有二三蹇諤，照耀中外，而今諸臣亦皆無有。是臣所慨然興歎也。嘗閲舊史，稱臺省諸臣，自劉瑾摧折而後，不敢言事者一十四年。然而大禮議起，百寮廷争，不避鼎鑊，雖人無灼見，而梗概頓挫，各自可觀。未有一往莫違，大小收聲，共託容默，至於今日者。臣素泥古，初出山不知世上經權何似，不知羣臣值明主婞阿，何故竊觀？比來逮繫舊輔錢龍錫，拳梏鋃鐺，對簿法庭，搶首獄吏。羣臣相視，啞無一言。此自書傳以來，所未經見也。尚古不具論，秦、漢而下，宰相有犯，坐請室不過數日，是非大逆，或裁或原，人主未嘗不爲引痛也。今纍輔所坐昏庸踈率，爲罪督扳緣耳。督臣受劍制閫外，忘親忘君，僨事誤國，雖磔裂莫贖。閣臣坐綸扉，遥度邊事，不知能否成敗，浪浪叩頭，此於鬼薪城旦奚加乎？先是輔臣張居正嘗以邊功得廕錦衣，堅辭不受，曰：吾身未嘗至疆埸，而受上賞，即一旦有敗，何所逃誅？臣疑其言，以爲不忠。由今而觀，未謬於先見也。凡疆埸事最難言，勝負何常，一彼一此。今閣臣以邊事坐誅，後之閹臣必顧盼躊躇，不敢任邊事；又令邊臣得以瑕鏬閹臣，後以邊臣有事，必摭閹臣隻語單詞爲質，則是使綸扉之内，劃邊牆爲殊域也。自古宰相生值明時，無大故而伏斧躓者，惟漢劉屈氂及先朝夏言耳。漢武帝決意北伐，心疑丞相阻廣利之師，故一旦破法而誅屈氂。今東彊之圖未有定筭，恢復之計上下持疑，未有一男子據鞍而斫騎牆之案者，而獨斷然快意於一槩輔。槩輔既無歛碁引杯之致，廷臣又無蹴芻齒馬之嫌，遂使三台灰溺於貫城，斗柄銷光於理繫。每見衣冠相語以目，不曰安敢言，則曰那得歸。天下人心衰颯若此，誰復爲擔安攘之畧者乎？爲治無多端，大要不可使外輕内，下慢上，賤破貴。今巷議謬悠，謂殺槩輔爲毛文龍報仇。朝廷自爲人神攄憤，何嘗計一故弁？然物情既如此，則邊將必驕。邊將志驕，則閹臣權絀，故殺一閹臣爲毛文龍報仇猶可，爲劉興治樹幟則不可；借一閹臣爲邊臣今日示前車則可，爲政府異日開後阱則不可。且自陛下御極以來，宰輔負重譴者九人矣。一代之間，寧有幾宰輔而三年連翩逾下至此？當堯、舜盛時，岳牧舉鯀，貽禍滔天，浮沉九載，寧無往來。放殛之餘，未聞岳牧繫縲，煩臯陶之聽也。人臣事主，自以堯、舜爲師，秦、漢而下，有何足法？陛下卽欲整齊羣臣，敷求言功，不過倣虞廷故事。令諸廷臣應自陳者，各陳時政，考詢屢省，因而澄之，何材不服。卽欲威柄獨運，操縱海宇，但乘輯瑞之期，綱舉數條，別貴賤輕重，親涣德音，則頃刻釋滯，嘉與更始，使天下噩然誦如天之仁神不殺之武，何必囹圄憤盈，孤卿駢首，令四夷傳者咸謂天朝獄吏甚貴，士紳甚賤乎？今天下漸多事，人心漸散，彼此顧望，胥怨一方。臣閉户半生，獨立無徒，於萬物無所畔羨。臣而不言，誰當言者？臣於槩輔未有三剌（刺）之投，一揖之雅，然度其人，殺之不足明威，而徒損於國。臣不自揣量，誠不忍容默負堯、舜，使後世鯁士笑明時無人。疏上，道周被謫中允。倪元璐上言：原任中允黄道周抗疏獲謫，臣恐海内士大夫之氣化爲繞柔。前府尹劉宗周清恬耿介，道周既蹇諤承貶，宗周以骯髒投閒，天下本無人，得其人又不能用，誰爲陛下奮其忠良者？

右通政徐石麟救刑部尚書鄭三俊疏：臣備員留京，奉箋入賀，間關驅馳，顧瞻周道。見大江以北，千重甌脱；畿輔以南，三時不雨，澤鴻滿野，量壑幾半。入畿以來，知我皇上精心密禱，仰格玄穹，而雪不封條，雨不濡軌。竊意君尊如天，臣卑如地。天道太上，而不及下濟，法不得雨；地道太卑，而不能上行，亦不得雨，兹之亢旱。意者皇上威名峻極，臣子奉職無當，漸成釜鬵之形，致有鬱攸之應與，正欲以尚德緩刑，霽顔納諫，仰塵天聽，然後陛辭。乃本月初十日，伏見刑部尚書鄭三俊奉旨提問下獄。臣旅次驚聞，未詳本末。因思三俊受恩累朝，致位正卿，皇上授以執法之官，分宜竭忠報稱，一旦仰觸宸衷，自干嚴譴，此必職業所係，輕重出入之間，有負皇上之任使者。雷霆所及，斧鉞何辭。既又伏而思之，三俊昔事神祖，歷著勞勛，迨事皇上，亦已十年於兹矣。一生風力，屢挫姦鋒，四壁蕭然，素標清骨。臣親見其爲南户部時，力參不職司官，精釐錢糧蠹竄，皆夙蒙皇上鑒察，不知何以精氣耗磨，今昔頓異，一至於此。恭繹抄傳之明旨，真有不能不責備於三俊者。惟是朋謀朦蔽，巧行欺罔，爲人臣者有一於斯，當身膺顯戮。三俊雖老而耄，諒其性植孤忠，不敢出此。今爲司寇，僅僅敝衣一篋，爨烟不繼。下理之日，姦胥獘役酌酒相賀，羔羊素絲之風尚可想見。雖一時膠守成例，往復移會，似屬推諉，罪誠有之。至於朋朦欺罔，臣敢剖心代明，以祈皇上始終保全而矜宥之也。三俊聞命之時，卽囚服束身，自拘司敗，舉朝動色，行路吁嗟。謂此亦曾備皇上股肱大臣之末者，朝而冠裳，暮而犴狴，譬諸犬馬，曾不得蒙蓋帷之賜焉。凡在三事九列，亦何常之與有當？亦拊心而自憐矣。臣又回思三俊六年考滿時，人皆以得進勛階爲榮，而俊獨以寇虜未殄爲愧，乞身再四，逡巡歲餘，不蒙俞允，懼關考成，匍匐就道。向令此時得蒙皇上俯從其請，賜之骸骨，爲三俊者，今日尚得與田夫牧豎歌詠太平，優游耕鑿，豈不爲熙朝優老盛事，高尚美談？而竟以遷秩之隆恩，釀骫法之罪案！三俊之辱，諸大臣之辱也，亦朝廷之辱也。且自皇上御極以來，先後諸臣罹丹書者幾於圜扉爲滿，卽使其人盡皆情法允協，幽陰景色，猶恐上戾天和，下召地變，而況問擬惕於威嚴之下者，有將順而無挽回，有揣摩而無補救，株連蔓引，九死一生，於刑期無刑之意，竟何當焉？書曰：與其殺不辜，寧失不經。傳又曰：失出臣子小過，好生人主大德。今皇上以輕擬之故，深督三俊，恐將來必有承順風旨，以鍛鍊爲能事，以鈎棘爲精神，而反負皇上法天慎獄之本意矣。陽和已布，幽草猶知，向榮曠蕩無期，纍臣未逢祝網。伏乞皇上念三俊砥礪畢生，過誤一事，得從釋繫，以示優容。或姑許在外席藁候訊，俾國法凜然，仍無妨於國體。君心廻照，卽仰合於天心，臣卽受出位妄言之誅，彌彰皇上轉圜從諫之美矣。

御史李右讜救户部尚書畢自嚴疏：臣見户部尚書畢自嚴因鄭友元代輸金花銀兩，奉旨着法司提問，輦轂之下，無不驚駭。既而自嚴囚服匍匐往詣犴狴，道路屬目，無不咨嗟。臣昨從邸報中覩其回話一疏，於友元之代輪屢奉查核，明旨乃當日浮寄緣故，竟未明白剖陳。皇上責以欺玩，而立下之理，真所謂自貽伊戚也。但思皇上於股肱心膂，素加優渥，而於祥刑慎獄，尤注宸衷。今自嚴於六卿之內，首膺宮銜，非小臣比也；專握計務，已閱六載，非新進比也；且聞曩時邊警，倉皇籌畫儲糈，毫無缺誤，又非安居坐嘯比也。合之律例人（八）議，所謂職事官三品以上，及大將吏守職奉公，議貴，議勤，均似可以比附者。且以事情虛心推究，友元熱中考選，輪銀倖進，罪首也。自嚴始緣護惜，繼成支飾，罪次也。首犯罪狀尚未訊明，波累之人先淪圜土，輕重已似失倫矣。且自嚴年既衰暮，病復纏綿，憂鬱煎熬，必致委頓。如或溘先朝露，即異日者終徼皇上解網之恩，欲湔祓以自新，其路奚從乎？臣幼誦漢臣賈誼之言，曰：廉遠地則堂高，廉近地則堂卑。三公之貴，天子已改容而禮之，則不宜復加以繫紲。古者，刑不上大夫，所以豫遠不敬也。又聞谷永之告其主曰：記人之功，忘人之過，宜爲君者也。犬馬有勞於人，尚加帷蓋之報，況國之功臣哉？誼之語，蓋爲漢相周勃之逮繫而發；永之疏，亦緣陳湯有定西域之功，而以言事下獄也。卒之兩主轉圜以聽，矧皇上堯、舜比隆，吁咈無間者乎？臣亦非敢謂自嚴之罪可以概置不問，第祈皇上稍示寬容，豁其囹圄，俾束身私寓，俟友元解至日，同治以應得之罪，庶於三尺之法，大臣之體，兩無所虧耳。臣又思陽、和、寒、冱，乃四序之恒經，風、雨、雷、霆，繫神工之不測，偶值肅殺太過，已覺庶類不堪，況乃摧擊頻加，未免元和有損。臣伏見今春以來，九列之內，或以狂言被譴，或以瀆請蒙褫，今復摘至再三，其勢必將抱蔓。我皇上量同天地，恩猶父母，震疊之所施，原屬生全妙用，但宥過矜愚，嘉與更始，實羣工之所共祈，而非一二人之私念也。又臣於自嚴原非同鄉，亦無舊識，上年以帶解新餉，誤參經年，無端受抑。然臣從國家大體起見，自不敢以私隙而嘿嘿處此也。疏上，不允。

吳甘來復上疏，曰：自嚴之罪，豈獨在蒙狥哉？敭歷多年，不能保其終，罪一也；自嚴不能保其終，致皇上不能全其恩，罪二也；望八之年，匍匐入獄，萬一瘐死，使人譏皇上之薄待老臣，罪三也。次日，遂釋出。

崇禎十三年，監生涂仲吉救黃道周疏：臣草茅書生，何敢妄言，況當天威震怒，誰甘以身試法？第讀書師古，有志效忠。每觀古忠臣義士，損一身以成君父之德，如孔璋代請於李邕，郭亮伏鑕於李固，皆志本於誠，死生所不顧。臣覽古論世，未嘗不痛哭而起。今適當其事，正臣效忠之日，故匍匐萬里，請死明志，幸皇上察而誅焉。日者，黃道周因薦被逮，廷杖之日，臣工飲痛，童嫗墮淚，以聖怒方殷，無敢鳴其無辜。幸一不怕死之葉廷秀昌言申救，蒙杖一百。天下聞之，益爲驚心。此真皇上從來未有之極怒，諸臣從來未有之極痛。自此人人自危，竟無復有敢言之者矣。夫人臣事君，猶子事父母。父母怒撻之至死，而不敢怨。然父母至極怒，終不忍死視其子，觀其箠楚哀號之狀，未嘗不興憐而思痛焉。皇上好問好察，過於古先哲王，又鋭意太平，勵精圖治，思得一真正人才而用之，乃有一黃道周而摶執僇辱，置之必死之條，甚非海内之所想望也。臣觀道周通籍十載，半居墳廬，自躬耕樵採而外，稽古著書，晨夜不輟。宗黨憐其貧，鄉里推其孝，孤踪獨立，門無雜賓。其一生學力，止知有君有親，幸已遭遇聖明，亦欲發抒所學。雖其言嘗過戇，而其志實純忠。當酷暑萬里，鋃鐺就逮時，因服草履，飲水啜蔬，士紳挽縶，幾不得行，道路見者，莫不悲嘆。今聞喘息僅存，猶且讀書不倦，未嘗不以囹圄圜扉爲皇上教育之恩，霜露雷霆皆天地裁成之德，此天下之大小臣工，至於兒童走卒，莫不知之，莫不傳之，非獨臣草芥之私言也。惟是天威方嚴，陽和未布，大臣緘嘿以需時，小臣畏縮以全軀，使皇上所以教育裁成之意不能大白於天下，此臣不爲道周惜，而爲皇上天下萬世惜者也。天下所以不治，皆由臣子不清、不勤，曠其職業，不忠、不孝，墮其家修，皇上方嚴典刑，繩天下之不清、不勤、不忠、不孝者，若道周，至清、至勤，真忠、真孝，而一旦顛躓，受禍至此，豈不傷天下讀書之心，灰海內爲善之志乎？今天下之人謂殺道周以激奮樞輔，而樞輔未必可奮；殺道周以緘閉諫臣，而舉朝久已卷舌。皇上必欲誅獨立孤介之臣，則道周是矣；皇上必欲誅結黨匪類之臣，則道周非其人。昔唐太宗恨魏徵之面折，至欲殺而終不果；漢武帝惡汲黯之直諍，雖外出而實優容。皇上方欲遠法堯、舜，奈何智出漢、唐賢主下。臣讀史見漢、唐、宋之衰也，其賢人、君子皆受黨人之禍。蓋惟君子有聲氣，不謀而應其求，不齒於人類者，則從而誣之。三季之王，墮小人之術，皆以此摧士氣，失民心。我皇上方振中興昌明之運，斷不宜以黨人輕議學行才品之臣。伏乞聖明，詳察道周，鑒其苦節，赦其無辜，保全清忠，消除朋黨，無蹈晚季之覆轍，爲小人所快心，即殺臣狂妄，實得死所矣。臣家有垂白之母，堂有未葬之親，殺身求仁，雖死何恨，將以愧天下之立朝行道見義不爲者，謹席藁願從葉廷秀之後，惟皇上幸照察焉。

崇禎十四年，司寇劉澤深擬讞黃道周等成疏：看得黃道周之罪，前議烟戍，議永遣，總不足以蔽斯人之辜者。則以道周爲人僞學無補於時，妄議足灾其身。聖明在上，崇正息邪，固難容此堅僻僞辯之徒也。涂仲吉、解學龍、葉廷秀薦之，救之，事雖不同，而曲比道周之情則一，與馬思理、董養河等各照原擬等因，案呈到部。該臣莊誦聖諭，仰體聖心，恨不卽速擬爰書之爲快也。第道周沽名釣譽之矯情，迕旨蔽賢之深罪，臣前兩疏已痛切嚴責之矣，到此只有一死。死生之際，臣不敢不慎也。緣我皇上自御極以來，所論死諸臣，非封疆大事，則貪酷大罪，從未有以諫言誅大小一臣者。而今以此加道周，是道周無封疆貪酷之失，而有諫言蒙戮之名，於道周得矣，非我皇上無不覆、無不載天地之全體也。且皇上所疑者黨耳。黨者，見諸行事，相聚訟言，乃爲植黨。道周自上一疏，空言無當，睿照一臨，肝胆寒裂。試看如某等者，始未嘗不相與，而今且斥之短之，道周亦不與之較，而日惟禱祝聖壽，怨艾無已，烏有所謂絲毫黨氣，而煩聖明之震怒，動朝廷之大法耶？昔孟子之論生殺也，不取決於左右諸大夫，而窮情於國人。國人皆曰可殺，然後察之，見可殺焉，然後殺之。今道周，國人皆不以爲可殺，而臣論殺之，豈確案乎？臣仰見我皇上於去年行刑時，卽負罪深重之人，而猶忽然傳旨停免，滿城老稚，舉手加額，祝頌無極。今皇上豈有重恨於道周，萬一轉圜動念，而臣已論定，噬臍何及？所以當此生死之關，不敢不存一難慎之心，亦惟是恩威出自皇上，聖意淵微，有非微臣渺識所敢窺測，故躊躇冒死，仍以原擬，仰候聖裁，而非微臣之所敢必也。解學龍薦章妄詡，委屬乖謬，但疏舉循例非敢創行烟戌，足蔽厥辜；涂仲吉等昏昧庸愚，冥行取咎，仍照原擬。至若某等項背相接，比肩事主，豈無臭味相關，一當利害，反面攻擊，若將浼焉，翻覆變態，薄似秋雲，縱不相干，亦非良士，亦照原擬，以示薄懲。

崇禎十一年，錦衣吳孟明回奏鄭鄤杖母疏：臣查在衛見監犯人共三起，一起係田唯嘉家人，一起係李皇親家人，皆正在究擬，例難保候；其鄭鄤一起，係崇禎十年二月奉旨到衛，前任鄒之有未經究問，董琨於本年四月接管，曾以鄭鄤病狀具題。本月十六日，奉聖旨：鄭鄤是否真病，着責令調治，速行研訊。如致斃，董琨不得辭罪。該衙門知道，欽此。臣自蒙恩任事以來，每進署，即欲將此案審結，屢據醫官馬龍圖呈稱：犯官鄭鄤久患癱瘓，手足戰摇，不能轉動。臣復差人相驗，所報如前。若一加刑訊，難保無虞。臣隨嚴批醫官，用心調治，待其痊，可究結去。後偶一日，會協理陸完學渠詢鄭鄤病勢如何，臣對以病尚未愈。臣因問其杖母事，完學云：若論此人，自負才名，既藉門第，踞傲放肆，得罪鄉邦，死不足惜。其杖母之事，非其本謀。臣又云：既無此事，何以故輔溫體仁以此告人？完學又云：此事最爲可宥。鄤父鄭振先，家有箕僊，能發人隱事，一家崇奉，無不皈依。凡有過失，皆遭撲責，謂之懺悔。自振先夫婦至鄭鄤以下，無不皆然，不獨鄤母吳氏一人受杖也。惟是吳氏受杖，係振先之婢動刑，想懷宿憾，杖之太重，以致吳氏生疑。杖時，鄭鄤與父皆在其前，不能救饒。事則有之，實非所挑激也。協理係臣鄉舊，公祖與鄤同住府城，知之必真，且言非一次，臣遂信之。及再訊之，臺臣王章所言，與協理相同。臣因思鄭鄤罪案，原在誤奉箕僊，至於杖母一事，據二臣之言，不係鄤主使，則鄤罪不至死矣。

崇禎十六年，閣臣公掄舊輔揭：適蒙發下刑部一本，係會議罪輔周延儒。臣等凛奉嚴威，俯鑒覆幬，方負罪惕息，悚媿不遑，安敢昧死代爲籲控。且以我皇上待臣之隆，體臣之至，深恩異數，千古鮮倫，爲臣子者忍於比匪行私，自干法網，尚敢以國體君恩求寬於日月雷霆之下乎？惟延儒赴召之初，一切奉揚聖德，如蠲租、起廢、解網、肆赦諸大政，中外欣傳有太平之兆，卽我皇上亦曾有功多過寡之諭。但其賦性寬疎，以致門客宵壬，乘機假借，納交通賄，延儒不能盡知。卽知亦不能力絶，因而寵賂彰聞，疵垢多端，天鑒炯然，罪安所遣。部院以炯成議上，誠當其辜。至視師一出，奉命卽刻起行，似亦慷慨圖報。其馳驅通義一帶，亦不無微勞可憫，倘蒙皇上法外施仁，俯從部議，則帷蓋之恩同於覆載，非臣等所敢昌徼也，謹擬票進。臣合詞密請，伏祈聖明鑒裁施行。初七日，奉御批：覽卿等奏揭，朕心惻然。但延儒罪犯重大，前面諭已明，如濫用匪人，遺誤封疆，比昵姦險，營私納賄，及親履行間，回朝面詢，應將兵情邊情據實陳奏，極力挽救，庶幾收效桑榆。而乃欺蔽機械，較前愈甚。若律以祖宗大法，當在何條？念係首輔，姑從輕處，勒令自裁，已有旨了。

大學士范復粹清獄疏：臣欽奉明綸，清理刑獄，因取各犯審時所投狀詞，一一翻閲。見有公狀一紙，係未結各犯官侯恂、傅宗龍等臣，數共六十六名。内而尚書、侍郎、都察院、科道、部屬，外而撫、按、道、府、州、縣等官，無不畢具。不覺慨然嘆曰：此我國家歷朝之所無，而何近日犯法之甚衆乎？孰非我皇上作養之士而拔用之人哉？析（折）圭擔爵，已爲榮矣，作姦犯科，何辱如之？豈真衣冠爲累，詩書誤人耶？當點名挨審時，臣責以臣子大義，凜以朝廷大法，皆俛首叩頭恩赦，案前自怨自艾，感戴聖恩，陸續先後，不見其多。今察各招，凡内外文武約有一百四十有奇，亦甚可痛矣。謹摘其大者，爲我皇上陳之：一、原任尚書侯恂，原任司馬倪嘉慶，夫屯豆借還之數，已經改明，多開未明之數，已題追納，其司官賄差一節，力辯皆爲懸指。兩案牽纏，五年沉滯，所宜亟爲分案酌結者也。一、原任尚書傅宗龍，當撫蜀，則功績亦著，在中樞，則籌畫多疎。惟哀籲其一時疎率之差，實不敢有藐抗阻撓之意，所當速爲酌擬者也。一、原任順天府府丞戴澳，論人無據，祇爲博己之名，事出風聞，殊失入告之體。所宜酌量擬罪，以開言路者也。一、原任巡撫黎玉田、常道立、方孔照，爲撫則一，罪各不同。總之，勦撫未見有效，按法何辭，而城池未有陷殘，亦難概論。所當分別各招擬結者也。一、原任兵科宣國柱，諫官職任糾彈，爲何代人私囑，但逃弁拘提，何時得至。若審無受賄之情，宜擬應得之罪，先爲結案者也。一、原任兵科耿始然，催餉數月，有一百三十餘萬之多，似急公家，而科參有欵又多，有駭人所聞之事，難免官謗。但辯稱誰送樣銀，有何的據？既說打死，今何生存？張仁原非快役，金台亦非聽用。節節應辯，所宜再加研審，請旨定奪者也。一、原任河南道成勇，自負直戇，非爲傾排，但言官原就事論人，今堅稱無有主使。若果無主使之人，所宜原情定罪，以免幽沉者也。一、原任御史魏景琦事出倉卒，原非違法；應奏不奏，罪其應得。已駁另擬，仍宜酌減速結者也。一、原任御史范良彥，應追贓數，已有二千之多，雙目皆枯，已獲貪淫之報。所宜勒限追贓，照例矜釋者也。此案方經欽駁，自當訊其贓証，明白確擬，乃司官王廷授徑擬斬罪成招，懼而賄求，有由然矣。但良彥之罪，不至於斬，況已雙瞽，又豈可斬乎？一、原任口北道賀鼎，據册未完之贓，多至一萬三千，見在追比。據辯，地方錢糧，除去抵完欠數，尚有餘剩。此中難以懸坐，所宜行該督撫察明後，方可酌擬減罪者也。一、原任司官孫嘉績，浮薄恣肆，虛見才情，剖厲過激，乃其本色。據其辯有十欵，法當立聽。謂周敬宋係堂上所親拔，於司官似爲無與，卽云既講送允，然此月身在場中，金玉係赤貧之傭，安有多金？又非經推用之官，爲何重賄？種種矢辯，所當研訊確情，再爲酌議者也。一、原任司官熊汝學、朱國壽、朱日燦，塌工俱有可原，賠修似可寬罪。所當分别酌議，各量還職者也。以上諸犯各殊，幽沉則一。所宜請旨下部作速清理者此矣。臣於審案中得可用者二人焉，有不忍默默然者，一原任江西布政朱之臣，一原任總兵劉光祚。夫出夷吾於檻車，用孟明於三敗，率皆成功，古今美談。今之臣未必如管子，光祚未必如孟明，而鼓舞磨厲，可當一面，未可知也。

崇禎十七年，刑科都給事中孫承澤時事日艱，人才足惜疏：臣嘗讀唐史，至德宗欲殺陸贄，諫官陽城曰：不可使朝廷殺無罪之人，於是率同列伏闕而諫。將軍張萬福年八十，拜諸諫官曰：言官肯言事，天下太平矣。臣竊慕之。夫德宗，忮主也，而城（臣）能克盡言職如此。臣生昌言不諱之朝，官刑名封駁之地，乃逡巡顧慮，有懷莫吐，反躬自責，何以爲臣？今敬頌言於聖上者有六人焉：原任兵部尚書張國維，湖廣巡撫郭景昌，浙江巡撫董象恒，科臣姜埰、方士亮，部臣尹民興也。國維身任中樞，大敵在門，不能運籌制勝，蚤紓君父之憂，何得無罪？然國維清謹之品，軍旅非其所長，向年撫蘇，大得民心，總河數年，道路梗阻，運轉不匱，有功國本，特簡中樞，受事未久，其罪可原。景昌倜儻之才，平日以岳武穆自況。身在戍所，起授節鉞，洛陽已破，無家可歸，乃於山西士紳遍行借貸，召募壯丁，間道入楚，以圖報答，不謂中途遽有繫逮之命。至象恒，臣不知其生平，亦不知其政績。但聞緹騎到浙，闔城百姓擁塞號哭，竟至罷市。觀其深得民心，則其生平政績可知。姜埰之罪，起自故輔。今故輔伏法，而同時之熊開元久已訊結，獨埰猶羈滯獄底，情深可憫。方士亮、尹民興隨故輔軍前監紀，雖無可録之功，亦無阿比之跡。況還京之後，辭賞不受，其心可知。此六人成案具在，公論甚明。臣既有知，敢不陳列上請。臣尤有言者，當兹内外多故，時事日艱，每見大小臣工一經受事，率多不效，或膏血沙場，或受鑕西市，或遠禦魑魅，或星沉貫索，蓋纍纍若若矣，以致遇缺會推，扼腕乏人。既瓶罍之交罄，亦襟肘之兩窮，豈世遂無材一至於此？蓋天之生材有數，長養之則出，摧折之則盡，理有固然。臣之敢於輕瀆宸嚴者，又不止爲六人惜也。臣垣前此爲請寬貸，獲蒙重譴，臣豈不知。一念之愚，止以身有言責，不敢不以人材當惜，效古人伏闕之義。倘有一毫狥私市德之心，則願二祖列宗在天之靈顯殛之，此又臣所自信，並求信於皇上者也。統祈鑒察施行。疏入，召閣部大臣，出疏示之。范公景文極力挽回，六人俱獲出獄。國維、景昌吏荷起用。

明刑

刑尚書馬文升疏：竊惟爲治莫先於德教，輔治莫先於刑罰。非德教無以化導乎人心，非刑罰無以懲戒乎姦宄。故帝舜之世，契敷五教，而臯陶典刑以弼之。自古帝王之御天下，未有舍此而能致治者也。恭（洪）惟我太祖高皇帝膺天眷命，奄有萬方，當殘元入主之後，法度廢弛之餘，以爲刑乃輔治之具，不可不明，首命大臣更定新律，以一人心；又命刑官重會衆律，以協厥中，而垂法萬世。其勸善癉惡之意，無以加矣。且五刑之屬三千，而罪莫大於十惡。十惡之外，而情莫重於强盜。何則？强盜之行，蓋其執兵持刃，生殺在其掌握；刼財姦淫，操縱隨其意欲，比之叛逆之徒，相去不遠。所以强盜條云：凡强盜得財，不分首、從，皆斬。例該決，不待時，所以禁暴去惡，懲姦止亂，而輔治者也。及天順三年，傳奉英宗皇帝旨曰：人命至重，死者不可復生。自天順三年爲始，每至霜降後，但有應決重囚，三法司奏請，會多官從實審録，庶不寃枉，永爲定例，欽此。蓋專指律秋後處決重囚，臨決之際，恐有寃抑，故令三法司會審，即古帝舜欽恤，大禹泣辜之心也。然恐强盜重情（囚）不在其內。且强盜既該不待時決，又何監至秋後處決？況以强盜不分贓之多寡，情之輕重，俱監之至秋後，與衆囚一同會審，比及會審之時，十死七八，存者監禁日久，翻易原情。能言者俱作矜疑，情雖重而不決；柔弱者俱作無詞，情雖輕而行刑。及夫處決之際，囚犯既衆，或至日晚更深，人多不見，甚非刑人於市，與衆棄之之意。且情犯有輕重，故行刑有遲速，今常若此，則自此終無決不待時之强盜矣，是强盜與鬬毆殺人者爲無異矣。況辟以止辟，刑期無刑，帝王之盛也。强刼有犯，不時處決，則餘賊知警，是辟以止辟之意也。蓋兵、刑二事，每每相須。惡之小者，以刑治之而有餘；惡至於大，雖兵加之而無益矣。

刑尚書林俊正法守疏：嘉靖二年，該太監崔文題爲分豁妄捏虛詞，陷害善良事。竊惟祖宗設刑部、都察院、大理寺，謂之法司，凡大小罪犯，無不由之；錦衣衛謂之親軍，伺察機密姦細；鎮撫司鞫訊大盜妖言。洪武二十年，我太祖以鎮撫司非法凌虐，燒其刑具，以所繫囚送刑部。洪武二十六年，申明鞫刑之禁，凡罪囚俱送法司。永樂以後，任遇漸加，而職事仍舊。見之大明會典者如此。列聖相承，恪遵無易。正德年間，劉瑾、錢寧等繼相擅權，凡意中愛（憂）惡，輒奪付鎮撫，文致成獄，以遂其姦，而祖宗之法大壞，劇盜四起，巨逆繼作，皆陛下所習聞而痛惡者。天啓我皇上入正大統，撥亂世而反之正，先朝之牢姦錮獘，一舉而剪除之。天下方仰中興之治，不意忽有此未思之舉，豈崔文有所膚愬，或假手以濟其私乎？夫法本大公，非必居一，使宋鈺所告崔文等涉虛，自有反坐之律，所告果實，亦有必當之條，此祖宗成法，在陛下亦有所不得私者，況臣等微末之臣耶？今不待法司問結，而輒付鎮撫，是固臣等奉職無狀，只可治臣等之罪，而未可廢祖宗之法。況今風霾雨土，赤日無光，天之示戒甚明，正上下內外省身修德之日，今此小事，尚爾有拂於天，萬一有大於是，將何如耶？臣恐將來之變，有不可測者。伏願皇上念祖宗之法，畏上天之戒，收回成命，仍將李鳳陽（陽鳳）等付法司，從公問結，以爲將來之戒，則刑罰當而天下服矣。

又疏：嘉靖元年十月，管牛房尚膳監左少監賈全，奉御王太安、郭文、王川，長隨段仲、張仲堂、姜輔、閻川，內使任信等，侵盜喂養牛隻料豆三十九石，倉官徐鈞失於覺察，該本部浙江司問擬。賈全等俱雜犯斬罪，徐鈞減等杖罪，具奏送審。奉旨：是，賈全送司禮監奏請發落，徐鈞等送大理寺審了來説，欽此。看得刑部、大理寺皆古刑官，虞謂之士師，周謂之司寇。我太祖慎重刑獄，鞫於刑部，而讞於大理寺，然後告成於天子，而聽之成法也。近者，内侍有犯，多付司禮監，似無刑部也。今付刑部，又卽付司禮監，又似無大理寺也。竊意終非祖宗成法。伏望聖明，將賈全等仍同徐鈞送大理寺審録，然後付之司禮監，庶幾成法具存，爲聖子神孫萬世不易之定守，臣等可（不）勝願幸。

又疏：竊以内府嚴密之地，内監親近之臣，而内庫之儲，付以監守，責亦專矣。不謂王玘等大肆姦貪，潛通陳俊等恣意侵盗。夫一時侵盗如是，平時侵盗何如？一起事發如是，各起事未發何如？中間隱侵，又有不可以數計者。夫當正德蠱極之時，嘉靖起而應亨嘉之會，豹房等財物天意爲中興積也。而道路相傳，多見侵没。今被該廠訪出，宜示大戒，顧乃得送司禮監奏請發落。夫以近日内臣有犯，不付有司，猶非大盗，尚爲失刑。今王玘等大盗，豈容不付有司也。成化間，内使張來保盗昭德宫財物，奉擬處決，且累掌宫太監，亦發海子充軍。夫昭德之財物，猶私財也，尚示大戒，况内府公家之積？内而大禮，外而大費，皆於是乎出。不示大戒，誠恐江河不足以實漏巵；羣盗效尤，國計一空，其弊可勝道耶？書云：君曰辟，曰宥，臣曰勿辟，勿宥，言不當狥君以爲生殺，惟當審輕重之宜，此法官萬世規也。臣等爲國守法，豈容忍默，以漏大姦。乞將王玘、盧能等下之有司，明正其罪。大監張得玉等，及該直守門守備、内外官軍，亦各查究如律，庶羣姦屏息。積弊一清矣。

正德間，刑部等衙門誅大逆以彰天討疏：問得一名劉瑾，年六十歲，係陝西西安府興平縣人。原任司禮監，今降奉御。自幼净身，景泰年間，選入皇城乾清宫荅（答）應，歷陞内官監太監。正德元年十月，內蒙改司禮監辦事，荷蒙委以腹心，整理庶務。瑾要得任意欺罔，專權納賄，慮恐人心不服，難以行事，不合朦蔽朝廷，將各衙門大小官員尋事陷害，以作威福。科道等官一言觸犯，就行拿來決打，枷號充軍，以塞言路。選委乖覺官校一百餘員名，聽瑾提督，管事害人，不時差出天下司、府、州、縣，訪察官民賢否過失，所過地方，重遭擾害。從此人皆危懼，莫敢言瑾過惡。正德三年六月，內欽蒙令瑾本監掌印管事，瑾因權勢重大，益無忌憚。內外百僚一應奏章，不與各官計較，亦不與內閣相干，往往袖回私宅，專與孫聰、張文冕捏寫旨意，屢更屢變，是非混淆。時常分付吏、兵二部，凡進退文武官，先於瑾處計議，允行方許進本。內有今日陞職，若謝禮微薄，明日黜退，或令致仕；賄賂一通，又卽起用。各處鎮守太監、總兵、巡撫、副參、遊擊等官，但由門下出身者，不拘貪汙老病，一概存留。此外雖有知勇廉幹，亦就罷黜。添設巡塩、巡捕、查盤等官，騷擾天下，軍民府庫銀兩起解一空。但凡朝覲公差、鎮巡等官，俱要饋送。少不滿意，卽令校尉搜訪小過，羅織重罪。江西寧府先犯不法事情，已經先朝革去護衛。瑾因接受本府金銀數多，擅自准令復設，又將玉帶二條送與寧府及差來承奉。又准與南昌河泊所一處，侵奪民利，激變地方。科斂剝削銀兩，饋送鉅萬入己，以至地方民窮盜起，至今擾亂不息。近年以來，瑾招引四方術士余明、余倫、余子仁等出入私宅，占候天文，相面算命，妄稱瑾姪劉二漢後有大貴。又見財貨充盈，威勢張大，及聞市井軍民號稱瑾爲站的皇帝，輒起異心。要得謀爲不軌，密令心腹置造衣甲、牌面約有千百餘副，私假寶印一顆，令兩廣太監蔡昭、潘牛置造弩五百餘張，匿藏私宅。瑾待時起，手將小刀二把，暗藏扇內，出入禁闐，要得乘便使用。擅差大理寺少卿周東等前往遼東、寧夏等處丈量起科，以致人心不堪，地方激變。遼東錦、義二城，相率作亂，毆打職官，幾致反叛。正德五年四月初五日，見在反賊何錦謀同革爵寘鐇等，將瑾激變罪惡刊印告示榜文，各處張掛，動搖人心，謀立寘鐇爲主，殺死鎮守等官，容匿不行奏聞。正德五年四月二十六日，朝廷得知寧夏反叛，頒詔天下，慰安人心。太監張永領兵征討，將何錦捕獲。瑾聞知寧夏平，復揑寫旨意，誇稱己功。本身既加添禄米，又將兄劉景祥超陞都督。本年八月十三日，太監張永班師回京，備將瑾前項不法事情開條具奏，蒙拿送錦衣衛、鎮撫司監候。隨於瑾家搜出前項假置違禁衣甲、牌面、弓弩等件，金銀數百餘萬，寶貨不計其數。科道等官備將瑾各項事情條陳奏奉，欽依將瑾等拿在午門前，三法司、錦衣衛會同多官，逐一追問前情，委各是實。參照犯人劉瑾本以險邪，謬膺重托，盜竊政柄，播弄威權，擯斥忠良，援引姦黨；官爵視苞苴爲進退，刑罰任喜怒爲重輕；黷貨積如邱山，人命等如草芥；專權亂政，於今五年，蠹國害民，非止一事，毒流中外，惡貫古今。祖宗百餘年之元氣斲喪無遺，國家億萬載之紀綱變亂殆盡。自歷已往之罪，已負滔天，尚昧無將之戒，深懷不軌；僞造寶印，而反狀已形；私蓄甲兵，而逆謀已著。似此不法，宜當速置極刑。伏望皇上獨奮乾剛，大彰天討，卽將劉瑾押送市曹，明加顯戮，梟首示衆。仍將本犯招情，并處決屍形，畫圖榜示天下，以爲萬世臣子不忠之戒。

崇禎二年三月十九日，吏部、都察院接出聖諭：朕惟帝王憲天出治，首辨忠邪；臣子致身事君，先明順逆。經凜人臣無將之戒，律嚴近侍交結之條。邦有常刑，法罔攸赦。曁逆魏忠賢猥狡下才，備員給使，傾回巧智，黨藉保阿。初不過窺嚬笑以市陰陽，席寵靈而饕富貴。使庶位莫假其羽翼，何蠹爾得肆其毒痡？乃一時外廷朋姦誤國，實繁有徒，或締好宗盟；或呈身入幕；或陰謀指授，肆羅織以屠善良；或秘策合圖，扼利權而筦兵柄；甚且廣興祠頌，明效首功，倡和以極於三封，稱謂浸疑於無等，誰成逆節，致長燎原？及朕大寶嗣登，嚴綸屢霈，元兇逆孽，次第芟除，尚有飾罪邀功，倒身竄正，以望氣占風之面目，誇發姦指佞之封章。跡其矯誣，惡容錯貸。朕鑒察既審，特命内閣部院大臣將發下祠頌紅本，參以先後論劾奏章，臚列擁戴、諂附、建祠、稱頌、贊導諸欵，據律推情，再三訂擬。首正姦逆之案，麗於五刑；稍寬脇從之誅，及兹三褫。其情罪輕減者，另疏處分，姑開一面。此外原心宥過，縱有漏遺，亦赦不究。自今懲治之後，爾大小臣工宜洒滌肺腸，恪修職業，共遵王路，悉斬葛藤。無曠官守而假事譸張；無急恩讐而借題參舉。朕執是非以衡論奏，程功實以課官方，有一於斯，必罪不宥，尚各懲毖，乃亦有終。欽哉，故諭。

大學士韓爌等疏：爲遵奉聖諭事，竊惟尊無二上，人臣首戒無將，國有常刑，天討用彰有罪。祖訓内官不許干預政事，律重交結近侍官員，於以防内外而肅官府，杜姦萌而窒亂源，法至嚴已。逆璫魏忠賢狡譎多端，兇頑無忌。始焉小忠小信，衹便身圖；繼而作福作威，漸干國政。内則妖姆客氏闚覘禁密，結爲腹心；外則逆臣崔呈秀逗露機情，助其羽翼。戕宫妃而戮忠直，盗帑藏而弄兵權。已徼無等之三封，洊議偪尊之九錫。亟開藩邸，迫遠宗城，建生祠以卜人心，遣内鎮而連邊將，陰謀叵測，借勢顯成。磔辟已服上刑，爰書具列逆狀。誠如聖諭所謂：

首逆之罪，當先正者也。賴宗社有靈，聖明御世，乾坤旋轉，雷電合章，屬元兇已就誅夷，凡黨附宜嚴區別。若乃官聯躋跖，人類豺狼，懷私欲借兇鋒，拱手隨蠲魁柄。或首發大難，禍始教猱；或倒身怙終，勢成騎虎。有如動搖母后，倡和逆封。鐵券、金章，覆題恐後；腴田、甲第，請給爭先。或引聖經以慫慂中傳，或攘史職而抹殺直筆。墨縗朝襘，忍比罪魁，緹騎鋃鐺，大興詔獄。修睚眦以殘軀命，不難殺人媚姦；供嚬笑而效爪牙，總是酬恩報怨。至於一人而創祠幾地，一事而諛頌連章。祠省直，祠邊鎮，祠京都，未已也，而且祠之國學；頌碑文，頌奏章，頌鄉録，未已也，而且頌以絲綸。此則聖諭所謂首開諂附，傾心擁戴，及頻頻頌美，津津不置者也。而又有徑竇旁通，網羅密布。腹藏鱗甲，搆青蠅、貝錦之讒；意慘鏌鋣，釀白馬、清流之禍。卽占風望氣，莫可端倪，而覆雨翻雲，難逃指視。斯又潛施鬼蜮之毒，而更巧避虎彪之名。聖諭所謂雖未祠頌，而陰行贊導者也。以上諸人，罪案各殊，法銓亦異。或已經褫逐，不盡厥辜；或謬附摧傷，當追始禍。遵明聖諭，據法依律，無枉無狥，期服天下後世之心。三尺無私，天誅不貸；四兇畢竄，國憲用申。惟是大憝既罹不赦之條，而羣小宜開自新之路。臣等簡祠頌，及部院開來諸臣，或事關題覆，公牘列名；或身在封疆，委蛇濟事；或城守全於捍禦；或編摩效有劑調；而又或生平材具自優，敭歷猷勞蚤著，聖諭所謂事本爲公，而勢不得已，素有才力，而隨人點綴。須當原其初心，或可責其後效，咸與昭灑，免臚姓名，固明罰赦法之嚴條，兼赦過宥罪之寬政也。臣等祇奉諭辭，共矢公慎，就事論事，參畫一之。刑書以人治人，肖本來之面目。中涓衿弁畢麗於科，商販兵民姑置之外，倘幸無掛漏，可永示誡懲，寒亂臣賊子之心，抒正氣忠魂之鬱。三章既約，金石不渝，一面宏開，葛藤永斷。閉姦謀而安反側，明刑政而裏治平，端在是已。若夫加銜、加廕，濫被恩施，殿工、邊功，尚需嚴核。最可恨者，先帝當彌留之日，多官徼横拜之恩。其天啓七年八月二十一日，大工謝恩，併寧、錦敍捷，鹵簿告成，三藩之國，所有敍勞秩廕，悉宜聽部削除。尚寬矯旨之推求，用廣原情之德意，併用附及，以俟宸裁。所有前項欵分、名姓，及應得罪名，開具於後，統惟鑒奪，勅下遵行。爲此具本，謹具奏聞。

崇禎十四年，户科左給事中孫承澤劾犯官不入獄疏：臣前待罪刑垣，見大貪蔡奕琛一案，具疏指參，此糾駁職掌宜然，誠以事之最明確者，無如此案也。奕琛曾官吏部，賄賂公行。賄罪輔一事，一次三百金，一次一千金，衛招已明，部案已定，且奉旨王陛彦自招納賄，何謂枉扳久在，聖明洞鑒？今受賄之人，過付之人，俱正法矣。夫與者、受者同罪，從來定律也。乃奕琛巧思兔脱，百計遷延，謬以從前定案，隻手可翻，既借一丁煌爲煽辯之端，又借一李化熙爲展身之計。揣其意，無非以一係本邑縣令，一係本府理官，情分素熟。而不知耳目最真之事，道路有口，良心難欺！奉明旨蔡奕琛受賄事情，該府申文原以李化熙爲証，何乃又稱不知？蓋已洞燭其微矣！前按臣察疏久下，刑部備載，該府申詳，巡按鄧云中彦事有大老説情，係德清蔡奕琛。書云吴徵霽係琛同年朱澹修之愛婿，若婿卽琛婿也，乞從寬政等語。且吴徵霽口供：蔡侍郎始事卽得銀八千兩，叩而隨荅，未用刑威。此係察明在案，最真確有據者。而奕琛故爲牽飾，希圖展卸。已經褫革，高坐私寓。試思祖宗之法，有提問而不革職，既革職而不下獄者乎？臣見往年刑部尚書馮英等一下部議，輒投身法曹；近如陳是集等再經革職，亦入犴狴；卽罪輔薛國觀奉有特旨，方許在寓候審。奕琛提到革職，奉何明旨，輒敢抗不入獄？同案諸臣李燦等提到而下獄，葉有聲等革職而下獄，此其事同、情同，而下獄、不下獄迥異，不知奕琛包藏何膽，而藐肆如此也？伏望皇上勅部察奏奕琛賄証已明，何故竟不入獄？且奉旨確擬已久，何故聽其狡延，不早結正？暴其應得之罪，破彼譸張之姦，庶大法明而貪惡知儆矣。

崇禎十五年，刑科都給事中孫承澤劾憲臣殺人疏：竊聞律莫重於殺人，殺人者抵；罪莫大於欺罔，欺罔者誅。法紀昭然，不以巨憝而或漏焉者也。若原任副都御史、今陞户部侍郎宋之普殺人一案，臣不能無説焉。之普寓中死屍二軀，潛行掩埋。科臣袁愷忘桑梓之私，執朝廷之法，據實入告。其原疏中載擡埋則有二强盗，其知情則有蘇管家及麻面厨子，事固已如指掌。在之普，自應俯首認承，束身就法，乃膽壯氣横，蔑視法紀。自恃身爲負嵎之虎，勢同憑城之狐，乃肆口反噛，堅言子虚。隣佑總甲可以勢壓，屬下御史可以情囑，若謂赫赫氣焰，殺此二人，止尋常事，我但言爲無，誰敢執之爲有？遂使輦轂之下，通衢之間，重泉抱難訴之寃，青燐有夜號之慘，亦輦轂未見之變矣。且其死者，或妾或媵，爲臧爲獲，據實招明。法或未減，乃硬口掩飾，止欲氣懾言官，不知已目無君父，則其欺罔之罪，視殺人之罪實更重也。我皇上不卽置之於理，因科臣左懋第、黄雲師尚未奏明，今兩臣之疏俱下，臣垣再四參詳，事已明白有據。寧可使殺人者不死，欺罔者無罪，因循時日，大案久懸？臣職掌所關，寧敢嘿嘿？伏乞聖明，勅下法司提問，根究二屍下落，嚴申欺罔之罪，庶大法彰而人心肅矣。

春明夢餘録卷之四十六

工部一

工部，在闕之東，户部之後，西向。設尚書、侍郎，掌天下工役、農田、山川、藪澤、河渠之政令。其屬初曰營部，曰虞部，曰水部，曰屯部，後易爲營繕、虞衡、都水、屯田四司，俱稱清吏司。

營繕掌經營興造之事。凡大内宫殿、陵寢、城濠、壇埸、祠廟、廨署、倉庫、營房之役，鳩力會財，而以時督程之。王邸亦如之。凡鹵簿、儀仗、樂器移内府及所司，各以其職治之，而以時省其堅潔，董其窳濫。凡置獄具，必如律。凡工匠二等，曰輪班，曰住作。凡工囚二等，曰正工，曰雜工。雜工三日當正工一日。凡省工，視役煩簡而節其財力。凡會，有無移内府。其分司爲三山大石窩，爲都重城，爲灣廠通惠河道；兼管爲琉璃黑窰廠，爲修理京倉廠，爲清匠司，爲繕工司，兼管小修，爲神木廠兼磚廠，爲山西廠，爲臺基廠，爲見工灰石作。所屬爲營繕所，所正一員，所副二員，所丞二員，武功三衛經歷等官。

虞衡掌山澤採捕，厲禁陶冶。凡採捕禽獸及革、骨、羽、毛，以供祭祀、賓客之膳羞。凡軍器、軍裝移内府及所司，歲造或三歲一造，必程其堅緻，以給邊。凡獵畋以時，冬、春之交，罝罛不施川澤，春、夏之交，毒藥不施原野；苗盛禁蹂躪，穀登禁焚燎。若害苗稼獸，聽爲陷穽獲之，賞有差。凡諸陵山麓，不得入斧斤，開窰冶，置墓墳。凡帝王、聖賢、忠義、名山、嶽鎮、陵墓、祠廟，有功德於民者，禁樵牧。凡山場、園林之利，聽民取而薄征。凡陶冶、瓷甓，籍其常造、年造之數，計其入，慎藏之，無輒毁以費民。凡鑄造，審其模範，計銅、鐵而鎔之。金牌、信符，鑄之内府。凡顔料，徵土産，不强其所無，否則徵其直。其分司爲寶源局大使，皮作局大使、副使，軍器局大使、副使。

都水掌山澤、陂池、泉濼、洪淺、道路、橋梁、舟車、織造、券器、衡量之事。凡水利，曰轉漕，曰灌溉，歲儲其金、石、木、竹、卷埽，以時脩其閘壩、磋淺、堰圩、隄防，謹蓄洩以備旱潦。舟楫、磑碾不得與灌田争利，灌田者不得與轉漕争利。役以農隙。凡鱗介、萑蒲之利，聽民取而薄征。凡道路，塞其坑坎。上巡幸，若大喪、大禮，治而新之。凡橋梁，曰舟梁，曰石梁，計工力而創修。其大津不能梁，官給舟人，量其小大難易而食之。凡舟車，曰大車，曰小車，曰戰車，凡三等。曰糧船，曰黄船，曰馬快船，曰海運船，曰鮮船，曰備倭船，曰戰船，凡七等。皆會其財，下諸司，酌多寡、久近、勞逸而均劑之。凡織造，冕服、誥敕、制帛、祭服、淨衣、諸幣布，移内府、南京、諸省，周知其數而慎節之。凡公侯伯鐵券，差其廣高。凡祭器、册寶、乘輿、牌符、雜器，會則於内府。凡衡量，謹較勘而頒之，懸式於市。其奉敕分理於外者，爲北河差郎中，南河差郎中，中河差郎中，夏鎮閘差郎中，南旺泉閘差主事，荆州抽分差主事，杭州抽分差主事，清江廠差主事。通惠河、器皿廠、六科廊，皆本司總理者。所屬爲文思院大使、副使，織染所大使、副使。

屯田掌屯農、墳墓、抽分、薪炭、夫役之事。凡屯田，腹邊公田、閑田、没官田，給衛所耕，劑其地力人力而徵其子粒。凡在邊，牛、犁、鐵器官給之。凡墳塋、堂、碑碣、獸，第宗室、勛戚、文武官之等而辨叙其差。凡抽分，徵諸商，各有差。凡薪炭，南取洲汀，北取山麓，徵諸民，有本、折色，酌其多寡而撙節之。凡夫役，伐柴、轉柴皆僱役，周知其數而時蠲之。按司曰屯田，重農事也，制誠善矣。及其後也，徒存其名耳。而其司僅掌上供，并監局、柴炭、與山陵之事。分司爲臺基、柴炭廠，爲外差。易州山廠有陵工，臨時委差。所屬爲柴炭司，正使一員，副使二員。

周禮冬官亡，漢時補以考工記。夫冬官之職既不可考，亦豈待考工記補之而後爲冬官之全乎？大宰事典，以富邦國，以任百官，以生萬民；小宰事職，以富邦國，以養萬民，以生萬物。則事官之意，在周禮可覩也。周官亦曰：司空掌邦土，居四民，時地利，則司空之意，在周官可推也。况冬之爲言，終也，萬物成終，畢歸其根，亶空土而已，命之曰司空，豈無意義而云然哉？惟藏而固之，富而生之，此所以爲冬之象也。若夫考工記之事，虞書所謂共工也。夫共工誠冬官之事，但其一屬耳。故取以入冬官則可，用之以補冬官則不可。舜典：帝曰：疇若予工？僉曰：俞，垂哉！帝曰：俞，咨垂，汝共工。垂拜稽首，讓於殳斨暨伯與。帝曰：俞，往哉汝諧。帝曰：疇若予上下草木鳥獸？僉曰：益哉！帝曰：俞，咨益，汝作朕虞。益拜稽首，讓於朱虎、熊羆。帝曰：俞，往哉汝諧。按工之官缺，則民用不周；虞之官缺，則物生不遂。故舜視百工萬物，皆予一體。故皆曰予而虞，工列九官，自古重之矣。周禮屬虞衡於夏官，今則并山澤、虞衡統屬之於工部。益、垂猶且讓之，任是職者，可輕視之哉？

都　邑

司空所掌，莫重於都邑之制矣。古者營國，必先於辨方正位。是以匠人置槷眡景，必正地中，以天地之所合，四時之所交，風雨之所會，陰陽之所和，然後建王國也。匠人營國，方九里，旁三門，國中九經九緯，經涂九軌，左祖右社，前朝後市，市一夫，其制大略如此。然必有土方氏掌土圭之法，而大司徒又掌其凡，蓋重其事也。而建都之本，則更有在焉。周禮曰：惟王建國，辨方正位，體國經野，設官分職，以爲民極。蓋王基立而後根本定，方位設而後等級明，國野分而後疆理正，官職舉而後綱目張。凡以爲民立極也。昔人有言曰：京都爲四方之極，猶紫宸爲周天之極。然京都固爲四方之極，而帝王又以建惟皇之極也。

中丞朱鑑興造吉凶疏：臣聞陰陽家者流有云：地有四勢，氣從八方。國都爲天下之根本，而皇城又國都之正宫，凡有興作，不可不慎。今以外局四勢論之，龍弱虎强，山無四顧，喜得有水，亦嫌反跳。術者皆曰：帝星所臨，固不必論。且以内局四勢論之，往日[以]北平布政司爲正宫，故以晨昏鐘鼓在前；今以奉天殿爲正宫，晨昏鐘鼓不宜在後。緣左爲青龍，右爲白虎，前爲朱雀，後爲玄武，左爲陽，右爲陰。青龍宜動，白虎、朱雀、玄武宜静。自永樂、宣德以來，各衙門在[東]，青龍頭旺，慶壽寺衰微，浮圖破壞，故不爲災，住居安穩，國家無事。近年以來，却將白虎頭上慶壽寺重新修蓋，朝暮焚香，鐘鼓齊鳴，又將二浮圖鼎新修理。虎嫌生角，龍怕無睛。且聞慶壽寺金人所造，革之可也，何爲重修？二浮圖金人所刱，除之可也，奚爲復建？加以西山一帶新造寺宇數多，本欲求福，殊不知反助其爲虐耳。以致江南草寇生發，塞北烟燧不寧，皆因白虎頭興旺之所致也。雖有關於天數，亦必本於人事。陰陽之術不可盡信，地理之書亦不可不信。細民之家，尚欲趨吉，皇城之内，可不避凶？如蒙俞允，乞敕在廷文武大臣計議，先將慶壽寺廬其居，移其人，杜其門，弛其鐘鼓，去其二浮圖。候邊境寧息無事之日，將寺移去東邊舊工部地方起造，改爲龍興寺，可建二浮圖，任其鳴鐘鼓以聳青龍頭。仍將順天府鐘鼓樓移來東臺基廠之内起蓋，晨昏扣撞，以敵白虎臂。又將順天府移來舊都察院，又將大興、宛平并三儒學移來舊吏、户、禮三部地方開設，以配三法司。務使青龍動而且興，白虎静而且安。其玄武門迤北順天府地方取正，改作庫藏，以收天下黄册、圖籍，以壓玄武之地。或得餘暇，再於城之東南巽地之角起蓋功臣廟，可助外局之龍，庶得四勢動静相宜，八方氣候相應，則國康民安，天下太平矣。

溝洫

大禹治水，而盡力溝洫，此司空之所亟宜講也。當日治水，不過曰決九川，距四海，濬畎澮距川而已。而天下之言智者，莫踰焉。何哉？洪範五行，水曰潤下。知水之性潤下，則知禹之治水矣。是故先決九川，以導於海，使水之大者有所歸；次濬畎澮，以距於川，使水之小者有所洩。此所以九州同，四隩宅，而萬世永利也。商之衰也，五行之官，世失其業。周人始命遂人，十夫爲溝，百夫爲洫，千夫爲澮，萬夫爲川，而溝洫之制始立。稻人以瀦畜水，以防止水，以溝蕩水，以遂均水，以列舍水，以澮瀉水，而溝洫之制益詳。至於匠人氏，又辨其深廣之度，而通其蓄洩之宜，其法可謂盡善矣。然周人豈夷陵谷而爲之哉？亦不過因其自然之利，而修伯禹之故而已。周之衰也，遂人、稻人、匠人之官，又世失其業，列國之君皆自利以病鄰國。暴秦之興，又廢溝洫，開阡陌，而水利廢矣。是故孫叔敖起芍陂，則楚受其惠；文翁穿[湔]湔口，則蜀以富饒；史起鑿漳水於魏，則鄴傍有稻粱[粱]之咏；鄭國導涇水於秦，則谷口有禾黍之謡；許景山復蕭何之故堰，則興元之荒瘠復爲膏腴；趙尚寬修召信臣之故渠，則南陽之瀉鹵變爲沃壞。之數君子者，孰非因其自然之利，而修其已前之法哉？謂之得周官之遺意，亦可也。今國家司空有總職，水利有專管官員，省以督之府，府以督之縣，而縣之陂、塘、圩、堰，又莫不有長，重以憲臣之稽察，皆以愍惠元元而興水利也。然遇水旱，民輒告病者，是必有其故也。此無他，陂、塘、圩、堰之長，皆失其業，而郡縣長吏又莫之省憂故也。愚則以周官之職不可卒復，而溝洫之遺意尚亦可尋。周官曰：溝，必因水勢；防，必因地勢。蓋溝以導水，不因水勢，則其流易壅；防以止水，不因地勢，則其土易壞。爲今之計，莫若申飭郡縣長吏，督率陂、塘、圩、堰之長，察水勢之曲直，原地勢之高卑，可隄則隄，可決則決，因陂、塘、圩、堰之舊，加疏濬、築塞之功，而又嚴侵占之禁，明考課之法，則灌溉之利興，而河患免矣。雖然賈讓有言，曰：立國居民，疆理土地，必遺川澤之利分，度水勢所不及。大川無防，小水得入，陂障卑下，以爲圩澤。使秋水多得所休息，左右游波，寬衍而不迫。此誠萬世水利之上策哉。昔人有言：東南有可耕之人，而無其地；西北有可耕之地，而無其人。則夫西北之地，古之中原地，三代所行井田者。誠能稽元學士虞集之議，而於河南、山東、陝西諸省，長川廣野，可以開溝洫而蓄洩其水，畫經界而原隰其田，成菑畬而稼穡其利者，因其沮洳，去其萑葦，或召募，給其牛種，而寬其租賦；或番休尺籍之兵，立之屯營，而儲其糗糧。則通東南之漕運，以給太倉者，常也；斂西北之粟，以足邊儲者，權也。所以濟漕運之所不及也。

永樂間，命户部尚書夏原吉治水江南。原吉上言：浙西諸郡，蘇、松最居下流。常、嘉、湖三郡，田高多下少。環以太湖，綿亘五（數）百里，納杭、湖、宣、歙諸山水，注澱山諸湖，入三泖。頃浦港湮塞，匯流漲溢，傷害苗稼。拯治之法，宜浚吴淞諸浦港，洩其壅淤，以入於海。吴淞江袤二百餘里，廣一百五十餘丈，西接太湖，東通海。前代屢疏，以當潮汐。沙泥淤積，旋疏旋塞。自吴江長橋至下界浦，抵上海南倉浦口，可百三十餘里，潮汐壅障，茭蘆叢生，已成平陸。欲即開浚，工費浩大，且灧沙淤泥，浮泛動盪，難以施工。臣等相視得嘉定劉家港，即古婁江，徑通大海；常熟白茆港徑入大江。皆廣川浚流，宜疏吴淞江南北兩岸。松江大黄浦乃通吴淞要道，下流壅塞，難即浚疏。傍有范家浜，至南倉浦口，可徑達海。宜浚，令深闊，上接大黄浦，以達茆湖之水。此即禹貢三江入海之迹。俟既開通，相度地方之勢，各置石閘，以時啓閉。每歲水涸時修圩岸，以禦暴流。上從之。役夫凡十餘萬，於是水洩，農田大利。宣德間，蘇州知府況鍾上言：蘇、松、嘉、湖之地，其湖有六：曰太湖，曰傍山，曰陽城，曰昆承，曰沙湖，曰尚湖，聯屬廣袤，凡三千餘里。其水東南出嘉定吴淞江，東出崑山劉家港，東北出常熟白茆港。永樂初，朝廷命夏原吉尚書督理疏濬，水不爲患，民獲有秋。年久，淤塞不通，一遇久雨，遂成巨浸，田皆没溺。乞仍遣大臣督各府縣官，於農隙時發民疏濬，則一方永賴矣。上命周忱與鍾計工力多寡、難易以聞。天順間都御史崔恭，景泰間侍郎李敏，弘治間侍郎李貫，嘉靖間都御史李充嗣，俱治之，然不能如前兩度大用其功，故日以淤積。至隆慶間，都御史海瑞欲治之，竟奪於衆論，不竟其功。萬曆間，御史林應訓亦嘗疏言之，竟不能行。至近年而弊極矣。崇禎初，員外陳茂德言之，輔臣亦有吴人，爲上言之。上疑其勞民，命撫臣議之。撫臣李待問適以擢漕督將去，謂挑濬不可以已。然人有言三江總開，一勞永逸者；

有言物力難措，先開吳淞江，而後徐議之者；有言且就内河道疏其溝澮者，而皆苦於費無所措。上以其費，罷之。東南財賦之地，國賦根本，日見凋敝，此經國者所宜亟講也。

王文恪鏊吳郡治水碑：西蜀李公謂東南諸水咸匯太湖。太湖由三江入海，而三江久失故道。東江不可復尋，獨婁江尚在，吳淞江雖在而多涸。其别出一支，分從常熟白茆港入海，最大且駛，而海沙閼塞，久成平陸，民且屋廬、墳墓其上。成化以來，每議開之，輒畏其難而止。弘治中，徐侍郎貫濬之，不能深廣，旋開復塞。以大勢論之，太湖吞納衆水，猶人之腹，白茆、吳淞則尾閭也，陽城、昆承、華亭諸處猶脉絡也，尾閭不泄，腹且膜脹爲病，四支百脉，無不病者。將事之初，横議紛起，或謂水旱天數，非人力可治；或謂治之復塞，徒費且勞；或謂濱海地勢高卬，鑿之，覆引水入内爲患。公皆不聽。不數月，功就。初，白茆自北達於江，河形詰屈，不可復通。乃改就東南，挑平陸，直注諸海，自雙廟至東倉，通一萬七千三百九十二丈，其深一丈五尺，闊三十三丈。白茆上流又開尚湖、昆承、陽城湖，各隘爲塘、爲浜、爲港、爲漊者凡十有九；又於宜興濬古瀆，武進、無錫濬桃花港、龍蕩、九曲城墅河、江陰申港、利港、横市河，皆林君文沛所理也。吳淞江上流頗通利，自夏駕浦至舊江口僅如衣帶，不復容舟。因其舊形，廣之深之。自夏駕浦至龍王廟江口凡六千三百三十六丈，其深一丈二尺，闊十八丈。又於湖州濬大錢、小梅七十二漊；吳江濬長橋一帶，引湖水散澱山等湖；崑山濬趙屯、大盈、道褐等浦。其爲浦、爲港、爲浜尤多，皆顔君如瓌所理也。白茆港口海潮日至，沙泥易閼，則爲石閘一。陽城湖水至斜堰，分流七浦塘，則可少殺白茆之流，又爲堰一。夏駕浦，新洋江吴淞之交，横引江水，斜趨婁江，則吴淞勢弱，不能蕩激，易淀且閼，又爲石閘一。蓋疏宜興、湖州諸閼，水歸太湖無礙，則常之宜興、武進，湖之烏程、歸安，松之華亭，可無水患；濬吴淞、白茆之閼，太湖之水入江海無礙，則蘇之長洲、常熟、崑山可無水患。而吴淞、白茆之役最大，功費尤多。始事於正德十六年十月，嘉靖六年四月訖工。是役也，爲工凡四十萬二千五十三，銀爲兩若干，米爲石若干。

治漕

國家漕河有四，其自上江來者至儀真，下江來者至瓜洲，由廣陵而達淮安爲南河，由黄河而達豐、沛爲中河，由山東而達天津爲北河，由天津而達張家灣爲會通河。工部尚書總其政，而分寄以四司，官賜之璽書，令便宜行事。

行河有八因：因河未泛而北運；因河未凍而南還；因風南北爲運期；因河順流爲運道；因河安則修隄；因河危則塞決；因冬、春則沿隄修治；因夏、秋則據隄防守。守有二：曰官守，曰民守。防有四：曰晝防，曰夜防，曰風防，曰雨防。有三策：夏、秋水發，運艑度河，漕既愆期，河無全算，是謂無策；運艘入閘，國計無虞，黄水齧隄，隨缺隨補，是謂中策；四月方終，舟悉入閘，夏、秋之際，河復安流，是爲上策。閘有三：曰石閘，叢石爲之，有龍門，有雁翅，有龍骨，有燕尾；曰活閘，漕長恐洩，木板爲之，視閘廣狹而多寡焉；曰土閘，閘水出口，與河上下相懸，爲壩留水，以與河接。河隄之法有二：有截水隄，有縷水隄。水之爲性也，專則急，分則緩；而河之爲勢，急則通，緩則閼。縷水之隄，因河勢而束之也，治水者便之；截水之隄，遏河性而阻之也，治水者忌之。築隄有三夫：編設曰徭夫，召募曰募夫，借派曰白夫。有隄無夫與無隄同，有夫無鋪與無夫同。隄以防河，夫以守隄，鋪以居夫，參相得也。行水之法，治有餘，先下流；治不足，先上源。

南旺廟記：尚書宋公禮，同都督周長等，發山東丁夫一十五萬，登、萊二府願趨事赴工之人一萬五千，疏鑿會通河。先是洪武二十四年，河決原武縣黑洋山，由舊曹州兩河口漫過安山湖，而會通河遂淤，自濟寧至臨清三百八十五里，舟楫不通，乃於濟寧迤北至城材等遞運所，凡軍需錢糧之輸北者，悉陸運至德州，凡七百里始入衛河，至是疏鑿之。又塞舊曹州、鄆城兩處河口，濬沙灣至舊州一帶河道。又同刑部左侍郎金純等河南督運水夫開黃河故道，自開封北城起，下達鄆城，至魚臺縣塌場口，入於漕河。又疏山東七十二泉，匯於分水。故永樂九年，太宗降綸音一章，曰：工部、錦衣衛便差四箇官舖馬裏去，都齊到那黃河新開口之處，討兩隻船，從那里看將下來，到舊曹州兩河口分開，一路往會通河那一帶去，一路至穀亭這一帶來，看那兩條河的水勢行得如何，還看那黃河水，比先是那一處漫過安山湖，那一帶去淤塞了河道。若是那原漫過水處隄岸低薄時，就再整得高厚；若不低薄時，罷。將文書去與宋尚書每知道，欽此。則其委任之重，亦可見矣。先是朝廷開河道，不過欲通天下貢賦，未專於漕運也。十年，宋公始議會通河儹運北京。其奏狀曰：永樂十年某月某日，工部尚書宋禮奏，海運糧儲，每年五月太倉開洋，直沽下御，待秋回京，船隻多被損壞，亦有漂失不見下落者，俱用修理補造，分派江西、湖廣、浙江等布政司，并直隸、徽州等府軍衛、有司相兼修造，俱限次年三月終完備，駕赴太倉應用。因限期逼迫，措料不及，不免科斂鈔物，買辦其間，作弊受害者不可勝言。造船者惟顧眼前之急，不慮速成不堅之患。計其所費物料、人工又難細舉，且如造千料海船一隻，須用百人駕使，止運得一千石，若將用過人工物料估計價鈔，可辦二百料河船二十隻，每隻用軍二十名，運糧四千石，以此較之，從便則可。如將鎮江、鳳陽、淮安、揚州四府稅徵糧米定撥七十萬石赴徐州，并兖州府糧三十萬石赴濟寧州交納，差撥近河徐州等衛旗軍一萬名，各委指揮、千百户管領，工部撥與二百料淺船五百隻，一如衛河事例，將前項倉糧從會通河儹運，供給北京。每三年海運二次，使造船者無逼迫之患，駕船者獲堅久之利。以兩河并海運計之，三年可得八百餘萬。十年之間，國有足食之備，民無煩擾之憂。至十二年，遂罷海運。而平江伯亦疏鑿淮陽一帶，南北遂會通矣。至今爲國大利，而宋公之功當爲第一。都督周公、侍郎金公，亦不可不謂之賢勞。厥後，傳謂宋公有微過，朝廷督責之，革其冠帶，止服儒巾治事。其權中微，而平江之功愈彰，故今惟頌平江伯而不及宋公。故邱文莊公嘗過會通河，有感賦詩，曰：清江浦上臨清閘，簫鼓叢祠飲餕餘，幾度會通河上過，更無人語宋尚書。後李文正公各有詩，其意在言表矣。後主事王始請於朝廷，祠祀於分水龍王廟之傍，因併録之，以示來者，知宋公之功不可没也。

元人揭傒斯都水分監記：會通河成之四年，始建都水分監於東阿之景德鎮，掌凡河渠、壩牐之政令，以通朝貢，漕天下實京師。地高平則水疾泄，故爲堨以蓄之，水積則立機引繩，以輓其舟之下上，謂之壩；地下迤則水疾涸，故爲防以節之，水溢則縋起懸版，以通其舟之往來，謂之牐，皆置吏以司其飛輓、啓閉之節，而聽其訟獄焉。雨潦將降，則命積土壤，具畚锸，以備奔軼衝射；水將涸，則發徒以導閼滯，塞崩潰，時而巡河周視，以察其用命不用命而賞罰之，故監之責重以煩焉。

水泉

河臣陳鋭奏：濟寧等處一帶河道，全藉山東徂徠山等處泉源接濟。先年工部差官一員在彼專管。續因減革不用，其泉源止委布政司分守官帶領，巡歷不周；又有分巡事務，未免顧此失彼。是以泉脈不通，阻滯糧運，要行工部照舊差主事一員專理其事。從之。

山東泉源百八十，出濟、兖二府一十六州、縣，新泰、萊蕪、泰安、肥城、東平、平陰、汶上、蒙陰之西，寧陽之北九州、縣之泉，俱入南旺分流，是爲分水派也；泗水、曲阜、滋陽、寧陽迤南四縣之泉，俱入濟寧，是爲天井派也；鄒縣、濟寧、魚臺、嶧縣之西，曲阜之北五州、縣之泉，俱入魯橋，是爲魯橋派也；滕縣諸泉近入獨山、吕孟等湖，以達新河，是爲新河派也；沂水、蒙陰諸泉，與嶧縣許池泉，俱入邳州，是爲邳州派也。皆所以濟漕河也。徐、吕而下，黄河經行，無藉泉矣。

水櫃

夫漕河故資泉水，而地形東高西下，非有湖爲之積瀦則涸，故漕以東皆有水櫃；非有湖爲之宣洩則潰，故漕以西皆有水壑。此先臣宋禮之經畫，蓋殫悉獨到者。今新河實師其意，遇黃流逆奔，則以昭陽湖爲散衍之區；遇山水東突，則以南陽湖爲瀦蓄之地，慮不可謂不周矣。然水有歸壑，隄始無虞。宜大興人卒，由回回墓一帶開通，以達於鴻溝，令谷亭、湖陵之水皆入昭陽湖，又昭陽湖水沿鴻溝以出留城。其湖地退灘者，盡上腴之田，按之可得千頃。令民得種藝其中，計畝出賦，以供河渠之費計，無便於此者。

總河　總漕

舊制，遇有黃河衝決，事體重大，則專勅大臣一員帶工部銜往治之，竣事還京。後連有水患，遂爲定員。其職專管黃河，於曹州駐劄，河南、山東管河副使屬之，管河郎中、洪閘主事舊不屬也。故總河勅諭内云：今特命爾前去總理河道，其黃河北岸長隄，并各該隄岸應修築者，亦要著實用功修築高厚，以爲先事預防之計。如各該地方遇有水患，卽便相度訪究水源，可以開分殺通之路，并可築塞隄防處所，仍嚴督各該官員斟酌事勢緩急，定限工程，分頭用工，作速修理。此原勅也。後增云：近年沛縣迤北漕河屢被黃河衝決，已經差官整理，今特命爾前去總理河道，督率管河、管洪、管泉，管閘郎中、主事，及各該三司軍衛有司、掌印管河兵備等官，時常往來親歷，多方經畫，遇有淤塞去處，務要挑濬深廣。蓋新勅爲黃河衝塞漕河，故有是命，其實專爲黃河也。先年，河道自瓜、儀以至通州，皆屬漕運衙門管理，故其勅自通州至揚州一帶水利，有當蓄洩者，嚴督該管官司，並巡河御史、管河、管洪郎中等官，設法修築疏通，以便糧運，怠職悞事者，一體參奏。凡有便於糧運，利於軍民，悉聽爾便宜處置之命。蓋漕運者，漕則漕河，運則糧運，原是一事，原不應分也。舊制總漕每歲進京會議，往回查看河道。後以巡按奏留不行，遂成故事。自嘉靖元年，都御史俞諫後，更不赴京矣。至二十二年，二洪淺阻，總漕具本盡推之總河，奉旨切責，總河而下，俱戴罪整理。自此，河道、糧運遂岐而爲二矣。

黃河

今之治河與古異。蓋河之故道，自懷慶、大名至瀛、滄入海，彼時無漕河，故議欲就其順下之性，引之東北，而復其故道。今東北有漕，防其衝決矣。古疏之、鑿之，惟欲去其害矣；今則欲資其利。蓋漕舊不藉河，自景泰後始有黃三清七之説。今徐州二洪以下，專用河水矣。所以治之者有疏，有濬，有塞，而疏爲上。蓋河自經汴以來，南分二道：一出汴西滎澤縣，經中牟、陳、潁等州、縣，至壽州入淮；一出汴東祥符縣，經陳留、亳等州、縣，至懷遠縣入淮。其東南一道，自歸德、宿州，經虹縣、睢寧，至宿遷縣出。其東，分新舊五道：一、自長垣、曹、鄆等縣，至陽穀出；一、自曹州雙河口至魚臺縣塌場口出；一、自儀封、歸德等州、縣至徐州小浮橋出；一、由沛縣之南飛雲橋出；一、在徐、沛之中，境山之北，溜溝出。自此新舊分流六道，皆入漕河，而總南入淮。後皆塞，而止存沛縣一道。則所謂合則勢大，而河身又狹，不能容納，所以不得不泛濫横溢。故今治河，不得不因故道而分勢耳。前出陽穀、魚臺二道，恐其決而東北，斷不可開也；其在汴西滎澤孫家渡至壽州一道決，宜常濬以分其上流之勢，不可使壅也；乃若自汴東南源出懷遠、宿遷二道，及正東如徐州小溜溝二道，各宜擇其利便者，開濬一道，以分其下流之勢。此治河之善經也。

李東陽曰：河之爲患，自古有之。治法亦異，蓋有塞，有浚，有疏，而疏之説勝。河決張秋，徐有貞治之。有撓其議者，曰：不能塞，而顧開之耶？使者至徐，出示二壺，一竅、五竅者各一。注而瀉之，則五竅者先涸，使歸而議決。侍郎白昂，治原武之決，舉南兵部郎中婁性同事，築陽武長隄，以防秋漲；引中牟之決以入淮；浚宿州古汴河以達泗，自小河西抵歸德飲馬池，中經符離一帶，皆浚而深廣之。又疏月河十餘，以殺其勢，由是河入汴，汴入睢，睢入泗，泗入淮，以達於海。又以河南入淮非正道，恐不能容，又自魚臺歷德州至大清河及古黄河以入海，河口各作石堰，相水盈縮以時啟閉，疏之效亦明矣哉。

徐有貞治河工成碑：臣聞凡平水土，其要在知天時、地利、人事而已。天時既經，地利既緯，而人事於是乎盡。且夫水之爲性，可順焉以導，不可逆焉以堙。禹之行水，行所無事，用此道也。今或反是，治所以難。蓋河自雍、豫出險固而之夷斥，其水之勢既肆，又由豫而兖，土益疎，水益肆，而沙灣之東所謂大洪之口，適當其衝，於是決焉，而奪濟、汶入海之路以去，諸水從之而洩，隄以潰，渠以淤，澇則溢，旱則涸，此漕途所爲阻者與。然欲驟而堙焉，則不可。故潰者益潰，淤者益淤，而莫之捄也。今欲捄之，請先疏其水。水勢平，乃治其決；決止，乃濬其淤。因爲之防，以時節宣，俾無溢涸之患。必如是，而後有成。制曰：可。臣有貞乃經營焉，作治水之閘，流水之渠，起張秋金堤之首，西南行九里而至濮陽之濼，又九里而至於博陵之陂，又六里而至於壽張之沙河，又八里而至於東西影塘，又十有五里而至於白嶺之灣，又三里而至於李堢（㙜）之涯，由李堢（㙜）而上，又二十里而至於竹口蓮花之池，又三十里而至於大豬之潭，乃踰范暨濮，又上而西，凡數百里，經澶淵以接河、沁。河、沁之水，過則害，微則利，故遏其過而導其微，用平水勢。既成，名其渠曰廣濟，閘曰通源。渠有分合，而閘有上下。凡河流之旁出而不順者，則堰之。堰有九，長袤皆至丈【萬】。九堰既設，其水遂不東衝沙灣，乃更北（時）出以濟漕渠之涸。阿西，鄄東，曹南，鄆北之區，出沮洳而資灌溉者，爲頃百數十萬。行旅既便，居民既安。有貞知事必集，乃參綜古法，擇其善而爲之，加神用焉。既作大堰，其上揵以水門，其下繚以虹（防）隄，堰之崇三十有六尺，其厚什之，長伯之；門之廣三十有六丈，厚倍之；隄之厚如門，崇如堰，而長倍之。架濤截流，柵木絡竹，實之石，而鍵之鐵，蓋合土、木、火、金而一之，用平水性。既乃導汶、泗之源，而出諸山，滙澶、濮之流，而納諸澤，遂濬漕渠，由沙灣而北，至於臨清，凡二百四十里；南至於濟寧，凡二百一十里。復作放水之閘於東昌之龍灣、魏灣，凡八，爲水之度，其盈過丈，則放而洩之，皆通古河以入於海。上制其源，下放其流，既有所節，且有所宣，用平水道。由是水害以除，水利以興。初議者多難其事，至欲棄渠弗治，而由河、沁及海以漕，然卒不可行也。時又有發京軍疏河之議，有貞因奏蠲瀕河州縣之民馬牧等役，而事（專）事河防，以省軍費，便民力。天子從之。

王鏊記劉大夏安平治水碑：景泰四年，河決張秋，故武功伯徐有貞治之，旋復故道。弘治二年，河勢北徙。六年，遂決黄陵岡，潰張秋堤，奪汶水以入海。張秋上下，渺瀰際天，東昌、臨清，河流幾絶。前後績用弗成。上乃命右副都御史劉大夏往涖。時譌言沸騰，謂河不可治，治之祗勞且費；或謂河不必治，宜復前元海運；或謂陸輓雖勞，無虞。上復命太監李興、平江伯陳鋭同往涖之。時夏且半，鋭等聚謀，始於上流開月河，長可三里，軼決口屬之河。於是軸轤相銜，順流畢發，乃始議築黄陵岡之缺。初大梁之北爲沁河，東南流入徐；西爲黄河，流入淮。其後黄河忽溢入沁，合流以北，遂決黄陵岡以及張秋。鋭等議，不治上流，則決口不可塞。於是浚河自孫家渡七十餘里，由陳、穎（潁）以入於淮；又浚河自中牟、扶溝、陳、穎（潁）二十餘里，由宿遷以達於淮；又浚賈魯舊河四十餘里，由曹以出於徐。於時向冬，水且落漕，乃於張秋兩岸東西築臺，立表貫索，綱聯巨艦，穴而窒之，實以土牛。至決口，去窒艦沉，壓以大埽。合且復決，隨決隨築。吏戒丁勵，畚插如雲，連晝夜不息，水乃繇月河以北。決既塞，繚以石堤，隱然如虹。輔以涅柱，森然如星。又於上流作減水壩，又濬南旺湖諸泉源，又堤河三百餘里，漕道復通。役始於六年之夏，其冬告成，用軍、民凡四萬餘人，鐵爲斤一萬九千有奇，竹、木二萬七千，薪爲束六十三萬，芻二百二十萬。事聞。

嘉、隆之季，司空潘季馴一生拮據河干，時謂之勞臣。其言曰：通漕於河，則治河卽以治漕；會河於淮，則治淮卽以治河；合河、淮而同入於海，則治河、淮卽以治海。故竟季馴在事，止以築隄束水，借水攻沙，爲萬全第一義。其經略兩河疏云：臣聞事師古者罔愆，智不鑿者乃大。孟子論智一章，首以禹之治水爲喻。而論爲政則曰：爲政不因先王之道，可謂智乎？是大智者事必師古，而不師古則鑿矣。故治河者，必先求河水自然之性，而後可施其疏築之功；必先求古人已試之效，而後可倣其平成之業。黃水來自崑崙，入徐濟運，歷邳、宿、桃、清至清口，會淮而東入於海。淮水自洛及鳳，歷盱、泗至清口，會河而東入於海。此兩河之故道，卽河水自然之性也。元人歲漕江南之粟，由揚州直北出廟灣入海。至永樂年間，平江伯陳瑄始隄管家諸湖，通淮河爲運道，然慮淮水漲溢東侵淮郡也，故築高家堰隄以捍之。起武家墩，經小大澗，至阜寧湖，而淮水無東侵之患矣。又慮黃河漲溢南侵淮郡也，故隄新城之北以捍之。起清江浦，沿鉢池山、柳浦灣迤東，而黃水無南侵之患矣。尤慮河水自閘衝入，不免泥淤，故嚴啟閉之禁，止許漕艘、鮮船由閘出入，匙鑰掌之都漕，五日發籌一放，而官民船隻悉由五壩車盤。是以淮郡晏然，漕渠永賴。而陳平江之功，至今未斬也。後因剥蝕既久，隄岸漸傾，水從高家堰決入，一郡遂爲魚鼈。而當事者未考其故，乃謂海口壅塞，遂穿支渠以洩之。詎知旁支暫開，水勢陡趨西橋以上，正河遂至淤阻；而新開支河，闊僅二十餘丈，深僅丈許，較之故道，不及三十分之一耳，豈能容受全河之水？下流既壅，上流自潰，此崔鎮諸口所決也。今新開築，復淤塞，故河漸已通流，雖深闊未及原河十分之一，而兩河全下，沙隨水刷，欲其全復河身不難也。河身既復，面闊者七八里，狹者亦不下三四百丈，滔滔東下，何水不容？若猶以爲不足，而欲另尋他所，别開一渠，恐人力不至於此也。以臣等度之，非惟不必另鑿一口，即草灣亦須置之勿濬矣。故爲今之計，惟有修復平江伯之故業，高築南、北兩堤，以斷兩河之内灌，而淮揚昏墊之苦可免。至於塞黄浦口，築寶應隄，濬東關等淺，修五閘，復五壩之工，次第舉之，則淮以南之運道無虞矣。堅塞桃源以下崔鎮口諸決，而全河之水可歸故道。至於兩岸遥隄，或葺舊工，或刱新址，或因高岡，或填窪下，次第舉之，則淮以北之運道無虞矣。淮、黄二河既無旁決，並驅入海，則沙隨水刷，海口自復，而桃、清淺阻，又不足言矣。此以水治水之法也。若夫扒撈挑濬之説，僅可施之於閘河耳。黄河河身廣闊，撈濬何期？悍激湍流，器具難下。前人屢試無功，徒費工料，但恐伏秋水發，淫潦相仍，不免暴漲，致傷兩隄。故欲於磨臍溝、陵城、安娘城等處再築滚水壩三道，萬一水高於壩，任其宣洩，則兩堤可保，而正河亦無淤塞之患矣。徐州以南之工，如此而已。或有難臣者曰：臣等欲順水性，今淮水欲東，而乃挽之使北；黄河欲北，而乃挽之使東，無乃水性之未適乎？臣曰：水以海爲性也，決水，乃過顙，在山之水也，非其性也。或者又曰：昔禹治水，播九河，同爲逆河，入於海。今臣等乃欲塞諸決，并二瀆，而不使之少殺耶？縱有滚水壩，僅去浮面之水百一耳，亦烏能殺其勢也？臣應之曰：九河非禹所鑿，特疏之耳。蓋九河乃黄水必經之地，勢不能避。而禹仍合之，同入於海，其意蓋可思也。況黄河經行之地，惟河南之土最鬆，禹導河入海，止經郟縣、孟津、鞏縣三處，皆隷今之河南一府，其水未必如今之濁。今自河南府之閿鄉縣起，至歸德之虞城縣止，凡五府，河已全經其地，而去禹導河之時復三千餘年。流日久，土日鬆；土愈鬆，水愈濁。故平時之水，以斗計之，沙居其六；一入伏秋，則居其八矣。以二升之水，載八升之沙，非極湍急，必至停滯。故水分則流緩，流緩則沙停，勢所必至者。臣等不暇遠引他證，卽以近事觀之：草灣一開，而西橋故道遂淤；崔鎮一決，而桃、清以下遂澀；去歲水從崔家口，則秦溝遂爲平陸。此眼前事也，又何疑哉？！

萬曆戊戌，河決單之黄堌，運道告堙。乃召劉司空東星往治，於是議開趙渠。趙渠者，起商、虞以下，至於彭城，元時賈魯河故道也。行可二百餘年，至嘉靖末北徙。潘大司空季馴嘗議開之，計費四百萬，遂止。及河決黄堌，稍盪成渠，惟曲里鋪至三仙臺四十里阜陸如故。公因而鐫焉。又起三仙臺屬之小浮橋，開支渠若干里；又濬漕渠，自徐、邳至宿，凡若干里。通費可十萬，諸部吏民若罔聞焉。邵伯、界首二湖，揚之巨浸，游波決漭，風則善溺。渠成，行旅晏然。初議二十萬，比成，費可三萬。時公並議開泇河，未及成，而公卒於濟寧。賴李公化龍排衆議，力任成之。

泇河在滕、嶧之間，受沂、沭之水，南通淮海，漕河一奇道也。隆慶以來，數遣近臣行視，議論莫定。舒司空應龍嘗鑿韓莊，中作而止。劉司空東星主其議，甫動工，而劉司空卒。朝議以可任其事者莫如李公化龍，卽家拜公工部尚書，總督河道。公徧行淮、徐、鳳、泗間，歷覽周咨，得前河臣所開泇河遺跡。喟然曰：是所以避黄河吕梁之險，而措之袵席者也。乃上疏言：開泇河便。卽鳩工濬舊渠八十七里，新創八十二里，於是運艘通行無礙。昔稱過洪，今稱過淮，卽爲已至，迄今賴之。

淮撫李三才疏：昔泇河之役，向來數議，竟成畫餅。談者恐以爲疑，乃臣則以爲其善有六，而其不必疑有二。今之稱治河難者，謂往代止避其害，今且兼資其利。故河由宿遷入運，則徐、邳涸而無以載舟，是以無水難也；河由豐、沛入運，則漕堤壞，而無以過縴，是以有水難也。泇河開而運不借河，有水無水，第任之耳。疏瀹排決，皆無庸矣，善一。黄河者，運河之賊者也，用之一里，則有一里之害；避之一里，則有一里之利。以二百六十里之泇河，避三百三十里之黄河，二洪自險，鎮口自淤，不相關也，善二。河之當治，固不問其濟運與否，而皆不容已者也。顧運借河，則河爲政。河爲政，則河得以困我，當不憚勞費而治之；運不借河，則我爲政。我爲政，則我得以相河，當熟察機宜而治之。夫熟察機宜之與不憚勞費也，其利害較然覩已，善三。先年估全工以三百九十萬，估半工以二百六十萬，卽宋（朱）尚書開新河百四十里，費亦以四十萬也。今直以二十萬開二百六十里，比之全工則二十之一，比之半工則十之一，比之新河亦事半而功倍者也，善四。江之北，山之東，患水極矣。老弱轉乎溝壑，壯者散而之四方矣。召募行而富民不苦於賠，窮民且得以養。春荒而役興，麥熟而人散，以仲淹之隄湖，代汲黯之發倉，此卽國計無裨，猶且爲之，善五。糧艘過洪，約在春盡，蓋畏河漲之爲害耳。運入泇河而安流，逆浪早暮無妨，過洪之禁可弛，參罰之累可免，卽運軍不至於趕幫失事，所全多矣，善六。運不借河，則河防遂疎，恐遂恣横流，而汨鳳、泗也。柰何？夫開封、歸德，上下千里，未聞濟運不兼治河也。彼直爲民禦災而若此矣，何況乎爲陵捍患，其何防之敢疎，無疑者一。徐州，天下咽喉處也，柰何一日而令其索莫荒凉，安在稱重地乎？夫太王遷岐，盤庚遷毫，第審利害，安問重輕。且徐沼於河，直須時耳。徐民安土重遷，聞泇河之役，且剌心隱痛，曰奪其利也。此如蛾赴火，蠅趨錫，大利在前，害不暇顧。一日而洪水暴至，城沼民魚，悔之晚矣。泇河開，而徐城之貿遷化居者必且移之泇口，必且移之沿河上、下，即土著者，利所不在，必且擇高土而居之，即使水能破城，必且爲魚者少，此爲曲突徙薪於徐，而出之罟擭陷穽者也，無疑者二。故泇河之開，無俟再計，而知其可行者也。

總河曹時聘疏：國之大事，莫重於漕。命脉攸關，良非細故。二百餘年，自徐而下，大都以河爲運。邇來遷徙不常，數失其利。非二洪告涸，則諸溜難前。内外臣工，蒿目腐心，莫不以無漕爲慮。幸泇河一線，先該河臣舒應龍創開韓家庄以洩湖水，而路始通。繼該河臣劉東星大開梁城候先莊，以試行運，而路漸廣。比至三十二年，河臣李化龍上開李家巷，鑿郗山石，下開直河口，挑田家莊，殫力經營，行運過半，而路始闢。至三十三年二月内，該臣接管行事，見得改挑經始，運艘將臨，立限嚴催，多方鼓舞，暮春首夏，接踵告完。是年行運者八千二十三隻，比至去冬今春。臣雖躬督大挑，猶不時親詣泇渠，往來料理，建閘平溜，濬淺裁灣，日夜催趲，如期而竣。故今年糧艘七千七百六十五隻盡數渡泇，則泇之可賴，豈不昭昭在人耳目哉？然漕渠成矣，河官未設；閘座建矣，官夫未定；轉輸通矣，置郵未改；萑苻警矣，司捕未立。兼之閘禁未嚴，節宣失度，水利一洩，立覩膠舟。臣故不敢虧一簣之功，廣集衆思，謬畫善後六事，列欵具題。或云：黄已治矣，運可行矣，焉用泇河爲哉？噫！此未覩河患之言也。治黄者去南陽之害也，用泇者避徐、邳之險也，非謂黄治而泇可不用，亦非謂泇通而黄可不治也。二者不相悖，而實相成。則黄流既挽，安得不汲汲然從事於泇，以爲運道久遠計耶？此後過淮糧船，一入直河，别無險阻，臣等自當照數具題，不必襲過洪之舊名也。

駱馬湖運道潰淤，以劉公榮嗣爲總河往治之。公議起宿遷至徐州，别鑿新河，分黄水注其中，以通漕運，計工二百餘里，計工費五十萬。其鑿河處，悉黄河故道，下多宿沙。迨引黄水入其中，波浪迅急，衝沙隨水而下，往往爲淺爲淤，不可以舟。明年，漕舟將至，而駱馬湖之潰決適平，諸舟惟願入泇，不願入新河。劉自往督之，諸舟間有入者，苦於淺澁。於是南科曹景參疏論，被逮，坐贓入獄，父子俱死。按治河之役，鮮有免於吏議者。景泰、弘治間，徐有貞、劉大夏治水張秋，亦困於多口，賴朝廷之明，讒忌弗行，率以底績。後自盛應期而下，或以言去，或以憂死，鮮有全者。至劉榮嗣之禍極矣。後駱馬湖復潰，舟行新河者無不爲劉公稱寃也。有謂劉公置身表表，自爲户部郎時，已負時譽。時閣臣温烏程方興黨論，公之受禍，不僅爲河，更可慨矣。

開膠萊新河

隆慶五年，漕河大決，漕運爲梗，憂國計者始起而議海運。真定梁冢宰夢龍巡撫山東時，用方伯王宗沐之議，疏請行海運。謂元人海運起太倉、嘉定，若自淮安而東，由登、萊泊天津，則原名北海，中多島嶼，可以避風。又其地高而多石，蛟龍有往來而無窟宅，卽舟與米行於其間，標記島嶼以避患，名雖同於元人，利實專於便易，於是海運行。至萬曆元年，高新鄭拱去國，張江陵盡反其所行，户科賈三近奏罷。當日梁公親至海上，籌咨詳密，泊頓有所，風雨有占，造船有法，具載成書，如指掌也。然據其情形，由安東循靈山，歷陳家島，緣岸而來，固可無虞矣。然中段浮牢之險，放舟大洋，入黑水夾、延真、白蓬頭，經成山、沙門，波濤洶湧，未易濟也。所可議惟膠萊一河。梁公曾言不可開，然每詢土人，云：新河自膠州歷昌邑、濰縣，西北出界河只八十里，内六十里海潮日至，其二十里淤塞，舊時閘壩規制見存。萬曆初，濰縣人司空劉應節奉命往勘，亟言可開，以浮言而止。當日議開事宜，其言鑿鑿。崇禎十六年，江右曾櫻爲登撫，疏請開治，未及竣而亂。夫海運關燕都重輕，新河係海運通塞，留心國事者，所亟宜咨訪也。

説者謂分水嶺、馬壕難於開鑿，大沽河、小沽河易於壅沙，復欲自黄埠嶺、雲河口諸所㓠開一道以接之。愚則以爲理舊業有三易焉。夫馬家壕兩崖阻石，舟不可觸，近經削治，海船大行，不煩人力，一易也；二沽衝沙爲害，良不能免，然河越二百年，積沙僅以尺許，冬春水涸，歲加撈刷，何能爲患，二易也；分水嶺地勢誠高，然河底泉水蓄瀦，河旁支流可引，更爲增置閘壩，蓄洩有備，何憂淺閣，三易也。夫治之而果有三易也，則排衆議而舉之可也。

南京工部尚書劉應節爲漕渠可虞，議開新河，以永裨國計疏：抑惟我朝定鼎燕京，勢極西北，一切軍國重需，悉仰給東南。在祖宗時，猶藉海運之利，轉輸萬里，以給邊餉。自會通河開，海運始罷，至使國家萬年之命脉，僅恃一線之咽喉。於是有識之士，謂宜别通海運一路，與漕河並行，以備意外之防。後留遮洋一總者，存此意也，其慮遠矣。矧今黄河不馴，漕渠多故，經理無策，至廑宵旰。萬一河流他徙，轉運不通，彼時倉皇而後爲計，不亦晚乎！近該河道御史傅希摯有見於此，廣求運道，議開泇河，亦思患預防之意。臣等愚陋無知，謬有一得，敢爲我皇上陳之。竊謂海運之所以可慮者，以時有放洋之險，覆溺之危，二者而已。欲去此二患，而坐收轉輸之利，惟山東膠州一河。南自淮子口入海，由齋堂島、鷹遊口入淮，以抵淮、揚。賈客往來，殆無虚日。風順不過五六日之程，亦人所共知也。中間未通者，不過膠州以北，楊家圈以南，計地約有一百五十餘里。其間深溝巨浸，尚居其半，應挑濬之工，不過百里，且平原疏通，土高山長，鑿之革也，畚臿易施，工費不劇，非有甚勞民傷財之患也。往時諸臣建議，蓋屢及之，朝廷亦屢遣重臣往勘之矣。然其累年經營，迄無成效。此其故何歟？勘事者未睹開河之利，過計未形之害；止據見在故河，而未暇别求便道。殆不知故河紆曲，長亘二百六十餘里，歲久積沙，闊至三十餘丈，且一水中分兩海，濬之淺，則潮不通，濬之深，則力難措，水至則必淤沙，高則必崩，於是有人力莫施之議。潮既不通，河復淺阻，於是有引水灌輪之議。既而潮必不通，河不可濬，求諸遠近，又無水可引，於是開河之舉，因而報罷。兹事有因，非當事臣工任事之不力也。臣等之愚，以爲欲開膠河，必通潮水，必捨故河，而尋便道。查得膠州南自淮子口大港頭出海，由州治而西，抵匡家莊約四十里，俱崗溝黄土，宜用挑治；自劉家莊北抵撞頭河、張奴河，至亭閘口三十里，俱黑泥下地，水深數尺，宜用挑濬；自亭閘口歷陶家堐、陳家口、孫店口，至玉皇廟，約六十里，河寬水淺，宜從舊河之旁，另開一渠；玉皇廟至楊家圈二十餘里，水勢漸深，約五六尺，宜量行疏濬；楊家圈以北，則悉通海潮，無煩工程矣。大抵此河以工力計之，宜開創者什五，挑濬者什三，量濬者什二；以地勢論之，宜挑深丈餘者什一，挑深數尺者什九；以水圭測之，高下悉有準；以錐探之，上下皆有石，似的然可開，無復可疑。矧此工一成，凡有數利也。海潮所至，風帆順利，不過半月之程，其利一也；海潮所至，劃然成渠，以後可免剥淺之費，挨幫之守，挑濬之勞，其利二也；循港而行，遇風則止，外無放洋覆溺之患，內避黄河遷徙之虞，其利三也；漕運之粟，率鍾而至石，海運脚費既省，則免支加耗自宜減省，其利四也；吳、越、荆、湖諸省之粟，查照先臣邱濬所載議，一半入海，一半入漕，海既通便，河復迅速，彼或有滯，此尚可來，是兩利俱可圖之，其利五也；海舟一載千石，足載河舟所載之三；海舟十五人，可減河舟用卒之半，退軍還伍，俾國有水戰之備，可制邊海之寇，其利六也；仍查復國初濟邊事例，每年改撥數萬石以濟遼、薊軍餉，亦可省㐫運之費，免招買之苦，其利七也。要之，以萬夫之力，興數月之工，掘地止數十里，所費僅數萬金，審時量力，似無甚難，亦何憚而不爲耶？竊惟膠河之設，事理甚明，若往還會勘，則築室道旁，竟成聚訟；若委用不得其人，則推委避事，又成畫餅。合無免行覆勘，但簡命實心任事大臣一員往督其事，一切河海運道，查照前議，并未盡事宜，悉聽便宜行事。應會議者，會同漕、河撫按諸臣，計議停當而行。則任用既專，膚功可奏。若治無效，願請併治臣等之罪。又查得班軍四枝，除二枝赴邊外，尚有六千在籍操練，一枝屯住膠州，一枝屯住青州。及查卽墨一營，亦爲附近，合於該營，起軍數千，連前班軍，約近一萬之數。然後度地以分工，量工以論日，免其操練，專事工作。仍有月糧之外，每日給銀四五分，以佐其費，而作其氣，庶衆競勸不世之功，將不日可成矣。臣等生長海濱，頗諳水利。身膺水土之寄，目擊漕渠之變，屢差知水人員往覆查勘，至再至三，信膠河之役，似不可已，輒敢冒昧上請。倘蒙聖明允納，勅下該部詳議，速賜施行。不惟相濟漕運，足備他日意外之虞。且兼通海道，無復昔年險遠之慮。國家大計，萬世永賴之功，或在此矣。

又第二疏爲敷陳新河是非利害之辨，以備採擇事：伏念臣至愚極陋，無所知識，頃以運道梗阻，輒不自量，越俎而陳膠河之議。繼因當事諸臣議處未妥，又蒙皇上任使齎勅，前往膠萊地方勘議河工。臣復不自量力，陳膠河可開之狀，期爲我國家求建轉輸之利。詎意衆見不同，流言蠭起，廟堂主持不定，漫然兩可而中止焉。竊惟今之運事，自徐、邳以南，而至淮、揚，溢決淤塞之患，蓋無歲無之矣。顧黄河未至，遽遷運道，尚無大阻。又其時海上多瘟疫之災，國帑乏贏餘之積，新河報罷，孰曰不可。但謂河不必開，可也。若乃歸咎於河，而曰河不可開，則誣甚矣。河形俱在，衆目共睹，非微曖難見之物也；水土之工，即庸衆與知，非有神幻不可測度之事也。是役也，在元人已爲之建閘置壩，故蹟猶存。比因淮子口石砑森立，傷船甚多，遂以罷運。是元人之無成，其患不在開河之難，而在淮子口伏石之險也。我朝嘉靖間，海道副使王憲復舉而行之。其用力次第，不急工於治河，而首務於開山。於是鑿通馬家壕，無復伏石之慮矣。乃南北引潮，舟楫必達，中間未及通者僅三十餘里。而本官不留，以陞遷去任。是王憲之無成，非河之不可盡開，欲盡開之而無及也。臣生長膠萊之間，偏歷河海之上，奉朝廷之簡書，藉國家之全力，目擊可爲之狀，又得任事之人，乃竟不能尋元人已試之跡，收王憲垂成之功，徒爲此河增一誣服之案，且重杜後來任事之心，臣等之罪大矣。夫事苟利國家，死生以之。今河是非不明，臣之心迹彌晦，輒敢不避嫌怨，冒昧再陳，惟陛下少垂察焉。謹按膠萊新河，南北海口相照約三百里，除麻灣口以南直抵淮陽，海倉以北直抵天津，賈客往來，歲無虛日，無容別議外。其壁溝河以北，應該量挑者約一百七十五里，深挑者約五十里，共二百二十五里。其河兩岸之土如膠，一水中流若練，下無流沙，旁無疏土，諺謂銅幫鐵底，殆非虛語。止有沽河積沙一段，約長五里，乘潮入舟，本自無礙。當事者以爲不然，乃議開壁溝河十三里，直接黑龍潭，正以避沽河之沙也。又有白河一道，正當分水嶺之衝，歲久積沙，約長三里。初議水之來處疊壩建閘，足以障之。當事者又以爲不然，乃議創開船路溝七里，正以避白河之沙也。夫河之有沙，猶山之有石也。但問其爲害不爲害，可治不可治而已。今以數百里之河，經千百餘年之久，流沙之積，才有此數，一除可盡，則亦何害於河哉。此南北全河形勢之大較也。夫地有定形，則高下有定準。然而每一丈量，則隨手高下，輒至相懸。臣督同部道諸臣約量地勢，截水爲壩，使壩水自爲平水，與海面相照，乃知由麻灣而北，以至壁溝河口，地面高於海面者才得制尺五尺，由壁溝河以至吳家口地高於海面者約一丈五尺，由吳家口以至分水嶺地高於海面者共約二丈二尺四寸，正與王副使原丈數目相符，止多四寸。過此而崔家口，則漸低五尺四寸，由崔家口而至趙家鋪則漸低一丈五尺，由趙家鋪而至劉家鋪則漸低二丈二尺四寸，又與南海平矣。此以上但對海面而言。臣等先估，謂當視海面仍挑深五尺，使海水流通，是無問潮不潮，常有五尺之水也。再益以潮，是常有丈餘水矣。如此，則引水建閘，皆可弗用，此南北地形高下之大較也。每地一里約三百六十步，每步折制尺五尺，共計一百八十丈。全河應修之地二百二十五里六十六步，以深闊折算，共約四萬五百三十三丈。照依西河規格，每地方廣一丈，深一尺，爲一工，共約五百七十五萬七千四百一十四工，每工給銀四分，共該銀二十三萬二百九十六兩有奇。此修河相沿之通例也。夫約以人夫四萬爲準，每日約工四萬計，一百四十四日，約工五百七十五萬七千四百一十餘工，可以竣事。此又以深於海者言也。若乘潮放船，但以海面爲準，不必更深，可當前工之半。又或括取地方見在班軍、壯快等項，可約萬餘人，每月除原有月糧、工食外，量給鹽菜銀一二分，則所省又十之八九矣。此全河總會工費之大較也。夫河之爲患，惟海潮不通耳。海水既通，潮水繼之，朝夕而生，萬古不爽，非若秋水行潦，盈涸無常之可慮也。是河也，地形中高，幫底既固，稍加隄防，功可經久，非若浮沙疏土，崩決無常之可慮也。由是新河既成，兩河並運，以居常言之，在新河則南北直隸轉輸甚便，可省數月之程，及一切盤剥折耗之費。其在西河，糧數既分，運事自速，亦可以免挨幫之守與積水之艱。以遇變言之，彼或有滯，此尚可來，既可以備漕河改徙之虞，亦可防奸宄意外之患。其在東土，則商販悉通，足資貿易，荒歉有備，不致流移。以之而通運，於邊方則薊之永平，遼之廣寧等處，一水可達，亦可免招買之難，乞運之苦，此新河利害之大較也。要知今日開河之議，雖經由南海一日，北海三五日，沿涯循港，萬無一失，原非元人黑海開洋之比。是役也，係河運，非海運；係疏導，非開鑿；可用海船，亦可用河船，有裨於西河，非欲廢西河也。若茲豈唯宦遊者不能知，即土著者亦未之盡知。況前河係山東撫按揭報，以爲便利，臣奉命往勘，亦多用諸臣之議。中間但稍易其鑿湖引泉之謬，轉爲通潮之策，其稱海口淖沙，查無踪跡，分水嶺視之海面，亦尚高二丈餘，别無異説也。不意臣所措畫，盡成謬妄，流言飛語，傳布兩京，以致通漕大計因而中止。夫西河之告變者屢矣，廟堂岌岌求善後之策亦甚殷矣，萬一黄河改徙，運道艱難，卽有深謀遠慮之士，出而應卒然之變，既將以今之公案爲後之殷鑒，誰能復任天下事哉？伏乞勑下該部，將臣終議與前案並存，庶是非不淆，利害易睹，卽此河今雖不開，後必有開之者矣。

秦中王憲膠萊新河圖説：昔元人海運，自淮安循涯而行，至靈山之東，浮山、勞山之西，有薛島、陳島，石砑林立，横伏海中若橋，號槐子口橋，最險難越。元人避之，故放洋於三黑水，歷成山正東，踰登州東北，又西北抵萊州海倉，然後出直沽以達天津。嘉靖乙未，余巡察山東海道，乃稽閲膠萊郡圖，自薛島之西，有山曰小竺，兩峯夾峙，中有石岡曰馬壕。馬壕之麓，南北皆接海涯，而北卽麻灣，又稍北卽新河，又西北卽海倉、直沽。察其道里，由麻灣以抵海倉，才三百三十；由淮安踰馬壕以抵直沽，才一千五百。若徑於此，可免遶海之險。然元人嘗治此道，遇石而止。今若因地爲工，鑿馬壕以趨麻灣，濬新河以出海倉便。又以馬壕石岡試可鑿，則新河之泥沙可濬。丁酉春，率屬移元人舊鑿之蹟迤西七丈許鑿之。其初，土石相半，下則皆石，又其下則石頑如鐵，錘力難入。乃令火烈具舉，焚以日夜，沃以水潦，久之石爛，且摧化爲灰燼。海波流匯，麻灣以通，渠斯成矣。計其長十有四里，其廣六丈有奇，其深半之。由是江淮之舟達於膠萊，會歲洊饑，弗忍卽役。己亥秋，余召傭濬新河，疏淺決滯，所在水泉溢出，積流成波，深淵不一，爲閘凡九，以時蓄洩。其上各置浮梁以濟渡，建官署以司守，總計淺澁，猶有三十餘里。

崇禎十六年十一月十六日，諭工部：前登撫曾櫻議開膠萊河以通海運，曾否動工？其户部所發及河工銀曾否支用？著卽察奏。昨計臣倪元璐奏：文登開養魚池，爲通漕便道，係賀王盛所議，是否可行？卽著王盛前去詳悉勘明，從長確議，速奏。特諭。

節慎庫

劉清惠公麟奏建庫疏：營繕清吏司案呈，奉本部送准户部咨，嘉靖八年二月二十四日，該司禮監太監張欽傳奉聖旨：朕惟天下財物，不在民則在官，取諸民以貯之官，其取之也甚難，則用之也豈可無節。周易曰：節以制度，不傷財，不害民。孔子曰：節用而愛人。此帝王之明訓也。今在外錢糧，各有撫按等官督理查考，歲奏月報，自可稽察姦弊，在京惟太倉俱有成規，其餘内外衙門各項錢糧，因無官查理，積弊多端。且如後府柴炭銀兩，及團營子粒銀，該營官員收管之際，多方掊剋；比其支用，漫無查考，多有侵盜私用。夫以軍民膏血之餘，而徒爲姦豪漁獵之資，深可痛恨。你户、兵、工三部，卽便通行查議，但係有錢糧衙門，俱要差委科道官監收查理，通行歲報，庶革姦弊，以裕國用。太僕寺常盈庫馬價銀兩，但見奏請支用，其見在收貯之數，不見開報，今後年終，也著將舊管、新收、開除、實在數目，卽造册繳部，具本奏知。其餘未盡事宜，你各部推廣此意，具奏而行，以稱朕節財恤民之意，欽此。欽遵。照得本司與虞衡、都水、屯田共爲四司，正係在官錢糧衙門。本部設立衙門之時，蓋有大庫一座，規制頗宏，但無隔別、會官、監查之例。其庫設在本部之後，有部堂二重，并大牆限隔，別無中正大路前通。加以堂司勢分懸殊，非有重大事情，各司不敢逕入，解官、解户不赴。前庫亦已年久。但有收放，俱是司庫司收；候至開支，亦是司官自放。事雖簡便，浮謗易生。迭迭正官有缺，各官稱疾不肯任事。考察之際，時論偶及，無以自明。皆因無官查理，以至如斯。請官監查，義意最善。但路道不便，相應計處，欲將本部大庫量加修葺，比照户部太倉庫，行移提督侍郎管理，請差御史監查，添設庫官、庫吏，并撥長守之卒，立短巡之法，量設聽事鋪，設限以收放之期，定以查盤之法，按季輪差郎中、員外郎等官一員監管其事，并照舊規輪帶都吏一名知數，及辨驗銀色等因。案呈到部，臣等詳其所議，不爲無見。隨卽差人相度，得本部本庫之北，循鑾駕庫外牆而行，正與東朝房一間相對，查係兵馬司管住。其房年久損漏，可以改爲門道。庫官、庫吏不必增添，本部所屬皮作局，其務甚簡，可以改爲庫官；駕閣庫吏，并匠料典吏，其役不煩，俱可改爲庫吏，原銜原役，各仍其舊。其收受也，每年三、六、九月曉告納户，依期聽收，止令本部行文該司，轉送該庫查收，出給庫收送司；其於支也，該司轉送並同，定以每月一次，或一季一次，俱在每月二十五日爲常。一年既周，舊管、新收、開除、實在，聽本部提督侍郎公同造册具奏。仍一二年一次，隔別委官，查盤積出，附餘報官，作正支銷；其合用籍册、紙張、書造工食，冬季炭斤，并公會筆炭，許於此內公同支取。若有虧折，其原收、原放官員身任其咎。庫門并内外牆門，責委虞衡司掌管，仍赴堂驗封鎖鑰。遇委官到庫，稟堂方開，或責令提督侍郎封收。此法一行，在部掌案者與庫藏無干，而在庫收受者與派徵隔別。一官不到，則鍵鐍不啓；一工不至，則支放不行。本部、本司、本庫明立文簿，一樣三本。司務廳嚴加磨算，務查有巡視典守，親筆書判，方纔准理；分毫不明，聽本部從實察舉。其循牆南北，設立更舖各一，於所屬地方武功中等三衛内選取軍人四名。若輪班不敷，聽於各該廠局看守。又將本部巡更、舊該官吏、監生、匠作均分一半，在彼巡邏。每夜巡風，司官報單具結，以憑查攷。伏候命下之日，量支官銀，以爲工食。行取變賣尼僧庵房以爲聽舍，將東邊朝房一間改爲門道，空缺之處，補築牆垣。官吏行移吏部，照前改設。若有重大工役，銀兩數多，吏人書辦不足，許於本部勘合科内，臨期添撥應用。收放銀料之日，本部行移提督侍郎并管庫委官，都察院行移該城御史查照施行。其關防有未盡事宜，聽臣等臨事損益，另行具奏。如此則利權隔別，彼此綱維，官吏分役，互相覺察，百年往弊，一旦維新，舉部臣工，皆有忍渴迴車之義，亦可以少裨皇上節財恤民之意於萬一矣。奉聖旨：工部四司俱有錢糧出納，前此屬官賢否不一，堂上官又不加嚴切查考，所以浮謗易生。覽卿所奏，欲彼此關防，互相覺察，深得率屬奉公之義。修葺大庫，開通道路，改設官吏等項，都依擬行。仍聽本部侍郎一員督理，就差該城御史監查，務使衙門肅清，浮議永息。若有未盡事情，宜逕自損益施行。應具奏者，具奏定奪，欽此。爲照庫藏既立，當額定名，以垂久遠；官吏既設，當給印信，以防姦弊。且庫既在部堂之後，鑾駕庫之西，則腹背空虛，前議於武功中三衛選取軍人各四名巡守，恐有不敷，相應添取。又照本庫所貯，本以奉國之公。伏讀聖旨，有率屬奉公之諭。欽承德意，似當名曰奉公之庫。若求設庫本意，不宜濫興工作，以節爲本。又於收支之際，不宜横取悖出，以慎爲上，名爲節慎，意義亦通。又惟一庫雖小，而正名訂義，非聖莫裁，乞爲上請，等因。案呈到部，臣等看得本部大庫之名，出於胥吏口傳，未經奏立定名。今既特設官員，收放卷吏隔别，必有關防印信，則庫收可徵。若庫名未降，則印信無憑鑄造。況此庫一歲之間，月無虚日，而出入浩繁，動累千萬。今該司奉呈前來，相應依擬，合候命下之日，將本部大庫賜以定名上請，轉行禮部，照名鑄給印信一顆，付與庫官收掌。仍行武功中等三衛，於餘丁内各選十名前來，與原定軍人相兼防守，如此，則綱維始備，名正法嚴，而姦弊亦永絶矣。

按劉清惠名麟，於嘉靖中疏請立外帑，刷四司財貯之，銓主事一人，偕工科給事及臺臣典出納，上嘉之，賜庫名節慎。公字元瑞，安仁人，在工部，以内璫督造蘇、杭袍服爲非制，争之不得，遂掛冠去。公歸貧甚，布衣芒屩，踽踽行里中。好樓居，力不能搆，文徵明寫神樓圖贈之。

税　科

倪文毅岳曰：舊制天下商賈輻集之處，各設税課司衙門，立法抽税，具有成法。惟南京龍江大勝港，原設抽分竹木局，抽分竹、木、柴、炭等項，有三分取一，有十分取二，有三十分取二者。取之至輕，用之至節。遠近輻輳，上下便益。近年工部奏准於浙江杭州府、湖廣荆州府、直隸蕪湖縣設置抽分衙門，遣差部官管理。不惟地方接連重複抽税，而其人賢否不齊，寬嚴異法，但知增課以逞己能，不恤侵剋以爲民病。甚者器皿貨物不該抽分之物，一概任意勸借留難，所得財物，無可稽考，因而侵漁入己，商賈大困。工部抽分始於成化七年，工書王復請於太平之蕪湖、荆州之沙市、浙江之杭州，遣司屬親往其處抽分竹木，變價解京，以供營繕之用。其初，每歲千兩，後遂增至累萬，朘削不已，大爲商困。言利之臣，貽害如此。

織造

工書徐恪疏：今之南京，并蘇、杭、嘉、湖等府，卽古吳、越之境，租税之出，數倍於他州。而綺、紈、錦、繡之貢，歲有常額。上供六宫之用，下充四裔之賞。近又差内臣往彼織造乘輿服御，所用無幾，而工役科派，所費不貲。近侍勢位尊嚴，府、縣奉承惟恐或後。一應財物，非天降地湧，皆民之膏血也。若不早爲蘇息，誠恐民不堪命，怨讟由之而起，禍福倚伏，不可預測。大禹惡衣，文王卑服，千載之下，猶仰盛德。皇上臨御未久，春秋鼎盛，方當躬行節儉，以身先天下，奈何以服御之故，遠遣内臣，勞東南之赤子乎？伏覩皇上卽位，首頒明詔，特載蘇、杭、嘉、湖等處織造内外人員卽便回京，是以宣布之日，遠近聞之，莫不懽忻鼓舞，以爲聖德之厚，燭知民隱。曾未三載，復此差遣，無乃執事者之過，非皇上之本意也。但愚民無知，罔測所自，未免有爲惠不終之嘆。此微臣所以不避斧鉞，冒昧而言。乞勑該部計議，合無仰遵明詔，俯察下情，仍將差去織造内臣取回；餘剩絲料，發與各府，准作歲造支用。仍令彼處巡撫、巡按咨訪輿情，凡可以輕傜薄税，息民養兵，及防微杜漸之計，悉聽舉行。不作無益，與民更始，庶幾應天以實，而災異可弭矣。

崇禎元年二月，停蘇、杭織造諭：朕自御極以來，孜孜民力艱苦，思與休息。惟是封疆多事，征輸重繁，未遑蘇豁。乃有織造錢糧，雖係上供急需，朕痛念連年加派絡繹，東西水旱頻仍，商困役擾，民不聊生，朕甚憫焉。今將蘇、杭見在織造錢糧上緊成造，著地方官解進。梁棟不必候代，卽著馳驛回京。其改織錢糧，仍入歲造内應用；織造員缺，暫行停止。朕不忍以衣被組繡之工，重困此一方民。稍加軫念，用示寬仁。俟東西底定之日，方行開造，以稱朕敬天恤民至意。

屯田

冬官治土地，故方正學每以周官無司空，非亡之故也，漢儒不察其職，散入他官耳。觀自唐、宋來，司空署有屯田司，其説亦有本。今六卿之職大異周官，而明制屯軍之牛具、農器屬於工部屯田司，則其意自有在。後問其官：所職何事？亦不知矣。

永樂中，令寶源局鑄農器，給山東被兵之民。臣謹按陝西、山西、北直隸邊境，若提督、巡撫、都御史能盡查各邊總兵、總鎮、指揮、千百户名下私役軍作舍餘，退回衛所，各安生理，以力農畝；復設法招聚遊民、遊僧，百家爲里，千家爲堡，耕邊境荒地，仍行此令，以給農器。數年之後，邊地可以盡闢而耕也。天下屯牛二十五萬五千六百六十四隻。宣德以後，各處衛分牛隻數目，俱由五軍都督府照會工部立案備照，倒死者著令買補，孳生者查勘明白，年終依例造册，奏送該府轉行工部知會。

鐵廠

工部奏疏：遵化鐵廠，訪係永樂年間在於砂坡谷開設，後遷松棚谷。正統間，開遷今白冶莊。彼時林木茂盛，柴炭易辦。經今建置一百餘年，山場樹木砍伐盡絶，以致今柴炭價貴。若不設法禁約，十餘年後，價增數倍，軍民愈困，鐵課愈虧。合無行令本廠郎中出給榜文，嚴加禁約，著落各該衛所州縣巡捕官員曉諭地方軍民人等，不許在於應禁山場擅自樵採、開墾、耕種、燒窰、燒灰，違者許本廠郎中捉拿，照例問發。

京東北遵化境有鐵爐，深一丈二尺，廣前二尺五寸，後二尺七寸，左右各一尺六寸。前闢數丈，爲出鐵之所。俱石砌，以簡千石爲門，牛頭石爲心，黑沙爲本，石子爲佐。時時旋下，用炭火置二韛扇之，得鐵日可四次。石子產於水門口，色間紅白，略似桃花，大者如斛，小者如拳，擣而碎之，以投於火，則化而爲水。石心若燥，沙不能下，以此救之，則其沙始銷成鐵。鐵冶西去遵化縣可八十里，又二十里則邊牆矣。羣山連亘不絶，古之松亭關也。生鐵之煉，凡三時而成；熟鐵由生鐵五六煉而成；鋼鐵由熟鐵九煉而成。其爐由微而盛，而衰，最多至九十日，則敗矣。爐有神，則元之爐長康侯也。康當爐四十日而無鐵，懼罪，欲自經。二女勸止之，因投爐而死，衆見其飛騰光焰中，若有龍隨而起者，頃之鐵液成。元封其父爲崇寧侯，二女遂稱金、火二仙姑，至今祀之。其地原有龍潛於爐下，故鐵不成。二女投下，龍驚而起，焚其尾，時有禿龍見焉。

元人王惲，議省罷鐵冶户疏：竊見燕北、燕南通設立鐵冶提舉司大小一十七處，約用煽煉人户三萬有餘，週歲可煽課鐵約一千六百餘萬。自至元十三年復立運司以來，至今官爲支用本貨，每歲約支三五百萬斤。況此時供給邊用，雖所費浩大，尚不能支絶，爲各處本貨積垛數多。其窺利之人，用官司氣力收買，其價不及一半。當時，既是設立提舉司，煽煉本貨，以備支用。除支外，止合存留積垛，以備緩急。今來却行盡數發賣。竊詳此事，虧官損民，深爲未便。漢之濟邊，資於鹽鐵，歷代因之。至明，西鐵不講矣。然國初時，亦有故事可考。按洪武七年，命置鐵冶所官，凡一十三所。江西南昌府進賢冶，歲一百六十三萬斤；臨江府新喻冶、袁州府分宜冶，歲各八十一萬五千斤；湖廣興國冶，歲一百十四萬八千七百八十五斤；蘄州黄梅冶，歲一百二十八萬三千九百九十二斤；山東濟南府萊蕪冶，歲七十二萬斤；廣東廣州府陽山冶，歲七十萬斤；陝西鞏昌冶，歲一十七萬八千二百一十斤；山西平陽府富國、豐國二冶，歲各二十二萬一千斤；太原府大通冶，歲一十二萬斤；潞州潤國冶、澤州益國冶，歲各十萬斤。歲共爲九百五萬二千九百八十七斤。此亦可助邊需一臂，棄置不講，而日税南畝，何也？正統初，嘗諭工部軍器之鐵，止取足於遵化，不必江南收買。後復命虞衡司官主之，則國初諸官冶雖廢，而遵化鐵礦尚足供工部之用也。遵化撫臣欲開鉛礦，竟阻於士紳而止。

磁州臨水鎮，地産鐵，元時置鐵冶都提舉，總轄沙窩等八冶，歲收鐵百餘萬斤。洪武時，廣平府吏王允道欲如元故事，役民萬五千家，太祖以其擾民，杖流之。蓋當時鐵冶十三處，俱以徒罪人犯充炒鐵，不輕役民耳。永樂時，尚酌定煎鹽、炒鐵，分配遠近。後鐵廢，并煎鹽法亦不行矣。

樹植

洪武二十七年，令工部行文書教天下百姓，務要多栽桑棗，每一里種二畝秧。每一百户内，共出人力，挑運柴草燒地，耕過再燒，耕燒三遍下種，待秧高三尺，然後分栽，每五尺闊一壠。每一百户，初年二百株，次年四百株，三年六百株。栽種過數目，造册回奏；違者，全家發雲南金齒充軍。邱濬曰：臣謹按此令，今於陝西、山西、北直隸、山東最宜舉行。京城渠、路及邊境地，宜多種柳樹，可以作薪，以備易州山廠之缺。

易州山廠

志曰：山廠之設，專以燒薪炭，供應内府。宣德五年，置於平山，繼遷沙峪口。景泰年間，移置滿城縣西十里。天順元年，移置州城西北二里許，建部堂於中，環以土城。八府五州分治，以次而列，皆南向。部堂總其綱，府、州、縣佐貳官分理其事。民之執兹役者，歲億萬計，車馬輳集，財貨山積，亦云盛矣。然昔以此州林木蓊鬱，便於燒採；今則數百里内山皆濯濯然。

舉八府五州數十縣之財力，屯聚於兹，而歲供猶或不足。民之膏脂日已告竭，在易尤甚。上不虧國用，而下能甦民困，仁人君子，尚有以念之哉。

皇木

按運圖說：謹按全蜀，古梁、益之地，險厄四塞，獨冠天下。唐杜、李二子形諸咏歌，至稱天以擬之，固以見非人世所宜有也。乃若採取所由，特異内壤，人跡不到，魑魅魍魎之區。其山則有若青岡黑蕩，古嘴磨角，偏脚坎頂，薄刀棺木，殺人剮腦，猿猴菩薩，峻虎陷鬼，蛇退馬鞍之類；其水則有若龍吼魚犇，羊角雞肝，臊虎喂賊，落眉結髮，雷鳴混陣，甕柄剪刀，閻王老虎，帚節鬼門，以至眼號穿錢，路名鬼錯，灘成八害，崖目萬人之類，顧名思義，險實與俱。第不幸而不遇二子，寂寥無聞；其亦幸而未經品題，不拒人於千里。自分終棄之材，猶得以登廟堂之用也，作山川險惡。寒巖冰壑，崎嶇萬狀，攀木緣崖，索橋傴僂，升之則躋於九天之上，降之則入於九地之下，怵目駭心，神魂飛越，作跋踄艱危。嘗聞蚺蛇吞象，三年而出其骨，禽獸偪人，自古爲然，而况深山窮谷，老箐荒林，固有所窟穴哉，作蛇虎縱横。道里之遠，程以千計；夫役之衆，日以百計；供頓之繁，歲以萬計。櫛風沐雨，水陸疲勞，雖雞犬亦有所不寧者，作採運困頓。斷岸千尺，下臨無際，結構重叠，綿亘數里，作飛橋度險。梁棟美材，天地固秘藏之，重以頻年採取之，故所遺無幾。崇岡叠巘，限隔高下，其爲力且百倍於曩時。作懸木弔崖。人日食米一升，一夫負米五斗，往返之期，有七日自給之外，僅足以給二人。萬一變生不測，趨赴少後，緩急將何所濟？作饑餓流離。輕生嗜利，畜虜之常，以逸待勞，以衆暴寡，昏夜乘間，將何所不至哉？作焚刼暴戾。天災流行，世所必有，加以蠻烟瘴雨之所侵淫，飢渴勞瘁之所摇奪，鮮不及矣，作疫癘時行。至若灘高水落，爲力尤難，築堤壅泉，架木飛輓，若轆轤之汲井，然遊移前却，日不能以一里，作天車越澗。波濤泛漲，衝激四出，挽留無計，仰天太息。要之水旱俱病，惟川蜀爲然，作巨浸飄流。上自藩臬，以至若府、州、縣，轉相督責。撫字之心誠勞，而職業固然，不敢怠廢，矧無知犯法，小民之恒性哉，作追呼逮治。山林材木，初不必其皆良，兼之天時人事，參錯不齊，外直而中空者十之八，毁折而遺棄者什之九。僥倖苟且，百纔一二。宿負未償，新逋是急。稱貸不足，繼以田宅；田宅不敷，繼以子女；子女不給，隨以妻妾。夫人孰不欲有宫室之奉夫妻、子母之屬哉。自全之道，固如是也，作鬻賣償官。驗收登記，比次成筏，連筯捩頂，僱募器用之類，種種各備。每筏爲木凡六百有四，爲竹凡四千四百有五，爲銀以兩計者凡百四十有八。公私耗斁，莫可勝記。作驗收我運。自蜀至京，不下萬里。每運爲筏，以二十、三十爲率，每筏運夫四十，每夫日計直十分之五，大約三年，其爲直殆且六萬。要皆生民膏血，日朘月削，其存幾何？父往子來，曾無寧歲，出萬死於一生，作轉輸疲弊。噫！不身膏草野，則葬於江魚之腹，隨其所在，動若陷穽。彼青黄雕刻，木之災也；楩、楠、杞、梓，獨非生民之災乎？夫楩、楠、杞、梓，愛護而保全之，徒以應營建所需之故，而傷陛下赤子，曾楩、楠、杞、梓之所不若，每三復萇楚之詩，爲之於邑。

蜀中採木記：國家以殿闕頻災，興採木之役，則拮据無已時。夫木，非蜀產也，產於邊蜀之夷也。幽險僻絶，人迹不到之地，峥山淵谷之所隔閡也，炎霜古雪之所棲集也，虎豹之所不居也，蛇虺之所窟穴也，飛猱之所望而駭也，山精、木魅之所憑依也，毒烟苦霧之所霾也。如此者，不知幾千百年而後成大木。其上干霄，其圍横畝，雖驅鬼中而發殤宫，亦不能以取之。而以本朝之威命，使脆弱之小民，必欲其得之。前者僵而後屬，寡者熠而衆至。督者設機械，役者忘性命，弗得弗已。以此思之，不必身履其地，而小民艱難愁苦、萬死一生之情狀可知矣。蓋嘉定州守徐學周所著有哀鳴録焉。徐守蓋嘗躬履其地，仰無極之高，臨不測之深，以纍布爲梯，仍以縻其身，而縋之以上下，虞兩崖之觸，則求夷人執之，此亦危苦恐懼之極矣。而兼之瘴癘爲殃，往往隕命。官且若此，而况小民躬斫伐、曳運之勞者乎？徐守所稱六難，殆未足以盡之也，而讀之亦可以斷腸折心矣。嗟乎！均之民也，而蜀之民獨當此至危至苦之役；均之官也，而蜀之官獨以此至危至苦之役毒其民，又必不可以已。天地之有憾，則此其爲甚哉！惟日叮嚀告戒，我有官君子，與於斯役者，千方萬計，凡可以體吾民之情，而恤其辛楚、救其阽危者，畢智殫力以圖之耳。先是余邑少司空楊公和，洪熙元年，奉命採木於蜀，迄今二百餘年，而余再領兹役。採木，非國家所得已也，回禄爲虐，實使吾民戮力委命於夷落之鄉，而余親見之，焦脣乾肺，以爲民求萬有一分之便，因以想見楊公之苦心焉。以不恒有之役，不忍見之苦，而一邑之中，余與楊公再領其事，豈不異哉。夫人臣之誼，不過捐軀爲國耳。然用之伐叛剿逆，則功高而名顯；用之採木，則竹帛不書。人固有幸不幸，楊公賢者也，採木之事久遠，蜀人無知之者，余因爲記，勒石芙蓉閣中，以見余景仰感慨之私，備蜀志焉。

京師神木廠所積大木，皆永樂時物。其中最巨者爲樟扁頭，圍二丈，長卧四丈餘，騎而過其下，高可隱身，風雨震淋，已稍朽矣。永樂四年，工部尚書宋禮取木於蜀，得大木於馬湖府，慮運木爲艱。一夕，木忽自行，聲吼如雷，巨石爲開。事聞，詔封其山爲神木山。事見胡文穆公神木山碑，及曾西墅棨宋公墓誌。

春明夢餘録卷之四十七

工部二

寶源局

寶源局，在城之東石大人衚衕，蓋石亨舊宅也。亨伏誅，宅没入官。嘉靖中，賜仇鸞。鸞敗，復没入官，因改爲鼓鑄公署。虞衡司員外郎監督其事，所屬有寶源局大使。國初鼓鑄之事惟屬工部，至天啓二年，始增寶泉局，其政屬於户部，而工部之所鑄者微矣。

錢自周景王以前，皆漫無文，至南宋廢帝景和元年鑄二銖錢，文曰景和，錢有年號自兹始。然杜祐通典載：宋武帝鑄四銖錢，文曰孝建，則錢有年號又不始於景和矣。至後漢曰漢通元寶，周曰周通元寶，至宋之開寶中所鑄錢文曰宋通元寶，【至】寶[元]中所鑄錢文曰皇宋通寶，皆不用年號。錢始於周太公，然商紀紂厚賦斂，以實鹿臺之錢，則商時已有錢名矣。周錢爲幣，本皆足陌。梁武帝時以鐵錢之故，商賈浸以姦詐自破，嶺以東八十爲百，名曰東錢；江郢以上七十爲百，名曰西錢；京師以九十爲百，名曰長錢。大同元年，詔通行足陌。詔下，而人不從，錢陌益少，至於末年，遂以三十五爲百。唐之盛際，純用足錢。天祐中，以兵亂窮乏，始令以八十五爲百。後唐天成，又減其五；漢乾祐中，王章爲三司使，復減三；皇朝因漢制，其輸官者亦用八十或八十五。然諸州私用，猶有隨俗至於四十八錢。太平興國二年，始詔民間緡錢定以七十七爲百。自是以來，天下承用，公私出納皆然，故名省錢。但數十年來，有所謂頭子錢，每貫五十六，除中都及軍兵俸料外，其餘州縣官民所當得其出者，每百纔得七十一錢四分，其入者每百爲八十二錢四分，元無所謂七十七矣。民間所用，多寡又益不均云。

明初置寶源局，鑄大中通寶錢，與歷代錢兼行，以四百爲一貫，四十爲一兩，四文爲一錢，置官治之。即位以後，鑄洪武通寶錢，當十、當五、當三、折二、若小錢，凡五等。當十錢重一兩，當五重五錢，當三、折二，重如其當之數，而小錢重一錢。六年，禁私鑄。八年，罷寶源局，造大明寶鈔。每鈔一貫，准錢千文，銀一兩。其餘以是爲差，曰一貫、五百文、四百文、三百文、二百文、一百文，凡六等。每鈔四貫，易赤金一兩。禁民間不得以金、銀物貨交易，違者治罪；告發者就以其物給賞。有以金、銀易鈔者聽。凡商税課諸色，錢、鈔兼收，錢十之三，鈔十之七，百文以下則用錢。十年，置各布政司寶泉局，鑄小錢，與鈔兼行。十三年，令在外、在京各置行用庫，令民間鈔貫、伯（百）昏爛者，入庫易换，量收工墨價值。二十三年，令造小錢一十文至五十文，以便民用。每生銅一觔，鑄小錢一百六十，折當二錢八十，當三錢五十四，當五錢三十二，當十錢一十六。二十三年，定錢制：每小錢一文，銅二分；其餘四等錢，依小錢制遞增。二十四年，令諸商税課程，但鈔貫有字可辨真僞者，不問破爛、油污、水跡、紙補，卽與收受。二十六年，罷各布政司寶泉局。其明年，禁行錢，專用鈔。永樂元年，以鈔法不通，令民間有用金、銀交易者，以姦惡論，有能首捕者，以所交易金、銀充賞。五年，令各色税程課程俱准折鈔，以重鈔法。七年，設寶鈔提舉司於北京。八年，鑄永樂通寶錢於天下，而錢復兼鈔矣。宣德、正統中，並重鈔法。至景泰四年，聽民間鈔、錢相兼行使。成化十三年，嚴鑄私錢之禁。十六年，嚴揀錢之禁。但係囫圇錢，卽便行使，勿拘年代遠近。弘治中，民間往往有盜鑄錢，遂有新錢及鉛錫、薄少、低錢、倒好、皮棍等頂（項）名色。於是鑄弘治通寶錢，官吏俸薪並給通寶錢，諸税課衙門一半收洪、永、宣三朝制錢，如無三朝制錢者，折收舊錢二文，以示懲罰。正德七年，令職官折色俸給，十分爲率，一分折錢，九分關銀。嘉靖三年，令民間用好錢，每銀一錢七十文；低錢，每銀一錢者倍之。四年，令收税課每鈔一貫折銀三釐，每錢七【八】文折銀一分。六年，鑄嘉靖通寶錢，每文重一錢三分，與洪武錢相兼行使。隆慶元年，令民間貨鬻值銀一錢以下，止許用錢。國朝制錢，凡歷代舊錢每八文折銀一分，不許任意低昂。四年，鑄隆慶通寶錢成，命户部量放京官折俸。萬曆造金背火漆錢，每六文作銀一分。崇禎末，户部司務蔣臣請行鈔法、錢法，侍郎王鰲永力主之，然卒不能行。

鑄錢則例

洪武間，當十錢一千箇，燻模用油一斤一兩三錢，鑄錢連火耗用生銅六十六斤六兩五錢，炭五十三斤一十五兩二錢；當五錢二千個，燻模用油一斤四兩，鑄錢連火耗用生銅六十六斤六兩五錢，炭五十三斤一十五兩二錢；當三錢三千三百三十三箇，燻模用油一斤一十四兩，鑄錢連火耗用生銅六十五斤九兩二錢五分，炭五十三斤八兩三錢五分；折二錢五千箇，燻模用油二斤五兩五錢，鑄錢連火耗用生銅六十六斤六兩五錢，炭五十三斤一十五兩二錢；小錢一萬箇，燻模用油一斤四兩，鑄錢連火耗用生銅六十六斤六兩五錢，炭五十三斤一十五兩二錢。弘治十八年，題准：每銅一斤，加好錫二兩；銼匠每一名，一日銼當十錢二百五十二箇，當五錢三百二十四個，當三錢四百六十八箇，折二錢六百四十八箇，小錢一千二百六十箇。嘉靖中則例：通寶六百萬文，合用二火黃銅四萬七千二百七十二斤，水錫四千七百二十八斤，炸塊一十四萬五千斤，木炭二萬斤，木柴二千三百五十斤，白麻七百七十斤，明礬七十七斤，松香一千五百六十六斤，牛蹄甲十萬箇，沙礶三千五百二十箇；鑄匠工食，每百文銀三分八釐。萬曆中則例：金背錢一萬文，合用四火黃銅八十五斤八兩六錢一分三釐一毫，水錫五斤一十一兩二錢四分八毫八絲，炸塊二百三十九斤八兩一錢一分六釐七毫，木炭四十五斤六兩二錢四釐四毫，白麻一十一兩六分六釐六毫，松香二斤一十三兩六錢二分四釐四絲，砂礶六箇；鑄匠工食銀三兩六錢五分。火漆錢一萬文，合用二火黃銅斤兩同，牛蹄甲一百八十五箇一分八釐，餘皆同前。凡在外各處鑄錢：北平二十一座，每歲鑄錢一千二百八十三萬四百文；廣西一十五座半，每歲鑄錢九百三萬九千六百文；陜西三十九座半，每歲鑄錢二千三百三萬六千四百文；廣東一十九座半，每歲鑄錢一千一百三十七萬二千四百文；四川一十座，每歲鑄錢五百八十三萬二千文；山東二十二座半，每歲鑄錢一千二百一十二萬二千文；山西四十座，每歲鑄錢二千三百三十二萬八千文；河南二十二座半，每歲鑄錢一千三百一十二萬二千文；浙江二十一座，每歲鑄錢一千一百六十六萬四千文；江西一百一十五座，每歲鑄錢六千七百六萬八千文。

工部條議：鑄錢必用水錫者，以銅性燥烈，非用錫引，則積角不整，字畫不明；倘有四火黄銅，則水錫乃必（不）需之物。近商銅日低，錫似宜裁。前任王員外呈議，以錫易銅歸錢内，蓋欲錢體厚重，期於久遠。惟是錢自有定式，如果合式，則錢自不輕。與其以錫換銅，而以四斤五兩四錢八分之數加重於一萬文之内，不若計銅增錢，而以四斤五兩四錢八分加多於一萬文之外。蓋水錫五斤一十一兩二錢，價銀四錢五分六釐，照價買净銅四斤五兩四錢八分，可鑄錢四百八十三文，如鑄錢十萬，即多四千八百三十文錢矣。積而累之，其數無窮。如此則公家有水錫之費，而亦有水錫之利；爐役無乾没之弊，而亦無冒領之名。若後果有四火黄銅，相應仍用水錫，庶不失立法初意。至於嚴禁低銅，成色不足者，依法重處，尤正本清源第一義也。

萬曆中，給事中郝敬錢法議：錢者，古帝王經國之良法也。天生五金，并爲民利，而金、銀最少，鐵、錫太賤，惟銅爲適中，古今之通幣也。因其自然之利，濬其不竭之源，存乎人與法耳。今海内行錢，惟北地一隅；自大江以南，强半用銀。即北地，惟民間貿易，而官帑出納，仍用銀。則錢之所行無幾耳。舉天下之人，用其最少者，若之何不匱？況逐年九邊之費，往而不返，頃者天府之入，又閉而不出。銀非雨之自天，非湧之自地，非造之自人，奈何不竭？竭而强取則民病，取之不得則國病，必然之勢也。惟銅則不然，二百餘年來，錢法不修，天下廢銅在民間爲供具什器者不知幾千萬億；其産於各處名山者，豪姓大賈負販以擅厚利，又不知幾千萬億。假使盡天下之銅化而爲錢，則盡天下之銅皆可貿銀而歸之太倉，以助司農之急。蓋銅因於山，自然不費；而錢成於人，鑄造無窮。上不動朝廷錙銖，而厚裨於國；下不朘閭閻膏血，而陰厚於民，生財之道，無踰於此。乃格於議論，束手坐視，莫肯决行，是管仲、計然之所揶揄而竊笑也。謹循職掌，條議於後：一曰，責專官。凡錢法不行，以有司不肯收錢，徒責之小民也。所以使有司得操其收不收之權者，由朝無專責之官，以錢法委之有司。不知錢法行，有司之所不便也。欲行錢，宜責成司道官董其事，選委地方廉幹屬官分理，每年差御史一員巡視，以錢法之行滯，注各官之能否。事干錢政，一體糾劾。庶事有責成，不致推諉，底績不難矣。二曰，定規則。凡官吏所以喜收銀，以收銀有加耗、稱頭，支放有那移、侵減，若錢不可期，羡不可隱，銀輕易聚，錢重難携，故百計阻格。今宜先立規制，自某年始，有司徵税，除起運照舊收銀，其餘存留、支放者，銀、錢中半兼收，小民不許一概納銀，有司不許一概收銀。令納户赴各府鑄局换錢回本處州、縣納庫，每紋銀一錢，限换與小民銅錢八十五文；小民納銀一錢者，止徵銅錢八十三文。官給錢與舖户變賣，亦照八十三文；舖户賣與小民，紋銀一錢限八十一文；小民自相交易，止八十文。如此，則民有微息，無不悦從矣。一切上下俸薪並工食，俱銀、錢中半支給。各府、州、縣扣定每歲除半銀若干外，該半錢若干，申詳合於上司，刊入由票，永爲遵守。各衙門贓罰、紙贖，亦銀、錢兼收。或全收銅錢，尤見美意。敢有勒要小民全銀，希圖加耗者，巡按御史參究。三曰，廣鑄局。官不收錢，民無用錢之處，故錢法不行；官既收錢，民無錢可用，法亦不行。或議每省設一鑄局，以一局供數十州縣，不足用也。錢初行須布散周流，多開鑄局，廣募工匠，大府地廣糧多者，一府一局，量州、縣之數，爲爐之多寡。小府錢糧少者，一道設一局可也。工部選寶源局萬、靖新錢，金背平圓光亮者，每省給樣錢二三千文，該布政司轉發各府，依樣鑄造。不必大重，每錢一文，定制官法馬一錢二分爲準。每銅加錫一斤，鑄錢一百三十文有奇。銅、錫驗勘，原解足色下火，不許工匠偷換摻和。字畫邊文，務鑿礲光平，俱以大明通寶四字爲文，以便永行。如式樣歪薄，文理糢糊，比式不合者，監造官初犯戒飭，再犯追賠。鑄造如法者，工匠加賞，仍令轉相教習。其局中一應利弊，聽監造官講求禁緝，因考其能否，三年之後，錢多足用，量議減局。四曰，採礦銅。買銅鑄錢，則所費多。今雲南、陝西、四川、廣東各省有銅礦，爲姦商專擅；或封閉未開，爲土人竊發。宜選廉幹官一員爲錢運使，專理銅課，重其權而久其任，臨洞開採，禁緝私販。各省巡錢御史，按季差委的當職官，給與勘合公文，前去運使衙門關領官銅回省，轉給各府鑄造。其各省支銅，量各礦近便者坐派每歲支銅若干，即以地方銀錢中半兼支之數起例，假如應支銅錢一萬三千三百文，坐派銅一百斤。以錢輕重，準銅之多寡。如礦銅一時採銷不敷，設法權買接濟。其鑄法，每銅一斤和錫數兩，則錢色光潤。宜于該省出錫地方，每歲酌量派徵本色錫若干，解赴錢運司收貯，照數轉給。每給銅一百斤，搭錫若干斤，傾驗足色，交付解官領回。巡錢御史衙門勘驗，轉給錢法道，給散該府。五曰，處工本。起鑄須工本。工本無措，稱法不便者藉口矣。今必不費官帑，但查該府各州、縣額派存留銀兩，先一年十二月預借徵四分之一解府支用，假如一縣存留銀共二千兩，移五百兩解用，候鑄錢成，儘先給還。前銀每兩照例給還算錢八百三十文，通計原銀五百兩，該還銅錢四十一萬五千文，領回兼銀支放，或卽以準小民初一年納錢之數亦可。大約鑄造之費，每銀一兩，可鑄錢一千二百文；銀五百兩，可鑄錢六十萬，而還抵之外，尚餘錢一十八萬五千文，給舖户變賣，可值銀二百二十二兩九錢。此皆以尋常費工本鑄造者論也。若因銅於礦，不勞買辦，止於匠作工食，所費益無幾矣。奉行得人，前銀五百兩可無多費，而更增二百二十兩有奇之息，由五百兩以推至千萬，由一縣推之天下，卽此那借子息，已不下百萬矣。自此以後，惟因自然之利，盡人官之力，有增無減，錢日多于下，利日歸于國，大倉之積，計日可充矣。六曰，鑄大錢。錢法始行，鑄造不行，則有權宜變通之法。古者以大錢爲母權子行，其費少而利多。今宜另開秘局一所鑄大錢，或一當三十，或一當五十，務極精工，不必大重，但以文爲別，曰大明通寶，旁註當三十字樣，與小錢三七或四六兼行。背鑄文曰：私鑄者斬，四隣籍没；告者賞銀一百兩，誣告反坐。蓋利厚，私鑄起禁不得不嚴。先令寶源局鑄樣頒給，各省依式監造，以佐小錢之不給。七曰，算歲息。查每年運司給過某省銅、錫若干，卽依銅一斤鑄錢一百三十文起算，比對本省該年應鑄過銅錢若干；又依銅錢每八十五文賣銀一錢，比算本省額銀一半收錢之數，卽知各局一年該換過銀若干。假如一省該存留支給銀十萬兩，即該一半換錢，計四千二百五十萬文；該領過運司銅、錫三十二萬四千四百九十斤有奇；該變賣過銀五萬兩濟邊，此其大約也。八曰，禁盜鑄。官錢精好，則通行無滯。錢精好，工費多，姦民無厚利，盜鑄自少。盜鑄之錢，自然粗惡，官錢一被混雜，民遂囂然疑阻，錢法之壞多由此。所以從來禁私鑄，非但爲利權不可下移，亦以防阻滯也。今宜嚴爲之禁，但捕獲私鑄真贓者，一文以上皆斬；知而不舉者連坐；出首得實者，賞銀二十兩。九曰，嚴稽算。各局鑄錢，事干軍儲，凡逐年收過銅、錫，鑄過新錢，賣過銀兩，起解過數目，責成監守置籍稽查，勿使工匠朦朧冒破，吏胥那移、侵欺。此一廉幹御史理之有餘矣。十曰，重賞罰。令行禁止，存乎賞罰。信賞必罰，天下無不辦之事；苟且依違，則仍成故套。今國計艱窘，忠藎之士自然曲體，其偷安蒙蔽者，必惡臣言多端，遮飾了事，是今日之痼疾也。宜著爲令：凡各官能疏通錢法，每年鑄錢解銀如額者，超級陞用；貪惰違玩，阻格不行者，聽錢法御史參提重處。當超陞者決然超陞，當參問者決然參問。令出必行，禁出必止，有不沛然四達者乎？十一曰，曉愚民。夫錢本銅也，而以代銀，民用銀久，一旦更易，不能無疑。不肖官吏，乘隙煽惑，則陰壞其法。宜令該部轉行申諭各省，開示各府、州、縣軍民人等，詳曉以朝廷便民、抑貪、省斂之意，勿使姦吏猾胥倡爲浮議，庶閭閻遵信，則令行如水。十二曰，信命令。前此錢法，亦常議行，未幾報罷。今民欲蓄錢，恐一旦中改，則錢之積無用。宜詔諭天下，確然示以必行永久之意，使百姓安心，爲長久計。十三曰，聽販賣。地方商人屯錢販賣，官司往往禁之。蓋因錢少，販多則地方空虛，民不足用。今既廣開鑄局，則錢多，販賣者亦多，流通布散，小民得錢，易於出手，亟宜聽之。十四曰，因民便。各省舊用錢地方多舊錢，或者議禁舊錢，以疏新錢，民未見利，先稱害矣。宜聽新舊兼用。若淮北用鵝眼，雲南用海蚆，隨便兼行。至於原用銀地方，則決然全用新錢。以上十四條，皆據臣職掌，謬陳一得。倘垂採納，未必非軍需之一助也。